W9-CPE-934

Sean mis Discípulos

Be My Disciples

Peter M. Esposito
Presidente/President

Jo Rotunno, MA
Editora/Publisher

Francisco Castillo, DMin
Redactor Principal y Especialista Multicultural
Senior Editor and Multicultural Specialist

Asesores del Programa/Program Advisors
Michael P. Horan, PhD
Elizabeth Nagel, SSD

Edición Bilingüe
Bilingual Edition

NÍHIL ÓBSTAT
Rvdo. Mons. Robert Coerver
Censor Librorum

IMPRIMÁTUR
† Reverendísimo Kevin J. Farrell DD
Obispo de Dallas
22 de agosto de 2011

El *Níhil Óbstat y el Imprimátur* son declaraciones oficiales de que el material revisado no contiene ningún error doctrinal ni moral. Dichas declaraciones no implican que quienes han otorgado el *Níhil Óbstat* y el *Imprimátur* estén de acuerdo con el contenido, las opiniones o los enunciados expresados.

Agradecimientos

Los fragmentos son tomados o adaptados de *La Biblia Latinoamérica* © 1972, Sociedad Bíblica Católica Internacional (SOBICAIN), Madrid, España, y son usados con permiso del propietario del copyright. Todos los derechos reservados. No se permite la reproducción de ninguna parte de *La Biblia Latinoamérica* sin el permiso por escrito del propietario del copyright.

Los fragmentos son tomados o adaptados de la traducción al español del *Misal Romano* (14.ª Edición), ©2005, Obra Nacional de la Buena Prensa, A.C. México, D.F. Todos los derechos reservados. No se permite la reproducción de ninguna parte del *Misal Romano* sin el permiso por escrito del propietario del copyright.

Los fragmentos son tomados o adaptados de la traducción al español del *Catecismo de la Iglesia Católica: Modificaciones basadas en la Editio Typica*, segunda edición, © 1997, United States Catholic Conference, Inc.– Liberia Editrice Vaticana. Todos los derechos reservados. No se permite la reproducción de ninguna parte del *Catecismo de la Iglesia Católica* sin el permiso por escrito del propietario del copyright.

Los fragmentos y adaptaciones de las oraciones fueron tomados de la traducción al español del libro *Compendio: Catecismo de la Iglesia Católica*, © 2006, United States Conference of Catholic Bishops, Washington, D.C.– Liberia Editrice Vaticana. Todos los derechos reservados. No se permite la reproducción o transmisión de ninguna parte de *Compendio: Catecismo de la Iglesia Católica* por ningún método, ya sea electrónico o mecánico, incluyendo fotocopiado, grabado o cualquier sistema de recuperación y almacenamiento de información, sin el permiso por escrito del propietario del copyright.

Teléfono gratuito	877-275-4725
Fax	800-688-8356

Visítenos en RCLBenziger.com
y seanmisdiscipulos.com

601612 ISBN 978-0-7829-1612-6 (Libro del estudiante)
601669 ISBN 978-0-7829-1669-0 (Guía del catequista)

4.ª edición

Julio, 2017

The Subcommittee on the Catechism, United States Conference of Catholic Bishops, has found this catechetical series, copyright 2014, to be in conformity with the Catechism of the Catholic Church.

NIHIL OBSTAT
Rev. Msgr. Robert Coerver
Censor Librorum

IMPRIMATUR
† Most Reverend Kevin J. Farrell DD
Bishop of Dallas
August 22, 2011

The *Nihil Obstat and Imprimatur* are official declarations that the material reviewed is free of doctrinal or moral error. No implication is contained therein that those granting the *Nihil Obstat and Imprimatur* agree with the contents, opinions, or statements expressed.

Acknowledgements

Excerpts are taken and adapted from the *New American Bible* with Revised New Testament and Revised Psalms, © 1991, 1986, 1970, Confraternity of Christian Doctrine, Washington, D.C., and are used by permission of the copyright owner. All Rights Reserved. No part of the *New American Bible* may be reproduced in any form without permission in writing from the copyright owner.

Excerpts are taken and adapted from the English translation of the *Roman Missal*, © 2010, International Commission on English in the Liturgy, Inc. (ICEL). All rights reserved. No part of the *Roman Missal* may be reproduced in any form without permission in writing from the copyright owner.

Excerpts are taken and adapted from the English translation of the *Catechism of the Catholic Church* for use in the United States of America, second edition, © 1997, United States Catholic Conference, Inc.- Liberia Editrice Vaticana. All rights reserved. No part of the *Catechism of the Catholic Church* may be reproduced in any form without permission in writing from the copyright owner.

Excerpts and adaptations of prayers were taken from the book of *Catholic Household Blessings & Prayers*, © 2007, United States Conference of Catholic Bishops, Washington, D.C. All rights reserved. No part of the book of *Catholic Household Blessings & Prayers* may be reproduced or transmitted in any form or by any means, electronic or mechanical, including photocopying, recording, or by any information storage and retrieval system, without permission in writing from the copyright holder.

Toll Free   877-275-4725
Fax   800-688-8356

Visit us at RCLBenziger.com
and BeMyDisciples.com

601612 ISBN 978-0-7829-1612-6 (Student Edition)
601669 ISBN 978-0-7829-1669-0 (Catechist Edition)

4th Printing
July 2017

Contenido

Bienvenidos a Sean mis Discípulos . . 10

UNIDAD 1

Creemos, Parte Uno 16

CAPÍTULO 1 La Palabra de Dios para nosotros 20

CONCEPTOS DE FE: Sagrada Escritura, el Antiguo Testamento, el Nuevo Testamento, *veracidad*
LA ESCRITURA: Génesis 1:1–3; Éxodo 3:14, 19:8; Mateo 5:14–16; Marcos 1:16–18
PERSONAS DE FE: Los israelitas
ORACIÓN: Señal de la Cruz (gestos)

CAPÍTULO 2 YO SERÉ TU DIOS 36

CONCEPTOS DE FE: los Credos, Revelación Divina, Jesús es verdadero Dios y verdadero hombre, *fe*
LA ESCRITURA: Éxodo 6:6–7, Juan 20:24–29
PERSONAS DE FE: Santo Tomás Apóstol
ORACIÓN: El Credo

CAPÍTULO 3 El Misterio de Dios 52

CONCEPTOS DE FE: La Santísima Trinidad, Creador, Jesús revela al Padre Todopoderoso, *confianza*
LA ESCRITURA: Génesis 1:27; 2.º Samuel 7:28; Salmo 8:2, 5–7; 148:1, 3, 11, 13; Mateo 6:26, 28, 30
PERSONAS DE FE: Juliana de Norwich
ORACIÓN: Salmo 8

CAPÍTULO 4 La promesa de Dios 68

CONCEPTOS DE FE: Pecado Original, Mesías, Consejero Admirable, Dios Fuerte, Príncipe de la Paz, *esperanza*
LA ESCRITURA: Isaías 9:1–5; Marcos 1:7–8
PERSONAS DE FE: el Profeta Isaías
ORACIÓN: Oración de alabanza

DEVOCIONES POPULARES   MÉXICO:
EL DÍA DE LOS MUERTOS 88

UNIDAD 2

Creemos, Parte Dos 90

CAPÍTULO 5 El Hijo de Dios 94

CONCEPTOS DE FE: Hijo de Dios, Encarnación, ministerio público de Jesús, *caridad*
LA ESCRITURA: Mateo 1:21; 9:27–31; Lucas 1:35, 4:18–19; Juan 10:14–15; Efesios 5:1, 8–10
PERSONAS DE FE: Santos patronos
ORACIÓN: Credo de Nicea

CAPÍTULO 6 La Muerte y Resurrección de Jesús . 110

CONCEPTOS DE FE: la Última Cena, la Pascua judía, el juicio y Crucifixión de Jesús, Muerte, Resurrección, Ascensión, *valor*
LA ESCRITURA: Mateo 28:2–6; Marcos 10:33–34; Lucas 23:21, 34, 46;
PERSONAS DE FE: Las discípulas de Jesús
ORACIÓN: Adoración de la Cruz

CAPÍTULO 7 Reciban al Espíritu Santo 126

CONCEPTOS DE FE: el Espíritu Santo, Pentecostés, Intérprete, obra del Espíritu Santo, *sabiduría*
LA ESCRITURA: Juan 14:26–27; Hechos 2:1–4; 2:38
PERSONAS DE FE: San Pedro Apóstol
ORACIÓN: Ven, Espíritu Santo

CAPÍTULO 8 EL PUEBLO DE DIOS 142

CONCEPTOS DE FE: Cuerpo de Cristo, Pueblo de Dios, Reino de Dios, *entendimiento*
LA ESCRITURA: Salmo 100:3; Mateo 13:44; 28:20; 1.ª Pedro 2:9
PERSONAS DE FE: Los Apóstoles
ORACIÓN: ¡Venga a nosotros tu reino!

DEVOCIONES POPULARES   MÉXICO:
NUESTRA SEÑORA DE GUADALUPE 162

Contents

Welcome 11

UNIT 1

We Believe, Part One 17

CHAPTER 1 God's Word to Us 21

FAITH CONCEPTS: Sacred Scripture, the Old Testament, the New Testament, *truthfulness*
SCRIPTURE: Genesis 1:1–3; Exodus 3:14, 19:8; Matthew 5:14–16; Mark 1:16–18
FAITH-FILLED PEOPLE: The Israelites
PRAYER: Sign of the Cross (gesture)

CHAPTER 2 I Will Be Your God 37

FAITH CONCEPTS: the Creeds, Divine Revelation, Jesus is true God and true man, *faith*
SCRIPTURE: Exodus 6:6–7; John 20:24–29
FAITH-FILLED PEOPLE: Saint Thomas the Apostle
PRAYER: The Creed

CHAPTER 3 The Mystery of God 53

FAITH CONCEPTS: The Holy Trinity, Creator, Jesus reveals the Father Almighty, *trust*
SCRIPTURE: Genesis 1:27; 2 Samuel 7:28; Psalm 8:2, 5–7; 148:1, 3, 11, 13; Matthew 6:26, 28, 30
FAITH-FILLED PEOPLE: Julian of Norwich
PRAYER: Psalm 8

CHAPTER 4 God's Promise 69

FAITH CONCEPTS: Original Sin, Messiah, Wonder-Counselor, God-hero, Prince of Peace, *hope*
SCRIPTURE: Isaiah 9:1–5; Mark 1:7–8
FAITH-FILLED PEOPLE: Isaiah the Prophet
PRAYER: Prayer of praise

POPULAR DEVOTIONS MEXICO:
THE DAY OF THE DEAD 89

UNIT 2

We Believe, Part Two 91

CHAPTER 5 The Son of God 95

FAITH CONCEPTS: Son of God, Incarnation, Jesus' public ministry, *love*
SCRIPTURE: Matthew 1:21; 9:27–31; Luke 1:35, 4:18–19; John 10:14–15; Ephesians 5:1, 8–10
FAITH-FILLED PEOPLE: Patron Saints
PRAYER: Nicene Creed

CHAPTER 6 The Death and Resurrection of Jesus . . . 111

FAITH CONCEPTS: the Last Supper, the Passover, Jesus' trial and Crucifixion, Death, Resurrection, Ascension, *courage*
SCRIPTURE: Matthew 28:2–6; Mark 10:33–34; Luke 23:21, 34, 46
FAITH-FILLED PEOPLE: Women Disciples of Jesus
PRAYER: Adoration of the Cross

CHAPTER 7 Receive the Holy Spirit . . 127

FAITH CONCEPTS: the Holy Spirit, Pentecost, Advocate, work of the Holy Spirit, *wisdom*
SCRIPTURE: John 14:26–27; Acts 2:1–4; 2:38
FAITH-FILLED PEOPLE: Saint Peter the Apostle
PRAYER: Come, Holy Spirit

CHAPTER 8 The People of God 143

FAITH CONCEPTS: Body of Christ, People of God, Kingdom of God, *understanding*
SCRIPTURE: Psalm 100:3; Matthew 13:44; 28:20; 1 Peter 2:9
FAITH-FILLED PEOPLE: The Apostles
PRAYER: Thy Kingdom Come!

POPULAR DEVOTIONS MEXICO:
OUR LADY OF GUADALUPE 163

UNIDAD 3

Celebramos, Parte Uno **164**

CAPÍTULO 9 Pueblo de oración **168**

CONCEPTOS DE FE: oración, la liturgia, los credos de la Iglesia, *admiración y veneración*
LA ESCRITURA: Salmo 54:4; 1.ª Tesalonicenses 5:14–19
PERSONAS DE FE: Benedictinos
ORACIÓN: El Ave María

CAPÍTULO 10 Celebrar el amor de Dios **184**

CONCEPTOS DE FE: El año litúrgico, Misterio Pascual, Triduo Pascual, *piedad*
LA ESCRITURA: Salmo 66:1–4; 111:1, 2; Marcos 1:3; Hechos 2:42, 46–47
PERSONAS DE FE: San Juan Apóstol
ORACIÓN: Santo, Santo, es el Señor

CAPÍTULO 11 Participar en la vida y la obra de Cristo **200**

CONCEPTOS DE FE: los Sacramentos de la Iniciación Cristiana, Bautismo, Confirmación, Eucaristía, *ciencia*
LA ESCRITURA: Juan 4:14; 1.ª Corintios 12:27
PERSONAS DE FE: Santa Kateri Tekakwitha
ORACIÓN: Oración de unción

CAPÍTULO 12 Responder al llamado de Dios **216**

CONCEPTOS DE FE: Llamado de Samuel, llamado del Bautismo, vocación, *gozo*
LA ESCRITURA: 1.º Samuel 3:8–10; Mateo 28:19; Hechos 2:1–4, 36
PERSONAS DE FE: San Juan Bosco
ORACIÓN: Oración de meditación

DEVOCIONES POPULARES Colombia: El Divino Niño Jesús **236**

UNIDAD 4

Celebramos, Parte Dos **238**

CAPÍTULO 13 Jesús nos alimenta **242**

CONCEPTOS DE FE: Divina Providencia, maná, Pan de Vida, Eucaristía, *longanimidad*

LA ESCRITURA: Éxodo 16:4, 13–15; Lucas 9:11–13, 16–17, 22:19; Juan 6:56, 58
PERSONAS DE FE: Venerable Solanus Casey
ORACIÓN: Letanía

CAPÍTULO 14 Jesús perdona **258**

CONCEPTOS DE FE: los Sacramentos de Curación, pecado, el Sacramento de la Penitancia y la Reconciliación, *perdón*
LA ESCRITURA: Mateo 9:1–8; 18:21–22; 18:35; Marcos 11:25; Lucas 6:37
PERSONAS DE FE: Óscar Romero
ORACIÓN: Oración del Penitente

CAPÍTULO 15 Jesús cura a los enfermos **274**

CONCEPTOS DE FE: el Sacramento de la Unción de los Enfermos, sufrimiento, óleo de los enfermos, *compasión*
LA ESCRITURA: Salmo 5:2; Lucas 4:38–39; 8:40–55; Santiago 5:14–15
PERSONAS DE FE: San Juan de Dios
ORACIÓN: Oración de intercesión

CAPÍTULO 16 Signos del amor de Dios **290**

CONCEPTOS DE FE: Los Sacramentos al Servicio de la Comunidad, Orden Sagrado, Matrimonio, *santidad*
LA ESCRITURA: Mateo 3:13–14; Lucas 10:1–2; Juan 15:5, 6, 8, 9, 12
PERSONAS DE FE: El Papa
ORACIÓN: Oración por las vocaciones

DEVOCIONES POPULARES
SEMANA SANTA EN GUATEMALA **310**

UNIDAD 5

Vivimos, Parte Uno **312**

CAPÍTULO 17 Creados a imagen de Dios **316**

CONCEPTOS DE FE: cuerpo y alma, dones del intelecto y libre albedrío, santidad, *prudencia*
LA ESCRITURA: Génesis 1:27; Salmo 119:73; Marcos 12:30–31
PERSONAS DE FE: San Pablo
ORACIÓN: Oración de San Agustín

UNIT 3

We Worship, Part One 165

CHAPTER 9 People of Prayer 169
FAITH CONCEPTS: prayer, the liturgy, the creeds of the Church, *wonder and awe*
SCRIPTURE: Psalm 54:4; 1 Thessalonians 5:14–19
FAITH-FILLED PEOPLE: Benedictines
PRAYER: The Hail Mary

CHAPTER 10 Celebrating God's Love 185
FAITH CONCEPTS: the liturgical year, Paschal Mystery, Easter Triduum, *piety*
SCRIPTURE: Psalm 66:1–4; 111:1, 2; Mark 1:3; Acts 1:42, 46–47
FAITH-FILLED PEOPLE: Saint John the Apostle
PRAYER: Holy, Holy, Holy Lord

CHAPTER 11 Sharing in Christ's Life and Work 201
FAITH CONCEPTS: the Sacraments of Christian Initiation, Baptism, Confirmation, Eucharist, *knowledge*
SCRIPTURE: John 4:14; 1 Corinthians 12:27
FAITH-FILLED PEOPLE: Saint Kateri Tekakwitha
PRAYER: Anointing prayer

CHAPTER 12 Responding to God's Call 217
FAITH CONCEPTS: Calling of Samuel, Baptismal calling, vocation, *joy*
SCRIPTURE: 1 Samuel 3:8–10; Matthew 28:19; Acts 2:1–4, 36
FAITH-FILLED PEOPLE: Saint John Bosco
PRAYER: Meditation prayer

POPULAR DEVOTIONS Colombia: The Divine Child Jesus 237

UNIT 4

We Worship, Part Two 239

CHAPTER 13 Jesus Feeds Us 243
FAITH CONCEPTS: Divine Providence, manna, Bread of Life, Eucharist, *kindness*

SCRIPTURE: Exodus 16:4, 13–15; Luke 9:11–13, 16–17, 22:19; John 6:56, 58
FAITH-FILLED PEOPLE: Venerable Solanus Casey
PRAYER: Litany

CHAPTER 14 Jesus Forgives 259
FAITH CONCEPTS: the Sacraments of Healing, sin, the Sacrament of Penance and Reconciliation, *forgiveness*
SCRIPTURE: Matthew 9:1–8; 18:21–22; 18:35; Mark 11:25; Luke 6:37
FAITH-FILLED PEOPLE: Óscar Romero
PRAYER: Act of Contrition

CHAPTER 15 Jesus Heals the Sick 275
FAITH CONCEPTS: the Sacrament of the Anointing of the Sick, suffering, Oil of the Sick, *compassion*
SCRIPTURE: Psalm 5:2; Luke 4:38–39; 8:40–55; James 5:14–15
FAITH-FILLED PEOPLE: Saint John of God
PRAYER: Prayer of Intercession

CHAPTER 16 Signs of God's Love 291
FAITH CONCEPTS: The Sacraments at the Service of Communion, Holy Orders, Matrimony, *holiness*
SCRIPTURE: Mark 3:13–14; Luke 10:1–2; John 15:5; 6, 8, 9; 12
FAITH-FILLED PEOPLE: The Pope
PRAYER: Prayer for Vocations

POPULAR DEVOTIONS
HOLY WEEK IN GUATEMALA 311

UNIT 5

We Live, Part One 313

CHAPTER 17 Created in God's Image 317
FAITH CONCEPTS: body and soul, gifts of intellect and free will, holiness, *prudence*
SCRIPTURE: Genesis 1:27; Psalm 119:73; Mark 12:30–31
FAITH-FILLED PEOPLE: Saint Paul
PRAYER: Prayer of Saint Augustine

Capítulo 18 Las Bienaventuranzas . 332

Conceptos de fe: bendiciones, las Bienaventuranzas, *benignidad*
La Escritura: Proverbios 14:21, 16:20; Mateo 5:3-10, 16:19-21
Personas de fe: Santa Luisa de Marillac
Oración: Rezar las Bienaventuranzas

Capítulo 19 Vivir una vida santa . . 348

Conceptos de fe: conciencia, pecado mortal, pecado venial, gracia santificante, *justicia*
La Escritura: Salmo 119:97-99, 105
Personas de fe: Santo Tomás Moro
Oración: Examen de conciencia

Capítulo 20 Vivir la Alianza de Dios 364

Conceptos de fe: Alianza, el pueblo hebreo, los Diez Mandamientos, *fortaleza*
La Escritura: Éxodo 19:8-20, 20:1; Salmo 119:1-3; Mateo 5:19
Personas de fe: San Carlos Lwanga y sus compañeros
Oración: Oración de meditación

Devociones populares Colombia:
El Señor Caído de Monserrate 384

Unidad 6

Vivimos, Parte Dos 386

Capítulo 21 Amen a Dios con todo su corazón 390

Conceptos de fe: Primero, Segundo y Tercer Mandamiento, *diligencia*
La Escritura: Éxodo 20:2-3, 7-8; Deuteronomio 6:4; Mateo 22:34-38
Personas de fe: Profetas del Antiguo Testamento
Oración: Las alabanzas divinas

Capítulo 22 Ama a tu prójimo como a ti mismo 406

Conceptos de fe: Cuarto, Quinto, Sexto y Noveno Mandamiento, *respeto*
La Escritura: Éxodo 20:12, 13, 14, 17; Mateo 22:39-40
Personas de fe: Hermana Helen Prejean
Oración: Oración por todas las personas

Capítulo 23 Ámense unos a otros . 422

Conceptos de fe: Séptimo, Octavo y Décimo Mandamiento, *misericordia*
La Escritura: Éxodo 20:15-17; Lucas 12:32-34; Juan 15:12
Personas de fe: San Esteban Diácono
Oración: Señas de misericordia

Capítulo 24 La oración de los Discípulos 438

Conceptos de fe: rabino, Jesús nos enseña a rezar, la Oración del Señor, *caridad*
La Escritura: Lucas 11:1-4
Personas de fe: Marta y María
Oración: El Padre Nuestro

Devociones populares Perú:
Santa Rosa de Lima 458

Celebramos el año eclesiástico . . 460

Todos los Santos 464
El Adviento 468
La Inmaculada Concepción 472
Nuestra Señora de Guadalupe 476
Navidad 480
Solemnidad de María 484
Epifanía 488
Miércoles de Ceniza 492
La Cuaresma 496
Domingo de Ramos 500
Jueves Santo 504
Viernes Santo 508
Pascua 512
Ascensión 516
Pentecostés 520

Oraciones y prácticas católicas . . 524
Celebramos la Misa 540
Enseñanzas clave de la Iglesia . . . 554
Glosario 570
Índice 578
Créditos 582

Chapter 18 The Beatitudes 333

Faith Concepts: blessedness, the Beatitudes, *generosity*
Scripture: Proverbs 14:21, 16:20; Matthew 5:3–10, 16:19–21
Faith-Filled People: Saint Louise de Marillac
Prayer: Praying the Beatitudes

Chapter 19 Living a Holy Life 349

Faith Concepts: conscience, mortal sin, venial sin, sanctifying grace, *justice*
Scripture: Psalm 119:97–99, 105
Faith-Filled People: Saint Thomas More
Prayer: Examination of Conscience

Chapter 20 Living God's Covenant 365

Faith Concepts: Covenant, the Hebrew people, the Ten Commandments, *fortitude*
Scripture: Exodus 19:8–20, 20:1; Psalm 119:1–3; Matthew 5:19
Faith-Filled People: Saint Charles Lwanga and Companions
Prayer: Meditation prayer

Popular Devotions Colombia:
The Fallen Lord of Monserrate 385

Unit 6

We Live, Part Two 387

Chapter 21 Love God with All Your Heart 391

Faith Concepts: First, Second, and Third Commandments, *diligence*
Scripture: Exodus 20:2–3, 7–8; Deuteronomy 6:4; Matthew 22:34–38
Faith-Filled People: Old Testament Prophets
Prayer: The Divine Praises

Chapter 22 Love Your Neighbor as Yourself 407

Faith Concepts: Fourth, Fifth, Sixth, and Ninth Commandments, *respect*
Scripture: Exodus 20:12, 13, 14, 17; Matthew 22:39–40
Faith-Filled People: Sister Helen Prejean
Prayer: Prayer for All People

Chapter 23 Love One Another 423

Faith Concepts: Seventh, Eighth, and Tenth Commandments, *mercy*
Scripture: Exodus 20:15–17; Luke 12:32–34; John 15:12
Faith-Filled People: Saint Stephen the Deacon
Prayer: Signs of Mercy

Chapter 24 The Prayer of Disciples 439

Faith Concepts: rabbi, Jesus teaches us to pray, the Lord's Prayer, *charity*
Scripture: Luke 11:1–4
Faith-Filled People: Martha and Mary
Prayer: The Our Father

Popular Devotions Perú:
Saint Rose of Lima 459

We Celebrate the Church Year 461

All Saints 465
Advent 469
Immaculate Conception 473
Our Lady of Guadalupe 477
Christmas 481
Solemnity of Mary 485
Epiphany 489
Ash Wednesday 493
Lent 497
Palm Sunday 501
Holy Thursday 505
Good Friday 509
Easter 513
Ascension 517
Pentecost 521

Catholic Prayers and Practices . . . 525
We Celebrate the Mass 541
Key Teachings of the Church 555
Glossary 574
Index 580
Credits 583

Bienvenidos a
Sean mis
Discípulos

Una instantánea de mí

Mi nombre es _____.

Mi héroe es _____.

Mi relato de la Biblia preferido es _____.

Mi libro preferido es _____.

Hacer buenas elecciones

Usamos el don de nuestra mente para descubrir buenas elecciones. Este año aprenderás cuatro maneras en que la Iglesia nos ayuda. Aprenderás:

- lo que los católicos creen sobre nuestra relación con Dios.
- cómo nos ayudan los Sacramentos a celebrar nuestras buenas elecciones.
- las reglas que nos guían para tomar buenas decisiones.
- maneras de rezar cuando necesitamos la ayuda y la guía de Dios.

¡Resuélvelo!

Sigue este camino para hacer buenas elecciones. En cada parada del camino, descubre una manera en la que Dios nos ayuda a tomar una decisión correcta. Una pista en cada recuadro te ayudará a saber la respuesta. Ordena las letras y escribe la respuesta. Sigue el camino hasta el siguiente recuadro.

Unidad 1: Creemos, Parte Uno

Dios es el verdadero autor de esto. El Espíritu Santo inspiró a los escritores humanos de la Biblia a escribir la Palabra de Dios para su pueblo. Ordena las palabras y luego comprueba tu respuesta en la página 24. Cuéntale a un compañero tu relato preferido de las Escrituras.

D S A R A G A   T A R U C E S R I

_____

Welcome to

Be My Disciples

A Snapshot of Me

My name is _____.

A hero of mine is _____.

My favorite Bible story is _____.

My favorite book is _____.

Making Good Choices

We use the gift of our minds to discover good choices. This year you will learn four ways the Church helps us. You will learn:

• what Catholics believe about our relationship with God.
• how the Sacraments help us celebrate our good choices.
• rules that guide us in making good decisions.
• ways to pray when we need God's help and guidance.

Figure It Out!

Follow this path to make good choices. At each stop along the way, discover a way God helps us to make a right decision. A clue in each box will help you know the answer. Unscramble the letters and write the answer. Move along the path to the next choice box.

Unit 1: We Believe, Part One

God is the real author of this. The Holy Spirit inspired the human writers of the Bible to write God's Word for his people. Unscramble the words, and then check your answer on page 25. Tell a partner about your favorite Scripture story.

D S A R E C   T E R U C S R P I

_____

Unidad 2: Creemos, Parte Dos

Escribe quién nos guía para que vivamos como hijos de Dios. Cuéntale a un compañero alguna otra cosa que sepas sobre esta respuesta. Comprueba tu respuesta en la página 130.

P I E R S Í U T   T S O A N

_____

Unidad 3: Celebramos, Parte Uno

Durante este tiempo litúrgico celebramos que Cristo ha resucitado. Él siempre está con nosotros, y vendrá de nuevo en su gloria. Después de ordenar la palabra comprueba tu respuesta en la página 192. Cuéntale a un compañero cómo celebra tu familia este tiempo.

S P C A U A

_____

Unidad 4: Celebramos, Parte Dos

Escribe el Sacramento que nos ayuda a volver a empezar. Cuéntale a un compañero una cosa que sucede durante esta celebración. Comprueba tu respuesta en la página 264.

N O C E L R I C A I C N Ó I

_____

Unidad 5: Vivimos, Parte Uno

Escribe el nombre de las ocho guías para la felicidad que Jesús nos dio. Dile a un compañero una clase de persona que esté bendecida por Dios. Comprueba tu respuesta en las páginas 336 y 338.

N R E V Z B A T N I N E S U A

_____

Unidad 6: Vivimos, Parte Dos

Escribe el nombre de la oración que nos enseña de qué manera Jesús nos dice que vivamos. Cuéntale a un compañero una cosa que enseña esta oración. Comprueba tu respuesta en las páginas 442 y 444.

D A P E R   O T N E U R S

Unit 2: We Believe, Part Two

Write who guides us to live as children of God. Tell a partner one other thing you know about this answer. Check your answer on page 131.

L H Y O   T S R I P I

_____

Unit 3: We Worship, Part One

During this season of the liturgical year, we celebrate that Christ is risen. He is always with us, and will come again in glory. After you unscramble the word, check your answer on page 193. Share how your family celebrates this season with a partner.

S E R A E T

_____

Unit 4: We Worship, Part Two

Write the Sacrament that helps us begin anew. Tell a partner one thing that happens at this celebration. Check your answer on page 265.

N O T E L R I C A I C N O I

_____

Unit 5: We Live, Part One

Write the name of the eight guides to happiness Jesus gave us. Tell a partner one kind of person who is blessed by God. Check your answer on pages 337 and 339.

A S E U T D I B T E

_____

Unit 6: We Live, Part Two

Write the name of the prayer that teaches us how Jesus tells us to live. Tell a partner one thing this prayer teaches. Check your answer on pages 443 and 445.

R U O   H F T R E A

_____

No se preocupen

Líder: Señor, nos reunimos para agradecerte que nos hables a través de la Santa Biblia.

Todos: **Tu palabra es verdad y vida.**

Líder: Lectura del santo Evangelio según San Mateo.

Todos: **Gloria a ti, Señor.**

Líder: [Jesús dijo:] "Por eso les digo: no anden preocupados por su vida… Fíjense en las aves del cielo: no siembran ni cosechan, no guardan alimentos en graneros, y sin embargo el Padre del Cielo, el Padre de ustedes las alimenta. ¿No valen ustedes mucho más que las aves?... Miren cómo crecen las flores del campo, y no trabajan ni tejen. Pero yo les digo que ni Salomón, con todo su lujo, se pudo vestir como una de ellas. Y si Dios viste así el pasto del campo, que hoy brota y mañana se echa al fuego, ¿no hará mucho más por ustedes? ¡Qué poca fe tienen!"

MATEO 6:25–30

Palabra del Señor.

Todos: **Gloria a ti, Señor Jesús.**

Acérquense y hagan una reverencia ante la Biblia.

Do Not Worry

Leader: O Lord, we gather to thank you for speaking to us through the Holy Bible.

All: Your word is truth and life.

Leader: A reading from the holy Gospel according to Saint Matthew.

All: Glory to you, O Lord.

Leader: [Jesus said,] "Therefore I tell you, do not worry about your life. . . . Look at the birds in the sky; they do not sow or reap, they gather nothing into barns, yet your heavenly Father feeds them. Are you not more important than they?. . . Learn from the way the wild flowers grow. They do not work or spin. But I tell you that not even Solomon in all his splendor was clothed like one of them. If God so clothes the grass of the field, which grows today and is thrown into the oven tomorrow, will he not much more provide for you, O you of little faith?"

MATTHEW **6:25–30**

The Gospel of the Lord.

All: Praise to you, Lord Jesus Christ.

Come and bow before the Bible.

Creemos

Parte Uno

José

David

Isaac

Abrahán

La familia de Jesús

¡Jesús tiene un árbol genealógico con raíces muy profundas!

Decimos que Jesucristo es hijo de David e hijo de Abrahán.

Abrahán fue padre de Isaac, e Isaac, padre de Jacob.

Muchos años después, Obed, que era descendiente de Jacob, fue padre de Jesé. Jesé fue padre del rey David.

Mucho después, otro Jacob, que era descendiente de David, fue padre de José, el esposo de María. De ella nació Jesús, el Mesías.

El número total de generaciones desde Abrahán al Mesías es de cuarenta y dos.

BASADO EN MATEO 1:1–17

We Believe

Joseph

David

Isaac

Abraham

The Family of Jesus

Jesus has a family tree with very deep roots!

We call Jesus Christ the son of David and the son of Abraham.

Abraham became the father of Isaac, and Isaac the father of Jacob.

Many years later, Obed, who was descended from Jacob, became the father of Jesse. Jesse became the father of David the king.

Even later, another Jacob, who was descended from David, became the father of Joseph, the husband of Mary. Of her, Jesus the Messiah was born.

The total number of generations from Abraham to the Messiah is forty-two generations.

BASED ON MATTHEW 1:1–17

Lo que he aprendido

¿Qué es lo que ya sabes acerca de estos conceptos de fe?

Fe

_____

_____

_____

Divina Providencia

_____

_____

_____

Mesías

_____

_____

_____

Vocabulario de fe para aprender

Escribe X junto a las palabras de fe que sabes. Escribe ? junto a las palabras de fe que necesitas aprender mejor.

_____ Revelación Divina

_____ Sagrada Escritura

_____ veracidad

_____ YAVÉ

_____ Pecado Original

_____ Todopoderoso

_____ Creador

La Biblia

¿Qué sabes acerca de cómo encontrar pasajes en la Biblia?

_____

_____

_____

La Iglesia

¿Qué le dirías a un amigo acerca de lo que la Iglesia cree?

_____

_____

_____

Tengo preguntas

¿Qué te gustaría preguntar acerca del misterio de Dios?

_____

_____

_____

What I Have Learned

What is something you already know about these three faith terms?

Faith

_____

_____

_____

Divine Providence

_____

_____

_____

Messiah

_____

_____

_____

Faith Terms to Know

Put an X next to the faith terms you know. Put a ? next to faith terms you need to learn more about.

_____ Divine Revelation

_____ Sacred Scripture

_____ truthfulness

_____ YHWH

_____ Original Sin

_____ Almighty

_____ Creator

The Bible

What do you know about how to find passages in the Bible?

_____

_____

_____

The Church

What would you tell a friend about what the Church believes?

_____

_____

_____

Questions I Have

What questions would you like to ask about the mystery of God?

_____

_____

_____

La Palabra de Dios para nosotros

? ¿Hay una historia preferida que tu familia disfruta contar? ¿Por qué disfrutas oír esta historia?

La Biblia está llena de relatos acerca del amor de Dios. Estas palabras están tomadas del primer relato de la Biblia. Escucha atentamente esta parte del relato de la creación.

Las tinieblas estaban en todas partes y el espíritu de Dios llenaba el aire. Dios dijo: "Haya luz", y hubo luz. Dios vio lo buena que era la luz. Dios separó la luz de las tinieblas. Dios llamó a la luz "Día" y a las tiniebla "Noche". Atardeció y amaneció. Fue el primer día de la Creación.
BASADO EN GÉNESIS 1:1–3

? ¿Qué más recuerdas acerca del relato bíblico de la creación?

Looking Ahead

In this chapter the Holy Spirit invites you to ▶

EXPLORE the Bible, God's Word for us.

DISCOVER how the Bible brings us closer to God.

DECIDE ways to live as a disciple of Jesus.

CHAPTER

1

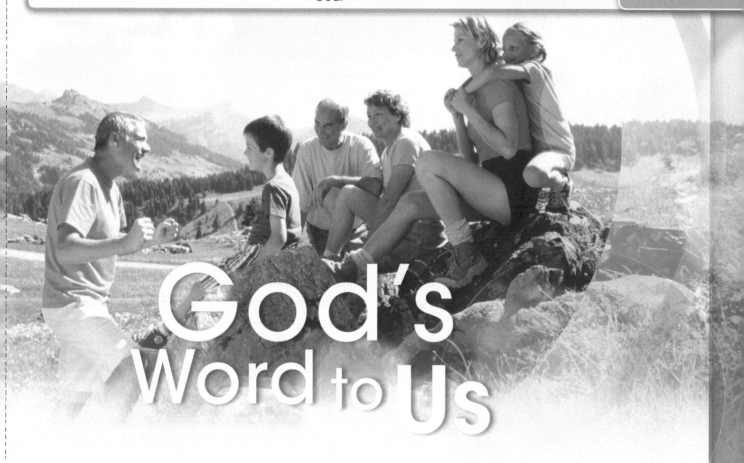

God's Word to Us

[?] Is there a favorite story that your family enjoys telling? Why do you enjoy hearing this story?

The Bible is filled with stories about God's love. These words are from the first story in the Bible. Listen carefully to this part of the story of creation.

Darkness was everywhere and a mighty wind filled the air. God said, "Let there be light," and there was light. God saw how good the light was. God separated the light from the darkness. God called the light 'day,' and he named the darkness 'night.' There was evening and then came morning. It was the first day of Creation. BASED ON GENESIS 1:1–3

[?] What else do you remember about the Bible story of creation?

Poder de los discípulos

Veracidad

Dios es la fuente de toda verdad. Su Palabra es la verdad. Dios quiere que vivamos "en la verdad". Hacemos esto cuando dejamos que la Palabra de Dios guíe nuestras acciones y palabras. Una persona sincera no dice mentiras. Una persona sincera admite sus errores. El amor y la confianza crecen cuando practicamos las veracidad.

Leer la Biblia

La abuela de Megan leía su Biblia temprano cada mañana antes de que se levantara el resto de la familia. Le dijo a Megan que este era un momento especial del día. Abuela dijo que ella escuchaba a Dios y hablaba con Él durante esos momentos de tranquilidad.

Muchas años más tarde, después de que la abuela murió, su padre le dio a Megan una Biblia. Era un regalo muy especial. Megan se acordó de su abuela cuando pasó las páginas gastadas de la Biblia. Era un regalo que atesoraría siempre.

El pueblo de Dios siempre compartió los relatos que se encuentran en la Biblia. Desde los primeros días de la Iglesia, los seguidores de Jesús compartían relatos acerca de Jesús y sus enseñanzas. Aproximadamente en el año 50 d. de C., los discípulos de Jesús empezaron a escribir estos relatos. Hoy, estos escritos forman el Nuevo Testamento, que se terminó de escribir alrededor del año 100 d. de C.

Hoy, la Biblia está disponible en casi todos los idiomas. Es uno de los libros más ampliamente leídos y estudiados del mundo.

Actividad Busca en este capítulo y elige un versículo de la Biblia que tenga un mensaje que te gustaría que las personas conocieran y creyeran. Escribe esto en una tarjeta que puedas darle a alguien.

_____

_____

_____

_____

Reading the Bible

Megan's grandmother read her Bible early every morning, before the rest of the family was awake. She told Megan that this was a special time of the day. Grandma said that she listened to and spoke to God during those quiet moments.

Many years later, after Grandma died, Megan's father gave the Bible to Megan. It was a very special gift. Megan was reminded of her grandmother when she turned the Bible's well-worn pages. It was a gift that she would always treasure.

God's people have always shared the stories found in the Bible. From the very first days of the Church, the followers of Jesus shared stories about Jesus and his teachings. About the year A.D. 50, the disciples of Jesus began writing down these stories. Today, these writings make up the New Testament, which was completed around the year A.D. 100.

Today the Bible is available in almost every language. It is one of the most widely read and studied books in the world.

Disciple Power

Truthfulness

God is the source of all truth. His Word is truth. God wants us to live "in the truth." We do this when we let God's Word guide our words and actions. A person who is truthful does not tell lies. A truthful person admits mistakes. Love and trust grow when we practice truthfulness.

Activity

Look through this chapter and choose a Bible verse that has a message you would like people to know and believe. Write it on this card that you could pass on to someone.

_____

_____

_____

_____

ENFOQUE EN LA FE
¿Por qué los escritos de
la Biblia son santos?

VOCABULARIO DE FE

Sagrada Escritura
Son los escritos santos
del pueblo de Dios,
inspirados por el Espíritu
Santo y reunidos en
la Biblia.

Biblia
La Biblia es la Palabra
de Dios. Fue escrita
por escritores humanos
inspirados por el
Espíritu Santo.

La historia de fe del Pueblo de Dios

La **Sagrada Escritura** es la colección de los escritos santos que se encuentran en la Biblia. Las palabras *sagrada escritura* significan "escrito santo". Dios es el autor verdadero de la Sagrada Escritura. El Espíritu Santo inspiró a los escritores humanos de la **Biblia** para que escribieran la Palabra de Dios para su pueblo. Esto significa que los escritores humanos escribieron sin error lo que Dios quería que dijeran a su pueblo. La Iglesia reunió estos escritos santos del pueblo de Dios y los puso en la Biblia.

Esta es una parte de una de las historias de fe más importantes de la Biblia. En ella, Dios revela, o hace conocer, su nombre a Moisés. Dios dijo:

"Así hablarás al pueblo de Israel: YO-SOY me ha enviado a ustedes."

ÉXODO 3:14

Las palabras en castellano "Yo soy" son las mismas que la palabra hebrea *YHVH*. YHVH son cuatro letras del alfabeto hebreo, en español YAVÉ. Estas letras representan el nombre para Dios que Él le reveló a Moisés.

[?] Señor es otro nombre que la Biblia usa para Dios. ¿Conoces algún otro nombre que la Biblia usa para Dios? ¿Cuál es tu nombre preferido para Dios? ¿Qué te dice ese nombre acerca de Él?

Manuscritos del mar Muerto

The Faith Story of God's People

Sacred Scripture is the collection of holy writings found in the Bible. The words *sacred scripture* mean "holy writing." God is the real author of Sacred Scripture. The Holy Spirit inspired the human writers of the **Bible** to write God's Word for his people. This means that the human writers wrote down without error what God wanted to say to his people. The Church collected these holy writings of God's people and placed them in the Bible.

Here is part of one of the most important faith stories in the Bible. In it God reveals, or makes known, his name to Moses. God said,

"[T]ell the Israelites: I AM sent me to you."

EXODUS 3:14

The English words "I am" are the same as the Hebrew word *YHWH*. YHWH are four letters of the Hebrew alphabet. These letters represent the name for God that he revealed to Moses.

? LORD is another name the Bible uses for God. Do you know any other names that the Bible uses for God? What is your favorite name for God? What does that name tell you about him?

FAITH FOCUS
Why are the writings in the Bible holy?

FAITH VOCABULARY
Sacred Scripture
The holy writings of the people of God, inspired by the Holy Spirit and collected in the Bible.

Bible
The Bible is the Word of God. It was written by human writers who were inspired by the Holy Spirit.

Dead Sea Scrolls

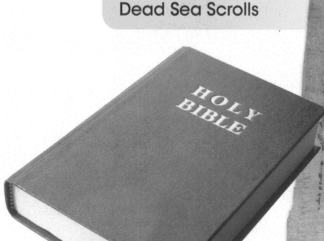

HOLY BIBLE

Los israelitas

Los israelitas fueron las personas que Dios eligió primero para que fueran su pueblo. La historia de los israelitas empieza con el relato del Antiguo Testamento de Abrahán y Sara.

El Antiguo Testamento

La Biblia está divida en el Antiguo Testamento y el Nuevo Testamento. Los cuarenta y seis libros del Antiguo Testamento empiezan con el relato de la creación, Adán y Eva, y la Caída. Leemos que Dios creó a Adán y a Eva para que vivieran en amistad con Él, pero Adán y Eva le dieron la espalda a Dios y a su amor.

Dios siguió amando a Adán y Eva, y les prometió que enviaría a alguien para renovar su amistad. Todos los escritos de la Biblia posteriores al relato de la creación y la Caída cuentan la historia del cumplimiento de esa promesa por parte de Dios.

El pueblo de Dios, los israelitas, también le hicieron una promesa a Dios. Dios y los israelitas hicieron un acuerdo sagrado o alianza. Dios prometió que solo Él sería su Dios. Ellos prometieron adorarlo solo a Él y obedecer los mandatos o leyes que le dio a Moisés para que se las entregara. Estas leyes están resumidas en los Diez Mandamientos. El pueblo de Dios prometió:

"Haremos todo lo que Yavé ha mandado." ÉXODO 19:8

❓ ¿Qué nos revela Dios en el Antiguo Testamento?

Moisés rompiendo las Tablas de la Ley, Rembrandt Harmensz van Rijn, 1659 (óleo sobre lienzo)

The Old Testament

The Bible is divided into the Old Testament and the New Testament. The forty-six books of the Old Testament begin with the story of creation, Adam and Eve, and the Fall. We read that God created Adam and Eve to live in friendship with him, but then Adam and Eve turned away from God and his love.

God continued to love Adam and Eve, and he promised to send someone to renew that friendship. All the writings of the Bible after the story of creation and the Fall tell the story of God's fulfilling that promise.

God's people, the Israelites, also made a promise to God. God and the Israelites entered into a sacred agreement, or covenant. God promised that he alone would be their God. They promised to worship him alone and to obey the commands, or the laws, that he gave to Moses to give to them. These laws are summarized in the Ten Commandments. God's people promised,

"Everything the LORD has said, we will do." EXODUS 19:8

❓ What does God reveal to us in the Old Testament?

Moses Smashing the Tablets of the Law, Rembrandt Harmensz van Rijn, 1659 (oil on canvas)

El Espíritu Santo

El Espíritu Santo inspiró a los escritores humanos de la Biblia. Esto significa que escribieron sin error lo que Dios quería enseñarnos.

El Nuevo Testamento

Los veintisiete libros del Nuevo Testamento hablan acerca del cumplimiento de la promesa de Dios en Jesucristo. El Evangelio es el centro del Nuevo Testamento. La palabra *evangelio* significa "buena nueva".

Hay cuatro relatos escritos del Evangelio o Buena Nueva de Jesucristo en el Nuevo Testamento. Reciben el nombre de cuatro seguidores de Jesús: Mateo, Marcos, Lucas y Juan. A estos cuatro escritores se los llama los Evangelistas. La palabra *evangelista* significa "escritor de la Buena Nueva".

Los Evangelios transmiten la fe de la Iglesia en Jesús. El centro de los Evangelios es el relato del nacimiento, la vida, el sufrimiento y Muerte, Resurrección y Ascensión de Jesús. A través de los Evangelios y los demás escritos de la Biblia, Dios nos habla y nos invita a creer y confiar en Él.

Lucas

Capítulo 15

Versículos 8-10

LUCAS 15   12

³⁴ La sal es una cosa buena, pero si la sal deja de ser sal, ¿con qué se la salará de nuevo? ³⁵ Ya no sirve para el campo ni para estiércol; se la tirará fuera. Escuchen, pues, si tienen oídos.»

CAPÍTULO 15

La oveja perdida ¹Los publicanos y pecadores se acercaban a Jesús para escucharle. ²Por esto los fariseos y los maestros de la Ley lo criticaban entre sí: «Este hombre da buena acogida a los pecadores y come con ellos.» ³Entonces Jesús les dijo esta parábola: ⁴ «Si alguno de ustedes pierde una oveja de las cien que tiene, ¿no deja las otras noventa y nueve en el desierto y se va en busca de la que se le perdió hasta que la encuentra? ⁵ Y cuando la encuentra, se la carga muy feliz sobre los hombros, ⁶ y al llegar a su casa reúne a los amigos y vecinos y les dice: "Alégrense conmigo, porque he encontrado la oveja que se me había perdido." ⁷ Yo les digo que de igual modo habrá más alegría en el cielo por un solo pecador que vuelve a Dios que por noventa y nueve justos que no tienen necesidad de convertirse.

⁸ Y si una mujer pierde una moneda de las diez que tiene, ¿no enciende una lámpara, barre la casa y busca cuidado-samente hasta que la encuentra? ⁹ Y apenas la encuentra, reúne a sus amigas y vecinas y les dice: "Alégrense conmigo, porque hallé la moneda que se me había perdido". ¹⁰ De igual manera, yo se lo digo, hay alegría entre los ángeles de Dios por un solo pecador que se convierte.»

El hijo pródigo ¹¹ Jesús continuó:

Actividad

Esta es una manera sencilla de encontrar cualquier pasaje en la Biblia.

LUCAS 15:8-10

La palabra **Lucas** se refiere al nombre del libro. Mira la tabla de contenidos que está en la parte de adelante de la Biblia para ubicar el número de página donde empieza el libro. El número 15 que está delante de los dos puntos (:) remite al número de capítulo. Los números que están detrás de los dos puntos (8–10) remiten a los números de los versículos.

Encuentra el pasaje en una Biblia. Escribe aquí las palabras que Jesús les dijo a Pedro y a Andrés:

_____

_____

_____

_____

The New Testament

The twenty-seven books of the New Testament tell about the fulfillment of God's promises in Jesus Christ. The Gospel is the heart of the New Testament. The word *gospel* means "good news."

There are four written accounts of the Gospel, or the Good News of Jesus Christ in the New Testament. They are named after four followers of Jesus: Matthew, Mark, Luke, and John. These four writers are called the Evangelists. The word *evangelist* means "writer of the Good News."

The Gospels pass on the Church's faith in Jesus. The center of the Gospels is the account of the Jesus' birth, life, suffering and Death, Resurrection, and Ascension. Through the Gospels and the other writings in the Bible, God speaks to us and invites us to believe and trust in him.

Catholics Believe

The Holy Spirit

The Holy Spirit inspired the human writers of the Bible. This means that they wrote down without error what God wanted to teach us.

Activity

Here is a simple way to find any passage in the Bible.

LUKE 15:8-10

The word **Luke** refers to the name of the book. Check the table of contents in the front of the Bible to locate the page number where the book begins. The number 15 before the colon (:) refers to the chapter number. The numbers after the colon (8–10) refer to the verse numbers.

Find the passage in a Bible. Write the words here that Jesus said to Peter and Andrew:

_____

_____

_____

_____

Luke

LUKE 15

The Simile of Salt.* ³⁴ "Salt is good, but salt itself loses its taste, with what can its flavor be restored? ³⁵ It is fit neither for the soil nor for the manure pile; it is thrown out. Whoever has ears to hear ought to hear."

Chapter 15

CHAPTER 15

The Parable of the Lost Sheep. ¹ The tax collectors and sinners were all drawing near to listen to him, ² but the Pharisees and scribes began to complain, saying, "This man welcomes sinners and eats with them." ³ So to them he addressed this parable. ⁴ "What man among you having a hundred sheep and losing one of them would not leave the ninety-nine in the desert and go after the lost one until he finds it? ⁵ And when he does find it, he sets it on his shoulders with great joy ⁶ and, upon his arrival home, he calls together his friends and neighbors and says to them, 'Rejoice with me because I have found my lost sheep.' ⁷ I tell you, in just the same way there will be more joy in heaven over one sinner who repents than over ninety-nine righteous people who have no need of repentance.

Verses 8-10

The Parable of the Lost Coin. ⁸ "Or what woman having ten coins* and losing one would not light a lamp and sweep the house, searching carefully until she finds it? ⁹ And when she does find it, she calls together her friends and neighbors and says to them, 'Rejoice with me because I have found the coin that I lost.' ¹⁰ In just the same way, I tell you, there will be rejoicing among the angels of God over one sinner who repents."

The Parable of the Lost Son. ¹¹ Then he said, "A man had two sons, ¹² and the

YO SIGO A JESÚS

Recuerda que la Biblia nos dice que, en la creación, Dios trajo luz a las tinieblas. La imagen de la luz se usa frecuentemente en la Sagrada Escritura para describir la presencia de Dios con su pueblo. Jesús también usa la imagen de la luz. Decir la verdad es una manera en que puedes llevar la luz de Dios al mundo.

LA LUZ DEL MUNDO

En esta lectura, Jesús habla acerca de lo que significa ser uno de sus discípulos.

Ustedes son la luz del mundo. No se puede esconder una ciudad asentada en un monte. Ni nadie enciende una lámpara y luego la pone debajo de un cajón en su casa. La ponen en un candelero, donde alumbre a todos los que están en la casa. Hagan eso, su luz debe brillar ante los demás, para que puedan ver sus buenas obras y glorificar a su Padre celestial.

BASADO EN MATEO 5:14–16

En este pasaje, Jesús nos cuenta cómo el amor de Dios puede brillar a través de nosotros por medio de lo que hacemos y decimos. Comenta con un compañero una ocasión en la que decir la verdad podría compartir la luz de Dios con los demás. Describe tu idea aquí.

Situación

_____

_____

_____

_____

Respuesta

_____

_____

_____

_____

MI ELECCIÓN DE FE

Crecemos en nuestro amor por Dios y por los demás cuando leemos la Sagrada Escritura y rezamos con ella. Puedes pasar unos momentos de silencio cada día escuchando a Dios y hablando con Él. Escribe cuándo y dónde harás esto.

Yo voy a

_____.

Tómate un momento y pídele a Dios Espíritu Santo que te ayude para que tu luz brille en casa.

I FOLLOW JESUS

Remember that the Bible tells us that at creation, God brought light to the darkness. The image of light is used often in Scripture to describe God's presence with his people. Jesus uses the image of light too. Telling the truth is one way you can bring God's light to the world.

LIGHT OF THE WORLD

In this reading, Jesus is talking about what it means to be one of his disciples.

You are the light of the world. A city set on a mountain cannot be hidden. Nor do people light a lamp and then put it under a bushel basket in their home. They set it on a lampstand, where it gives light to all in the house. Just so, your light must shine before others, that they may see your good deeds and glorify your heavenly Father.

BASED ON MATTHEW 5:14–16

In this passage, Jesus tells us how God's love can shine through us by what we do and say. Discuss with a partner a time when telling the truth could share God's light with others. Describe your idea here.

Situation

_____

_____

_____

_____

Response

_____

_____

_____

_____

We grow in our love for God and for others when we read and pray with Scripture. You can spend a few quiet moments each day listening to and speaking to God. Write when and where you will do this.
I will

_____

MY FAITH CHOICE

Take a moment and ask God the Holy Spirit to help you let your light shine at home.

1. La Biblia es la Palabra de Dios inspirada y escrita.

2. El Espíritu Santo inspiró a los autores humanos de la Biblia.

3. El Nuevo Testamento empieza con los cuatro Evangelios, que nos cuentan la Buena Nueva de Jesucristo.

Repaso del capítulo

Escribe una oración acerca de la Biblia. Usa tres o más de estas palabras.

YAVÉ	Jesucristo	Alianza
Antiguo Testamento	Nuevo Testamento	Evangelio

_____

_____

_____

_____

_____

Luces en el mundo

Hacer una señal en la frente, los labios y el pecho, sobre el corazón, es un gesto que demuestra nuestra fe en Dios. Este gesto nos ayuda a prepararnos para escuchar más atentamente la Palabra de Dios.

Líder: Preparémonos para escuchar la Palabra de Dios marcándonos la frente, los labios y el pecho, sobre el corazón, con una pequeña señal de la cruz.

Todos: **Jesús, te pido que estés en mi mente, mis labios y mi corazón.**

Lector 1: Escuchemos la Palabra de Dios. (Lee en voz alta Génesis 1:1–3.)

Todos: **Dios, en la creación, trajiste luz a las tinieblas. Te pedimos que podamos traer tu luz al mundo.**

Lector 2: (Lee en voz alta Mateo 6:14–16.)

Todos: **Gloria a ti, Señor Jesús.**

Líder: Escucha en silencio la Palabra de Dios en tu corazón. ¿Cómo podemos ser la luz de Dios para el mundo esta semana? Recemos juntos.

Todos: **Señor, que tu luz brille en nuestra vida. Amén.**

Chapter Review

Write a sentence about the Bible. Use three or more of these words.

YHWH	Jesus Christ	Covenant
Old Testament	New Testament	Gospel

_____

_____

_____

_____

_____

▶ **TO HELP YOU REMEMBER**

1. The Bible is the inspired, written Word of God.

2. The Holy Spirit inspired the human authors of the Bible.

3. The New Testament begins with the four Gospels which tell us the Good News of Jesus Christ.

Lights in the World

Signing our foreheads, lips, and chests over our hearts is a gesture showing our faith in God. This gesture helps us to prepare to listen closely to God's Word.

Leader: Let us prepare ourselves to listen to God's Word by signing our foreheads, lips, and chests over our hearts with a small sign of the cross.

All: Jesus, be in my mind, my lips, and my heart.

Reader 1: Let us listen to God's Word. *Read aloud Genesis 1:1–3.*

All: God, at creation you brought light to the darkness. May we bring your light to the world.

Reader 2: *(Read aloud Matthew 5:14–16.)*

All: Praise to you, Lord Jesus Christ.

Leader: Listen quietly to God's Word in your heart. How can we be God's light for the world this week? Let us pray together.

All: Lord, may your light shine in our lives. Amen.

Con mi familia

Esta semana...

En el capítulo 1, "La Palabra de Dios para nosotros", su niño aprendió que:

▶ La Biblia es la Palabra de Dios inspirada.

▶ El Espíritu Santo inspiró a los escritores humanos de la Biblia para asegurar que la Palabra de Dios se transmitiera fiel y exactamente.

▶ Las dos partes principales de la Biblia son el Antiguo Testamento y el Nuevo Testamento.

▶ En los Evangelios, leemos cómo Dios se ha revelado plenamente en su Hijo, Jesucristo.

▶ Dios es la verdad y la fuente de toda verdad.

Para saber más sobre otras enseñanzas de la Iglesia, consulten el *Catecismo de la Iglesia Católica*, 101–133, y el *Catecismo Católico de los Estados Unidos para los Adultos*, páginas 23–33.

◾ Compartir la Palabra de Dios

Lean y hablen acerca de su relato bíblico preferido. Hablen acerca de cuándo oyeron el relato por primera vez. Recuerden que la Biblia es la Palabra de Dios para nosotros.

◾ Vivimos como discípulos

La familia cristiana es una escuela de discipulado. Elijan una de las siguientes actividades para hacer en familia, o creen una actividad similar ustedes mismos.

▶ Creen y decoren un lugar especial para la Biblia en su casa. Abran la Biblia en un relato preferido. Lean el relato y hablen sobre él.

▶ Esté pendiente de los miembros de la familia que practiquen la veracidad durante la semana. Desafíense unos a otros a practicar esta virtud cada día.

◾ Nuestro viaje espiritual

Somos un "pueblo peregrino". Hay una variedad de gestos sagrados que los cristianos usan para recordar que la vida como discípulos de Cristo es un viaje espiritual, o peregrinación. En este capítulo, su niño aprendió a rezar con gestos. Estos son los mismos gestos que usamos antes de escuchar el Evangelio en la Misa. Lean y recen juntos la oración de la página 32.

Para hallar más ideas sobre las maneras en que su familia puede vivir como discípulos de Jesús, visiten **seanmisdiscipulos.com**

With My Family

This Week . . .

In chapter 1, God's Word to Us, your child learned:

▶ The Bible is the Inspired Word of God.

▶ The Holy Spirit inspired the human writers of the Bible to assure that God's Word would be communicated faithfully and accurately.

▶ The two main parts of the Bible are the Old Testament and the New Testament.

▶ In the Gospels we read how God has revealed himself fully in his Son, Jesus Christ.

▶ God is truth and the source of all truth.

For more about related teachings of the Church, see the *Catechism of the Catholic Church*, 101–133; and the *United States Catholic Catechism for Adults*, pages 23–33.

◼ Sharing God's Word

Read and talk about a favorite Bible story. Tell about where you first heard the story. Remember that the Bible is God's Word to us.

◼ We Live as Disciples

The Christian family is a school of discipleship. Choose one of the following activities to do as a family or design a similar activity of your own.

▶ Create and decorate a special place for the Bible in your home. Open the Bible to a favorite story. Read the story and talk about it.

▶ Be on the lookout for family members practicing truthfulness during the week. Challenge each other to practice this virtue every day.

◼ Our Spiritual Journey

We are a "Pilgrim People." wThere are a variety of sacred gestures that Christians use to remind themselves that life as disciples of Christ is a spiritual journey, or pilgrimage. In this chapter, your child learned to pray with gestures. These are the same gestures that we use before we listen to the Gospel at Mass. Read and pray together the prayer on page 33.

For more ideas on ways your family can live as disciples of Jesus, visit **BeMyDisciples.com**

CAPÍTULO
2

Lo que vendrá

En este capítulo el Espíritu Santo te invita a ▶

 **INVESTIGAR** lo que los credos nos dicen de la Iglesia.

 **DESCUBRIR** cómo Dios se ha revelado.

 **DECIDIR** maneras de vivir y compartir la fe en Dios.

Yo seré tu Dios

? ¿Cómo llegas a conocer mejor a tus amigos? ¿Cuáles son algunas de las maneras en que llegas a conocer a Dios? ¿Quién te ha ayudado a llegar a conocer a Dios?

La Biblia nos ayuda a conocer mejor a Dios. Imagina que pudieras volver al tiempo de Moisés, en el Antiguo Testamento. Escucha a Dios mientras habla con Moisés acerca de su relación muy especial con el pueblo de Israel:

> Por lo tanto, diles a los israelitas: Yo soy el Señor. Yo los liberaré de su esclavitud en Egipto. Los rescataré. Yo seré su Dios.
>
> BASADO EN ÉXODO 6:6–7

? ¿Qué oyes a Dios diciéndote sobre sí mismo en este pasaje?

Looking Ahead

In this chapter the Holy Spirit invites you to ▶

EXPLORE what the creeds of the Church tell us.

DISCOVER how God has revealed himself.

DECIDE ways to live and share faith in God.

CHAPTER 2

I Will Be Your God

❓ How can you get to know your friends better? What are some of the ways that you come to know God? Who has helped you come to know God?

The Bible helps us to know God better. Imagine that you could go back to the time of Moses in the Old Testament. Listen as God speaks to Moses about his very special friendship with the people of Israel:

> Therefore, say to the Israelites: I am the LORD. I will free you from your slavery in Egypt. I will rescue you. I will be your God. BASED ON EXODUS 6:6–7

❓ What do you hear God telling you about himself in this passage?

Poder de los discípulos

Fe

La fe es un don de Dios. Es la Virtud Teologal que nos ayuda a conocer a Dios y a creer en ÉL y en todo lo que Él nos ha revelado.

Los credos de la Iglesia

Un amigo tuyo que no es católico, te pregunta: "¿Qué sabes y crees acerca de Dios?". ¿Cómo responderías?

Nosotros pertenecemos a la Iglesia Católica y cada domingo respondemos a esta pregunta y profesamos nuestra fe rezando el Credo de Nicea. Profesamos nuestra fe en Dios y en todo lo que Él ha revelado. Los credos de la Iglesia son enunciados y símbolos acerca de lo que creemos. Los credos son resúmenes breves y signos de la fe de la Iglesia.

Los credos de la Iglesia se llaman también profesiones de fe. Profesamos, o anunciamos, y aceptamos públicamente la fe en Un Dios en Tres Personas Divinas: Dios Padre, Dios Hijo y Dios Espíritu Santo. Profesamos la fe de la Iglesia en Dios Santísima Trinidad.

Rezar los credos de la Iglesia nos recuerda lo que creemos. Los credos también nos recuerdan quiénes somos. Somos seguidores y discípulos de Jesucristo. Somos miembros de su Iglesia.

También profesamos nuestra fe viviéndola. Tenemos que amar a Dios y a los demás como Jesús enseñó. Marcamos una diferencia en el mundo poniendo en práctica nuestra fe. Vivimos y crecemos en la fe con los demás discípulos de Jesús.

Actividad Mira las imágenes de esta página. ¿De qué manera los jóvenes profesan y viven su fe en Dios? ¿Qué les dicen a los demás acerca de Dios a través de sus acciones? ¿Cuáles de estas cosas haces? Cuéntaselo a un compañero.

The Creeds of the Church

A friend of yours, who is not Catholic, asks you, "What do you know and believe about God?" How would you respond?

We belong to the Catholic Church and each Sunday we respond to this question and profess our faith by praying the Nicene Creed. We profess our faith in God and in all that he has revealed. The creeds of the Church are statements and symbols about what we believe. They are brief summaries and signs of the faith of the Church.

The creeds of the Church are also called professions of faith. We profess, or publicly announce and accept, faith in One God in Three Divine Persons—God the Father, God the Son, and God the Holy Spirit. We profess the faith of the Church in God the Holy Trinity.

Praying the creeds of the Church reminds us of what we believe. The creeds also remind us of who we are. We are followers and disciples of Jesus Christ. We are members of his Church.

We also profess our faith by living our faith. We are to love God and others as Jesus taught. We make a difference in the world by putting our faith into action. We live and grow in faith with other disciples of Jesus.

Disciple Power

Faith

Faith is a gift from God. It is the Theological Virtue that helps us know God and believe in him and in all that he has revealed.

Activity

Look at the pictures on this page. How are the young people professing and living their faith in God? What are they telling others about God through their actions? Which of these things do you do? Tell a partner.

VOCABULARIO DE FE
Revelación Divina
Es Dios que se da a
conocer a sí mismo y a
su plan de creación y
Salvación del mundo y
de todas las personas.

La Revelación de Dios

Dios nos creó a su imagen y semejanza. Nos creó para que lo conozcamos, lo amemos y lo sirvamos. Nos invita a vivir en amistad con Él. Dios quiere que seamos felices con Él en la Tierra y en el Cielo.

Dios se ha revelado, o dado a conocer, a sí mismo y a su plan de creación y Salvación del mundo y de todas las personas. Él invita a todas las personas a conocerlo y a creer en Él. A esto lo llamamos **Revelación Divina**. Nunca podemos conocer plenamente a Dios ni explicar su misterio en palabras.

La promesa de amor de Dios

Poco a poco, y durante un largo tiempo, Dios se reveló a sí mismo y reveló su plan de creación y Salvación. El relato de la Revelación de Dios se escribió por primera vez en el Antiguo Testamento. Allí leemos el relato de la creación y la primera promesa de Dios de amar siempre a las personas.

Después del relato de la creación, leemos acerca de la Alianza de Dios con Noé y con Abrahán. Luego leemos acerca de las promesas de Dios a Moisés y a David, y a los otros grandes líderes del pueblo de Dios.

? ¿Por qué Dios se reveló a sí mismo ante nosotros?

God's Revelation

God created us in his image and likeness. He created us to know, love, and serve him. He invites us to live in friendship with him. God wants everyone to be happy with him on Earth and in Heaven.

God has revealed, or made known, both himself and his plan of creation and Salvation for the world and all people. He invites all people to know and believe in him. We call this **Divine Revelation.** We can never fully know God or explain the mystery of God in words.

God's Promise to Love

Little by little and over a long time, God has revealed himself and his plan of creation and Salvation. The story of God's Revelation was first written down in the Old Testament. There we read the story of creation and God's first promise to love people always.

After the story of creation, we read about God's Covenant with Noah and with Abraham. We then read about God's promises to Moses and David and to the other great leaders of God's people.

[?] Why did God reveal himself to us?

FAITH FOCUS
How does God make himself known to us?

FAITH VOCABULARY
Divine Revelation
God making known both himself and his plan of creation and Salvation for the world and all people.

Santo Tomás Apóstol

Tomás fue uno de los primeros doce Apóstoles. Tomás le dijo a Jesús que estaba dispuesto a morir por Él. La tradición nos dice que Tomás era constructor de casas.

Jesús revela más plenamente a Dios

Dios se reveló más plenamente en Jesucristo. Ya no habrá más Revelación después de Jesús. Todo lo que Jesús dijo e hizo en la Tierra nos habla acerca de Dios. Todo lo que Jesús dije e hizo nos invita a creer en Dios, a poner nuestra confianza en Él y a amar a Dios con todo nuestro corazón. Esto es lo que Jesús hizo. Esto es lo que los discípulos de Jesús están llamados a hacer.

Jesús está en el centro del plan de Dios de creación y Salvación. Está en el centro de nuestra vida. Es el centro de la Alianza que une a Dios y a su pueblo. Jesucristo es la Alianza nueva y eterna que Dios ha hecho con las personas.

El Nuevo Testamento cuenta el relato de la nueva Alianza que Dios hizo en Jesucristo. Jesús es el Hijo de Dios. Es verdadero Dios y verdadero hombre. Creemos en Jesucristo y en todo lo que nos ha revelado acerca de Dios.

Vivimos y profundizamos nuestra amistad con Dios Padre y con Jesucristo, que es Dios Hijo, con la ayuda de Dios Espíritu Santo.

? ¿Qué están llamados a hacer los discípulos de Jesús? ¿Cómo haces estas cosas?

Jesus Most Fully Reveals God

God has revealed himself most fully in Jesus Christ. There will be no further Revelation after Jesus. Everything that Jesus said and did on Earth tells us about God. Everything Jesus said and did invites us to believe in God, to place our trust in him and to love God with all our hearts. This is what Jesus did. This is what Jesus' disciples are called to do.

Jesus is at the center of God's plan of creation and Salvation. He is the center of our life. He is the center of the Covenant binding God and his people. Jesus Christ is the new and everlasting Covenant that God has made with people.

The New Testament tells the story of the new Covenant that God made in Jesus Christ. Jesus is the Son of God. He is true God and true man. We believe in Jesus Christ and in everything that he has revealed about God.

We live and deepen our friendship with God the Father and with Jesus Christ, who is God the Son, with the help of God the Holy Spirit.

? What are Jesus' disciples called to do? How do you do these things?

43

El Credo de los Apóstoles

El Credo de los Apóstoles es uno de los primeros resúmenes de la fe de la Iglesia. Lo llamamos Credo de los Apóstoles porque cuenta las creencias principales que la Iglesia ha profesado desde los tiempos de los Apóstoles, hace 2,000 años atrás.

El don de la fe de Dios

La fe es un don de Dios. Es una de las tres Virtudes Teologales. Las tres Virtudes Teologales son fe, esperanza y caridad. La fe no es algo que podemos ganar. El don de la fe nos ayuda a llegar a conocer a Dios y a creer en Él y en todo lo que ha revelado. Es, a la vez, la invitación de Dios a creer en Él y nuestra aceptación de esa invitación.

La Biblia tiene muchos relatos acerca de personas de fe. Uno de estos relatos nos cuenta acerca de la fe del Apóstol Tomás:

Jesús se apareció a los discípulos después de haber resucitado de entre los muertos. Cuando los discípulos le dijeron que habían visto al Jesús Resucitado, Tomás se negó a creer. Una semana más tarde, el Jesús Resucitado se volvió a aparecer a los discípulos. Esta vez, Tomás estaba con ellos. Vio a Jesús y creyó. Jesús dijo: "Crees porque me has visto. ¡Felices los que no han visto, pero creen!"

BASADO EN JUAN 20:24, 25, 26, 28–29

La fe implica responder a la maravillosa invitación de Dios. La fe nos da el poder de entregarnos a Dios, a quien no vemos. La fe es creer en Dios simplemente porque Él es Dios y se nos ha revelado.

CLUB DDEA

Discípulos de Dios Encantados y Abiertos. Actividad

El nombre de tu club es Discípulos de Dios Encantados y Abiertos (DDEA). Los miembros del club se ayudan unos a otros a vivir como fieles seguidores de Jesús. Escribe un aviso clasificado para hallar a personas que se unan a tu club. En tu aviso, enumera las cualidades que esos miembros tienen que tener.

_____

_____

_____

_____

God's Gift of Faith

Faith is a gift from God. It is one of the three Theological Virtues. The Theological Virtues are faith, hope, and love. Faith is not something we can earn. The gift of faith helps us come to know and believe in God and in all that he has revealed. It is both God's invitation to believe in him and our acceptance of that invitation.

The Bible has many stories about people of faith. One of these stories tells about the faith of Thomas the Apostle:

Jesus appeared to the disciples after he was raised from the dead. When the disciples told him that they had seen the Risen Jesus, Thomas refused to believe. A week later the Risen Jesus again appeared to the disciples. This time Thomas was there. He saw Jesus and believed. Jesus said, "Have you come to believe because you have seen me? Blessed are those who have not seen and have believed."

BASED ON JOHN 20:24, 25, 26, 28–29

Faith includes responding to God's wonderful invitation. Faith gives us the power to give ourselves to God, whom we do not see. Faith is believing in God simply because he is God and has revealed himself.

Activity **God's Overjoyed, Outspoken Disciples (GOOD).**

The name of your club is God's Overjoyed, Outspoken Disciples (GOOD). Members of GOOD help one another to live as faithful followers of Jesus. Write a want ad for finding people to join your club. In your ad, list the qualities that members need to have.

GOOD CLUB

_____

_____

_____

_____

YO SIGO A JESÚS

INVITACIÓN DE FE

Dios está siempre invitándonos a conocerlo y a creer en Él. Lee la siguiente "Invitación de fe". Elige una manera en que puedes aceptar la invitación de Dios. Di de qué manera vivirás como una persona de fe y como discípulo de Jesús. Escribe una idea en el espacio dado.

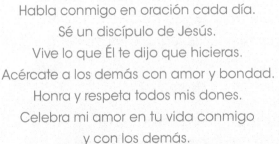

¡Bienvenidos!

Te invito a ser una persona de fe.

Ven a compartir la amistad conmigo.

Experimenta mis maravillas de la creación.

Lee la Biblia.

Habla conmigo en oración cada día.

Sé un discípulo de Jesús.

Vive lo que Él te dijo que hicieras.

Acércate a los demás con amor y bondad.

Honra y respeta todos mis dones.

Celebra mi amor en tu vida conmigo

y con los demás.

¡Por favor, responde hoy!

_____

_____

_____

MI ELECCIÓN DE FE

Dios te invita a una vida de fe en Él. ¿Cómo pueden demostrar tus palabras y tus acciones que tienes fe en Dios?

Acepto la invitación de Dios para vivir con fidelidad. Esta semana, trataré de

conocer mejor a Dios. Yo voy a _____

_____.

Dedica un momento hoy y todos los días para pedirle al Espíritu Santo que profundice tu don de la fe.

I FOLLOW JESUS

God is always inviting us to know and believe in him. Read the "Faith Invitation" below. Choose one way that you can accept God's invitation. Tell how you will live as a person of faith and as a disciple of Jesus. Write one idea in the space provided.

Welcome!

I invite you to be a person of faith.
Come share friendship with me.
Experience my wonders in creation.
Read the Bible.
Talk with me in prayer each day.
Be a disciple of Jesus.
Live what he told you to do.
Reach out to others with love and kindness.
Honor and respect all of my gifts.
Celebrate my love in your life with me
and with others.
Please respond today!

_____

_____

_____

God invites you to a life of faith in him. How can your words and actions show that you have faith in God?

I accept God's invitation to live faithfully. This week I will try to know God

better. I will _____

_____.

MY FAITH CHOICE

Take a moment today and every day to ask the Holy Spirit to deepen your gift of faith.

47

Repaso del capítulo

Escribe en el renglón el término que mejor complete cada enunciado.

credo	revelado	Revelación	fe	Alianza

1. Dios ha _____ su amor por nosotros de muchas maneras.

2. La amistad especial entre Dios y los israelitas se llama _____.

3. La _____ es, a la vez, la invitación de Dios para creer en Él y nuestra aceptación de esa invitación.

4. Un _____ es un resumen breve de lo que la Iglesia cree.

5. Se llama _____ Divina cuando Dios hace conocer su plan para nosotros.

Profesamos nuestra fe

En el Bautismo, profesamos por primera vez nuestra fe en Dios y en lo que ha revelado. Reza este credo. Es una parte del credo que se reza en el Bautismo.

Líder: Profesemos nuestra fe.
¿Creen en Dios, Padre todopoderoso, creador del cielo y de la tierra?

Todos: Sí, creo.

Líder: ¿Creen en Jesucristo, su único Hijo, nuestro Señor?

Todos: Sí, creo.

Líder: ¿Creen en el Espíritu Santo?

Todos: Sí, creo.

Líder: Esta es la fe de nuestra Iglesia. Estamos orgullosos de profesarla en el nombre de Jesús.

Todos: Amén.

Líder: Acérquense y bendíganse con agua bendita. Hagan la Señal de la Cruz.

BASADO EN EL RITO DEL BAUTISMO

Chapter Review

Write the term on the line that best completes each statement.

creed	revealed	Revelation	Faith	Covenant

1. God has _____ his love for us in many ways.

2. The special friendship between God and the Israelites is called the _____.

3. _____ is both God's invitation to believe in him and also our acceptance of that invitation.

4. A _____ is a brief summary of what the Church believes.

5. God making known his plan for us is called Divine _____.

We Profess Our Faith

At Baptism we first profess our faith in God and what he has revealed. Pray this creed. It is part of the creed prayed at Baptism.

Leader: Let us profess our faith.
Do you believe in God, the Father almighty, creator of heaven and earth?

All: **I do.**

Leader: Do you believe in Jesus Christ, his only Son, our Lord?

All: **I do.**

Leader: Do you believe in the Holy Spirit?

All: **I do.**

Leader: This is the faith of our Church. We are proud to profess it in Jesus' name.

All: **Amen.**

Leader: Come forward, and bless yourself with holy water. Make the Sign of the Cross.

BASED ON THE RITE OF BAPTISM

Con mi familia

Esta semana...

En el capítulo 2, "Yo seré tu Dios", su niño aprendió que:

▶ Dios nos creó para que lo conozcamos, lo amemos y lo sirvamos, y para ser felices con Él en la Tierra y en el Cielo.

▶ Dios se ha revelado más plenamente en su Hijo, Jesucristo. A esto lo llamamos Revelación Divina.

▶ No podemos comprender plenamente el misterio de Dios.

▶ Dios nos da la virtud de la fe como ayuda para que lleguemos a conocerlo y a creer en Él y en todo lo que ha revelado. Las personas de fe se esfuerzan para llegar a conocer a Dios y para responderle.

Para saber más sobre otras enseñanzas de la Iglesia, consulten el *Catecismo de la Iglesia Católica*, 27–43, 50–67 y 142–197, y el *Catecismo Católico de los Estados Unidos para los Adultos*, páginas 12–18.

■ Compartir la Palabra de Dios

Lean juntos el relato de la Biblia acerca de cuando Jesús se apareció al Apóstol Tomás y a los demás discípulos después de haber resucitado de entre los muertos. Pueden leer este relato del Evangelio en Juan 20:26–29 o lean una adaptación del relato en la página 44. Enfaticen que la fe incluye creer en Dios, aun cuando no lo veamos.

■ Vivimos como discípulos

El hogar cristiano con la familia es una escuela de discipulado. Elijan una de las siguientes actividades para hacer en familia, o creen una actividad similar ustedes mismos.

▶ Compartan relatos del Bautismo de cada miembro de la familia. Busquen en un álbum de fotos, miren los videos y muéstrenle a su niño su faldón bautismal, la vela y el certificado. Comenten cómo fue el día de su Bautismo.

▶ Lean Jeremías 7:23. Luego recen juntos, pidiendo a Dios que fortalezca su fe.

■ Nuestro viaje espiritual

Los cristianos profesan su fe tanto en palabras como en acciones. En este capítulo, su niño rezó una profesión de fe que se basa en el Rito del Bautismo. Lean y recen juntos la profesión bautismal de fe de la página 48. Luego hablen acerca de las maneras en que pueden unirse a otras personas de la parroquia para poner en práctica sus palabras de fe. Tomen una decisión familiar y pónganla en práctica.

Para hallar más ideas sobre las maneras en que su familia puede vivir como discípulos de Jesús, visiten **seanmisdiscipulos.com**

With My Family

This Week . . .

In chapter 2, I Will Be Your God, your child learned:

▶ God created us to know, love, and serve him, and to be happy with him on Earth and in Heaven.

▶ God has revealed himself most fully in his Son, Jesus Christ. We call this Divine Revelation.

▶ We can never fully comprehend the mystery of God.

▶ God gives us the virtue of faith to help us come to know and believe in him and in all that he has revealed. People of faith strive to come to know God and respond to him.

For more about related teachings of the Church, see the *Catechism of the Catholic Church*, 27–43, 50–67, and 142–197; and the *United States Catholic Catechism for Adults*, pages 12–18.

■ Sharing God's Word

Read together the Bible story about Jesus appearing to Thomas the Apostle and the other disciples after Jesus was raised from the dead. You can read this Gospel story in John 20:26–29 or read an adaptation of the story on page 45. Emphasize that faith includes believing in God even though we do not see God.

■ We Live as Disciples

The Christian home and family is a school of discipleship. Choose one of the following activities to do as a family, or design a similar activity of your own.

▶ Share stories of the Baptism of each family member. Look through a photo album, watch the videos, and show your child his or her baptismal gown, candle, and certificate. Share what his or her Baptism day was like.

▶ Read Jeremiah 7:23. Then pray together, asking God to strengthen your faith.

■ Our Spiritual Journey

Christians profess their faith in both words and actions. In this chapter your child prayed a profession of faith that is based on the Rite of Baptism. Read and pray together the baptismal profession of faith on page 49. Then talk about ways that you can join others in your parish to put your words of faith into action. Make a family decision, and put it into action.

For more ideas on ways your family can live as disciples of Jesus, visit **BeMyDisciples.com**

Lo que vendrá

En este capítulo el Espíritu Santo te invita a ▶

INVESTIGAR cómo Isidro y María fueron administradores de la creación de Dios.

DESCUBRIR lo que Dios dijo acerca de sí mismo y acerca de quiénes somos.

DECIDIR maneras de alabar a Dios siendo un buen administrador.

El Misterio de Dios

? ¿Cuál es tu canción preferida acerca de Dios? ¿Cuándo la cantas? ¿Por qué te gusta cantarla?

El Pueblo de Dios ha escrito y cantado muchas canciones acerca de Dios. Imagina que tú y toda la creación se han unido para alabar a Dios. El escritor del Salmo 148 miró a la creación y su corazón desbordó en una canción:

> Alaben al Señor desde los cielos... Alábenlo el sol y la luna, alábenlo todos los astros de luz... Alaben al Señor desde la tierra... Que todas las personas alaben el nombre del Señor, pues su Nombre único es más grande que cualquier otro nombre.
>
> BASADO EN EL SALMOS 148:1, 3, 11, 13

? ¿Cuándo han admirado tú y tu familia la creación de Dios?

Looking Ahead

In this chapter the Holy Spirit invites you to ▶

EXPLORE thow Isidore and Maria were stewards of God's creation.

DISCOVER what God tells us about himself and about who we are.

DECIDE ways to praise God by being a good steward.

CHAPTER **3**

The Mystery of God

? What is your favorite song about God? When do you sing it? Why do you like singing it?

The People of God have written and sung many songs about God. Imagine that you and all of creation have come together to praise God. The writer of Psalm 148 looked at creation, and his heart burst into song:

> Praise the LORD from the heavens, Praise him, sun and moon; praise him, all you shining stars, Praise the LORD from the earth; Let all peoples praise the name of the LORD, for his name alone is greater than any other name.
>
> BASED ON PSALM 148: 1, 3, 11, 13

? When have you and your family admired God's creation?

Poder de los discípulos

Confianza

Confiar en alguien es contar con que cuide de nuestro bienestar y nos respete. Decir "Tengo confianza en Dios" significa que sabemos que podemos contar con que Él será fiel a su Palabra.

San Isidro y Santa María

Isidro y su esposa, María de la Cabeza, eran granjeros. Trabajaron para un rico terrateniente de España hace muchos años. Isidro y María amaban la tierra. Cuidaban la tierra porque creían que era el don de Dios para ellos. Hoy la Iglesia los honra como Santos. Isidro y su santa esposa, Santa María, son ejemplo de un matrimonio que colocó a Dios en el centro de su vida.

Isidro y María fueron buenos administradores. Los administradores cuidan fielmente de alguien o de algo que le pertenece a otra persona. ¿Has plantado alguna vez un huerto? Si lo has hecho, sabes que las plantas y los árboles necesitan un cuidado especial para crecer y producir frutos, flores y verduras.

Dios nos pide que cuidemos de la creación con el mismo cuidado especial que pondríamos en un huerto. Cuando somos buenos administradores, como fueron San Isidro y Santa María, cuidamos de la creación de Dios y compartimos sus dones con los demás, especialmente con los necesitados.

Actividad   Cuidadores de la creación

La creación de Dios necesita de muchos cuidadores. ¿Qué haría un cuidador de la creación? Escribe aquí una descripción del trabajo.

RESUMEN DEL TRABAJO:_____

_____

TALENTOS ESPECIALES NECESARIOS:_____

_____

BENEFICIOS:_____

HORAS:_____

Saint Isidore and Saint Maria

Isidore and his wife, Maria de la Cabeza, were farmers. They worked for a wealthy landowner in Spain many years ago. Isidore and Maria loved the land. They cared for the land because they believed it was God's gift to them. Today they are honored by the Church as Saints. Isidore and his holy wife, Saint Maria, are examples of a married couple who placed God at the center of their lives.

Isidore and Maria were good stewards. Stewards faithfully care for someone or something that belongs to someone else. Have you ever planted a garden? If you have, you know that plants and trees need special care to grow and produce fruits, flowers, and vegetables.

God asks us to care for creation with the same special care we would use in a garden. When we are good stewards, as Saint Isidore and Saint Maria were, we care for God's creation and share its gifts with others, especially those in need.

Trust

To trust in someone is to count on them to care for our well-being and respect us. To say "I trust in God" means that we know that we can count on him to be true to his Word.

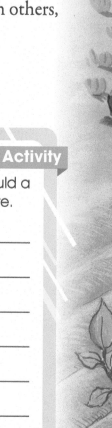

Creation Caretakers — Activity

God's creation needs many caretakers. What would a creation caretaker do? Write a job description here.

JOB SUMMARY:_____

_____

SPECIAL TALENTS NEEDED:_____

_____

BENEFITS:_____

HOURS:_____

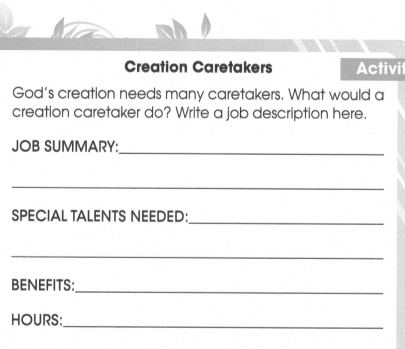

VOCABULARIO DE FE

Todopoderoso
Es el poder de Dios de hacer todas las cosas y de hacerlas todas buenas.

Creador
Es Dios, quien creó a todas las personas y a todas las cosas, visibles e invisibles, por amor y sin ninguna ayuda.

Divina Providencia
Es el amor bondadoso de Dios por nosotros.

Dios Padre

Dios nos habla acerca de sí mismo de muchas maneras. Solo mirando la creación y pensando en ella, podemos llegar a conocer algo acerca de Dios.

Estas son algunas de las cualidades o atributos que Dios nos cuenta acerca de sí mismo en la Biblia:

1. Dios es el Padre **Todopoderoso**. Dios tiene el poder de hacer todas las cosas y de hacerlas todas buenas. Todos los domingos, en la Misa, nos ponemos de pie y profesamos nuestra fe en Un solo Dios, que es el Padre Todopoderoso.

2. Dios es el **Creador**. No había nada, además de Dios, antes de que Dios lo creara. Dios hizo a todas las personas y a todas las cosas, visibles e invisibles, por amor y sin ninguna ayuda.

3. Dios es **omnipresente**. Él siempre está con nosotros. Más que cualquier otra persona, Dios está siempre allí para nosotros. Poner nuestra confianza en Dios es lo mejor que podemos hacer jamás.

4. Dios es **omnisciente** y es **todo amor**. Dios nos conoce por nuestro nombre y nos ama siempre.

5. Dios es **sincero** y **fiel**. La Palabra de Dios es siempre verdadera. Él siempre cumple sus promesas. Él es siempre fiel. Como el rey David, decimos:

> *"Sí, Señor Yavé, tú eres Dios y eres sincero al hacer esta hermosa promesa a tu servidor."*
>
> 2.º SAMUEL 7:28

? ¿Qué te dicen estos atributos acerca de Dios? ¿Qué más has llegado a conocer acerca de Dios en la Biblia?

God the Father

God tells us about himself in many ways. Just by looking at and thinking about creation, we can come to know something about God.

Here are some of the qualities, or attributes, that God tells us about himself in the Bible:

1. God is the Father, the **Almighty**. God has the power to do everything and anything good. Every Sunday at Mass we stand and profess our faith in One God who is the Father, the Almighty.

2. God is the **Creator**. There was nothing besides God before God created. God made everyone and everything, visible and invisible, out of love and without any help.

3. God is **all-present**. He is always with us. More than anyone else, God is always there for us. Placing our trust in God is the best thing we can ever do.

4. God is **all-knowing** and **all-loving**. God knows us by name and always loves us.

5. God is **truthful** and **faithful**. God's Word is always true. He always keeps his promises. He is always faithful. Like King David, we say,

   *"Lord God, you are God
   and your words are truth."*

   2 Samuel 7:28

FAITH FOCUS
What does it mean to call God *the Creator*?

FAITH VOCABULARY

Almighty
God's power to do everything and anything good.

Creator
God, who created everything and everyone, seen and unseen, out of love and without help.

Divine Providence
God's caring love for us.

❓ What do these attributes tell you about God? What else have you come to know about God from the Bible?

Juliana de Norwich

La Beata Juliana vio la Creación como un gran signo del amor de Dios. Ella creía que las personas eran la parte más grande de la Creación, porque Jesús, el Hijo de Dios, se hizo hombre. Gracias a Jesús, las personas son el corazón del universo. Las personas son el signo más grande del amor de Dios.

Dios cuida de toda la creación

Más que eso, Dios nos habló acerca de sí mismo a través de Jesucristo. Jesús llamaba "Abbá" a su Padre. La palabra *abbá* significa "padre". Esto nos demuestra el amor y confianza de Jesús por su Padre.

Jesús demostró su confianza en el Padre en todo lo que dijo e hizo. Él nos invita a confiar en Dios Padre como Él hizo. Un día, le dijo a sus discípulos:

Fíjense en las aves del cielo y en las flores del campo. Su Padre del Cielo cuida de ellas. Ustedes son más importantes para Dios que ellas. Dios hará mucho más por ustedes.

BASADO EN MATEO 6:26, 28, 30

Jesús invitó a sus oyentes a confiar en que Dios siente un gran gozo al hacer cosas por nosotros. En todos los momentos de todos los días de nuestra vida, Dios, nuestro Padre Todopoderoso, cuida de nosotros y de su creación. A esta verdad acerca de Dios la llamamos **Divina Providencia**.

Dios nos pide que participemos de su Divina Providencia cuidando de su creación. Los buenos administradores ayudan a completar la obra de la creación. Buscan personas, lugares o cosas que tengan una necesidad y encuentran maneras de ayudar.

? ¿Qué estás haciendo en este momento para cuidar de la creación de Dios?

God Cares for All Creation

Best of all, God told us about himself through Jesus Christ. Jesus called his Father "Abba." The word *abba* means "father." This shows us Jesus' love for and trust in his Father.

Jesus showed his trust in the Father in everything he said and did. He invites us to trust God the Father as he did. One day he told his disciples,

Look at the birds in the sky and the wild flowers. Your heavenly Father takes care of them. You are more important to God than they are. God will provide much more for you.

BASED ON MATTHEW 6:26, 28, 30

Jesus invited his listeners to trust that God has great joy in providing for us. Every moment of every day of our lives, God, our Almighty Father, cares for us and his creation. We call this truth about God **Divine Providence**.

God asks us to share in his Divine Providence by taking care of his creation. Good stewards help to complete the work of creation. They look for people, places, or things that are in need and find ways to help.

? What are you doing right now to care for God's creation?

Faith-Filled People

Julian of Norwich

Blessed Julian saw Creation as a great sign of God's love. She believed that people are the greatest part of Creation because Jesus, the Son of God, became a man. Because of Jesus, people are the heart of the universe. People are the greatest sign of God's love.

Los católicos creen

Enseñanza Social Católica

La Iglesia Católica ha nombrado ciertos principios para guiarnos en todas nuestras relaciones humanas. Estos principios se llaman Enseñanza Social Católica. Uno de estos principios es el cuidado de la creación de Dios. Forma parte de un plan de Dios acerca de nosotros para vivir en armonía con Él, con los demás y con la naturaleza.

Dios nuestro Creador

En el Credo de Nicea, profesamos nuestra fe en Dios, que es el creador de todo lo que existe, visible e invisible. Dios es el creador de todas las criaturas vivas. Él es el Creador de las personas y los ángeles. Los ángeles son criaturas espirituales que no tienen cuerpo como los humanos. Le dan gloria incesantemente a Dios.

Todo lo que hay en la creación de Dios es bueno, pero las personas son las más grandes de todas las creaciones de Dios. Dios nos dice la razón en la Biblia:

> Y creó Dios al hombre a su imagen....
> Macho y hembra los creó.
>
> GÉNESIS 1:27

Dios creó a las personas para que participaran de la vida de la Santísima Trinidad ahora en la Tierra y para siempre en el Cielo. La Santísima Trinidad es el misterio de Un Dios en Tres Personas Divinas: Dios Padre, Dios Hijo y Dios Espíritu Santo.

A IMAGEN DE DIOS

A imagen de Dios　Actividad

Mírate en un espejo. ¡Recuerda que la persona que te mira fijamente está creada a imagen de Dios! Decora esta tarjeta de oración. Bendice y agradece a Dios por crearte... a su imagen.

God Our Creator

In the Nicene Creed, we profess our faith in God, who is the creator of all that is, visible and invisible. God is the creator of all living creatures. He is the Creator of people and angels. Angels are spiritual creatures who do not have a body as humans do. They endlessly give glory to God.

All of God's creation is good, but people are the greatest of all God's creations. God tells us the reason in the Bible:

> God created man in his image; . . .
> male and female he created them.
>
> GENESIS 1:27

God created people to share in the life of the Holy Trinity now on Earth and forever in Heaven. The Holy Trinity is the mystery of One God in Three Divine Persons—God the Father, God the Son, and God the Holy Spirit.

IN GOD'S IMAGE

Activity **In God's Image**

Look in a mirror. Remember that person staring back at you is created in God's image! Decorate this prayer card. Bless and thank God for creating you—in his image.

YO SIGO A JESÚS

Un buen administrador es alguien en quien se puede contar o confiar para que cuide bien de las cosas. Dios quiere que seamos buenos administradores de su creación. Él confía en que se pueda contar con cada uno de nosotros para marcar una diferencia en el cuidado de su creación. Cuando trabajamos juntos, podemos hacer un trabajo mejor cuidando de la creación de Dios.

BUENOS ADMINISTRADORES

Imagina que tu parroquia está planeando un proyecto de "Buenos administradores" para ayudar a los demás. Crea un anuncio para la página de inicio del sitio web de tu parroquia.

Buenos administradores de la creación

_____

_____

_____

_____

_____

_____

_____

_____

_____

_____

_____

MI ELECCIÓN DE FE

¿Cuál es una manera en que puedes ser un buen administrador en casa? ¿En la escuela? ¿En tu vecindario? Esta semana, yo voy a

_____

_____

_____

Pídele al Espíritu Santo que te ayude para que Dios vuélva a confiar en ti a través del cuidado de los dones que Dios nos ha dado.

I FOLLOW JESUS

A good steward can be counted on, or trusted, to take good care of things. God wants us to be good stewards of his creation. He trusts that each of us can be counted on to make a difference in caring for his creation. When we work together, we can do a better job of caring for God's creation.

GOOD STEWARDS

Pretend that your parish is planning a "Good Stewards" project to help others. Create an announcement for the home page of your parish's Web site.

Good Stewards of Creation

_____

_____

_____

_____

_____

_____

_____

_____

_____

_____

_____

_____

What is one way you can be a good steward at home? At school? In your neighborhood? This week I will

_____

_____

_____ .

MY FAITH CHOICE

Ask the Holy Spirit to help you return God's trust in you by taking care of the gifts God has given us.

1. Dios es nuestro Padre, el Todopoderoso, el que lo sabe todo, el que es todo amor, el omnipresente, el sincero y fiel.

2. Dios es el Creador de todo lo que existe. Dios siempre cuida de su creación y se preocupa por ella.

3. Todas las personas están creadas a imagen y semejanza de Dios.

Repaso del capítulo

Completa las oraciones. Usa las palabras de la lista.

Creador	Abbá	semejanza
Divina Providencia		Santísima Trinidad

1. A Dios Padre Jesús lo llamaba _____.

2. Dios Padre es la Primera Persona de la _____.

3. Dios Padre es el _____ de todo lo que existe, visible e invisible.

4. Él nos ama y se preocupa siempre por nosotros. A esta verdad acerca de Dios la llamamos _____.

5. Dios nos creó a su imagen y _____.

Grande es tu nombre

Los salmos son canciones de veneración para Dios. La Iglesia reza los salmos todos los días. Una manera en que rezamos los salmos es alternando los versos en voz alta.

Líder: Dios Creador, qué grande es tu nombre.

Todos: Dios Creador, qué grande es tu nombre.

Grupo 1: Tu amor por nosotros es tan grande.

Grupo 2: Tú siempre cuidas de nosotros.

Todos: Dios Creador, qué grande es tu nombre.

Grupo 1: Tú nos has hecho tu creación más grande.

Grupo 2: Nos ha dado la responsabilidad de ser buenos administradores de tu creación.

Todos: Dios Creador, qué grande es tu nombre.

BASADO EN EL SALMO 8:2, 5–7, 10

Chapter Review

Complete the sentences. Use the words in the word bank.

Creator	Abba	likeness
Divine Providence		Holy Trinity

1. Jesus called God the Father _____.

2. God the Father is the first Person of the

   _____.

3. God the Father is the _____ of all that is, both visible and invisible.

4. He always loves us and provides for us.

   We call this truth about God _____.

5. God created us in his image and _____.

Great Is Your Name

Psalms are prayerful songs to God. The Church prays the psalms every day. One way we pray the psalms is by alternately praying the verses aloud.

Leader: God, the Creator, how great is your name.

All: God, the Creator, how great is your name.

Group 1: Your love for us is so great.

Group 2: You always care for us.

All: God, the Creator, how great is your name.

Group 1: You have made us your greatest creation.

Group 2: You have given us the responsibility to be good stewards of your creation.

All: God, the Creator, how great is your name.

BASED ON PSALM 8:2, 5–7, 10

Con mi familia

Esta semana...

En el capítulo 3, "El misterio de Dios", su niño aprendió que:

▶ Profesamos nuestra fe en Dios, el Padre, el Todopoderoso, el Creador de todo lo que existe visible e invisible.

▶ Dios es amor, verdad, fidelidad, el que todo lo sabe y es todo bueno.

▶ Respondemos al cuidado amoroso de Dios, o Divina Providencia, cuidando de la creación y compartiendo los dones de la creación con los necesitados.

▶ Cuando practicamos la virtud de la confianza, confiamos en Dios y Él confía en nosotros.

Para saber más sobre otras enseñanzas de la Iglesia, consulten el *Catecismo de la Iglesia Católica,* 199–379, y el *Catecismo Católico de los Estados Unidos para los Adultos,* páginas 53–55.

■ Compartir la Palabra de Dios

Lean y hablen el relato bíblico de Mateo 6:26–31, o lean la adaptación del relato de la página 58. Hablen acerca de cómo Dios cuida de toda la creación.

■ Vivimos como discípulos

El hogar cristiano con la familia es una escuela de discipulado. Elijan una de las siguientes actividades para hacer en familia, o creen una actividad similar ustedes mismos.

▶ Inviten a su niño a que los ayude a preparar la comida de la familia. Hablen acerca de cómo su familia puede cuidar de la creación de Dios. Luego elijan una cosa que harán juntos esta semana para cuidar de la creación.

▶ Inviten a su niño a comprar alimentos con ustedes. Mientras caminan por los pasillos, hablen acerca de las bendiciones de su familia y cómo podrían compartir esas bendiciones con los demás.

■ Nuestro viaje espiritual

Los Salmos de la Biblia reflejan los altibajos del viaje cotidiano del pueblo de Dios. Aprendan varios versículos de los salmos y récenlos como familia en los momentos apropiados. En este capítulo, su niño rezó versículos del Salmo 8. Lean y recen juntos el Salmo 8 de la página 64 o de la Biblia.

Para hallar más ideas sobre las maneras en que su familia puede vivir como discípulos de Jesús, visiten

seanmisdiscipulos.com

With My Family

This Week ...

In chapter 3, The Mystery of God, your child learned:

▶ We profess our faith in God, the Father, the Almighty, the Creator of all that is visible and invisible.

▶ God is love, truth, faithful, all-knowing, and all good.

▶ We respond to God's loving care, or Divine Providence, by caring for creation and sharing the gifts of creation with those in need.

▶ When we practice the virtue of trust, we trust God and are trusted by him.

For more about related teachings of the Church, see the *Catechism of the Catholic Church*, 199–379; and the *United States Catholic Catechism for Adults*, pages 53–55.

■ Sharing God's Word

Read together the Bible story in Matthew 6:26–31, or read the adaptation of the story on page 59. Talk about how God cares for all creation.

■ We Live as Disciples

The Christian home and family is a school of discipleship. Choose one of the following activities to do as a family, or design a similar activity of your own.

▶ Invite your child to help you prepare a family meal. Talk about how your family can care for God's creation. Then choose one thing you will do this week together to care for creation.

▶ Invite your child to go food shopping with you. As you walk down the aisles, talk about your family's blessings and how you might share those blessings with others.

■ Our Spiritual Journey

The Psalms in the Bible reflect the ups and downs of the daily journey of God's people. Learn several psalm verses and pray them at appropriate times as a family. In this chapter, your child prayed verses of Psalm 8. Read and pray together Psalm 8 on page 65 or from your Bible.

For more ideas on ways your family can live as disciples of Jesus, visit **BeMyDisciples.com**

Lo que vendrá

En este capítulo el Espíritu Santo te invita a ▶

INVESTIGAR de qué manera Dorothy Day dio esperanza a los pobres.

DESCUBRIR el plan de Dios de Salvación y la promesa del Mesías.

DECIDIR cómo ser un mensajero de esperanza.

La promesa de Dios

? Piensa en una promesa que hayas hecho. ¿Por qué te fue difícil o fácil cumplir tu promesa?

Dios prometió enviar un salvador a los israelitas, su Pueblo Elegido. Aproximadamente unos treinta años después del nacimiento de Jesús, algunas personas creyeron que Juan Bautista era esa persona. Imagínate en el desierto, escuchando el mensaje de esperanza de Juan Bautista:

> Detrás de mí viene uno con más poder que yo. Yo no soy digno de desatar la correa de sus sandalias... Yo los he bautizado con agua, pero él los bautizará en el Espíritu Santo.
>
> Marcos 1:7–8

? ¿Qué clase de persona te habrían llevado las palabras de Juan a esperar?

Looking Ahead

In this chapter the Holy Spirit invites you to ▶

EXPLORE how Dorothy Day gave hope to the poor.

DISCOVER God's plan of Salvation and the promise of the Messiah.

DECIDE how to be a messenger of hope.

CHAPTER **4**

God's Promise

? Think about a promise that you have made. Why was it difficult or easy for you to keep your promise?

God promised to send a savior to his Chosen People, the Israelites. About thirty years after Jesus was born, some people believed that John the Baptist was this person. Imagine yourself in the desert, listening to John the Baptist's message of hope:

> *One mightier than I is coming after me. I am not worthy to stoop and loosen the thongs of his sandals. I have baptized you with water; he will baptize you with the holy Spirit.* MARK 1:7–8

? What sort of person would John's words have led you to expect?

Poder de los discípulos

Esperanza

La esperanza es un don de Dios. La Virtud Teologal de la esperanza nos permite confiar en Dios y en sus promesas. Nos ayuda a confiar en que Dios siempre está con nosotros, en los momentos buenos y en los difíciles.

Construir un mundo justo

Dorothy Day compartió con las personas el mensaje de esperanza de Dios. Dorothy era una escritora del siglo XX, que informaba sobre los sufrimientos de las personas que vivían en pobreza.

Dorothy rezaba para poder encontrar una manera de cambiar las cosas para los pobres. Quería hacer más que solo escribir acerca de ellos. Dorothy creía que el Espíritu Santo la estaba llamando para hacer esta nueva clase de obra.

Dorothy Day le contó a su amigo Peter Maurin acerca de su nueva obra. Eligieron vivir entre los pobres. Empezaron el movimiento del Trabajador Católico. Les llevaron a las personas, de muchas maneras, el don de Dios de la esperanza. Establecieron casas del Trabajador Católico, donde podían vivir las personas sin hogar.

La Iglesia Católica ha nombrado Sierva de Dios a Dorothy. Esto es parte del proceso de nombrar Santa a una persona. Honramos mejor a Dorothy cuando vivimos como ella, como discípulos de Jesús. Cuando lo hacemos, somos mensajeros de la esperanza de Dios en nuestro mundo. Trabajamos para construir un mundo tan justo como Jesús nos enseñó a hacer.

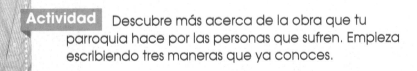

Actividad Descubre más acerca de la obra que tu parroquia hace por las personas que sufren. Empieza escribiendo tres maneras que ya conoces.

_____

_____

_____

THE CHURCH FOLLOWS JESUS

Building a Just World

Dorothy Day shared God's message of hope with people. Dorothy was a writer during the 20th century who reported on the sufferings of people who were living in poverty.

Dorothy prayed that she could find a way to change things for people who were poor. She wanted to do more than just write about them. Dorothy believed that the Holy Spirit was calling her to do this new kind of work.

Dorothy Day told her friend Peter Maurin about her new work. They chose to live among the poor. They began the Catholic Worker movement. They brought God's gift of hope to people in many ways. They set up Catholic Worker houses, where people who were homeless could live.

The Catholic Church has named Dorothy a Servant of God. This is part of the process in naming a person a Saint. We honor Dorothy best when we live as she did, as disciples of Jesus. When we do, we are God's messengers of hope in our world. We work to build a just world as Jesus taught us to do.

Disciple Power

Hope

Hope is a gift from God. The Theological Virtue of hope enables us to trust in God and in his promises. It helps us trust that God is always with us, in good times and difficult times.

Activity

Find out more about the work that your parish does for people who are suffering. Start by writing three ways that you already know.

_____

_____

_____

VOCABULARIO DE FE
Pecado Original
Es el pecado cometido por los primeros humanos, que perdieron la santidad original no solo para ellos, sino para todos los seres humanos.

Mesías
La persona que Dios prometió enviar para salvar a las personas del pecado. Jesucristo es el Mesías.

El plan de Salvación de Dios

Dios nos creó para que seamos felices con Él aquí en la Tierra y para siempre en el Cielo, sin embargo sabemos que las personas sufren. A muchas personas se las trata injustamente. Muchos niños pasan hambre cada día. Cuando vemos y oímos a personas que sufren, nos preguntamos cómo pueden ser felices esas personas.

Las personas del Antiguo Testamento le hacían preguntas como esa a Dios. Escribieron la respuesta que Dios les reveló en el Libro del Génesis.

Adán y Eva, los nombres que la Biblia les da a los primeros humanos, rechazaron el plan original de felicidad que Dios tenía. Eligieron libremente apartarse de Dios. Rechazaron su plan de felicidad para las personas y para toda la creación. La Iglesia llama a esta elección que hicieron Adán y Eva, y su efecto en todas las personas, **Pecado Original**.

Por este pecado, Adán y Eva perdieron el don de la santidad original, o amistad con Dios. No solo perdieron este don para sí mismos, sino para todos los seres humanos. Por causa del Pecado Original, aparecieron en el mundo el sufrimiento, la infelicidad, el pecado y todo tipo de males. Por causa del Pecado Original, nosotros también sufrimos.

El amor de Dios se negó a dejar que el mal y el sufrimiento destruyeran su plan original. Él puso en marcha un plan nuevo: el plan de Salvación de Dios. Dios enviaría a un salvador. Prometió enviar a alguien que liberaría a las personas del pecado y el sufrimiento.

❓ ¿Cómo puede la promesa de Dios dar esperanza hoy a las personas?

God's Plan of Salvation

God created us to be happy with him here on Earth and forever in Heaven, yet we know that people suffer. Many people are treated unjustly. Many children go hungry each day. When we see and hear about people who suffer, we wonder how people who suffer can be at all happy.

The people in the Old Testament asked God questions like that. They wrote the answer that God revealed to them in the Book of Genesis.

Adam and Eve, the names that the Bible gives to the first humans, rejected God's original plan of happiness. They freely chose to turn away from God. They rejected his plan of happiness for people and for all creation. The Church calls this choice made by Adam and Eve, and its effect on all people, **Original Sin**.

By this sin, Adam and Eve lost the gift of original holiness, or friendship with God. They not only lost this gift for themself but for all human beings. Because of Original Sin, suffering, unhappiness, sin, and evil of all kinds came into the world. Because of Original Sin, we too suffer.

God's love refused to let evil and suffering destroy his original plan. He set a new plan in motion—God's plan of Salvation. God would send a savior. He promised to send someone who would free all people from sin and suffering.

❓ How can God's promise give people hope today?

El Profeta Isaías

Isaías vivió y trabajó en la ciudad de Jerusalén aproximadamente 800 años antes del nacimiento de Jesús. El nombre Isaías, que significa "Dios es la Salvación", resume el mensaje de esperanza que él anunció al Pueblo de Dios.

El nuevo líder prometido por Dios

Cerca de 600 años antes del nacimiento de Jesús, el pueblo de Dios, los israelitas, estaba sufriendo de muchas maneras. Muchos de sus reyes y otros líderes los trataban injustamente. Las cosas se pusieron especialmente mal cuando a muchos de los israelitas se los obligó a salir de su tierra natal y a vivir en otro país llamado Babilonia. Este período de sufrimiento se conoce como Exilio.

El pueblo de Dios rezó por el salvador que Dios había prometido. Dios envió al profeta Isaías para que hablara a los israelitas. Un profeta es alguien a quien Dios elige para hablar a las personas en su nombre. En el Libro del profeta Isaías, leemos:

> [H]abitaban el oscuro país de la muerte, pero fueron iluminados...
>
> Porque un niño nos ha nacido,...
>
> y proclaman su nombre: Consejero admirable, Dios fuerte... príncipe de la Paz.
>
> ISAÍAS 9:1, 5

Estas palabras llenaron de esperanza el corazón de los israelitas. Confiaron en que Dios les enviaría un día el salvador que había prometido. Este salvador empezó a ser llamado **Mesías** o Ungido de Dios. Los israelitas siguieron confiando en que la promesa de Dios se haría realidad.

? ¿Cuándo se hizo realidad la promesa de Dios a los israelitas?

The New Leader Promised by God

About 600 years before the birth of Jesus, God's people, the Israelites, were suffering in many ways. Many of their kings and other leaders were treating them unjustly. Things became especially bad when many of the Israelites were forced to move out of their homeland and live in another country called Babylon. This period of suffering is known as the Exile.

God's people prayed for the savior God had promised. God sent the prophet Isaiah to speak to the Israelites. A prophet is someone whom God chooses to speak to people in his name. In the Book of the Prophet Isaiah we read,

> Upon those who dwelt in the land of gloom a light
> has shone.
>
> For a child is born to us, a son is given us. . . .
>
> They name him Wonder-Counselor, God-Hero . . .
> Prince of Peace.
>
> ISAIAH 9:1, 5

These words filled the hearts of the Israelites with hope. They trusted that God would one day send to them the savior he had promised. This savior came to be called the **Messiah**, or God's Anointed One. The Israelites kept trusting that God's promise would come true.

? When did God's promise to the Israelites come true?

Obras de Misericordia

Las Obras de Misericordia Corporales y la Obras de Misericordia Espirituales son obras de esperanza. Ayudan a prepararnos para la venida del reino que Jesús, el Mesías y Salvador, empezó a construir. Cuando vivimos las Obras de Misericordia, compartimos el don de la esperanza con las personas.

Jesucristo es el Mesías

Cada año, en Navidad, los católicos escuchan el mensaje de esperanza que Isaías transmitió al Pueblo de Dios. Oímos los nombres, o títulos, que Isaías usó para describir a este salvador o mesías prometido.

Consejero Admirable
Es sabio y conoce claramente el plan de Dios para todas las personas.

Dios Fuerte
Lleva bendiciones a las personas porque sigue las órdenes de Dios.

Príncipe de la Paz
Establece la paz que Dios ha prometido siempre a su pueblo.

Estos títulos que Isaías le dio al Mesías ayudan a los cristianos a entender quién es Jesucristo. También nos ayudan a entender la obra que Jesús hizo entre nosotros.

El nombre *Cristo* significa "el Ungido". El nacimiento y la vida de Jesús, su sufrimiento y Muerte, su Resurrección y Ascensión trajeron el don de la Salvación para todas las personas. Jesús estableció el comienzo del Reino de Dios. El Reino de Dios es un reino de misericordia, amor, paz y justicia que durará por siempre. Finalmente vendrá cuando Jesucristo regrese en gloria al final de los tiempos.

Actividad

Cuando ves a tu alrededor a personas que actúan con misericordia, caridad, paz y justicia, ¡estás vislumbrando el Reino de Dios!

Con tus amigos, planea un *collage* de imágenes y símbolos del Reino de Dios que muestre cómo es el reino. Haz una lista de las imágenes que incluirás.

_____

_____

_____

Jesus Christ Is the Messiah

Each year at Christmas, Catholics listen to the message of hope that Isaiah spoke to God's people. We hear the names, or titles, that Isaiah used to describe this promised savior, or messiah.

Wonder-Counselor
He is wise and clearly knows God's plan for all people.

God-Hero
He brings blessings to people because he follows God's commands.

Prince of Peace
He establishes the peace that God had always promised to his people.

These titles that Isaiah gave to the Messiah help Christians understand who Jesus Christ is. They also help us understand the work that Jesus did among us.

The name *Christ* means "Anointed One." Jesus' birth and life, his suffering and Death, his Resurrection and Ascension brought the gift of Salvation to all people. Jesus established the beginning of the Kingdom of God. The Kingdom of God is a kingdom of mercy, love, peace, and justice that will last forever. It will finally come about when Jesus Christ returns in glory at the end of time.

Catholics Believe

Works of Mercy

The Corporal Works of Mercy and the Spiritual Works of Mercy are works of hope. They help prepare for the coming of the kingdom that Jesus, the Messiah and Savior, began to build. When we live the Works of Mercy, we share the gift of hope with people.

Activity When you see people around you acting with mercy, love, peace, and justice, you are catching a glimpse of the Kingdom of God!

With your friends, plan a Kingdom of God collage of pictures and symbols that shows what God's kingdom is like. List the kinds of images you will include.

_____

_____

_____

YO SIGO A JESÚS

Los discípulos de Jesús son mensajeros de esperanza. Podemos ver y oír a los mensajeros de esperanza de Jesús a nuestro alrededor. Están en tu familia, en tu parroquia y en tu vecindario. Como hizo Dorothy Day, llevan el mensaje de Dios de esperanza a las personas que sufren.

MENSAJEROS DE ESPERANZA

Entrevista a dos o tres miembros de tu clase y a miembros de tu familia. Usa las siguientes preguntas. Descubre qué saben acerca de las personas que llevan esperanza a aquellos que sufren. Escribe lo que descubriste.

1. ¿Quiénes son las personas que conoces que llevan esperanza a otras personas?

   _____

   _____

2. ¿Qué hacen por los demás?

   _____

   _____

3. ¿De qué manera su trabajo lleva esperanza a aquellos a los que sirven?

   _____

   _____

MI ELECCIÓN DE FE

El Espíritu Santo te ayuda a ser un mensajero de esperanza. Elige una manera en que llevarás a alguien el mensaje de Dios de esperanza. Esta semana, llevaré esperanza a alguien. Yo voy a

_____

_____

Reza: "Ven, Espíritu Santo, y llena mi corazón con el poder de tu amor. Ayúdame a llevar un mensaje de esperanza a alguien qué esté sufriendo. Amén".

I FOLLOW JESUS

Disciples of Jesus are messengers of hope. We can see and hear Jesus' messengers of hope all around us. They are in your family, in your parish, and in your neighborhood. As Dorothy Day did, they bring God's message of hope to people who suffer.

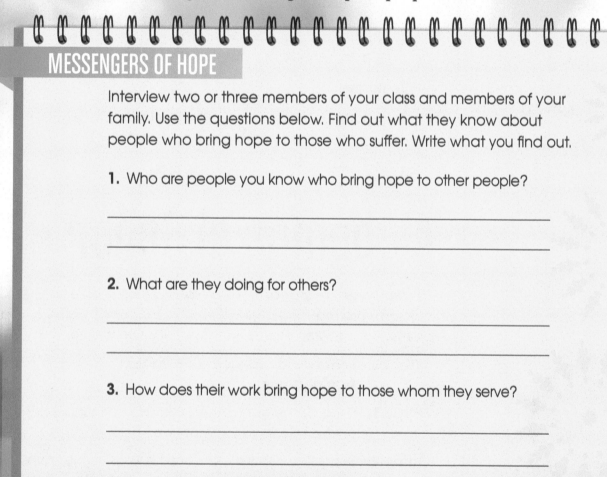

MESSENGERS OF HOPE

Interview two or three members of your class and members of your family. Use the questions below. Find out what they know about people who bring hope to those who suffer. Write what you find out.

1. Who are people you know who bring hope to other people?

_____

_____

2. What are they doing for others?

_____

_____

3. How does their work bring hope to those whom they serve?

_____

_____

The Holy Spirit helps you be a messenger of hope. Choose one way that you will bring the message of God's hope to someone. This week I will bring hope to someone. I will

_____

_____ .

MY FAITH CHOICE

Pray, "Come, Holy Spirit, fill my heart with the power of your love. Help me bring a message of hope to someone who is suffering. Amen."

PARA RECORDAR

1. Dios creó a todas las personas para que sean felices con Él ahora en la Tierra y para siempre en el Cielo.

2. Dios prometió enviar a alguien que salvaría a las personas del pecado.

3. Jesús es el Salvador que Dios prometió enviar.

Repaso del capítulo

Completa este crucigrama.

Horizontales

1. Un profeta habla en

nombre de _____.

3. _____ era un profeta.

5. El _____ es el Ungido, el Salvador, prometido por Dios.

Verticales

2. Pecado _____ es el nombre que le damos al primer pecado, que cometieron Adán y Eva.

4. _____ es el Salvador prometido por Dios.

Alabemos al Señor

Las oraciones de alabanza dan gloria a Dios. Reza esta oración para alabar a Dios Padre. Alábalo por cumplir su promesa y enviarnos a Jesús, el Salvador del mundo.

Todos: **Señor Jesús, Tú eres el Salvador. Te alabamos.**

Grupo 1: Señor Jesús, traes esperanza a las personas que padecen luchas y guerra.

Grupo 2: Señor Jesús, traes esperanza a las personas que padecen injusticia.

Grupo 1: Señor Jesús, traes esperanza a las personas que padecen hambre.

Grupo 2: Señor Jesús, traes la Buena Nueva de esperanza a los pobres y a todas las personas que padecen miseria.

Todos: **Señor Jesús, Tú eres el Salvador. ¡Te alabamos!**

Chapter Review

Complete this crossword puzzle.

Across

1. A prophet speaks in the

name of _____.

3. _____ was a
prophet.

5. The _____ is the
Anointed One, the Savior, promised by God.

Down

2. _____ Sin is the name we give to
the first sin committed by Adam and Eve.

4. _____ is the Savior promised by God.

Praise the Lord

*Prayers of praise give glory to God. Pray this prayer to praise God
the Father. Praise him for keeping his promise and sending us
Jesus, the Savior of the world.*

All: **Lord Jesus, you are the Savior.
We praise you.**

Group 1: Lord Jesus, you bring hope to people who suffer
from fighting and war.

Group 2: Lord Jesus, you bring hope to people who suffer
from injustice.

Group 1: Lord Jesus, you bring hope to people who suffer
from hunger.

Group 2: Lord Jesus, you bring the Good News of
hope to the poor and to all people who suffer
from want.

All: **Lord Jesus, you are the Savior.
We praise you!**

Con mi familia

Esta semana...

En el capítulo 4, "La promesa de Dios", su niño aprendió que:

▶ Dios prometió enviar al mundo un salvador y un mesías.

▶ Como resultado del Pecado Original, entraron en el mundo el sufrimiento, el mal, el pecado y la muerte.

▶ El Profeta Isaías llevó un mensaje de esperanza al pueblo de Dios, los israelitas.

▶ Jesús es el Mesías, el Prometido de Dios, el Salvador y Redentor.

▶ La esperanza es una Virtud Teológica; las personas que tienen esperanza saben que Dios cuida de ellas y que está siempre con ellas.

Para saber más sobre otras enseñanzas de la Iglesia, consulten el *Catecismo de la Iglesia Católica*, 385–412, y el *Catecismo Católico de los Estados Unidos para los Adultos*, páginas 18, 56–57.

■ Compartir la Palabra de Dios

Lean juntos el relato bíblico de Isaías 9:1, 5 acerca del mensaje de Isaías a los israelitas, o lean la adaptación del relato de la página 74. Enfaticen que Jesús es el Mesías a quien Dios prometió enviar.

■ Vivimos como discípulos

El hogar cristiano con la familia es una escuela de discipulado. Elijan una de las siguientes actividades para hacer en familia, o creen una actividad similar ustedes mismos.

▶ Pidan a los miembros de la familia que compartan un relato acerca de una ocasión en la que estuvieron heridos o tristes. Cada uno puede describir a una persona que los ayudó y lo que esa persona hizo para ayudar. ¿Cómo les llevó esperanza esta persona?

▶ Usen Internet para aprender más acerca de la comunidad del Trabajador Católico más cercana a dónde ustedes viven. Elijan una manera de apoyar esta comunidad.

■ Nuestro viaje espiritual

La limosna es una de las disciplinas espirituales de la Iglesia. Damos limosna cuando compartimos nuestras bendiciones materiales y espirituales con las personas necesitadas. En este capítulo, su niño aprendió acerca de Dorothy Day. Ella dijo que cada persona debe experimentar una "revolución del corazón" para trabajar por la justicia. Esta semana, recen juntos a la hora de comer: "Espíritu Santo, inflama nuestro corazón con tu amor para que podamos trabajar por la justicia de muchas maneras. Amén".

Para hallar más ideas sobre las maneras en que su familia puede vivir como discípulos de Jesús, visiten **seanmisdiscipulos.com**

With My Family

This Week . . .

In chapter 4, God's Promise, your child learned:

▶ God promised to send the world a savior and messiah.

▶ Suffering, evil, sin, and death entered the world as a result of Original Sin.

▶ Isaiah the Prophet brought a message of hope to God's people, the Israelites.

▶ Jesus is the Messiah, God's Promised One, the Savior and Redeemer.

▶ Hope is a Theological Virtue; hopeful people know that God cares for them and is always with them.

For more about related teachings of the Catholic Church, see the *Catechism of the Catholic Church,* 385–412; and the *United States Catholic Catechism for Adults,* pages 18, 56–57.

◼ Sharing God's Word

Read together the Bible story in Isaiah 9:1, 5 about Isaiah's message to the Israelites, or read the adaptation of the story on page 75. Emphasize that Jesus is the Messiah whom God promised to send.

◼ We Live as Disciples

The Christian home and family is a school of discipleship. Choose one of the following activities to do as a family, or design a similar activity of your own.

▶ Ask family members to share a story about a time when they were hurting or sad. You can each describe a person who helped you and what that person did to help. How did this person bring them hope?

▶ Use the Internet to learn more about the Catholic Worker community closest to where you live. Choose a way to support this community.

◼ Our Spiritual Journey

Almsgiving is one of the spiritual disciplines of the Church. We give alms when we share our material and spiritual blessings with people in need. In this chapter, your child learned about Dorothy Day. She said that each person must experience a "revolution of the heart" in order to work for justice. Pray together at mealtime this week: "Holy Spirit, set our hearts on fire with your love so we can work for justice in large and small ways. Amen."

For more ideas on ways your family can live as disciples of Jesus, visit **BeMyDisciples.com**

Unidad 1: **Repaso**

Nombre _____

A. Elije la mejor palabra

Completa los espacios en blanco con las palabras de la lista.

fe	Pascua judía	Arca de la Alianza
Revelación Divina	Consejero Admirable	Pecado Original
Sagrada Escritura	Ungido de Dios	

1. La _____ es cuando Dios se da a conocer a sí mismo y a su plan de creación a lo largo de mucho tiempo.

2. La _____ es, a la vez, un don de Dios para conocerlo y creer en Él, y nuestra aceptación de ese don.

3. El _____ es el cofre que los israelitas usaron para guardar las tablas en las cuales estaban escritos los Diez Mandamientos.

4. El _____ es la elección que hicieron libremente Adán y Eva de alejarse de Dios.

5. La _____ es la fiesta que celebra que Dios liberó a los israelitas de la esclavitud y los guió a la tierra que Él les prometió.

B. Muestra lo que sabes

Une las palabras o frases de la columna A con las palabras o frases de la columna B.

Columna A

1. Escritores de la Biblia

2. Los israelitas

3. Príncipe de la Paz

4. Obras de Misericordia Corporales

5. Lugar y tiempo del amor y la justicia perdurables

Columna B

____ **a.** Dar de comer al hambriento; visitar a los enfermos

____ **b.** Descripción de Isaías del Salvador

____ **c.** El Reino de Dios

____ **d.** inspirados por el Espíritu Santo

____ **e.** Pueblo elegido de Dios

Unit 1 **Review**

A. Choose the Best Word

Fill in the blanks, using the words from the word bank.

Faith	Passover	Ark of the Covenant
Divine Revelation	Wonder-Counselor	Original Sin
Sacred Scripture	God's Anointed One	

1. _____ is God making himself and his plan for creation known over a long period of time.

2. _____ is both a gift from God to know and believe in him and our acceptance of that gift.

3. The _____ is the chest the Israelites used to hold the tablets on which the Ten Commandments were written.

4. _____ is the choice that Adam and Eve freely made to turn away from God.

5. _____ is the Jewish feast that celebrates God's freeing of the Israelites from slavery and leading them to the land he promised them.

B. Show What You Know

Match the words or phrases in column A with the words or phrases in column B.

Column A

1. Writers of the Bible

2. The Israelites

3. Prince of Peace

4. Corporal Works of Mercy

5. Place and time of lasting love and justice

Column B

____ **a.** Feed the hungry; visit the sick

____ **b.** Isaiah's description of the Savior

____ **c.** The Kingdom of God

____ **d.** inspired by the Holy Spirit

____ **e.** God's chosen people

C. La Escritura y tú

Vuelve a leer el pasaje de la Sagrada Escritura de la página de Inicio de la unidad.
¿Qué relación hay entre lo que ves en esta página y lo que aprendiste en esta unidad?

_____

_____

_____

D. Sé un discípulo

1. *Repasa las cuatro páginas de esta unidad llamadas La Iglesia sigue a Jesús. ¿Qué persona o ministerio de la Iglesia de estas páginas te inspirará para ser un mejor discípulo de Jesús? Explica tu respuesta.*

_____

_____

_____

2. *Trabaja en grupo. Repasa las cuatro virtudes o dones de Poder de los discípulos que has aprendido en esta unidad. Después de anotar tus ideas, comparte con el grupo maneras prácticas en las que vivirás estas virtudes o dones día a día.*

_____

_____

_____

C. Connect with Scripture

*Reread the Scripture passage on the Unit Opener page.
What connection do you see between this passage and
what you learned in this unit?*

_____

_____

_____

D. Be a Disciple

1. *Review the four pages in this unit titled The Church Follows
Jesus. What person or ministry of the Church on these
pages will inspire you to be a better disciple of Jesus?
Explain your answer.*

_____

_____

_____

2. *Work with a group. Review the four Disciple Power virtues
or gifts you have learned about in this unit. After jotting
down your own ideas, share with the group practical
ways that you will live these virtues or gifts day by day.*

_____

_____

_____

México: El Día de los Muertos

El Día de los Muertos se celebra a principios de noviembre en México, Centroamérica y entre los inmigrantes en Estados Unidos. En este día, la gente recibe a los espíritus de sus ancestros difuntos. Construyen altares en su hogar, decorados con imágenes y otros objetos, tales como alimentos preferidos, que les recuerden a sus ancestros. También es posible que asistan a celebraciones nocturnas junto a sus tumbas. Encienden velas y rezan.

Hay quienes confunden el Día de los Muertos con *Halloween,* o Noche de Brujas. Pero Halloween estuvo basado en la idea de que los espíritus regresaban a asustarnos un día al año. El Día de los Muertos, por otro lado, es una celebración alegre para recordar y honrar a los muertos. Los vivos hablan con sus seres queridos en su corazón, rezan por ellos y recuerdan historias acerca de ellos. Las familias preparan comidas especiales con forma de calaveras y esqueletos hechos de chocolate o azúcar.

En este día, los católicos asisten a ceremonias especiales en la iglesia. Las iglesias levantan altares especiales donde los parientes pueden encender velas y dejar plegarias por sus ancestros. Estas celebraciones proclaman nuestra fe en que Dios nos creó para vivir para siempre con Él en el Cielo.

❓ ¿A qué ancestros desearías honrar el Día de los Muertos? Si hicieras un altar para recordarlos, ¿qué colocarías en él?

Mexico: The Day of the Dead

The Day of the Dead, or *Día de los Muertos*, is celebrated at the beginning of November in Mexico, Central America, and among immigrants in the United States. On this day, people welcome back the spirits of departed ancestors. They put up altars in their homes decorated with pictures and other objects, such as favorite foods, that remind them of their ancestors. They may also attend nighttime celebrations at their graves. They light candles and pray.

Some people confuse The Day of the Dead with Halloween. But Halloween was based on the idea that spirits came back to scare us one day a year. The Day of the Dead, on the other hand, is a joyful celebration to remember and honor the dead. The living speak with their loved ones in their hearts, pray for them, and remember stories about them. Families prepare special foods in the shape of skulls and skeletons made from chocolate or sugar.

Catholics attend special church ceremonies on this day. The churches may erect special altars where relatives can light candles and leave prayers for their ancestors. These celebrations proclaim our faith that God created us to live forever with him in Heaven.

> **?** Who are some of your ancestors that you could honor on the Day of the Dead? If you could put up an altar to remember them, what would you place on it?

> ▶ This celebration usually takes place at the beginning of November, in connection with the Catholic feast of All Saints and All Souls' Day.

Creemos
Parte Dos

¿Quién es el más importante?

Durante la Última Cena, mientras estaban a la mesa con Jesús, los discípulos empezaron a hablar acerca de quién era el más importante entre ellos

Jesús les hizo una pregunta: "¿Quién es más importante: el que está a la mesa y es servido, o el que sirve? La mayoría de las personas piensa que es el que está a la mesa. Sin embargo, yo estoy entre ustedes como el que sirve.

Los reyes de este mundo lo gobiernan como dueños y se honra su autoridad. Eso no es para ustedes. El reino que quiero darles es el que mi Padre me dio. Ustedes comerán y beberán a mi mesa en mi reino. Allí tendrán una verdadera grandeza."

BASADO EN LUCAS 22:24–30

We Believe

Who Is the Greatest?

During the Last Supper, while they were at the table with Jesus, the disciples started talking about who was the greatest among them.

Jesus asked them a question: "Who is greater: the one who sits at the table and is served, or the one who serves? Most people think it is the one seated at the table. Yet I am among you as the one who serves.

"The kings of this world lord it over others and their authority is honored. That is not for you. The kingdom I want to give you is the one my Father gave me. You will eat and drink at my table in my kingdom. There you will have true greatness."

BASED ON LUKE 22:24–30

Lo que he aprendido

¿Qué es lo que ya sabes acerca de estos conceptos de fe?

Caridad

_____

_____

_____

Última Cena

_____

_____

_____

Pentecostés

_____

_____

_____

Vocabulario de fe para aprender

Escribe X junto a las palabras de fe que sabes. Escribe ? junto a las palabras de fe que necesitas aprender mejor.

_____ milagro

_____ ministerio público de Jesús

_____ Encarnación

_____ Sacerdote, Profeta, Rey

_____ Cuerpo de Cristo

_____ el Intérprete

_____ la Resurrección

La Biblia

¿Qué sabes acerca de la obra que Dios Padre envió a Jesús a hacer?

_____

_____

_____

La Iglesia

¿Qué sabes acerca de la manera en que las personas de la Iglesia son signos del amor de Dios?

_____

_____

_____

Tengo preguntas

¿Qué te gustaría preguntar acerca de ser un discípulo?

_____

_____

_____

What I Have Learned

What is something you already know about these three faith terms?

Love

_____

_____

_____

Last Supper

_____

_____

_____

Pentecost

_____

_____

_____

Faith Terms to Know

Put an X next to the faith terms you know. Put a ? next to faith terms you need to learn more about.

_____ miracle

_____ public ministry of Jesus

_____ Incarnation

_____ Priest, Prophet, King

_____ Body of Christ

_____ the Advocate

_____ the Resurrection

The Bible

What do you know about the work God the Father sent Jesus to do?

_____

_____

_____

The Church

What do you know about how the people of the Church are signs of God's love?

_____

_____

_____

Questions I Have

What questions would you like to ask about being a disciple?

_____

_____

_____

CAPÍTULO
5

Lo que vendrá

En este capítulo el Espíritu Santo te invita a ▶

INVESTIGAR de qué manera San Antonio de Padua es un modelo a seguir.

DESCUBRIR que la promesa de Dios de amarnos se cumple en Jesús.

DECIDIR maneras de ser un signo del amor de Dios.

El Hijo de Dios

? ¿De qué manera tus padres y tus maestros te ayudan y te guían? ¿Cómo te demuestran que te aman y que cuidan de ti?

Una vez, Jesús estaba enseñando a sus discípulos. Quería que ellos supieran que Él los amaría y los cuidaría siempre. Jesús les dijo:

"Conozco a mis ovejas, y mis ovejas me conocen. Daré mi vida por mis ovejas." BASADO EN JUAN 10:14–15

? ¿Por qué Jesús se llama a sí mismo el Buen Pastor? ¿Qué quería que sus discípulos supieran acerca de Él?

Looking Ahead

In this chapter the Holy Spirit invites you to ▶

EXPLORE how saint Anthony of Padua is a role model.

DISCOVER that God's promise to love us is fulfilled in Jesus.

DECIDE ways to be a sign of God's love.

CHAPTER 5

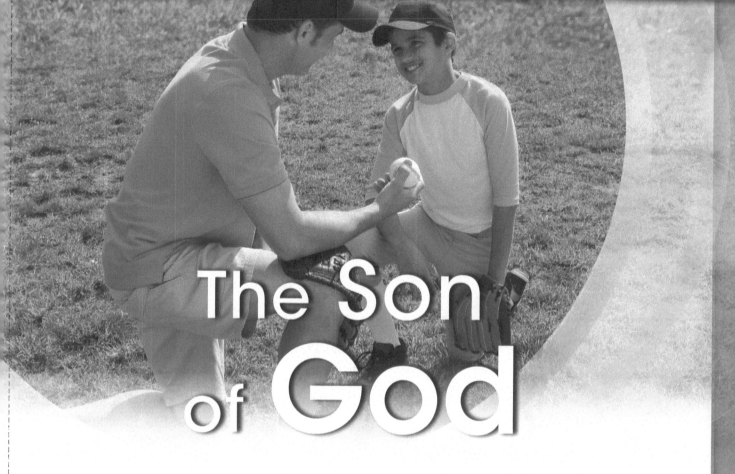

The Son of God

? How do your parents and your teachers help you and guide you? How do they show you that they love and care for you?

Once, Jesus was teaching his disciples. He wanted them to know that he would always love them and care for them. Jesus told them,

*"I know my sheep, and my sheep know me.
I will give up my life for my sheep."* BASED ON JOHN 10:14–15

? Why did Jesus call himself a Good Shepherd? What did he want his disciples to know about him?

Poder de los discípulos

Caridad

La caridad, o amor, es la más importante de todas las virtudes. Jesús encomendó a sus discípulos: "que se amen unos a otros como yo los he amado" (Juan 15:12). Jesús nos ama tanto que murió en la Cruz por nosotros. Lee lo que San Pablo nos dice acerca del amor o caridad en 1.ª Corintios 13:4–7.

San Antonio de Padua

Algunos miembros de la Iglesia nos pusieron un buen ejemplo. Nos muestran cómo vivir como discípulos de Jesús. Son amables, serviciales y amorosos como fue Jesús, el Buen Pastor. A estas personas la Iglesia las nombra "santas". San Antonio de Padua es uno de los Santos de la Iglesia.

Antonio de Padua nació en Portugal en 1195. Tenía un gran amor por el niño Jesús. Fue un gran predicador y misionero. Un misionero viaja para hablar a los demás acerca de Jesucristo.

Antonio oyó hablar acerca de cuatro misioneros franciscanos que fueron mártires. Los mártires cristianos son personas que dan su vida por Jesús. Antonio amaba muchísimo a Jesús. Él también estaba dispuesto a dar su vida por Jesús.

Antonio se unió a los franciscanos. Los franciscanos se unen para seguir a Jesús como hizo San Francisco de Asís. Entregan todas sus posesiones. Rezan juntos. A veces viajan a lugares muy lejanos para hablar a los demás acerca de Jesús.

Antonio de Padua ha sido nombrado Santo de la Iglesia. Los santos ponen en práctica con fidelidad los valores que Jesús vivió mientras estuvo en la Tierra. Recordamos y celebramos la vida de San Antonio de Padua cada año el día 13 de junio.

? ¿De qué Santo tienen tú o tu iglesia parroquial el nombre? Descubre más acerca de ese Santo. ¿De qué manera es esta persona un modelo de conducta para ti y para las personas de tu parroquia?

Saint Anthony of Padua

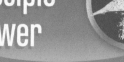

Disciple Power

Love

Love is the greatest of all the virtues. Jesus commanded his disciples, "Love one another, as I love you" (John 15:12). Jesus loves us so much that he died on the Cross for us. Read what Saint Paul tells us about love in 1 Corinthians 13:4–7.

Some members of the Church set a good example for us. They show us how to live as disciples of Jesus. They are kind, helpful, and loving as Jesus, the Good Shepherd, was. The Church names these people "Saints." Saint Anthony of Padua is one of the Saints of the Church.

Anthony of Padua was born in Portugal in 1195. He had a great love for the child Jesus. He was a great preacher and missionary. A missionary travels to tell others about Jesus Christ.

Anthony heard about four Franciscan missionaries who were martyrs. Christian martyrs are people who give up their lives for Jesus. Anthony loved Jesus so much. He, too, was willing to give up his life for Jesus.

Anthony joined the Franciscans. Franciscans join together to follow Jesus as Saint Francis of Assisi did. They give up all their possessions. They pray together. They sometimes travel to faraway places to tell others about Jesus.

Anthony of Padua has been named a Saint of the Church. Saints faithfully put into practice the values Jesus lived while he was on Earth. We remember and celebrate the life of Saint Anthony of Padua each year on his feast day on June 13.

? Which Saint are you or your parish church named after? Find out more about that Saint. How is this person a role model for you and for the people in your parish?

VOCABULARIO DE FE

Encarnación
La Encarnación es el misterio del Hijo de Dios, la Segunda Persona Divina de la Santísima Trinidad, que se hizo verdaderamente humano sin dejar de ser Dios.

ministerio público de Jesús
Esta es la obra salvadora que Dios Padre envió a su Hijo, Jesús, a hacer, comenzando con el bautismo de Jesús y su anuncio de esa obra en la sinagoga de Nazaret.

La Encarnación

El nacimiento del Salvador prometido por Dios es una de las más grandes revelaciones de su amor por las personas. El ángel Gabriel le anunció a la Santísima Virgen María:

"El Espíritu Santo descenderá sobre ti... el niño santo que nacerá de ti será llamado Hijo de Dios."

LUCAS 1:35

El hijo de María, Jesús, es el único Hijo de Dios.

Un ángel también le dijo a José, el esposo de María, que la Virgen María daría luz a un hijo. El ángel dijo:

"Y lo llamarás Jesús, porque él salvará a su pueblo de sus pecados."   MATEO 1:21

Jesús es un nombre hebreo que significa "Dios salva".

El único Hijo de Dios Padre se hizo carne. Esto significa que el Hijo de Dios se hizo verdaderamente humano sin dejar de ser Dios y vivió entre nosotros. A este misterio de fe lo llamamos **Encarnación**. La palabra *encarnación* significa "poner en carne". Jesús es verdadero Dios y verdadero hombre.

Jesús, el único Hijo de Dios, es el Salvador del mundo. Como María es la madre de Jesús, que es verdaderamente Dios, María es verdaderamente la Madre de Dios.

Actividad

La Iglesia celebra el nacimiento de Jesús en Navidad. Escribe a continuación una oración que diga por qué la Navidad es un signo del amor de Dios. Comparte tu mensaje con tu familia y tus amigos.

_____

_____

_____

_____

The Incarnation

The birth of the Savior promised by God is one of the greatest revelations of his love for people. The angel Gabriel announced to the Blessed Virgin Mary,

"[Mary,] the holy Spirit will come upon you. . . . [Your child] will be called holy, the Son of God."

LUKE 1:35

Mary's son, Jesus, is the only Son of God.

An angel also told Joseph, the husband of Mary, that the Virgin Mary would give birth to a son. The angel said,

"You are to name him Jesus, because he will save his people from their sins."

MATTHEW 1:21

Jesus is a Hebrew name that means "God saves."

The only Son of God the Father took on flesh. This means that the Son of God became truly human without giving up being God and lived among us. We call this mystery of faith the **Incarnation**. The word *incarnation* means "putting on flesh." Jesus is true God and true man.

Jesus, the only Son of God, is the Savior of the world. Because Mary is the mother of Jesus, who is truly God, Mary is truly the Mother of God.

FAITH FOCUS
What did Jesus do to reveal God to us?

FAITH VOCABULARY

Incarnation
The Incarnation is the mystery of the Son of God, the Second Divine Person of the Trinity, becoming truly human while not giving up being God.

public ministry of Jesus
This is the saving work that God the Father sent his Son, Jesus, to do, beginning with the baptism of Jesus and his announcement of that work in the synagogue in Nazareth.

Activity The Church celebrates the birth of Jesus on Christmas. Write a sentence below telling why Christmas is a sign of God's love. Share your message with your family and friends.

_____

_____

_____

_____

Personas de fe

Santos patronos

San Antonio de Padua y otros Santos son también Santos patronos. Los Santos patronos son modelos de conducta para grupos de personas, como abogados, estudiantes, parroquias y naciones. Su vida nos demuestra las maneras de continuar la obra que Jesús empezó en la Tierra.

Jesús empieza su ministerio

Jesús creció en el pueblo de Nazaret, en Galilea. Poco tiempo después de su bautismo en el río Jordán, llegó el momento de que Jesús empezara la obra que el Padre lo envió a hacer. A esta obra la llamamos **ministerio público de Jesús.**

Jesús fue a la sinagoga de Nazaret. Tomó un pergamino que contenía los escritos del profeta Isaías. Lo desenrolló, se puso de pie y leyó en voz alta:

El Espíritu del Señor está sobre mí
Él me ha ungido para llevar
buenas nuevas a los pobres,

para anunciar la libertad
a los cautivos
y a los ciegos que pronto van a ver,
para despedir libres a los oprimidos

y proclamar el año de gracia
del Señor.

LUCAS 4:18–19

Con estas palabras, Jesús describió la obra que el Padre lo envió a hacer. Él es el Mesías, el Prometido, que les había sido enviado por Dios.

? Describe a una persona sobre la que hayas leído o a la que conozcas, que haya continuado la obra de Jesús.

Jesus Begins His Ministry

Jesus grew up in the town of Nazareth in Galilee. A short time after his baptism in the Jordan River, it became time for Jesus to begin the work that the Father sent him to do. We call this work the **public ministry of Jesus**.

Jesus went to the synagogue in Nazareth. He took a scroll containing the writings of the prophet Isaiah. He unrolled it, stood up, and read aloud:

The Spirit of the Lord is upon me,
    because he has anointed me
        to bring glad tidings to the poor.

He has sent me to proclaim liberty
        to captives
    and recovery of sight to the blind,
        to let the oppressed go free,
and to proclaim a year acceptable
        to the Lord.

LUKE 4:18–19

With these words, Jesus described the work the Father sent him to do. He is the Messiah, the Promised One, who had been sent to them by God.

? Describe one person whom you have read about or know who has continued the work of Jesus.

Los católicos creen

Signos del amor de Dios

Las personas de la Iglesia están llamadas a ser signos del amor de Dios. Las personas de tu parroquia lo hacen de muchas maneras. Los sacerdotes y los diáconos, los laicos y los religiosos, los casados y los solteros, todos trabajan juntos para poner en práctica los valores que Jesús vivió mientras estuvo en la Tierra.

Signos del amor de Dios

La vida entera de Jesús en la Tierra reveló el amor de su Padre por todas las personas. Los milagros fueron algunas de las cosas más sorprendentes que Jesús hizo. La palabra *milagro* significa "maravilla, algo sorprendente y maravilloso". Los milagros de Jesús fueron sorprendentes signos del amor de Dios actuando en el mundo.

Los Evangelios nos cuentan acerca de muchos milagros que Jesús realizó durante su ministerio público. Lee en Mateo 9:27–31 el milagro de Jesús en el que le devuelve la vista a dos ciegos. Descubre cómo Jesús cambió sus vidas. A través de este milagro, Jesús invitó a los dos ciegos y a las demás personas que estaban allí a creer y a confiar en Dios. Los dos ciegos creyeron. Empezaron a ver no solo con sus ojos, sino también con "los ojos de la fe".

Jesús nos llama a ser personas de fe. Nos llama a ver con los ojos de la fe y a vivir nuestra fe. Tenemos que ser signos del amor de Dios para que los demás los vean.

Actividad Usa el Planificador de la fe para escribir las cosas que haces durante el día para ser un signo del amor de Dios.

Planificador de la fe

	Sábado	Domingo	Días de la semana
Mañana			
Mediodía			
Noche			

Signs of God's Love

Jesus' whole life on Earth revealed his Father's love for all people. Miracles were some of the most amazing things Jesus did. The word *miracle* means "wonder, something amazing and marvelous." The miracles of Jesus were amazing signs of God's love at work in the world.

The Gospels tell us about many miracles that Jesus performed during his public ministry. Read about the miracle of Jesus giving sight to two blind men in Matthew 9:27–31. See how Jesus changed their lives. Through this miracle, Jesus invited the two blind men and the other people who were there to believe and trust in God. The two blind men believed. They began to see not only with their eyes but also with "eyes of faith."

Jesus calls us to be people of faith. He calls us to see with eyes of faith and to live our faith. We are to be signs of God's love for others to see.

Activity Use the Faith Planner to write the things that you do during the day to be a sign of God's love.

Faith Planner

	Saturday	Sunday	Weekdays
Morning			
Noon			
Evening			

YO SIGO A JESÚS

Los seguidores de Jesucristo hacen cosas sorprendentes. Aman, perdonan y muestran bondad a los demás como hizo Jesús. San Pablo quería ayudar a los primeros cristianos a ser como Jesús. Quería que imitaran a Jesús en lo que hizo y dijo.

SEAN IMITADORES DE CRISTO

Imagina que estás sentado en una habitación abarrotada. Estás escuchando a San Pablo. Pablo dice:

> *"Como hijos amadísimos de Dios, esfuércense por imitarlo. Sigan el camino del amor, a ejemplo de Cristo, que nos amó... Pórtense como hijos de la luz, con bondad, con justicia y según la verdad, pues ésos son los frutos de la luz. Busquen lo que agrada al Señor."*
>
> Efesios 5:1, 8–10

Recuerda lo que escribiste en tu Planificador de la fe. Escribe tres cosas que puedes hacer para ser un imitador de Cristo.

_____

_____

_____

_____

_____

MI ELECCIÓN DE FE

Esta semana, seré un imitador de Cristo. Seré un signo del amor de Dios en el mundo. Yo voy a

_____

_____

Habla con Jesús en oración. Reza: "Jesús, ayúdame a conocerte y a seguirte mejor. Amén".

I FOLLOW JESUS

Followers of Jesus Christ do amazing things. They love, forgive, and show kindness to people as Jesus did. Saint Paul wanted to help the first Christians be like Jesus. He wanted them to imitate Jesus in what they did and said.

BE IMITATORS OF CHRIST

Imagine that you are sitting in a crowded room. You are listening to Saint Paul. Paul says,

"So be imitators of God, as beloved children, and live in love, as Christ loved us . . . Live as children of light, for light produces every kind of goodness and righteousness and truth. Try to learn what is pleasing to the Lord."

EPHESIANS 5:1, 8–10

Remember what you wrote in your Faith Planner. Write down three things that you can do to be an imitator of Christ.

_____

_____

_____

_____

_____

_____

This week, I will be an imitator of Christ. I will be a sign of God's love in the world. I will

_____

_____

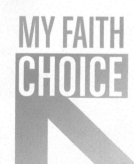

MY FAITH CHOICE

Talk with Jesus in prayer. Pray, "Jesus, help me come to know and follow you better. Amen."

Repaso del capítulo

Encierra en un círculo las cuatro palabras ocultas en la sopa de letras. Comparte el significado de cada palabra con un compañero.

```
M T B I M T U A M I M K I T K V K
K I M J R W K B U R I M J U T W Y
C J N A Z A R E T B L R G Y Z R Z
T K U I I I D G A D A S F E T H F
J A E R S J D T R L G D I B R D B
D W N N O T I Y U N R I S J T K U
S I C O K A E T W Y O Q R L V K C
Y L A P G R W R P W S W P M Q O K
U S R T N T O N I T I W K O S X X
I P N J R A Y D F O Q P F G P W S
P V A F E T U S J L P A Q T S F E
Q C C J M I I A G B I Ú O U A H R
F X I H F O K V K C R D B R S W P
G A Ó I V N T Z R Z C J W L J J M
D W N N O C I Y U N L I S J I R T
U O S X T N T O N O T I W K F C O
T K U I B V D G A D A S F E T H O
```

Creemos

Profesamos nuestra fe en Jesucristo cuando rezamos los credos de la Iglesia. Rezamos el Credo de Nicea cada domingo en la Misa. Reza esta parte del Credo de Nicea.

Grupo 1: Creo en un solo Señor, Jesucristo, Hijo único de Dios,

Grupo 2: nacido del Padre antes de todos los siglos: Dios de Dios, Luz de Luz,

Grupo 1: Dios verdadero de Dios verdadero, engendrado, no creado, de la misma naturaleza del Padre,

Grupo 2: por quien todo fue hecho;

Grupo 1: que por nosotros, los hombres, y por nuestra salvación bajó del cielo,

Grupo 2: y por obra del Espíritu Santo se encarnó de María, la Virgen, y se hizo hombre.

Chapter Review

Circle the four faith words hidden in the puzzle. Share the meaning of each word with a partner.

```
P  T  B  I  M  T  U  A  M  I  M  K  I  T
K  U  N  A  Z  A  R  E  T  H  I  M  J  U
C  J  B  J  J  W  K  B  R  B  R  R  G  Y
T  K  U  L  I  I  D  G  A  D  A  S  F  E
J  A  H  R  I  N  J  D  T  R  C  T  D  I
D  W  J  N  O  C  I  Y  U  N  L  I  S  J
S  I  Q  O  K  A  M  T  W  Y  E  Q  R  L
Y  L  O  P  G  R  W  I  P  W  S  W  P  M
U  O  S  X  T  N  T  O  N  O  T  I  W  K
I  P  A  J  R  A  Y  D  F  I  Q  P  F  G
P  V  I  F  E  T  U  S  J  L  S  A  Q  T
Q  C  J  J  M  I  I  A  G  B  I  T  O  U
F  X  T  H  F  O  Q  V  K  C  R  D  R  R
G  A  Z  I  V  N  T  Z  R  Z  C  J  W  Y
```

► TO HELP YOU REMEMBER

1. Jesus is the only Son of God who became one of us and did not give up being God.

2. When Jesus began his public ministry, he announced that he is the Promised One of God.

3. Everything Jesus said and did was a sign of God's love for people.

We Believe

We profess our faith in Jesus Christ when we pray the creeds of the Church. We pray the Nicene Creed each Sunday at Mass. Pray this part of the Nicene Creed.

Group 1: I believe in one Lord, Jesus Christ, the Only Begotten Son of God,

Group 2: born of the Father before all ages, God from God, Light from Light,

Group 1: true God from true God, begotten, not made, consubstantial with the Father;

Group 2: through him all things were made.

Group 1: For us men and for our salvation he came down from heaven

Group 2: And by the Holy Spirit was incarnate of the Virgin Mary, and became man.

Con mi familia

Esta semana...

En el capítulo 5, "El Hijo de Dios", su niño aprendió que:

▶ Dios cumplió su promesa de enviar al Mesías, el Salvador y Redentor del mundo.

▶ El ángel Gabriel anunció a la Santísima Virgen María que ella daría a luz al Hijo de Dios y que debería llamarlo Jesús.

▶ El Hijo de Dios se hizo hombre sin dejar de ser Dios. Este misterio de la fe se llama Encarnación. Jesús es verdadero Dios y verdadero hombre.

▶ Los milagros de Jesús fueron signos únicos de la presencia salvadora de Dios en el mundo, que invitan a las personas a tener fe en Dios.

▶ La vida entera de Jesús fue un signo del amor salvador de Dios por todas las personas. La caridad, o amor, es la más importante de todas las virtudes.

Para saber más sobre otras enseñanzas de la Iglesia, consulten el *Catecismo de la Iglesia Católica*, 422–507 y 512–560, y el *Catecismo Católico de los Estados Unidos para los Adultos*, páginas 79–87.

■ Compartir la Palabra de Dios

Lean juntos Lucas 4:18–19, cuando Jesús anuncia la obra que su Padre lo había enviado a hacer, o lean la adaptación del relato de la página 100. Comenten qué opinan de cómo su parroquia continúa la obra de Jesús.

■ Vivimos como discípulos

El hogar cristiano con la familia es una escuela de discipulado. Elijan una de las siguientes actividades para hacer en familia, o creen una actividad similar ustedes mismos.

▶ Lean el relato del bautismo de Jesús en Mateo 3:13–17. Nombren algunas de las cosas que su familia hace o puede hacer para hablar a los demás acerca de Jesús.

▶ Nombren a algunas personas de su parroquia que continúan la obra de Jesús. Luego elijan una cosa para hacer en familia esta semana para continuar la obra de Jesús.

▶ Hagan una lista de "Las 10 principales" cosas amorosas que su familia hace por los demás. Coloquen la lista en el refrigerador como recordatorio de que su familia practica la virtud de la caridad y es un signo del amor de Dios.

■ Nuestro viaje espiritual

San Pablo enseña que la caridad o amor es la más importante de todas las virtudes. El amor es la fuerza conductora para vivir nuestra fe. En este capítulo, su niño profesó su fe en Dios. Lean y recen juntos la oración de la página 106. Luego comenten cómo su amor por Dios los lleva a vivir su fe.

Para hallar más ideas sobre las maneras en que su familia puede vivir como discípulos de Jesús, visiten **seanmisdiscipulos.com**

With My Family

This Week . . .

In chapter 5, The Son of God, your child learned

▶ God fulfilled his promise to send the Messiah, the Savior and Redeemer of the world.

▶ The angel Gabriel announced to the Blessed Virgin Mary that she would give birth to the Son of God and name him Jesus.

▶ The Son of God became man without giving up being God. This mystery of faith is called the Incarnation. Jesus is true God and true man.

▶ The miracles of Jesus were unique signs of God's saving presence in the world, inviting people to faith in God.

▶ Jesus' whole life was a sign of God's saving love for all people. Love is the greatest of all the virtues.

For more about related teachings of the Church, see the *Catechism of the Catholic Church*, 422–507 and 512–560, and the *United States Catholic Catechism for Adults*, pages 79–87.

▪ Sharing God's Word

Read together Luke 4:18–19, Jesus announcing the work that his Father had sent him to do, or read the adaptation of the story on page 101. Discuss how you see your parish continuing the work of Jesus.

▪ We Live as Disciples

The Christian home and family is a school of discipleship. Choose one of the following activities to do as a family, or design a similar activity of your own:

▶ Read the story of Jesus' baptism in Matthew 3:13–17. Name some of the things that your family does or can do to tell others about Jesus.

▶ Name some of the people in your parish who are continuing the work of Jesus. Then choose one thing to do as a family this week to continue the work of Jesus.

▶ Make a "Top Ten" list of loving things that your family does for others. Post the list on your refrigerator as a reminder that your family practices the virtue of love and is a sign of God's love.

▪ Our Spiritual Journey

Saint Paul teaches that love is the greatest of all the virtues. Love is the driving power of living our faith. In this chapter, your child professed his or her faith in God. Read and pray together the prayer on page 107. Then discuss how your love for God drives you to live your faith.

For more ideas on ways your family can live as disciples of Jesus, visit **BeMyDisciples.com**

Lo que vendrá

En este capítulo el Espíritu Santo te invita a ▶

INVESTIGAR de qué manera la Cruz de Jesús le recordaba a Santa Elena amar a los demás.

DESCUBRIR los sucesos de los últimos días de Jesús en la Tierra.

DECIDIR maneras de vivir como discípulos de Jesús.

La Muerte y Resurrección de Jesús

? ¿Qué es un sacrificio? ¿Cuándo ha hecho alguien un sacrificio por ti?

Imagina que estás entre los discípulos con Jesús. Él les cuenta acerca de la obra que su Padre lo envió a hacer. Jesús dice:

> "Iremos pronto a Jerusalén. Los jefes de los sacerdotes y los maestros de la Ley me entregarán a los romanos y pedirán que sea condenado a muerte. Los romanos se burlarán de mí, me azotarán y me matarán. Tres días después, resucitaré de entre los muertos".
>
> BASADO EN MARCOS 10:33–34

? ¿Qué recuerdas acerca del sacrificio que Jesús hizo por todas las personas?

Looking Ahead

In this chapter the Holy Spirit invites you to ▶

 **EXPLORE** how the Cross of Jesus reminded Saint Helena to love others.

 **DISCOVER** the events of Jesus' last days on Earth.

 **DECIDE** ways to live as a disciple of Jesus.

CHAPTER

 6

The Death and Resurrection of Jesus

? What is a sacrifice? When has someone made a sacrifice for you?

Imagine that you are among the disciples with Jesus. He tells you about the work that his Father sent him to do. Jesus says,

"We will soon be going to Jerusalem. The chief priest and scribes will hand me over to the Romans and ask that I be condemned to death. The Romans will mock me, whip me, and put me to death. Three days later I will rise from the dead."

BASED ON MARK 10:33–34

? What do you remember about the sacrifice that Jesus made for all people?

Poder de los discípulos

Valor

El valor, o fortaleza, nos ayuda a hacer o decir lo correcto, incluso cuando sea difícil o nos dé miedo hacerlo. Seguir a Jesús significa tener valor como Él. El valor ayuda a una persona a ser valiente incluso cuando tenga miedo. Las personas que tienen valor saben que Dios está siempre con ellas.

Santa Elena de la Cruz

¿Te gustaría visitar el lugar donde Jesús vivió, murió y resucitó de entre los muertos? La emperatriz Elena lo hizo. Elena era la madre de Constantino el Grande, el emperador de Roma.

La emperatriz Elena vivió unos 300 años después de que Jesús murió y resucitó de entre los muertos. Elena hizo una peregrinación desde Roma a Tierra Santa. Una peregrinación es un viaje de oración a un lugar santo.

Cuando Elena llegó a Tierra Santa, fue al monte Calvario, donde Jesús fue crucificado. Según la tradición cristiana, Elena cavó en el Calvario y encontró la cruz en la que había muerto Jesús.

La emperatriz Elena tenía una gran devoción por la Cruz de Jesús. La Cruz le recordaba el valor de Jesús y su amor por ella y por todas las personas. Mirar la Cruz le daba valor para seguir a Jesús y para amar a los demás como hizo Él. La emperatriz Elena sirvió a los pobres y a los desamparados. Hizo que su hijo construyera la Iglesia de la Santa Cruz, en Roma, la Iglesia de los Apóstoles, en Constantinopla, y la Iglesia de la Natividad, en Palestina.

La Iglesia ha nombrado Santa a Elena y celebra su día el 18 de agosto.

? ¿Qué recuerdas acerca de los últimos días de Jesús en la Tierra?

Saint Helena of the Cross

Would you like to visit the place where Jesus lived, died, and rose from the dead? Empress Helena did. Helena was the mother of Constantine the Great, the Emperor of Rome.

Empress Helena lived almost three hundred years after Jesus died and was raised from the dead. Helena made a pilgrimage from Rome to the Holy Land. A pilgrimage is a prayer-journey to a holy place.

When Helena arrived in the Holy Land, she went to Mount Calvary where Jesus was crucified. According to Christian tradition, Helena dug at Calvary and found the cross on which Jesus had died.

Empress Helena had great devotion to the Cross of Jesus. The Cross reminded her of Jesus' courage and his love for her and for all people. Looking at the Cross gave her the courage to follow Jesus and to love others as he did. Empress Helena served the poor and homeless. She had her son build the Church of the Holy Cross in Rome, the Church of the Apostles in Constantinople, and the Church of the Nativity in Palestine.

The Church has named Helena a Saint and celebrates her feast day on August 18.

? What do you remember about the last days of Jesus' life on Earth?

VOCABULARIO DE FE

Pascua judía
La Pascua judía es la fiesta que celebra que Dios liberó a los israelitas de su sufrimiento y esclavitud en Egipto y los guió a la libertad en la tierra que Él les había prometido.

Última Cena
La Última Cena es la última comida que Jesús celebró con los discípulos, en la que le dio a la Iglesia el don de su Cuerpo y su Sangre, la Eucaristía.

Los últimos días de Jesús

Jesús y sus discípulos fueron a la ciudad de Jerusalén a celebrar la **Pascua judía**. Esta sería la última vez que celebrarían la Pascua judía con Jesús. Cuando Jesús entró en Jerusalén, una multitud lo recibió como a Aquel que Dios había prometido que los liberaría. Gritaban: "Hosanna al Hijo de David" (Mateo 21:9).

Más adelante en la semana, Jesús y sus discípulos participaron por última vez en la comida de la Pascua judía. Los cristianos llaman a esta comida la **Última Cena**. En la Última Cena, Jesús nos dio el don de su Cuerpo y su Sangre, la Eucaristía. Le dijo a sus discípulos que celebraran y compartieran la Eucaristía en memoria suya. La Iglesia, en todas las celebraciones de la Misa, hace lo que hizo Jesús en la Última Cena.

Después de compartir la Última Cena con los Apóstoles, le rezó a su Padre en el Huerto de Getsemaní. Jesús sentía el peso de su sacrificio y rezó: "Padre, si es posible, que esta copa se aleje de mí" (consulta Mateo 26:39, 42).

El sufrimiento y Muerte de Jesús, o su Pasión, fue el sacrificio más importante de todos. La Pasión y la Resurrección de Jesús son los signos más importantes del amor de Dios por nosotros.

Lee Mateo 26: 26–28. Compara lo que leíste aquí con lo que ves y oyes en la Misa.

Actividad

_____

_____

_____

_____

Jesus' Last Days

Jesus and his disciples went up to the city of Jerusalem to celebrate **Passover**. This would be the last time that they would celebrate Passover with Jesus. As Jesus entered Jerusalem, a crowd welcomed him as the One whom God had promised would set them free. They cheered, "Hosanna to the Son of David" (Matthew 21:9).

Later that week, Jesus and his disciples ate the Passover meal together for the last time. Christians call this meal the **Last Supper**. At the Last Supper, Jesus gave us the gift of his Body and Blood, the Eucharist. He told his disciples to celebrate and share the Eucharist in memory of him. The Church does what Jesus did at the Last Supper at every celebration of the Mass.

After sharing the Last Supper with the Apostles, he prayed in the Garden of Gethsemane to his Father. Jesus felt the weight of his sacrifice and prayed, "My Father, if it is possible, let this cup pass from me." (see Matthew 26: 39, 42).

The suffering and Death of Jesus, or his Passion, was the greatest sacrifice of all. Jesus' Passion and Resurrection are the great signs of God's love for us.

Activity Read Matthew 26:26–28. Compare what you read here with what you see and hear at Mass.

_____

_____

_____

_____

Personas de fe

Las discípulas de Jesús

Juana, una seguidora de Jesús; María, la esposa de Cleofás, y María Magdalena estuvieron en la Crucifixión con la madre de Jesús. Las discípulas también prepararon el cuerpo de Jesús para sepultarlo y fueron las primeras discípulas en enterarse de la Resurrección.

El juicio, la Muerte y la sepultura de Jesús

Mientras Jesús estaba rezando con sus discípulos en el Huerto de Getsemaní, el Apóstol Judas guió a algunos soldados romanos y líderes de los judíos hasta Jesús. Judas se acercó a Jesús y lo besó. Judas usó esta señal de amistad para traicionarlo.

Los soldados romanos arrestaron a Jesús y lo llevaron ante Poncio Pilato, el gobernador romano, y lo enjuiciaron. Pilato no pudo encontrar a Jesús culpable de ningún crimen y quería liberarlo. Pero los líderes religiosos que complotaron en contra de Jesús gritaban: "¡Crucifícalo, crucifícalo!" (Lucas 23:21). Entonces Pilato sentenció a Jesús a ser crucificado o condenado a muerte en una cruz.

Los soldados llevaron a Jesús al Calvario, una colina en las afueras de Jerusalén, donde los romanos crucificaban a los criminales. Clavaron a Jesús en la Cruz que Él había cargado. Cuando estaba muriendo en la Cruz, Jesús rezó: "Padre, perdónalos, porque no saben lo que hacen" (Lucas 23:34).

Alrededor de las tres de la tarde, Jesús gritó: "Padre, en tus manos encomiendo mi espíritu" y murió (Lucas 23:46). José de Arimatea, un discípulo de Jesús, le pidió permiso a Pilato para sepultar el cuerpo de Jesús. Los discípulos de Jesús envolvieron su cuerpo en una sábana de lino limpia y lo colocaron en un sepulcro nuevo, que había sido excavado en la roca (consulta Mateo 27:57–61).

? ¿Qué hubieras hecho si hubieras estado durante el juicio de Jesús?

Jesus' Trial, Death, and Burial

While Jesus was praying with his disciples in the Garden of Gethsemane, Judas the Apostle led some Roman soldiers and leaders of the Jewish people to Jesus. Judas went to Jesus and kissed him. Judas used this sign of friendship to betray him.

Roman soldiers arrested Jesus and took him to Pontius Pilate, the Roman governor, and put him on trial. Pilate could not find Jesus guilty of any crime and wanted to release him. But the religious leaders who plotted against Jesus shouted, "Crucify him! Crucify him!" (Luke 23:21). So Pilate sentenced Jesus to be crucified, or put to death on a cross.

The soldiers led Jesus to Calvary, a hill outside Jerusalem where the Romans crucified criminals. They nailed Jesus to the Cross that he had carried. As he was dying on the Cross, Jesus prayed, "Father, forgive them, they know not what they do" (Luke 23:34).

Around three o'clock in the afternoon, Jesus cried out, "Father, into your hands I commend my spirit" and died (Luke 23:46). Joseph of Arimathea, a disciple of Jesus, asked Pilate's permission to bury Jesus' body. Jesus' disciples wrapped his body in a clean linen cloth and placed it in a new tomb, which was carved in the rock (see Matthew 27:57–61).

? What would you have done if you were there during Jesus' trial?

Women Disciples of Jesus

Joanna, a follower of Jesus; Mary, the wife of Clopas; and Mary Magdalene were at the Crucifixion with Jesus' mother. Women disciples also prepared Jesus' body for burial and were the first disciples to learn about the Resurrection.

Los católicos creen

Símbolos

Los símbolos son signos que representan o señalan algo. La cruz es un símbolo de la Muerte y el amor de Jesús. Los cristianos usan la cruz y otros símbolos que les recuerdan los misterios de nuestra fe.

La Resurrección y la Ascensión

A primera hora de la mañana del tercer día después de la muerte y sepultura de Jesús, María Magdalena y otra discípula de Jesús, también llamada María, fueron a su sepulcro. La tierra empezó a temblar:

Un Ángel del Señor bajó del cielo, se dirigió al sepulcro, hizo rodar la piedra de la entrada y se sentó sobre ella.... El Ángel dijo a las mujeres: "Ustedes no tienen por qué temer. Yo sé que buscan a Jesús, que fue crucificado. No está aquí, pues ha resucitado, tal como lo había anunciado. Vengan a ver el lugar donde lo habían puesto, pero vuelvan en seguida y dígan[selo] a sus discípulos."

MATEO 28:2–7

Este acontecimiento se llama Resurrección.

El Jesús Resucitado se apareció a sus discípulos durante cuarenta días. Luego los llevó hasta un monte en Galilea. Jesús les encomendó o les dio la misión que tenían que hacer en su nombre. Tenían que hacer discípulos de todas las personas. Tenían que bautizar a las personas y enseñarles a obedecer todo lo que él les había encomendado. Jesús prometió que siempre estaría con ellos y luego regresó a su Padre. Este acontecimiento se llama Ascensión.

Actividad

Eres el director del Periódico La Buena Nueva. Debajo de cada titular, escribe la primera oración para tu artículo.

PERIÓDICO LA BUENA NUEVA

1. El sepulcro de Jesús está vacío

_____

_____

2. Jesús regresa a su Padre

_____

_____

The Resurrection and Ascension

In the early morning of the third day after Jesus' death and burial, Mary Magdalene and another disciple of Jesus, also named Mary, went to Jesus' tomb. The ground began to shake,

An angel of the LORD descended from heaven, approached, rolled back the stone [in front of the tomb], and sat upon it. . . . Then the angel said to the women, "Do not be afraid! I know that you are seeking Jesus the crucified. He is not here, for he has been raised just as he said. Come and see the place where he lay. Then go quickly and tell his disciples."

MATTHEW 28:2–7

This event is called the Resurrection.

The Risen Jesus appeared to his disciples for forty days. Then he took them to a mountain in Galilee. Jesus commissioned them, or gave them work to do in his name. They were to make disciples of all people. They were to baptize people and teach them to obey all that he had commanded them. Jesus promised to be always with them and then returned to his Father. This event is called the Ascension.

Activity You are the editor for the Good News Daily Post. Under each headline, write the first sentence for your news article.

GOOD NEWS DAILY POST

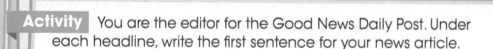

1. The Tomb of Jesus Is Empty

_____

_____

2. Jesus Returns to His Father

_____

_____

YO SIGO A JESÚS

Los acontecimientos del Misterio Pascual forman parte de nuestra historia de fe. La cruz es un símbolo de esta historia. Vivir como discípulo de Jesús requiere valor. Cada vez que amas a los demás lo mejor que puedes, estás haciendo lo que Jesús hizo.

POR TU CRUZ Y RESURRECCIÓN

Decora la cruz con las maneras en que puedes llevar la vida de Jesús a los demás.

Por tu cruz y resurrección nos has salvado, Señor.

ACLAMACIÓN MEMORIAL, MISAL ROMANO

MI ELECCIÓN DE FE

Esta semana, usaré la virtud del valor para ser un discípulo de Jesús. Yo voy a

_____

_____

_____

"Por tu cruz y resurrección nos has salvado, Señor".

I FOLLOW JESUS

The events of the Paschal Mystery are part of your faith story. The cross is a symbol of this story. Living as a disciple of Jesus takes courage. Each time that you love others the best that you can, you are doing what Jesus did.

BY YOUR CROSS AND RESURRECTION

Decorate the cross with ways in which you can bring Jesus' life to others.

Save us, Savior of the world, for by your Cross and Resurrection you have set us free.

MEMORIAL ACCLAMATION, ROMAN MISSAL

This week I will use the virtue of courage to be Jesus' disciple. I will

_____

_____

_____

MY FAITH CHOICE

"Save us, Savior of the world, for by your Cross and Resurrection you have set us free."

1. Jesús celebró la Última Cena durante la Pascua judía, antes de ser crucificado.

2. Jesús sufrió y murió en la Cruz por nosotros.

3. Jesús resucitó de entre los muertos y, cuarenta días después, regresó o ascendió a su Padre en el Cielo.

Repaso del capítulo

Coloca en el orden apropiado estos acontecimientos de los últimos días de la vida de Jesús. Marca el primer acontecimiento con el número 1 y el último acontecimiento con el número 7.

_____ La Resurrección

_____ La Ascensión

_____ La Última Cena

_____ La Crucifixión

_____ El arresto en el huerto

_____ El juicio ante Poncio Pilato

_____ La sepultura en el sepulcro

Adoración de la Cruz

Las oraciones de adoración se encuentran en la Biblia. La adoración es uno de los cinco tipos de oración que reza el pueblo de Dios. Esta oración está tomada de la liturgia de la Iglesia que se celebra el Viernes Santo.

Acérquense uno a la vez. Hagan una reverencia al crucifijo y recen en silencio:

Te adoramos, oh Cristo,

y te bendecimos.

Porque con tu Santa Cruz

has salvado al mundo.

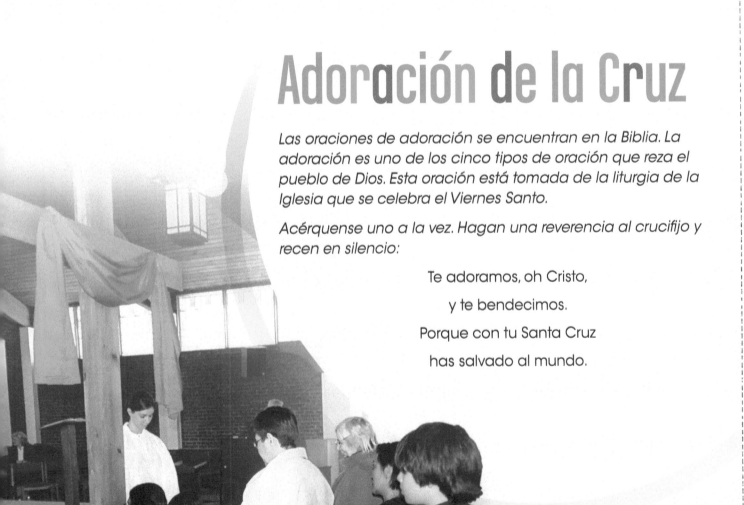

Chapter Review

Place these events of the last days in the life of Jesus in their proper order. Mark the first event with the number 1 and the last event with the number 7.

_____ The Resurrection

_____ The Ascension

_____ The Last Supper

_____ The Crucifixion

_____ The arrest in the garden

_____ The trial before Pontius Pilate

_____ The burial in the tomb

▶ **TO HELP YOU REMEMBER**

1. Jesus celebrated the Last Supper during Passover before he was crucified.

2. Jesus suffered and died on the Cross for us.

3. Jesus was raised from the dead and forty days later returned, or ascended, to his Father in Heaven.

Adoration of the Cross

Prayers of adoration are found in the Bible. Adoration is one of the five types of prayer prayed by God's people. This prayer is from the liturgy of the Church celebrated on Good Friday.

Come forward one by one. Reverence the crucifix and silently pray:

> We adore you, O Christ,
>
> and we bless you.
>
> By your holy Cross
>
> you have redeemed the world.

Con mi familia

Esta semana...

En el capítulo 6, "La Muerte y Resurrección de Jesús", su niño aprendió que:

▶ En la Última Cena, Jesús nos dio el don de su Cuerpo y su Sangre, la Eucaristía.

▶ Jesús fue traicionado, arrestado y entregado a Pilato para que lo juzgara. Aunque no lo encontraron culpable de ningún crimen, Jesús fue muerto en la Cruz como un criminal común.

▶ El tercer día después de su muerte y sepultura, Jesús resució a una nueva vida y, durante cuarenta días, se apareció a los discípulos en muchas ocasiones.

▶ Después de encomendarles que hicieran discípulos de todas las naciones, Jesús ascendió a su Padre en el Cielo.

▶ El valor es la virtud que nos permite hacer lo correcto, aun cuando sea difícil.

Para saber más sobre otras enseñanzas de la Iglesia, consulten el *Catecismo de la Iglesia Católica*, 595–667, y el *Catecismo Católico de los Estados Unidos para los Adultos*, páginas 91–99.

■ Compartir la Palabra de Dios

Inviten a cada familia a compartir lo que saben sobre el relato evangélico del sufrimiento y Muerte (Pasión), Resurrección y Ascensión de Jesús. Comenten el valor que Jesús demostró eligiendo libremente morir por nuestros pecados.

■ Vivimos como discípulos

El hogar cristiano con la familia es una escuela de discipulado. Elijan una de las siguientes actividades para hacer en familia, o creen una actividad similar ustedes mismos.

▶ Esta semana, después de la Misa, tómense tiempo para recorrer las Estaciones de la Cruz. Imaginen cómo podría haber sido estar con Jesús.

▶ Conversen durante la comida acerca del valor. ¿Cuándo actuaron con valor los miembros de la familia? ¿Cuándo han contado con Dios y con el apoyo de los demás para tener el valor y la fuerza para hacer lo que es correcto?

■ Nuestro viaje espiritual

En una oración de adoración, reconocemos que solo Dios es Dios y que nosotros somos sus criaturas. En este capítulo, su niño rezó una oración de adoración. Lean y recen juntos la oración de la página 122. Comenten las maneras en que su familia pone o puede poner primero a Dios en su vida.

Para hallar más ideas sobre las maneras en que su familia puede vivir como discípulos de Jesús, visiten

seanmisdiscipulos.com ▶

With My Family

This Week ...

In chapter 6, The Death and Resurrection of Jesus, your child learned that

▶ At the Last Supper, Jesus gave us the gift of his Body and Blood, the Eucharist.

▶ Jesus was betrayed, arrested, and handed over to Pilate for trial. Although not found guilty of any crime, Jesus was put to death on the Cross as a common criminal.

▶ On the third day after his death and burial, Jesus rose to new life and, for forty days, appeared to the disciples on many occasions.

▶ After commissioning them to make disciples of all nations, Jesus ascended to his Father in Heaven.

▶ Courage is the virtue that allows us to do what is right, even when it is hard.

For more about related teachings of the Church, see the *Catechism of the Catholic Church*, 595–667, and the *United States Catholic Catechism for Adults*, pages 91–99.

■ Sharing God's Word

Invite each family member to share what they know about the Gospel account of Jesus' suffering and Death (Passion), Resurrection, and Ascension. Discuss the courage that Jesus showed in freely choosing to Wdie for our sins.

■ We Live as Disciples

The Christian home and family is a school of discipleship. Choose one of the following activities to do as a family, or design a similar activity of your own:

▶ This week, take time after Mass to walk the Stations of the Cross. Imagine what it might have been like to have been with Jesus.

▶ Have a mealtime discussion about courage. When have family members acted with courage? When have you counted on God and the support of each other for the courage and strength to do what is right?

■ Our Spiritual Journey

In a prayer of adoration, we acknowledge that God alone is God and we are his creatures. In this chapter, your child prayed a prayer of adoration. Read and pray together the prayer on page 123. Discuss the ways in which your family keeps or can keep God first in your lives.

For more ideas on ways your family can live as disciples of Jesus, visit **BeMyDisciples.com**

CAPÍTULO

7

Lo que vendrá

En este capítulo el Espíritu Santo te invita a ▶

INVESTIGAR de qué manera el Espíritu Santo guió a un misionero.

DESCUBRIR el don del Espíritu Santo.

DECIDIR cómo verás al Espíritu Santo en acción en tu vida.

Reciban al Espíritu Santo

❓ ¿De qué manera has recibido ayuda con una tarea o un problema que no podías resolver?

Imagina que estás con Jesús en la Última Cena. Sabes que pronto lo arrestarán y lo matarán. Estás preocupado acerca de lo que harás sin Él. Luego, Él dice:

"No teman. No los dejaré solos. El Padre les enviará al Espíritu Santo en mi nombre. Él será su protector y maestro".

BASADO EN JUAN 14:1, 25

❓ ¿De qué maneras te ayuda el Espíritu Santo a vivir como un seguidor de Jesús?

Looking Ahead

In this chapter the Holy Spirit invites you to ▶

 **EXPLORE** how the Holy Spirit guided a missionary.

 **DISCOVER** the gift of the Holy Spirit.

 **DECIDE** how you will see the Holy Spirit at work in your life.

CHAPTER

7

Receive the Holy Spirit

? How have you been helped with a task or a problem that you could not solve?

Imagine that you are with Jesus at the Last Supper. You know that he will soon be arrested and put to death. You are worried about what you will do without him. Then he says,

"Do not be afraid. I will not leave you alone. The Father will send you the Holy Spirit in my name. He will be your helper and teacher."

BASED ON JOHN 14:1, 25

? In which ways does the Holy Spirit help you live as a follower of Jesus?

Poder de los discípulos

Sabiduría

La sabiduría es uno de los siete Dones del Espíritu Santo. Este don nos ayuda a ver el mundo como Dios lo ve. Nos ayuda a tratar a las personas con amor así como Dios trata a todos.

Casa de familia

El Espíritu Santo invita a las personas a creer en Jesús a través de la vida de los misioneros. Los misioneros, como hicieron los Apóstoles, viajan a otros lugares a hablar a los demás acerca de Jesús.

La Hermana Kathleen Reiley es una hermana de Maryknoll. Es una misionera que está en Japón, donde ayuda a los niños que tienen cáncer. Yoshino Takashi era uno de los niños a los que la Hermana Kathleen ayudó.

Takashi no era cristiano. Un amigo le dio a Takashi una Biblia. A Takashi le encantaba leer la Biblia. Subrayaba sus pasajes preferidos. Su fe en Jesucristo crecía y crecía. Pronto lo bautizaron y recibió el nombre de Stephen.

Stephen oyó que la Hermana Kathleen quería empezar una casa para las familias de los niños con cáncer. Estas familias, a menudo, necesitaban un lugar donde quedarse mientras sus hijos estaban en el hospital. Sin decírselo a la Hermana Kathleen, Stephen le dijo a su padre: "Aun si muero, por favor, ayuda a la Hermana a construir un hogar para estas familias".

El señor Yoshino hizo lo que su hijo le pidió. Muchas familias reciben ayuda gracias al amor del joven Stephen por Jesús. Ahora, existe una Casa de Familia donde las familias pueden recibir amor y cuidado.

Actividad Encuentra Japón en un mapa o un globo terráqueo. Ahora elige otro país donde te gustaría hablar a los demás acerca de Jesús. Escribe el nombre de ese país en el siguiente renglón. Debajo del renglón, di lo que te gustaría hacer allí.

Family House

The Holy Spirit invites people to believe in Jesus through the lives of missionaries. Missionaries, as the Apostles did, travel to places to tell others about Jesus.

Sister Kathleen Reiley is a Maryknoll sister. She is a missionary in Japan where she helps children who have cancer. Yoshino Takashi was one of the children whom Sister Kathleen helped.

Takashi was not a Christian. A friend gave Takashi a Bible. Takashi loved reading the Bible. He underlined his favorite passages. His faith in Jesus Christ grew and grew. He soon was baptized and given the name Stephen.

Stephen heard that Sister Kathleen wanted to start a house for families of children with cancer. These families often needed a place to stay while their children were in the hospital. Without telling Sister Kathleen, Stephen told his father, "Even if I die, please help Sister build a home for these families."

Mr. Yoshino did what his son asked him. Many families are helped because of the love of young Stephen for Jesus. Now there is a Family House where families can get love and care.

Disciple Power

Wisdom

Wisdom is one of the seven Gifts of the Holy Spirit. This gift helps us see the world as God does. It helps us treat people with love as God treats everyone.

Activity

Find Japan on a map or globe. Now pick another country where you might like to tell others about Jesus. Write the name of that country on the line below. Underneath the line, tell what you would like to do there.

_____

VOCABULARIO DE FE

Pentecostés

Pentecostés es el día en el que el Espíritu Santo descendió sobre los discípulos como lo prometió Jesús, cincuenta días después de la Resurrección.

El don del Espíritu Santo

Dios Padre envió a su Hijo, Jesús, al mundo para que "se salve el mundo gracias a él" (basado en Juan 3:17). Por tres años, durante su ministerio público, Jesús viajó con sus discípulos haciendo la obra que Dios Padre lo envió a hacer.

En la Última Cena, Jesús sabía que sus discípulos tenían miedo. Ellos no querían que Él muriera. No querían quedarse solos después de su muerte. Él les hizo esta promesa:

En adelante el Espíritu Santo, el Intérprete que el Padre les va a enviar en mi Nombre, les enseñará todas las cosas y les recordará todo lo que yo les he dicho... Que no haya en ustedes angustia ni miedo.

JUAN 14:26–27

Jesús prometió que Dios Padre les enviaría al Intérprete, el Espíritu Santo. Un intérprete es alguien que se pone a tu lado y te guía. Los discípulos no querían estar solos. El Espíritu Santo estaría siempre con ellos para ayudarlos y enseñarles como hizo Jesús.

? ¿Por qué Jesús prometió enviar al Espíritu Santo?

The Gift of the Holy Spirit

FAITH FOCUS
Why is the Holy Spirit important to the Church?

FAITH VOCABULARY
Pentecost
Pentecost is the day that the Holy Spirit came to the disciples as Jesus had promised, fifty days after the Resurrection.

God the Father sent his Son, Jesus, into the world so that "the world might be saved through him" (see John 3:17). For three years, during his public ministry, Jesus traveled with his disciples doing the work God the Father sent him to do.

At the Last Supper, Jesus knew his disciples were afraid. They did not want him to die. They did not want to be left alone after he died. He made this promise to them,

The Advocate, the holy Spirit that the Father will send in my name—he will teach you everything and remind you of all that [I] told you . . . Do not let your hearts be troubled or afraid.

JOHN 14:26–27

Jesus promised that God the Father would send them the Advocate, the Holy Spirit. An advocate is one who stands by your side and guides you. The disciples would never be alone. The Holy Spirit would always be with them to help and teach them as Jesus did.

? Why did Jesus promise to send the Holy Spirit?

San Pedro Apóstol

Pedro y su hermano Andrés estaban entre los primeros discípulos elegidos por Jesús. Jesús eligió a Pedro para que fuera el líder de los Apóstoles y de su Iglesia. El Papa es el sucesor de San Pedro. El Papa es el líder de toda la Iglesia Católica en la Tierra.

La venida del Espíritu Santo

Cincuenta días después de la Resurrección, la ciudad de Jerusalén estaba repleta de peregrinos judíos. Habían llegado de muchos países para celebrar **Pentecostés**. Pentecostés era una fiesta que los judíos de la época de Jesús celebraban para dar gracias a Dios por la cosecha.

También estaban en Jerusalén María, la madre de Jesús, y los discípulos. Estaban esperando que se cumpliera la promesa que les había hecho Jesús.

Inesperadamente, un viento fuerte llenó la habitación en la que se habían encerrado. Luego aparecieron lenguas que parecían llamas, que fueron y se posaron sobre cada uno de ellos. Todos quedaron llenos del Espíritu Santo.

BASADO EN HECHOS DE LOS APÓSTOLES 2:1-4

La promesa de Jesús se hizo realidad. El Espíritu Santo vino a los discípulos. Pedro y los demás discípulos, llenos del don del Espíritu Santo, destrabaron la puerta y salieron al mercado.

Valientemente, Pedro predicó acerca de la Muerte y Resurrección de Jesús. Muchas personas llegaron a creer en Jesucristo y pidieron ser bautizadas.

Actividad Decora el marco que rodea la oración. Trabaja con un grupo pequeño de compañeros. Elijan gestos para usar mientras rezan el Gloria al Padre. Luego recen glorificando y alabando a Dios por enviar el don del Espíritu Santo.

Gloria al Padre

y al Hijo

y al Espíritu Santo.

Como era en el principio,

ahora y siempre,

por los siglos de los siglos.

Amén.

The Coming of the Holy Spirit

Fifty days after the Resurrection, the city of Jerusalem was crowded with Jewish pilgrims. They had come from many countries to celebrate **Pentecost**. Pentecost was a feast that the Jews of Jesus' time celebrated to thank God for the harvest.

Mary, the mother of Jesus, and the disciples were also in Jerusalem. They were waiting for the promise Jesus made to them to come true.

> Out of nowhere, a loud wind filled the room in which they had locked themselves. Then there appeared tongues that looked like flames of fire that came and rested on each of them. They were all filled with the Holy Spirit.

BASED ON ACTS OF THE APOSTLES 2:1–4

Jesus' promise came true. The Holy Spirit came to the disciples. Peter and the other disciples, filled with the gift of the Holy Spirit, unlocked the door and went into the marketplace.

Peter boldly preached about Jesus' Death and Resurrection. Many people came to believe in Jesus Christ and asked to be baptized.

Glory be to the Father
and to the Son
and to the Holy Spirit,
as it was in the beginning,
is now, and ever shall be,
world without end.
Amen.

Activity

Decorate the frame around the prayer. Work with a small group of your classmates. Choose gestures to use as you pray the Glory Be. Then pray giving glory and praise to God for sending the gift of the Holy Spirit.

133

La Evangelización es la primera obra de la Iglesia La palabra *evangelización* significa "el anuncio de la buena nueva". La evangelización es la obra de anunciar la Buena Nueva para hacer a las personas discípulos de Jesucristo.

La obra del Espíritu Santo

Al principio Pedro y los demás Apóstoles predicaron el Evangelio en el mercado de Jerusalén. Luego, obedeciendo el encargo de Jesús, viajaron por tierra y por mar para hacer discípulos de todas las naciones.

A todas partes que fueron, los Apóstoles y sus compañeros invitaban a judíos y a gentiles diciendo:

> Arrepiéntanse y que cada uno de ustedes se haga bautizar en el Nombre de Jesús...para que sus pecados sean perdonados. Entonces recibirán el don del Espíritu Santo.
>
> HECHOS DE LOS APÓSTOLES 2:38

Dios Padre, Hijo y Espíritu Santo siempre actúan juntos. La obra del Espíritu Santo es la misma que la obra que el Padre envió a hacer a su Hijo, Jesucristo. Es la obra de Salvación y Redención. Es la obra de salvarnos y liberarnos del pecado y de restablecernos para la nueva vida de Dios. Es la obra de enseñar y ayudar a todas las personas a vivir como hijos de Dios y seguidores de Jesucristo.

Actividad Diseña una señal o cartelera que hable acerca de la obra del Espíritu Santo en tu parroquia.

The Work of the Holy Spirit

Peter and the other Apostles first preached the Gospel in the marketplace in Jerusalem. Then, obeying Jesus' command, they traveled by land and sea to make disciples of all nations.

Everywhere they went, the Apostles and their companions invited Jews and Gentiles, saying:

Repent and be baptized . . . in the name of Jesus Christ for the forgiveness of your sins; and you will receive the gift of the holy Spirit.

ACTS OF THE APOSTLES 2:38

God the Father, Son, and Holy Spirit always work together. The work of the Holy Spirit is the same as the work that the Father sent his Son, Jesus Christ, to do. It is the work of Salvation and Redemption. It is the work of saving us and freeing us from sin and of restoring us to the new life of God. It is the work of teaching and helping all people to live as children of God and followers of Jesus Christ.

Catholics Believe

Evangelization

Evangelization is the first work of the Church. The word *evangelization* means "the announcement of good news." Evangelization is the work of announcing the Good News to make people disciples of Jesus Christ.

Activity

Design a sign or billboard that tells about the Holy Spirit's work in your parish.

YO SIGO A JESÚS

Infundir el aliento o soplar es una imagen que la Biblia usa para el Espíritu Santo. El Espíritu Santo vive dentro de ti. El Espíritu Santo te da toda la ayuda que necesitas para vivir como un discípulo o seguidor de Jesucristo.

EL ESPÍRITU SANTO

Elige una de estas situaciones y di cómo actuarás con el Espíritu Santo para infundirle nueva vida.

1. Un estudiante nuevo se une a mi clase. Todos lo ignoran. Yo puedo

_____

_____

_____

2. Un buen amigo, o un hermano o hermana está muy enfermo y necesita quedarse en el hospital por mucho tiempo. Yo puedo

_____

_____

_____

_____

MI ELECCIÓN DE FE

Esta semana, cooperaré con el Espíritu Santo y participaré de la obra de la Iglesia, ayudando a los demás a que lleguen a conocer mejor a Jesús. Yo voy a

_____

_____

 Reza: "Ven, Espíritu Santo, llena mi corazón de sabiduría. Ayúdame y enséñame a vivir mi Bautismo. Amén".

I FOLLOW JESUS

Breathing or breath is an image that the Bible uses for the Holy Spirit. The Holy Spirit lives within you. The Holy Spirit gives you all of the help you need to live as a disciple, or follower of Jesus Christ.

THE HOLY SPIRIT

Choose one of these situations and tell how you will work with the Holy Spirit to breathe new life into it.

1. A new student joins my class. Everyone is ignoring him. I can

_____

_____

_____,

2. A good friend or a brother or sister is very sick and needs to stay in the hospital for a long time. I can

_____

_____

_____

_____,

This week I will cooperate with the Holy Spirit and take part in the work of the Church, helping others come to know Jesus better. I will

_____

_____,

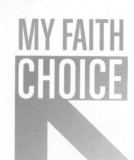

MY FAITH CHOICE

Pray, "Come, Holy Spirit, fill my heart with wisdom. Help me and teach me to live my Baptism. Amen."

1. Jesús prometió que Él y el Padre enviarían al Espíritu Santo para ayudar y enseñar a los discípulos como hizo Jesús.

2. El Espíritu Santo vino a los discípulos en Pentecostés.

3. La obra del Espíritu Santo en la Iglesia es la misma obra que el Padre le envió a hacer a Jesús.

Repaso del capítulo

En las lenguas de fuego, escribe o dibuja tres cosas que aprendiste esta semana acerca del Espíritu Santo.

Ven, Espíritu Santo

La oración cristiana se dirige, principalmente, a Dios Padre en el nombre de Jesús, a través del poder del Espíritu Santo. Los cristianos también le rezan a Jesús y al Espíritu Santo. Esta oración al Espíritu Santo se basa en una oración de la liturgia de Pentecostés.

Líder: ¡Ven, Espíritu Santo!

Todos: **¡Ven, Espíritu Santo!**

Grupo 1: Llena los corazones de tus fieles.

Grupo 2: Y enciende en ellos el fuego de tu amor.

Todos: **¡Ven, Espíritu Santo!**

Grupo 1: Envía tu Espíritu Creador.

Grupo 2: Y renueva la faz de la tierra.

Todos: **¡Ven, Espíritu Santo!**

Líder: Oh, Dios, en el primer Pentecostés enseñaste a los que creían en ti por medio de la luz del Espíritu Santo. Por el mismo Espíritu, enséñanos lo que es correcto y comparte con nosotros tu sabiduría y tu gozo. Amén.

Chapter Review

In the flames, write or draw three things you learned about the Holy Spirit this week.

Come, Holy Spirit

Christian prayer is primarily addressed to God the Father in the name of Jesus through the power of the Holy Spirit. Christians also pray to Jesus and to the Holy Spirit. This prayer to the Holy Spirit is based on a prayer from the liturgy of Pentecost.

Leader: Come, Holy Spirit!

All: Come, Holy Spirit!

Group 1: Fill the hearts of your faithful.

Group 2: And kindle in them the fire of your love.

All: Come, Holy Spirit!

Group 1: Send forth your Spirit and they shall be created.

Group 2: And you will renew the face of the earth.

All: Come, Holy Spirit!

Leader: O God, on the first Pentecost you taught those who believed in you by the light of the Holy Spirit. By the same Spirit, teach us what is right and share with us your wisdom and joy. Amen.

Con mi familia

Esta semana...

En el capítulo 7, "Reciban al Espíritu Santo", su niño aprendió que:

▶ El Espíritu Santo, el Intérprete, es el don de Dios para nosotros.

▶ Jesús prometió que no abandonaría a sus discípulos. Dijo que le pediría al Padre que enviara al Espíritu Santo para que estuviera con ellos siempre.

▶ El Espíritu Santo vino a los discípulos en Pentecostés. El Espíritu Santo dio a los discípulos la energía y el valor para hacer la obra que Jesús les había pedido que hicieran y para predicar la Buena Nueva.

▶ La obra del Espíritu Santo es la misma obra que el Padre le envió a hacer a Jesús.

▶ El Espíritu Santo vive dentro de nosotros, bendiciéndonos con el don de la sabiduría. Este don nos permite ver la vida a través de los ojos de Dios y según esto tomar decisiones.

Para saber más sobre otras enseñanzas de la Iglesia, consulten el *Catecismo de la Iglesia Católica,* 683–741, y el *Catecismo Católico de los Estados Unidos para los Adultos,* páginas 101–110.

■ Compartir la Palabra de Dios

Lean juntos Juan 14:15–30, la promesa de Jesús de que el Padre enviaría al Espíritu Santo a sus discípulos en su nombre. O lean la adaptación del relato de la página 130. Comenten que el mismo Espíritu Santo está con ustedes y con cada miembro de la familia, ayudándolos a participar de la obra de la Iglesia.

■ Vivimos como discípulos

El hogar cristiano con la familia es una escuela de discipulado. Elijan una de las siguientes actividades para hacer en familia, o creen una actividad similar ustedes mismos.

▶ Hablen acerca de la manera en que el Espíritu Santo ayuda a su familia a vivir como una familia cristiana.

▶ Hagan un cartel con la oración al Espíritu Santo. Cuelguen el cartel donde pueda servir como recordatorio para toda su familia de que el Espíritu Santo está siempre con ustedes.

■ Nuestro viaje espiritual

La disciplina espiritual de la limosna incluye compartir tanto nuestras bendiciones espirituales como las materiales. Practicar la limosna nos da energía para participar de la obra de evangelización de la Iglesia. Lean y recen juntos la oración de la página 138. Pidan al Espíritu Santo que fortalezca y que guíe a su familia para vivir la fe católica.

Para hallar más ideas sobre las maneras en que su familia puede vivir como discípulos de Jesús, visiten

seanmisdiscipulos.com

With My Family

This Week . . .

In chapter 7, Receive the Holy Spirit, your child learned

▶ The Holy Spirit, the Advocate, is God's gift to us.

▶ Jesus promised not to abandon his disciples. He said that he would ask the Father to send the Holy Spirit to be with them always.

▶ The Holy Spirit came to the disciples on Pentecost. The Holy Spirit gave the disciples the energy and courage to do the work that Jesus had commissioned them to do and to preach the Good News.

▶ The work of the Holy Spirit is the same work that the Father sent Jesus to do.

▶ The Holy Spirit dwells within us, blessing us with the gift of wisdom. This gift enables us to see life through God's eyes and make decisions accordingly.

For more about related teachings of the Church, see the *Catechism of the Catholic Church*, 683–741, and the *United States Catholic Catechism for Adults*, pages 101–110.

■ Sharing God's Word

Read together John 14:15–30, Jesus' promise that the Father will send the Holy Spirit to his disciples in his name. Or read the adaptation of the story on page 131. Discuss that the same Holy Spirit is with you and each member of your family, helping you take part in the work of the Church.

■ We Live as Disciples

The Christian home and family is a school of discipleship. Choose one of the following activities to do as a family, or design a similar activity of your own:

▶ Talk about how the Holy Spirit helps your family live as a Christian family.

▶ Make a poster of the prayer to the Holy Spirit. Hang the poster where it can serve as a reminder to everyone in your family that the Holy Spirit is always with them.

■ Our Spiritual Journey

The spiritual discipline of almsgiving includes sharing both our spiritual and material blessings. Practicing almsgiving energizes us to take part in the Church's work of evangelization. Read and pray together the prayer on page 139. Ask the Holy Spirit to strengthen and guide your family to live the Catholic faith.

For more ideas on ways your family can live as disciples of Jesus, visit **BeMyDisciples.com**

Lo que vendrá

En este capítulo
el Espíritu Santo
te invita a ▶

INVESTIGAR quiénes son
los Siete Beatos Mártires.

DESCUBRIR imágenes o
nombres para la Iglesia.

DECIDIR maneras de
participar en la obra de
la Iglesia.

El Pueblo de Dios

? ¿A qué grupos perteneces? ¿Qué hacen juntas las
personas que pertenecen a uno de estos grupos?

Cada uno de nosotros pertenecemos a la familia de Dios.
Pertenecemos al pueblo de Dios. La Iglesia es el Pueblo de Dios.
El salmista nos recuerda:

> Sepan que el Señor es Dios,
> Él nos hizo, somos suyos;
> su pueblo, el rebaño que Él cuida.　　BASADO EN EL SALMO 100:3

? ¿Cómo demuestras tu creencia de que formas parte del
Pueblo de Dios?

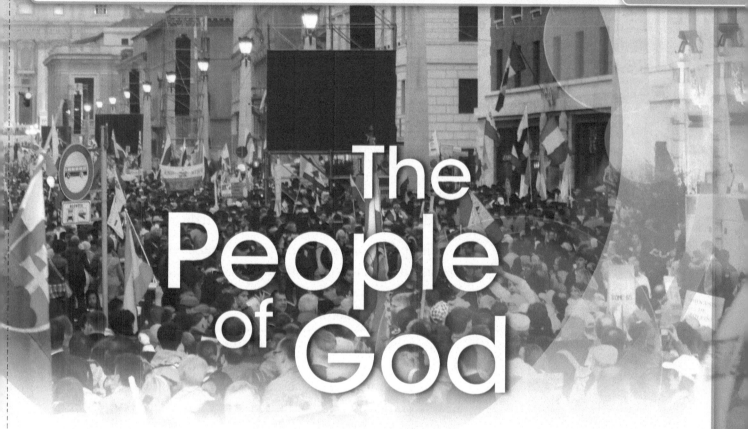

CHAPTER 8

The People of God

❓ Which groups do you belong to? What do people who belong to one of these groups do together?

Each of us belongs to God's family. We belong to God's people. The Church is the People of God. The Psalmist reminds us:

> Know that the Lord is God,
> He made us, his we are;
> His people, the flock he tends.   BASED ON PSALM 100:3

❓ How do you show your belief that you are part of the People of God?

Entendimiento

El entendimiento es uno de los siete Dones del Espíritu Santo. El entendimiento nos ayuda a hallar la verdad acerca de Dios y de nosotros mismos. Nos ayuda a descubrir lo que significa ser discípulos de Jesús, el Hijo de Dios.

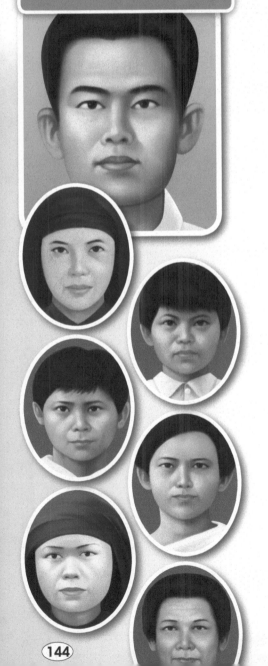

LA IGLESIA SIGUE A JESÚS

Los Siete Beatos Mártires de Tailandia

Dios invita a todas las personas a ser amigos y discípulos de Jesús. Dios quiere reunir a todas las personas en la familia de la Iglesia.

En un mapa, ubica Tailandia y la aldea católica de Songkhon, sobre el río Mekong. En el invierno de 1940, la policía fue de puerta en puerta apuntando con sus armas a las personas de la aldea, ordenándoles que abandonaran su fe en Cristo. El sacerdote de la aldea se negó y lo sacaron de Songkhon.

Philip Siphong se ofreció para ayudar a las personas. Era un maestro de religión que estaba a cargo de la escuela de la aldea. Visitó cada casa y rezó con cada familia. Esto fortaleció la fe de las personas en Cristo.

La policía se enfureció con Philip. Lo arrastraron hasta el bosque y lo mataron. Philip Siphong murió por su fe en Jesús el 16 de diciembre de 1940. Se convirtió en el primero de los Siete Beatos Mártires de Tailandia. Los otros seis mártires son Agatha Phutta, la Hermana Agnes Phila, la Hermana Lucía Khambang, Cecilia Butsi (de 16 años), Bibiana Khamphai (de 15 años) y María Phon (de 14 años).

El pueblo de Tailandia celebra la vida de estos siete valientes católicos cada año el 18 de diciembre.

? ¿A quiénes te diriges cuando necesitas ayuda para vivir como discípulo de Jesús? ¿Cómo te ayudan?

The Seven Holy Martyrs of Thailand

God invites all people to be friends and disciples of Jesus. God wants to gather all people into the family of the Church.

Locate on a map the country of Thailand and the Catholic village of Songkhon on the Mekong River. In the winter of 1940, police went door to door pointing their guns at the people in the village, ordering them to abandon their faith in Christ. The village priest refused, and he was driven out of Songkhon.

Philip Siphong stepped up to help the people. He was a religion teacher in charge of the village school. He visited each home and prayed with each family. This strengthened their faith in Christ.

The police became furious with Philip. They dragged him into the forest and murdered him. Philip Siphong died for his faith in Jesus on December 16, 1940. He became the first of the Seven Holy Martyrs of Thailand. Agatha Phutta, Sister Agnes Phila, Sister Lucia Khambang, Cecilia Butsi (who was 16), Bibiana Khamphai (who was 15), and Maria Phon (who was 14) are the other six martyrs.

The people of Thailand celebrate the lives of these seven brave Catholics each year on December 18.

? Whom do you go to when you need help to live as a disciple of Jesus? How do they help you?

Disciple Power

Understanding

Understanding is one of the seven Gifts of the Holy Spirit. Understanding helps us find the truth about God and about ourselves. It helps us discover what it means to be disciples of Jesus, the Son of God.

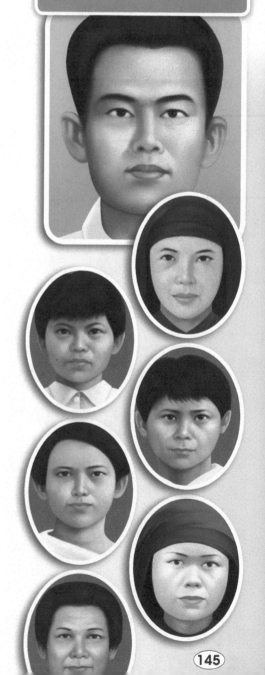

ENFOQUE EN LA FE
¿Qué significa llamar
Pueblo de Dios a la
Iglesia?

VOCABULARIO DE FE

Pueblo de Dios
Es una imagen del
Nuevo Testamento para
la Iglesia, que enseña
que Dios ha reunido a
todas las personas en
Jesucristo para que sean
su pueblo.

Cuerpo de Cristo
El Cuerpo de Cristo es
una imagen del Nuevo
Testamento para la
Iglesia, que enseña
que los miembros de la
Iglesia son uno en Cristo,
la Cabeza de la Iglesia.

Los nombres de la Iglesia

La Iglesia puede ser descrita de muchas maneras. La Iglesia es el Pueblo de Dios, el Cuerpo de Cristo y la Comunión de los Santos. Cada uno de estos nombres nos ayuda a entender el misterio de la Iglesia.

Pueblo de Dios. El Nuevo Testamento describe a la Iglesia como "una raza elegida ... una nación consagrada" (1.ª Pedro 2:9). La Iglesia es todo el pueblo a quien Dios ha reunido en Jesucristo. Se nos ha reunido para conocer, amar y servir a Dios. Dios nos ha creado para vivir en felicidad con Él para siempre.

Cuerpo de Cristo. El Bautismo nos une a Jesucristo. La Iglesia es el Cuerpo de Cristo. La Iglesia es humana y divina a la vez. Cristo es la Cabeza de la Iglesia, y la jerarquía, religiosos y laicos son los miembros de la Iglesia.

Comunión de los Santos. La Iglesia es espiritual y visible. Pertenecen a la Iglesia todos los fieles seguidores de Cristo que están vivos en la Tierra y aquellos que han muerto. Estos seguidores incluyen a los Santos del Cielo y a las almas del Purgatorio.

Actividad

Describe las buenas obras que ves hacer a los miembros de la Iglesia en tu parroquia.

_____

_____

_____

_____

Names for the Church

The Church can be described in many ways. The Church is the People of God, the Body of Christ, and the Communion of Saints. Each of these names help us understand the mystery of the Church.

People of God. The New Testament describes the Church as "a chosen race . . . a holy nation" (1 Peter 2:9). The Church is all of the people whom God has called together in Jesus Christ. We are called together to know, love, and serve God. God has created us to live in happiness with him forever.

Body of Christ. Baptism joins us to Jesus Christ. The Church is the Body of Christ. The Church is both human and divine. Christ is the Head of the Church, and the hierarchy, religious, and laypeople are members of the Church.

Communion of Saints. The Church is spiritual and visible. All of the faithful followers of Christ who are alive on Earth and those who have died belong to the Church. These followers include the Saints in Heaven and the souls in Purgatory.

FAITH FOCUS
What does it mean to call the Church the People of God?

FAITH VOCABULARY

People of God
A New Testament image for the Church that teaches that God has called together all people in Jesus Christ to be his people.

Body of Christ
The Body of Christ is a New Testament image for the Church that teaches that the members of the Church are made one in Christ, the Head of the Church.

Activity Describe the good works that you see members of the Church doing together in your parish.

_____

_____

_____

_____

Personas de fe

Los Apóstoles

Los Apóstoles fueron los primeros pastores de la Iglesia. Los Apóstoles a los que primero eligió Jesús se mencionan en Mateo 10:1-4. Se los llama también los Doce.

Papa Francisco

La obra de la Iglesia

La Iglesia Católica se remonta a los tiempos de Jesús y los Apóstoles. La Iglesia continúa hoy la obra que empezaron los Apóstoles. Jesús fundó la Iglesia sobre los Apóstoles. Le dijo al Apóstol Pedro: "Tú eres Pedro (o sea *Piedra*), y sobre esta piedra edificaré mi Iglesia..." (Mateo 16:18).

Jesús le dio a Pedro y a los demás Apóstoles la autoridad y responsabilidad de bautizar a las personas, para hacer que todas fuera sus discípulos y enseñar lo que Él había enseñado. Jesucristo sigue gobernando o dirigiendo la Iglesia hoy a través de todos los obispos y el Papa, que es el Obispo de Roma. El Papa es el sucesor de San Pedro, y los demás obispos son los sucesores de los otros Apóstoles.

Todos los bautizados están llamados a trabajar con el Espíritu Santo y a continuar la obra de Cristo en la Tierra. Las palabras *sacerdote*, *profeta* y *rey* describen la obra de Cristo. Todos los miembros de la Iglesia participan de su obra. Como miembros bautizados de la Iglesia, hacemos la obra sacerdotal de vivir una vida santa. Tenemos que hablar a los demás acerca de Dios como hacen los profetas. Nuestra obra como reyes es servir a Dios, especialmente sirviendo a los pobres y a los que sufren.

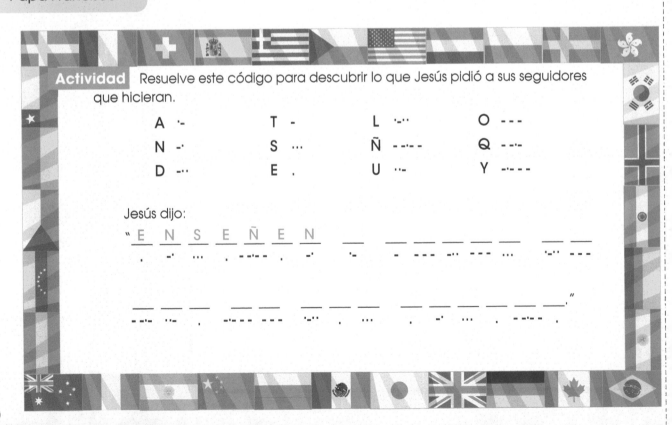

Actividad Resuelve este código para descubrir lo que Jesús pidió a sus seguidores que hicieran.

A ·—	T —	L ·—··	O ———
N —·	S ···	Ñ ——·——	Q ——·—
D —··	E ·	U ··—	Y —·——

Jesús dijo:

"E N S E Ñ E N _____ _____ _____

_____ _____ _____ _____ ."

The Work of the Church

The Catholic Church goes all the way back to Jesus and the Apostles. The Church continues today the work that the Apostles began. Jesus founded the Church on the Apostles. He said to Peter the Apostle, "You are Peter, and upon this rock I will build my church" (Matthew 16:18).

Jesus gave Peter and the other Apostles the authority and responsibility to baptize people, to make all people his disciples, and to teach what he had taught. Jesus Christ continues to govern, or lead, the Church today through the Pope, who is the Bishop of Rome, and the other bishops. The Pope is the successor of Saint Peter, and the other bishops are the successors of the other Apostles.

All of the baptized are called to work with the Holy Spirit and continue the work of Christ on Earth. The words *priest, prophet*, and *king* describe the work of Christ. All the members of the Church share in his work. As baptized members of the Church, we do the priestly work of living holy lives. We are to tell others about God as prophets do. Our kingly work is to serve God, especially by serving people who are poor and suffering.

Pope Francis

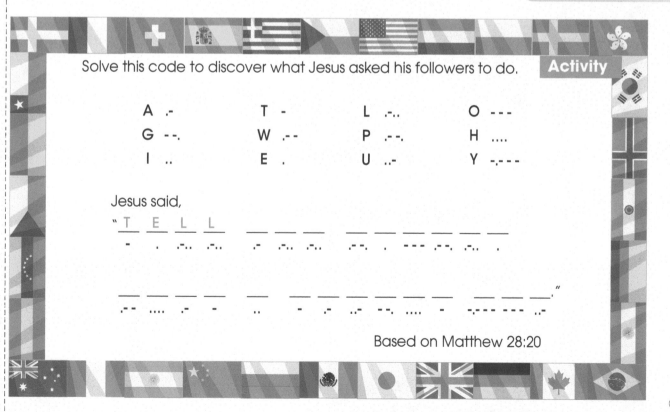

Solve this code to discover what Jesus asked his followers to do.

A .-	T -	L .-..	O ---
G --.	W .--	P .--.	H ....
I ..	E .	U ..-	Y -.---

Jesus said,

"T E L L _ _ _ _ _ _ _ _ _

Based on Matthew 28:20

Activity

149

Los católicos creen

Día de Todos los Fieles Difuntos

El 2 de noviembre, la Iglesia celebra el Día de Todos los Fieles Difuntos. Rezamos por todas las almas del Purgatorio. Creemos que, cuando morimos, nuestra vida cambia, pero no termina. Nos damos apoyo mutuamente por medio de nuestras oraciones.

El Reino de Dios

Jesús habló de su obra como la construcción el Reino de Dios. Jesús dijo que el Reino de Dios o Reino de los Cielos es como un tesoro (lee Mateo 13:44). Es algo por lo que estaríamos dispuestos a vender todo lo que tenemos para encontrarlo y conservarlo. Es algo por lo que rezamos cada vez que decimos "Venga a nosotros tu Reino" en el Padre Nuestro.

Junto con el Espíritu Santo, la Iglesia trabaja para prepararse para la venida del Reino de Dios. Las personas de la Iglesia de todo el mundo trabajan para construir un mundo de amor y paz. Trabajamos juntos para continuar las obras de misericordia y justicia que Jesús empezó.

La venida del Reino de Dios es la Buena Nueva para todas las personas. Les da a todas las personas esperanza para el futuro. El Reino de Dios vendrá finalmente cuando la obra de Cristo esté terminada, al final de los tiempos. Luego, Cristo volverá otra vez en gloria. Se completará el plan amoroso de Dios de Salvación y Redención.

? ¿Cómo le describirías a un amigo el Reino de Dios? Encuentra a un compañero y comparte tu descripción.

Un altar del Día de los Muertos en el Día de Todos los Fieles Difuntos

The Kingdom of God

Jesus spoke of his work as building the Kingdom of God. Jesus said that the Kingdom of God, or Kingdom of Heaven, is like a treasure (read Matthew 13:44). It is something that we would be willing to sell everything we have to find and keep. It is something that we pray for every time we pray "Thy kingdom come" in the Our Father.

Together with the Holy Spirit, the Church works to prepare for the coming of God's kingdom. The people of the Church around the world work to build a world of love and peace. We work together to continue the works of mercy and justice that Jesus began.

The coming of the Kingdom of God is Good News for all people. It gives all people hope for the future. The Kingdom of God will finally come about when the work of Christ is finished, at the end of time. Then, Christ will come again in glory. God's loving plan of Salvation and Redemption will be completed.

? How would you describe the Kingdom of God to a friend? Find a partner and share your description.

Día de los Muertos (Day of the Dead) altar on All Souls' Day

YO SIGO A JESÚS

Tu familia parroquial está formada por muchas personas. Quizás, en tu parroquia se hablan muchos idiomas. Ustedes se ayudan mutuamente para crecer en fe y en amor. Rezan y sirven juntos a los demás.

SACERDOTE, PROFETA Y REY

Como cristiano bautizado, tienes que hacer la obra de un sacerdote, de un profeta y de un rey. Crea un guión ilustrado y muestra una manera en que cumples cada uno de estas funciones.

Sacerdote	Profeta	Rey

MI ELECCIÓN DE FE

Tú eres un miembro importante de la familia de tu parroquia. ¡Tu parroquia te necesita! ¿Qué harás para trabajar con los otros miembros de tu parroquia? Yo voy a

_____

_____.

 Pide al Espíritu Santo que te dé el don del entendimiento para que conozca la verdad acerca de Dios y su gran amor por ti.

I FOLLOW JESUS

Your parish family is made up of many people. Perhaps many languages are spoken in your parish. You help one another grow in faith and love. You pray and serve others together.

PRIEST, PROPHET, AND KING

As a baptized Christian, you are to do the work of priest, prophet, and king. Create a storyboard and showing a way you fill each of these roles.

Priest	Prophet	King

You are an important member of your parish family. Your parish needs you! What will you do to work with other members of your parish? I will

_____

_____ .

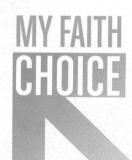

MY FAITH CHOICE

Ask the Holy Spirit for the gift of understanding so that you will come to know the truth about God and his great love for you.

Repaso del capítulo

Usa este código para descifrar el mensaje acerca de la Iglesia.

1 = E	2 = O	3 = S	4 = L	5 = U

L __ Ig __ __ __ ia __ __ __ __
 4   4 1 3   1 3   1 4

P __ __ b __ __ d__ Di __ __ y
 5 1 4 2   1   2 3

__ __ C __ __ rp __ d__ Cri __ t __
1 4   5 1 2   1   3 2

¡Venga a nosotros tu Reino!

Jesús prometió que todos los que crean en Dios y vivan como Él enseñó, vivirán por siempre en el Cielo.

Líder: Recemos por la venida del Reino de Dios.

Lector 1: Trabajamos para traer el Reino de Dios,

Lector 2: cuando damos techo a los desamparados,

Todos: **Venga a nosotros tu reino.**

Lector 3: cuando damos alimento y bebida a los necesitados,

Lector 4: cuando damos ropa y refugio,

Todos: **Venga a nosotros tu reino.**

Lector 5: cuando ayudamos a los que están enfermos,

Lector 6: cuando visitamos a los que están presos,

Todos: **Venga a nosotros tu reino.**

Líder: Recemos todos por la venida del Reino de Dios en la Tierra como en el Cielo.

Todos: *(Rezan el Padre Nuestro.)*

Chapter Review

Use this code to decipher the message about the Church.

1 = E	2 = O	3 = S	4 = H	5 = T

T__ __   C__ u r c __   i __   __ h e
4 1   4   4   3   5

Pe __ pl __   __ f   G __ d   and
  2   1   2   2

t __ e   B __ dy   __ f   C __ r i __ t.
4   2   2   4   3

▶ TO HELP YOU REMEMBER

1. The Church is the Body of Christ, the People of God, and the Communion of Saints.

2. Jesus founded the Church on Saint Peter the Apostle.

3. Jesus announced the coming of the Kingdom of God. His kingdom will come about in all its fullness at the end of time.

Thy Kingdom Come!

Jesus promised that all who believe in God and live as he taught will live forever in Heaven.

Leader: Let us pray for the coming of God's kingdom.

Reader 1: We work to bring about God's kingdom,

Reader 2: when we shelter the homeless,

All: Thy kingdom come.

Reader 3: when we give food and drink to those in need,

Reader 4: when we give clothing and shelter,

All: Thy kingdom come.

Reader 5: when we help people who are sick,

Reader 6: when we visit with those imprisoned,

All: Thy kingdom come.

Leader: Let us all pray for the coming of God's kingdom on Earth as it is in Heaven.

All: (Pray the Our Father.)

Con mi familia

Esta semana...

En el capítulo 8, "El Pueblo de Dios", su niño aprendió que:

▶ Dios nos ha llamado a todos en Cristo para que seamos la Iglesia, el Pueblo de Dios y la Comunión de los Santos.

▶ Cristo es la Cabeza del Cuerpo de Cristo, la Iglesia. La jerarquía, los religiosos y los laicos son sus miembros.

▶ Todos los miembros de la Iglesia trabajan juntos con el Espíritu Santo para continuar la obra de Cristo para prepararse para la venida del Reino de Dios.

▶ El Reino de Dios llegará finalmente a su plenitud al final de los tiempos.

▶ El entendimiento es el don del Espíritu Santo que nos permite descubrir la verdad acerca de Dios y de nosotros mismos.

Para saber más sobre otras enseñanzas de la Iglesia, consulten el *Catecismo de la Iglesia Católica*, 748–959, y el *Catecismo Católico de los Estados Unidos para los Adultos*, páginas 115–123.

■ Compartir la Palabra de Dios

Lean juntos 1.ª Pedro 2:9–10 y Mateo 16:13–19. Enfaticen y comenten lo que significa para su familia ser parte de la Iglesia, el Pueblo de Dios y el Cuerpo de Cristo.

■ Vivimos como discípulos

El hogar cristiano con la familia es una escuela de discipulado. Esta semana, sigan creciendo en la fe como familia. Elijan una de las siguientes actividades para hacer en familia, o creen una actividad similar ustedes mismos.

▶ Nombren las maneras en que los miembros de su familia trabajan bien juntos. Hablen acerca de lo que significa para su familia vivir como miembros del Cuerpo de Cristo.

▶ Hablen acerca de la manera en que las personas pacíficas muestran respeto y se tratan unas a otras con justicia como miembros de la única Familia de Dios. Elijan algo que harán esta semana para ayudar a prepararse para la venida del Reino de paz de Dios.

■ Nuestro viaje espiritual

Alguien describió a la persona humana como *homo quaerens*, o "el hombre que pregunta". San Anselmo describió que el cristiano fiel está en un viaje en el que "la fe trata de comprender". El tiempo que se pasa en la lectura y la reflexión espiritual es una forma de oración.

Para hallar más ideas sobre las maneras en que su familia puede vivir como discípulos de Jesús, visiten

seanmisdiscipulos.com ▶

With My Family

This Week . . .

In chapter 8, The People of God, your child learned

▶ God has called us together in Christ to be the Church, the People of God, and the Communion of Saints.

▶ Christ is the Head of the Body of Christ, the Church. The hierarchy, religious, and laypeople are her members.

▶ Every member of the Church works together with the Holy Spirit to continue the work of Christ to prepare for the coming of the Kingdom of God.

▶ God's kingdom will finally come about in its fullness at the end of time.

▶ Understanding is the gift of the Holy Spirit that allows us to discover the truth about God and ourselves.

For more about related teachings of the Church, see the *Catechism of the Catholic Church*, 748–959, and the *United States Catholic Catechism for Adults*, pages 115–123.

Sharing God's Word

Read together 1 Peter 2:9–10 and Matthew 16:13–19. Emphasize and discuss what it means for your family that you are part of the Church, the People of God, and the Body of Christ.

We Live as Disciples

The Christian home and family is a school of discipleship. Continue to grow in faith as a family this week. Choose one of the following activities to do as a family, or design a similar activity of your own.

▶ Name the ways that your family members work well together. Talk about what this means for your family to live as members of the Body of Christ.

▶ Talk about how peaceful people show respect and treat one another justly as members of the one Family of God. Choose one thing that you will do this week to help prepare for the coming of God's Kingdom of peace.

Our Spiritual Journey

Someone described the human person as *homo quaerens,* or "the searcher seeking meaning." Saint Anselm described the faithful Christian to be on a journey of "seeking the meaning of the faith." Time spent in spiritual reading and reflection is a form of prayers.

For more ideas on ways your family can live as disciples of Jesus, visit **BeMyDisciples.com**

Unidad 2: **Repaso**

Nombre _____

A. Elije la mejor palabra

Completa los espacios en blanco con las palabras de la lista.

caridad	Encarnación	ministerio
Última Cena	Intérprete	Pascua judía

1. La _____ es cuando el Hijo de Dios se hizo
humano sin dejar de ser Dios.

2. Jesús prometió que Dios Padre enviaría al
_____, el Espíritu Santo.

3. La _____ es la más importante de todas las virtudes.

4. Jesús empezó su _____ público cuando creció
y dejó su hogar para comenzar la obra que Dios Padre
lo envió a hacer.

5. La _____ es la fiesta que celebra
que Dios liberó a los israelitas de la esclavitud y los
guió a la tierra que les había prometido.

B. Muestra lo que sabes

Une los elementos de la columna A con los de la columna B.

Columna A

1. milagro

2. peregrinación

3. valor

4. la Ascensión

5. la Pasión

Columna B

_____ **a.** viaje de oración a un lugar sagrado

_____ **b.** el sufrimiento y Muerte de Jesús

_____ **c.** El regreso de Jesús al Padre

_____ **d.** maravilla, algo sorprendente y
asombroso

_____ **e.** fortaleza, virtud que ayuda a una
persona a ser valiente

Unit 2 **Review**

Name _____

A. Choose the Best Word

Use the words in the word bank to complete the sentences.

Love	Incarnation	ministry
Last Supper	Advocate	Passover

1. The _____ is the Son of God becoming human without giving up being God.

2. Jesus promised that God the Father would send the _____, the Holy Spirit.

3. _____ is the greatest of all the virtues.

4. Jesus began his public _____ when he grew up and left home to begin the work God the Father sent him to do.

5. _____ is the Jewish feast that celebrates God's freeing of the Israelites from slavery and leading them to the land promised to them.

B. Show What You Know

Match the words or phrases in column A with the words or phrases in column B.

Column A	Column B
1. miracle	____ **a.** prayer journey to a holy place
2. pilgrimage	____ **b.** the suffering and Death of Jesus
3. courage	____ **c.** Jesus' return to the Father
4. the Ascension	____ **d.** wonder, something amazing and marvelous
5. the Passion	____ **e.** fortitude, virtue that helps a person be brave

C. La Escritura y tú

Vuelve a leer el pasaje de la Sagrada Escritura de la página de Inicio de la unidad.
¿Qué relación hay entre lo que ves en esta página y lo que aprendiste en esta unidad?

_____

_____

_____

D. Sé un discípulo

1. *Repasa las cuatro páginas de esta unidad llamadas La Iglesia sigue a Jesús. ¿Qué persona o ministerio de la Iglesia de estas páginas te inspirará para ser un mejor discípulo de Jesús? Explica tu respuesta.*

_____

_____

_____

2. *Trabaja en grupo. Repasa las cuatro virtudes o dones de Poder de los discípulos que has aprendido en esta unidad. Después de anotar tus ideas, comparte con el grupo maneras prácticas en las que vivirás estas virtudes o dones día a día.*

_____

_____

_____

C. Connect with Scripture

Reread the Scripture passage on the Unit Opener page. What connection do you see between this passage and what you learned in this unit?

_____

_____

_____

D. Be a Disciple

1. *Review the four pages in this unit titled The Church Follows Jesus. What person or ministry of the Church on these pages will inspire you to be a better disciple of Jesus? Explain your answer.*

_____

_____

_____

2. *Work with a group. Review the four Disciple Power virtues or gifts you have learned about in this unit. After jotting down your own ideas, share with the group practical ways that you will live these virtues or gifts day by day.*

_____

_____

_____

México: Nuestra Señora de Guadalupe

La Solemnidad de Nuestra Señora de Guadalupe, Santa patrona de México y de las Américas, se celebra el 12 de diciembre.

Muchos miles de personas en México y en Estados Unidos celebran el 12 de diciembre a María como Nuestra Señora de Guadalupe. Este día, celebran las apariciones de María a Juan Diego, un hombre pobre y sencillo, cerca de la ciudad de México en 1531. Puedes aprender más acerca de estas apariciones en la página 162 de tu libro de texto.

Hoy, en la ciudad de México, la Iglesia Católica ha construido una basílica, nombre que se da a una iglesia especialmente importante. Esta honra a Nuestra Señora de Guadalupe y todos los años vienen a la ciudad de México personas de todo el país para participar en celebraciones especiales. Gran cantidad de peregrinos llegan andando muchas millas de rodillas como señal de su devoción a María. Le agradecen por responder a sus plegarias. Afuera del santuario, tocan las bandas y se unen a las celebraciones los bailarines locales. Muchas otras fiestas tienen lugar en todo México. Casi todas las familias arman un altar para la Virgen María. Muchas ciudades tienen exhibiciones especiales de fuegos artificiales.

Las apariciones de María a Juan Diego en México causaron que muchas personas se unieran a la Iglesia. Hoy, María es la Santa patrona de México y la Patrona de todas las Américas, y a Juan Diego lo han canonizado como Santo.

? ¿Por qué te parece que María eligió a un hombre tan pobre para aparecérsele? ¿Qué quería que entendieran las personas?

Mexico: Our Lady of Guadalupe

The Feast of our Lady of Guadalupe, patron Saint of Mexico and of all the Americas, is celebrated on December 12.

Many thousands of people in Mexico and the United States celebrate Mary as Our Lady of Guadalupe on December 12. On this day, they celebrate Mary's appearances to Juan Diego, a poor, simple man, near Mexico City in 1531. You can learn more about the story of these appearances on page 163 of your textbook.

In Mexico City today, the Catholic Church has built a basilica, the name for a church that is especially important. It honors Our Lady of Guadalupe, and every year people from all over the country come to Mexico City to take part in special celebrations. Many pilgrims arrive by traveling on their knees for many miles as a sign of their devotion to Mary. They thank her for answering their prayers. Outside the shrine bands play, and local dancers join the celebrations. Many other fiestas take place all over Mexico. Almost every family puts up an altar to the Virgin Mary. Many cities have special fireworks shows.

Mary's appearances in Mexico to Juan Diego caused many people to join the Church. Today, Mary is the patron Saint of Mexico and Patroness of all the Americas, and Juan Diego has been canonized as a Saint.

? Why do you think Mary chose to appear to such a poor man? What did she want to help people understand?

Jesús y Lázaro

Lázaro de Betania se enfermó. Sus hermanas, Marta y María, le pidieron a Jesús que viniera enseguida.

Jesús llegó dos días después. Lázaro ya había muerto y lo habían sepultado. Marta le dijo a Jesús: "¡Señor, si hubieras estado aquí, mi hermano no habría muerto!".

Jesús le dijo: "Yo soy la resurrección y la vida; el que cree en mí, aunque muera, vivirá. ¿Crees esto?"

De inmediato, Marta contestó: "Sí, Señor. Yo creo que tú eres el Mesías, el Hijo de Dios, el que tenía que venir al mundo."

Jesús fue al sepulcro y en voz alta dijo: "¡Lázaro, sal fuera!". Ante esa orden, Lázaro salió del sepulcro.

BASADO EN JUAN 11:1–44

We Worship

Part One

Jesus and Lazarus

Lazarus from Bethany became sick. His sisters, Mary and Martha, asked Jesus to come at once.

Jesus arrived two days later. Lazarus had already died and had been buried. Martha said to Jesus, "Lord, if you had been here, my brother would not have died!"

Jesus told her, "I am the resurrection and the life; whoever believes in me, even if he dies, will live. Do you believe this?"

At once, Martha answered, "Yes, Lord. I have come to believe that you are the Messiah, the Son of God, the one who is coming into the world."

Jesus went to the tomb and in a loud voice said, "Lazarus, come out!" At that command, Lazarus came out of the tomb.

BASED ON JOHN 11:1-44

Lo que he aprendido

¿Qué es lo que ya sabes acerca de estos tres términos de fe?

Sacramentos

_____

_____

_____

Misterio Pascual

_____

_____

_____

vocación

_____

_____

_____

Vocabulario de fe para aprender

Escribe X junto a las palabras de fe que sabes. Escribe ? junto a las palabras de fe que necesitas aprender mejor.

_____ pecado

_____ Éxodo

_____ Dones del Espíritu Santo

_____ sacramentales

_____ Sacramentos de la Iniciación Cristiana

_____ credo

La Biblia

¿Qué sabes acerca de cómo se reunían a rezar y a celebrar los primeros cristianos?

_____

_____

_____

La Iglesia

¿Qué sabes acerca de la vocación de todas las personas de la Iglesia?

_____

_____

_____

Tengo preguntas

¿Qué preguntas te gustaría hacer acerca de los Sacramentos?

_____

_____

_____

What I Have Learned

What is something you already know about these three faith terms?

Sacraments

_____

_____

_____

Paschal Mystery

_____

_____

_____

vocation

_____

_____

_____

Faith Terms to Know

Put an X next to the faith terms you know. Put a ? next to faith terms you need to learn more about.

_____ sin

_____ Exodus

_____ Gifts of the Holy Spirit

_____ sacramentals

_____ Sacraments of Christian Initiation

_____ creed

The Bible

What do you know about how the early Christians gathered to pray and celebrate?

_____

_____

_____

The Church

What do you know about the vocation of all the people of the Church?

_____

_____

_____

Questions I Have

What questions would you like to ask about the Sacraments?

_____

_____

CAPÍTULO
9

Lo que vendrá

En este capítulo el Espíritu Santo te invita a ▶

INVESTIGAR que la oración es una expresión de amistad con Dios.

DESCUBRIR cómo reza la Iglesia.

DECIDIR cómo y cuándo rezar todos los días.

Pueblo de oración

? ¿Cómo te gusta pasar el tiempo con tus amigos? ¿Cómo ayuda este tiempo a cultivar su amistad?

Pasar tiempo juntos y compartir ideas y sentimientos con un amigo ayuda a que una amistad se cultive. Lo mismo es cierto acerca de nuestra amistad con Dios. Escucha estas palabras de San Pablo:

> Ayúdense unos a otros y tengan paciencia. Procuren el bien entre ustedes y con los demás. Estén siempre alegres. Recen sin cesar. Den gracias por todo lo que les ocurra. Qué el Espíritu de Dios los colme.
>
> BASADO EN 1.ª TESALONICENSES 5: 14–19

? ¿Qué quiere decir "recen sin cesar"?

Looking Ahead

In this chapter the Holy Spirit invites you to ▶

 **EXPLORE** prayer as an expression of friendship with God.

 **DISCOVER** how the Church prays.

 **DECIDE** how and when to pray every day.

CHAPTER

9

People of Prayer

? How do you like to spend time with your friends? How does this time help your friendships grow?

Spending time together and sharing thoughts and feelings with a friend helps a friendship grow. The same is true for our friendship with God. Listen to these words of Saint Paul:

Help each other, and be patient. Look for the good in each other and in everyone. Rejoice always. Pray always. Give thanks for everything that happens to you. Let God's Spirit fill you.

BASED ON 1 THESSALONIANS 5: 14–19

? What does it mean to "pray always"?

Querido amigo

Se podía oír el vuelo de una mosca, ¡algo muy poco frecuente en un salón repleto de adolescentes! Pero en esta noche especial, la señora Álvarez visitaba al grupo de jóvenes para hablarles de su amistad con Dios.

La señora Álvarez medía menos de cinco pies de estatura y se rumoreaba que era la persona más anciana de la parroquia. Los estudiantes se sentaron a su alrededor para escucharla con atención. Su voz era suave, casi un susurro. Habló a los adolescentes acerca de Dios y de por qué ella lo consideraba un "querido amigo".

Al escucharla, el grupo enseguida supo por qué la señora Álvarez consideraba que Dios era su "querido amigo". Ella dijo:

—Yo siento que todos los momentos de mi vida son una oración. En todo momento, Dios está escuchando, esperando que le diga: "¡Hola!".

Luego hizo algo que muchos de los adolescentes jamás olvidarán.

Calmadamente, les pidió a cada uno que se presentara. Primero, dijo en voz alta:

—¡Hola, Señor! Bendice a mis jóvenes amigos; ellos son amigos tuyos también.

Después les dio un rosario a cada uno. Y dijo a los estudiantes:

—Recen el Rosario y sabrán qué amigo de ustedes es Dios.

Aproximadamente un año después, la señora Álvarez murió. En la Misa de su Funeral, se vio prácticamente a todos los jóvenes que habían estado aquella noche con ella. Habían venido a alabar y a dar gracias a Dios por su querida amiga.

❓ ¿De qué manera es Dios tu "querido amigo"?

Dear Friend

You could hear a pin drop, and that did not happen very often in a crowded room full of teenagers! But on this special night, Mrs. Alvarez was visiting the youth group to tell them about her friendship with God.

Mrs. Alvarez was less than five feet tall, and rumor had it that she was the oldest person in the parish. The students sat around her listening carefully. Her voice was soft, almost a whisper. She talked to the teenagers about God and why she considered him a "dear friend."

As they listened, the group soon came to know why Mrs. Alvarez considered God to be her "dear friend." She said, "I feel like every moment of my life is a prayer. Every moment God is listening, just waiting for me to say, 'Hi!' "

Then she did something that many of the teenagers would never forget.

Quietly, she asked each of them to come forward. First, she said aloud, "Hi, God! Bless my young friends; they are your friends, too." She then gave them each a rosary. She said to each student, "Pray the Rosary, and you will learn what a friend of yours God is."

About a year later, Mrs. Alvarez died. Nearly every youth who had been there that night showed up at her Funeral Mass. They came to praise and thank God for their dear friend.

? In what ways is God your "dear friend"?

Disciple Power

Wonder and Awe

Wonder and awe, also called fear of the Lord, is a gift that sharpens our awareness of God's great love for us. It is a gift that we experience more and more as our friendship with God grows through prayer.

VOCABULARIO DE FE

rezar
Rezar es elevar nuestra mente y nuestro corazón a Dios, que es Padre, Hijo y Espíritu Santo; es hablar con Dios y escucharlo.

Liturgia de las Horas
La oración diaria, pública y comunitaria de la Iglesia se llama Liturgia de las Horas.

Dios está siempre con nosotros

El Espíritu Santo nos invita y enseña a **rezar**. Cuando rezamos, compartimos con Dios lo que está en nuestra mente y nuestro corazón. Rezamos a Dios Padre, a Jesús, el Hijo de Dios y al Espíritu Santo. Ya sea que recemos solos o con otras personas, creemos que Dios está con nosotros siempre. Ya sea que recemos en silencio en nuestro corazón o en voz alta, Dios está ahí siempre, escuchándonos.

Rezar fortalece nuestra amistad con Dios. Celebra nuestro amor por Dios. Expresa nuestra fe y nuestra confianza en Dios Padre, Dios Hijo y Dios Espíritu Santo. La oración es un signo de nuestro amor por Dios. La oración es un signo de nuestra confianza en Dios.

Actividad

Un amigo de la escuela te dice que no entiende por qué rezas. ¿Qué le dirías? Anota aquí tres de tus razones. Muéstrale tu lista a un compañero.

_____

_____

_____

God Is Always with Us

The Holy Spirit invites us and teaches us to **pray**. When we pray, we share with God what is on our minds and in our hearts. We pray to God the Father, to Jesus, God's Son, and to the Holy Spirit. Whether we pray alone or with others, we believe that God is always with us. Whether we pray quietly in our hearts or aloud, God is always there, listening to us.

Praying strengthens our friendship with God. It celebrates our love for God. It expresses our faith and trust in God the Father, God the Son, and God the Holy Spirit. Prayer is a sign of our love for God. Praying is a sign of our trust in God.

FAITH FOCUS
In what ways does the Church pray?

FAITH VOCABULARY
pray
To pray is to raise our minds and hearts to God, who is Father, Son, and Holy Spirit; it is to talk and listen to God.

Liturgy of the Hours
The daily, public, and communal prayer of the Church is called the Liturgy of the Hours.

Activity

A friend at school tells you he doesn't understand why you pray. What would you tell him? List three of your reasons here. Share your list with a partner.

Personas de Fe

Benedictinos

San Benito y Santa Escolástica eran mellizos Benito escribió reglas sobre cómo la gente debía vivir el Evangelio. Sus reglas pueden resumirse en las palabras: "reza y trabaja". Escolástica siguió el consejo de su hermano. Muchos otros hombres y otras mujeres también lo hicieron y siguen haciéndolo. Se llaman Benedictinos.

La Iglesia reza

La Iglesia es un pueblo que reza. Desde los comienzos de la Iglesia, los seguidores de Jesucristo siempre se han reunido para rezar. La Iglesia reza todos los días, todo el año, año tras año. La Iglesia está rezando siempre porque la Iglesia está en todas partes del mundo.

La liturgia es la forma de oración más importante de la Iglesia. Toda oración de la Iglesia se centra en la liturgia. Dentro de la liturgia de la Iglesia, encontramos la Eucaristía, los otros seis Sacramentos, la **Liturgia de las Horas** y la Bendición del Santísimo Sacramento.

En todo momento del día, la Iglesia está rezando la Liturgia de las Horas. La Liturgia de las Horas es la oración oficial, diaria y pública de la Iglesia. La Iglesia reza la Liturgia de las Horas en la mañana, al mediodía, en la tarde y por la noche. Ofrecemos devotamente gracias a Dios por su gran amor por nosotros. Le pedimos a Dios que nos ayude a vivir como hijos suyos y como seguidores de Cristo.

? ¿En qué momentos del día rezas tú? ¿En cuáles de esos momentos rezas con otras personas?

The Church Prays

The Church is a people of prayer. From the beginning of the Church, the followers of Jesus Christ have always gathered for prayer. The Church prays every day, all year long, year after year. The Church is always praying, because the Church is in every part of the world.

The liturgy is the main form of prayer for the Church. All prayer of the Church centers on the liturgy. The liturgies of the Church include the Eucharist, the other six Sacraments, the **Liturgy of the Hours**, and the Benediction of the Most Blessed Sacrament.

At every part of the day, the Church is praying the Liturgy of the Hours. The Liturgy of the Hours is the daily, public official prayer of the Church. The Church prays the Liturgy of the Hours in the morning, at midday, in the evening, and at night. We offer prayerful thanks to God for his great love for us. We ask God to help us live as his children and as followers of Christ.

> At what times of day do you pray? At which of these times do you pray with others?

Faith-Filled People

Benedictines

Saint Benedict and Saint Scholastica were twins. Benedict wrote rules for people on how to live the Gospel. His rules can be summed up in the words, "pray and work." Scholastica followed the advice of her brother. Many other men and women did too, and still do today. They are called Benedictines.

Los católicos creen

Medallas y estatuas

Las medallas y las estatuas nos recuerdan que Dios está siempre con nosotros. Son sacramentales. Los sacramentales son objetos sagrados que nos da la Iglesia para ayudarnos a rezar y a recordar el amor de Dios por nosotros.

Profesar nuestra fe en Dios

Rezar es un signo de nuestra fe en Dios. Es un signo de que creemos que Dios está siempre con nosotros y siempre escucha. La fe es uno de los dones que Dios nos ha dado. La fe nos da la capacidad de escuchar a Dios, de llegar a conocerlo y creer en Él. La fe nos ayuda a hacer que nuestra amistad con Dios sea lo más importante de nuestra vida.

Desde sus primeros días, la Iglesia ha profesado su fe en Dios por medio de los credos. Los credos de la Iglesia son resúmenes breves de aquello en lo que la Iglesia cree. Profesamos nuestra fe en Dios Santísima Trinidad y en todo lo que Dios ha revelado para nosotros y ha hecho por nosotros.

Los dos credos más importantes que rezamos de la Iglesia, son el Credo de los Apóstoles y el Credo de Nicea. El Credo de Nicea es el credo que rezamos con más frecuencia en la Misa al final de la Liturgia de la Palabra.

Mira el Credo de los Apóstoles y el Credo de Nicea en la página 526. Escribe en estos renglones dos cosas que creemos acerca de Dios Padre, Dios Hijo y Dios Espíritu Santo.

Actividad

Dios Padre	Dios Hijo	Dios Espíritu Santo
_____	_____	_____
_____	_____	_____
_____	_____	_____

Professing Our Faith in God

Praying is a sign of our faith in God. It is a sign that we believe that God is always with us and always listens. Faith is one of God's gifts to us. Faith gives us the ability to listen to God, to come to know God, and to believe in him. Faith helps us make our friendship with God the most important thing in our lives.

From her earliest days, the Church has professed her faith in God in creeds. The creeds of the Church are brief summaries of what the Church believes. We profess our faith in God the Holy Trinity and in all that God has revealed to us and done for us.

The two main creeds of the Church that we pray are the Apostles' Creed and the Nicene Creed. The Nicene Creed is the creed that we most often pray at Mass at the end of the Liturgy of the Word.

Catholics Believe

Medals and Statues

Medals and statues remind us that God is always with us. They are sacramentals. Sacramentals are sacred objects given to us by the Church that help us pray and remind us of God's love for us.

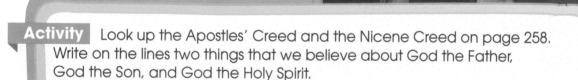

Activity Look up the Apostles' Creed and the Nicene Creed on page 258. Write on the lines two things that we believe about God the Father, God the Son, and God the Holy Spirit.

God the Father	God the Son	God the Holy Spirit
_____	_____	_____
_____	_____	_____
_____	_____	_____
_____	_____	_____

YO SIGO A JESÚS

El Espíritu Santo te invita a rezar y te enseña a hacerlo en cualquier momento, en cualquier lugar. Puedes rezar en tu casa, en la iglesia, de camino a la escuela o mientras estés de paseo. En este momento, Dios está invitándote a rezar.

SEÑOR, ESCUCHA MI PLEGARIA

Haz silencio para la oración. Reza el Salmo 54:4. Escucha. Cuéntale a Dios, de amigo a amigo, lo que hay en tu corazón y en tu mente. Escribe o dibuja tu oración en el espacio en blanco. Experimenta la admiración y veneración en la presencia de Dios.

 Morning

"Oh Dios, escucha mi plegaria..." Afternoon
SALMO 54:4

Night

MI ELECCIÓN DE FE

Esta semana pasaré un rato cada día en oración con Dios. Yo voy a

_____

_____

_____

Reza: "Padre nuestro, que estás en el cielo, santificado sea tu Nombre. Amén".

I FOLLOW JESUS

The Holy Spirit invites you to pray and teaches you to pray anytime, anywhere. You can pray at home, in church, on your way to school, or while you are taking a walk. God is inviting you to pray right now.

LORD, HEAR MY PRAYER

Quiet yourself for prayer. Pray Psalm 54:4. Listen. Share with God, friend to friend, what is in your heart and on your mind. Write or draw your prayer in the space. Experience wonder and awe in God's presence.

"O God, hear my prayer."

PSALM 54:4

This week I will spend some time each day with God in prayer. I will

_____

_____

_____.

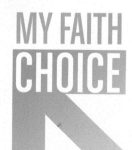

MY FAITH CHOICE

Pray, "Our Father, who art in heaven, hallowed be thy name. Amen."

Repaso del capítulo

Escribe V junto a los enunciados verdaderos. Escribe F junto a los enunciados falsos. Haz verdaderos los enunciados falsos.

_____ **1.** Rezamos a Dios Padre, a Jesús y al Espíritu Santo.

_____ **2.** Rezar fortalece nuestra amistad con Dios.

_____ **3.** Rezar antes y después de las comidas es la forma de oración más importante de la Iglesia.

_____ **4.** Al final de la Misa, rezamos el Credo de Nicea.

Ave María

En todo el mundo, la gente reza el Ave María para honrar a María como Madre de Dios y como madre nuestra.

Líder: Señor Dios, María es nuestro modelo de oración. Hoy la honramos en nuestra oración.

Grupo 1: Dios te salve, María, llena eres de gracia; el Señor es contigo.

Grupo 2: Bendita Tú eres entre todas las mujeres, y bendito es el fruto de tu vientre, Jesús.

Todos: **Santa María, Madre de Dios, ruega por nosotros, pecadores, ahora y en la hora de nuestra muerte. Amén.**

Chapter Review

Write T next to the true statements. Write F next to the false statements. Make the false statements true.

_____ **1.** We pray to God the Father, Jesus, and the Holy Spirit.

_____ **2.** Praying strengthens our friendship with God.

_____ **3.** Praying before and after meals is the main form of prayer in the Church.

_____ **4.** We pray the Nicene Creed at the end of Mass.

Hail Mary

People all over the world pray the Hail Mary to honor Mary as the Mother of God and as our mother.

Leader: Lord God, Mary is our model of prayer. We honor her today as we pray.

Group 1: Hail, Mary, full of grace, the Lord is with thee.

Group 2: Blessed art thou among women and blessed is the fruit of thy womb, Jesus.

All: Holy Mary, Mother of God, pray for us sinners, now and at the hour of our death. Amen.

Esta semana...

En el capítulo 9, "Pueblo de oración", su niño aprendió que:

▶ La Iglesia es un pueblo que reza.

▶ La oración es levantar nuestra mente y nuestro corazón a Dios y compartir con Él nuestros pensamientos y sentimientos.

▶ La Liturgia de las Horas es la oración diaria y pública de la Iglesia.

▶ Los credos de la Iglesia son oraciones de la Iglesia que son resúmenes breves de aquello en lo que la Iglesia cree.

▶ La admiración y veneración, o temor de Dios, es uno de los siete Dones del Espíritu Santo que nos ayuda a crecer en nuestra conciencia de la grandeza, el poder y el amor de Dios por nosotros.

Para saber más sobre otras enseñanzas de la Iglesia, consulten el *Catecismo de la Iglesia Católica*, 2558–2567 y 2650–2679; y el *Catecismo Católico de los Estados Unidos para los Adultos*, páginas 461–495.

■ Compartir la Palabra de Dios

Lean juntos el Salmo 54:4. Hablen de cómo la oración es hablar con Dios y escucharlo. La oración es conversación y comunicación con Dios. Es vivir nuestra amistad con Dios.

■ Vivimos como discípulos

El hogar cristiano con la familia es una escuela de discipulado. Su familia crece junta en la fe. Elijan una de las siguientes actividades para hacer en familia, o creen una actividad similar ustedes mismos.

▶ Aprovechen las oraciones que reza su familia antes de las comidas para agradecerle a Dios su presencia en su casa.

▶ Los sacramentales, como las medallas o las estatuas, nos recuerdan el amor de Dios por nosotros y nos ayudan a rezar. Busquen todos los sacramentales que haya en su hogar. Si no están a la vista, elijan unos cuantos para exhibirlos por la casa.

■ Nuestro viaje espiritual

María es la Madre de Dios y la Madre de la Iglesia. Ella es una mujer de oración. Es nuestra compañera constante en nuestro viaje espiritual. Cuando rezamos el Ave María, reconocemos y recordamos esta realidad. Hagan una pausa en el trajín del día para rezar el Ave María. Inviten a María a acompañarlos en su viaje espiritual.

Para hallar más ideas sobre las maneras en que su familia puede vivir como discípulos de Jesús, visiten **seanmisdiscipulos.com** ▶

With My Family

This Week . . .

In chapter 9, People of Prayer, your child learned:

▶ The Church is a people of prayer.

▶ Prayer is lifting our minds and hearts to God and sharing our thoughts and feelings with him.

▶ The Liturgy of the Hours is the daily public prayer of the Church.

▶ The creeds of the Church are prayers of the Church that are brief summaries of what the Church believes.

▶ Wonder and awe, or fear of the Lord, is one of the seven Gifts of the Holy Spirit that helps us grow in our awareness of God's greatness, power, and love for us.

For more about related teachings of the Church, see the *Catechism of the Catholic Church*, 2558–2567 and 2650–2679; and the *United States Catholic Catechism for Adults*, pages 461–495.

■ Sharing God's Word

Read Psalm 54:4 together. Talk about how prayer is both talking and listening to God. Prayer is conversation and communication with God. It is living our friendship with God.

■ We Live as Disciples

The Christian home and family is a school of discipleship. Your family grows in faith together. Choose one of the following activities to do as a family or design a similar activity of your own.

▶ Use your family's prayer before meals as a time to thank God for his presence in your household.

▶ Sacramentals, such as medals or statues, remind us of God's love for us and help us pray. Find all of the sacramentals in your home. If they are not displayed, choose a few to display around your home.

■ Our Spiritual Journey

Mary is the Mother of God and the Mother of the Church. She is a woman of prayer. She is our constant companion on our spiritual journey. Praying the Hail Mary acknowledges and reminds us of this reality. Pause during your busy day to pray the Hail Mary. Invite Mary to accompany you on your spiritual journey.

For more ideas on ways your family can live as disciples of Jesus, visit **BeMyDisciples.com**

Lo que vendrá

En este capítulo el Espíritu Santo te invita a ▶

INVESTIGAR por qué los católicos de México celebran Las Posadas.

DESCUBRIR la Liturgia de la Iglesia y el año litúrgico.

DECIDIR mostrar reverencia y agradecimiento a Dios.

Celebrar el amor de Dios

❓ ¿Cuáles son las ocasiones especiales en las que tu familia se reúne para celebrar?

Escucha cómo describe San Lucas por qué se reunían los miembros de la Iglesia primitiva. Imagina que tú y tu familia están allí. Lucas escribe:

> Los miembros de Iglesia primitiva se dedicaban a escuchar y a aprender las enseñanzas de los Apóstoles. Se reunían para ayudarse unos a otros, partir el pan y rezar. Todos los días alababan a Dios.
>
> BASADO EN HECHOS DE LOS APÓSTOLES 2:42, 46–47

❓ ¿Cuándo te reúnes con tu parroquia para rezar?

Looking Ahead

In this chapter the Holy Spirit invites you to ▶

EXPLORE why Catholics in Mexico celebrate Las Posadas.

DISCOVER the Liturgy of the Church and the liturgical year.

DECIDE to show reverence and thanks to God.

CHAPTER 10

Celebrating God's Love

[?] What are some special times when your family gathers to celebrate?

Listen to how Saint Luke describes why the members of the early Church gathered. Imagine you and your family are there. Luke writes:

> The members of the early Church devoted themselves to listening and learning the teachings of the Apostles. They came together to help each other, and for the breaking of the bread and for the prayer. Every day they praised God.
>
> BASED ON ACTS OF THE APOSTLES 1:42, 46–47

[?] When do you gather with your parish to pray?

Poder de los discípulos

Piedad

La piedad, también llamada reverencia, es uno de los siete Dones del Espíritu Santo. La piedad es un respeto profundo por Dios y por la Iglesia. Una persona que practica la piedad muestra reverencia y honra a Dios.

Las Posadas

Hoy, en todos los países del mundo, hay personas que se reúnen como Iglesia. Celebramos y crecemos en nuestra fe en Jesús. Celebramos nuestra fe con las tradiciones particulares de nuestro país. La Iglesia de Estados Unidos de América está bendecida con personas de muchas familias culturales. Son ejemplos de esas familias los hispanos y los latinos. Una celebración latina tradicional es la de Las Posadas.

Los mexicanos celebran Las Posadas todos los años durante el Adviento. La celebración tiene lugar durante los ocho días previos a la Navidad. Celebrar Las Posadas ayuda a las personas a prepararse para celebrar la Navidad. La celebración de Las Posadas es una expresión de honra piadosa a Dios. Es una celebración de fe en Jesucristo.

Durante Las Posadas, las personas de una ciudad dramatizan la búsqueda de María y José por un lugar para quedarse en Belén. La palabra *posada* significa "hostería". La gente lleva velas y camina en procesión por las calles detrás de dos personas que representan a María y a José. María y José van deteniéndose en las casas para pedir un lugar donde quedarse. La gente los va rechazando hasta que finalmente una familia los recibe en su casa.

Las Posadas nos recuerdan que tenemos que estar siempre dispuestos a abrir el corazón al amor de Dios. Es una celebración maravillosa y alegre que comparte con todos la buena nueva del amor de Dios.

? ¿Cómo celebra el Adviento tu parroquia? ¿Cuáles son tus tradiciones familiares de Adviento preferidas? ¿Qué es especial para ti de estas tradiciones?

Las Posadas

Today, people in countries all over the world gather as the Church. We grow and celebrate our faith in Jesus. We celebrate our faith using cultural traditions unique to our country. The Church in the United States of America is blessed with people from many cultural families. The Hispanic and Latino people are examples of those families. A traditional Latino celebration is Las Posadas.

People in Mexico celebrate Las Posadas each year during Advent. The celebration takes place during the eight days before Christmas. Celebrating Las Posadas helps the people get ready to celebrate Christmas. The celebration of Las Posadas is an expression of piety honoring God. It is a celebration of faith in Jesus Christ.

During Las Posadas, the people of a town act out Mary and Joseph's looking for a place to stay in Bethlehem. The word *posada* means "inn." The people carry candles and walk in procession through the streets behind two people who represent Mary and Joseph. Mary and Joseph stop at homes along the way and ask for a place to stay. They are turned away until finally a family welcomes them into their home.

Las Posadas reminds us that we always need to be ready to open our hearts to God's love. It is a wonderful, joyful celebration that shares with everyone the good news of God's love.

? How does your parish celebrate Advent?
What are your favorite family Advent traditions?
What is special to you about these traditions?

Disciple Power

Piety

Piety, also called reverence, is one of the seven Gifts of the Holy Spirit. Piety is a deep respect for God and for the Church. A person who practices piety gives reverence and honor to God.

VOCABULARIO DE FE

liturgia
La liturgia es la obra de la Iglesia, el Cuerpo de Cristo, de adorar a Dios.

Misterio Pascual
El Misterio Pascual es el paso de Jesús a través de su sufrimiento y muerte a una nueva y gloriosa vida; la obra de Salvación de Cristo se realiza en su Pasión (sufrimiento y Muerte), Resurrección y Ascensión.

La Liturgia de la Iglesia

Cuando la Iglesia se reúne para celebrar la **liturgia**, el Pueblo de Dios está haciendo una obra importante. La palabra *liturgia* significa "obra pública" u "obra de la gente". La liturgia es la obra de toda la Iglesia, el Cuerpo de Cristo. Es la obra de los fieles unidos a Cristo, la Cabeza de la Iglesia, en su obra de dar alabanza y gloria a su Padre. A medida que nos reunimos, cantamos lo que expresó el autor del Salmo 66:

> ¡Qué maravilloso eres, Señor Dios! Toda la tierra te adora y canta alabanzas a ti.
>
> BASADO EN EL SALMO 66:3–4

La liturgia es también la obra de Dios, la Santísima Trinidad. Dios Padre nos bendice con el don del Hijo, Jesús. El Hijo de Dios nos bendice con su Cuerpo y su Sangre. Dios Espíritu Santo nos bendice con el don de la propia vida y el amor de Dios.

El sacerdote conduce la asamblea de los fieles reunidos para adorar a Dios. El sacerdote actúa junto con Cristo, en el nombre y en la Persona de Cristo. Los fieles se reúnen con Jesucristo. Piden las bendiciones de Dios y le dan las gracias al Padre por el poder del Espíritu Santo.

Actividad

Piensa en una bendición o en un don especial que tu familia haya recibido de Dios y escríbelo aquí. Luego escribe algunas palabras de alabanza y de agradecimiento a Dios.

_____

_____

_____

The Liturgy of the Church

When the Church gathers to celebrate the **liturgy**, the People of God are doing an important work. The word *liturgy* means "a public work," or "work of the people." The liturgy is the work of the whole Church, the Body of Christ. It is the work of the faithful joining with Christ, the Head of the Church, in his work of giving praise and glory to his Father. As we gather, we sing out with the writer of Psalm 66:

> How wonderful are you, Lord God. Everyone on earth worships you and sings praises to you.
>
> BASED ON PSALM 66:3, 4

The liturgy is also the work of God, the Holy Trinity. God the Father blesses us with the gift of the Son, Jesus. The Son of God blesses us with his Body and Blood. God the Holy Spirit blesses us with the gift of God's own life and love.

The priest leads the assembly of the faithful gathered to worship God. The priest acts together with and in the name and Person of Christ. The faithful gather with Jesus Christ. They ask for God's blessings and give thanks to the Father through the power of the Holy Spirit.

FAITH FOCUS
Why does the Church gather to celebrate the liturgy?

FAITH VOCABULARY

liturgy
The liturgy is the work of the Church, the Body of Christ, of worshiping God.

Paschal Mystery
The Paschal Mystery is Jesus' passing over from suffering and death to new and glorious life; Christ's work of Salvation accomplished by his Passion (his suffering and Death), Resurrection, and Ascension.

Activity Think about a special blessing or gift that your family has received from God, and write it here. Then write some words of prayer and thanks to God.

_____

_____

_____

Celebrar la obra salvadora de Dios

La liturgia de la Iglesia gira en torno de la Eucaristía y de los otros seis Sacramentos. En la liturgia, no solamente recordamos lo que Jesús hizo en el pasado. Mediante la celebración de la liturgia, nos hacemos partícipes del **Misterio Pascual** y de la vida de Dios. Celebramos y nos hacemos partícipes de la obra de Dios entre nosotros en el presente.

El Misterio Pascual es la obra de Dios que salva a todas las personas en Jesús. Es la obra de Salvación y Redención de Cristo cumplida a través de su sufrimiento, Muerte, Resurrección y Ascensión. Durante la liturgia, proclamamos la obra salvadora de Cristo hasta que vuelva en la gloria al final de los tiempos.

Actividad

Completa la red de palabras con maneras en las que hayas mostrado, por tus buenas acciones, que crees en el Misterio Pascual.

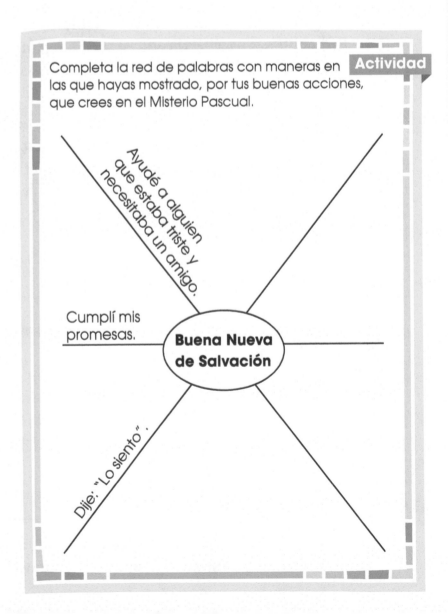

Ayudé a alguien que estaba triste y necesitaba un amigo.

Cumplí mis promesas.

Buena Nueva de Salvación

Dije: "Lo siento".

Celebrating God's Saving Work

The liturgy of the Church centers around the Eucharist and the six other Sacraments. In the liturgy we do not simply remember what Jesus did in the past. Through the celebration of the liturgy, we are made sharers in the **Paschal Mystery** and in the life of God. We celebrate and are made sharers in God's work among us today.

The Paschal Mystery is the work of God's saving all people in Jesus. It is Christ's work of Salvation and Redemption accomplished by his suffering, Death, Resurrection, and Ascension. During the liturgy, we proclaim the saving work of Christ until he comes again in glory at the end of time.

Faith-Filled People

Saint John the Apostle

John was the youngest of the Apostles. He is also the writer of the Fourth Gospel and the Book of Revelation. In the Book of Revelation, John writes about the liturgy in Heaven, where all of the angels and Saints constantly give glory and praise to God.

Activity Complete the word web with ways in which you have showed by your good actions that you believe in the Paschal Mystery.

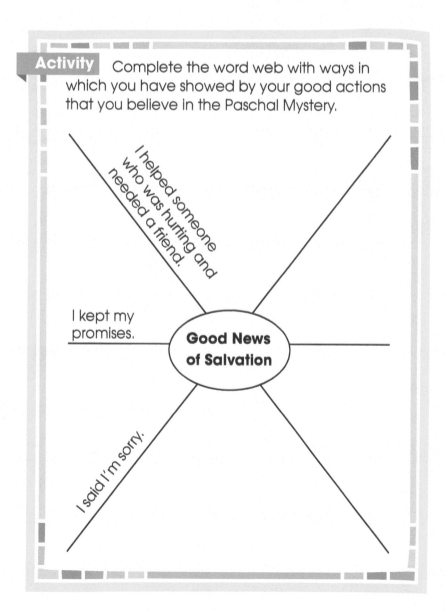

I helped someone who was hurting and needed a friend.

I kept my promises.

Good News of Salvation

I said I'm sorry.

Los católicos creen

Comunión frecuente

La Iglesia alienta a los fieles para que reciban la Sagrada Comunión con frecuencia. Recibir la Sagrada Comunión profundiza nuestra unión con Cristo y la Iglesia. Nos fortalece para que trabajemos con los necesitados.

El año litúrgico

La Iglesia celebra la liturgia todos los días del año. Esto se llama año litúrgico. El año litúrgico se compone de días festivos y tiempos que celebran el gran plan del amor salvador de Dios en Cristo. Estos son los tiempos del año litúrgico.

Adviento. Esperamos y nos preparamos para la venida de Jesús. Nos preparamos para nuestra celebración del nacimiento de Cristo, su primera venida entre nosotros. También celebramos su presencia con nosotros ahora y nos preparamos para su Segunda Venida en la gloria al final de los tiempos.

Navidad. Celebramos el nacimiento de Jesucristo, el Salvador de todos los hombres.

Cuaresma. Nos preparamos para la Pascua. La Cuaresma es un tiempo de preparación para recibir a los nuevos miembros de la Iglesia y para renovar nuestras propias promesas bautismales.

Triduo Pascual. La palabra *triduo* significa "tres días". El Triduo Pascual es el centro del año litúrgico. Es nuestra celebración de tres días del Misterio Pascual el Jueves Santo, el Viernes Santo y la Vigilia Pascual/Domingo de Pascua.

Pascua. Durante cincuenta días, desde el Domingo de Pascua hasta Pentecostés, celebramos que Cristo ha resucitado, que está siempre con nosotros y que vendrá otra vez en la gloria al final de los tiempos.

Tiempo Ordinario. Las restantes semanas del año litúrgico se llaman Tiempo Ordinario. Escuchamos y respondemos a la Palabra de Dios. Crecemos en el amor por Dios y por los demás.

? ¿Cuál es tu tiempo del año litúrgico preferido? Di por qué es tu tiempo preferido.

The Liturgical Year

The Church celebrates the liturgy every day of the year. This is called the liturgical year. The liturgical year is made up of feasts and seasons that celebrate God's great plan of saving love in Christ. These are the seasons and times of the liturgical year.

Advent. We wait and prepare for the coming of Jesus. We prepare for our celebration of Christ's birth, his first coming among us. We also celebrate his presence with us now, and prepare for his Second Coming in glory at the end of time.

Christmas. We celebrate the birth of Jesus Christ, the Savior of all people.

Lent. We prepare for Easter. Lent is a time to prepare to welcome new members into the Church and to renew our own baptismal promises.

Triduum. The word *triduum* means "three days." The Triduum is the center of the liturgical year. It is our three-day celebration of the Paschal Mystery on Holy Thursday, Good Friday, and the Easter Vigil/Easter Sunday.

Easter. For fifty days, from Easter Sunday to Pentecost, we celebrate that Christ is risen, is always with us, and will come again in glory at the end of time.

Ordinary Time. The remaining weeks of the liturgical year are called Ordinary Time. We listen and respond to God's Word. We grow in love for God and others.

? What is your favorite time of the liturgical year? Tell why it is your favorite time.

YO SIGO A JESÚS

No queremos que nada nos aparte de Dios. Durante el tiempo de Adviento, la Iglesia nos ayuda a eso. Recordamos y respondemos el mensaje de Juan Bautista:

Preparen el camino del Señor...

MARCOS 1:3

Nos preparamos para recibir a Jesús, el Salvador del mundo.

EN TU CAMINO

Tú puedes ayudar a "preparar el camino del Señor" durante todo el año. Coloca una marca (✔) en la casilla que está junto a las cosas que muestran cómo estás respondiendo a las palabras de Juan Bautista. En el espacio en blanco, dibuja otra acción tuya para preparar el camino del Señor.

☐ Ayudo en casa después de la escuela.

☐ Digo una oración corta para darle gracias a Dios al despertarme por la mañana.

☐ Les cuento a los demás la nota baja que se sacó mi amigo en el examen.

☐ Juego con mis amigos y llego tarde a cenar.

MI ELECCIÓN DE FE

Me esforzaré por preparar el camino del Señor. Yo voy a

_____

_____ .

Haz un minuto de silencio para agradecer y ensalzar a Dios por su amor.

I FOLLOW JESUS

We want nothing to keep us away from God. During the season of Advent, the Church helps us do this. We remember and respond to the message of John the Baptist:

Prepare the way of the Lord.

MARK 1:3

We prepare ourselves to welcome Jesus, the Savior of the world.

ON YOUR WAY

You can help "prepare the way of the Lord" all year long. Place a check mark in the box (✔) next to the things that show how you are responding to John the Baptist's words. In the space, draw another action you take to prepare the way for the Lord.

☐ I help at home after school.

☐ I say a short prayer of thanks to God in the morning when I wake up.

☐ I tell others about the low grade my friend got on the test.

☐ I play with my friends and am late for dinner.

I will do my best to prepare for the way for the Lord. I will

_____

_____.

MY FAITH CHOICE

 Take a quiet moment to thank and bless God for his love.

Repaso del capítulo

Llena los espacios en blanco con la palabra o la frase de la lista que mejor completa el párrafo.

Triduo Pascual	liturgia	Santísima Trinidad
Dios	Misterio Pascual	Cuaresma

La _____ es la obra de la Iglesia de adorar a

_____. La liturgia es la obra de la

_____. La liturgia celebra el

_____. El _____ es el centro

del año litúrgico. La _____ es un tiempo para

prepararse para recibir a los nuevos miembros de la Iglesia.

Santo, Santo, Santo es el Señor

Dios es la fuente de todas nuestras bendiciones. En la Misa, empezamos nuestra oración de acción de gracias, la Plegaria Eucarística, rezando una aclamación de los escritos del Profeta Isaías, Una aclamación es una oración que honra a Dios.

Líder: Unámonos a los ángeles y los Santos, y démosle honor y gloria a Dios, el Santo.

Todos: **Santo, Santo, Santo es el Señor, Dios del Universo. Llenos están el cielo y la tierra de tu gloria. Hosanna en el cielo. Bendito el que viene en el nombre del Señor. Hosanna en el cielo.**

DEL PREFACIO, *MISAL ROMANO*

Chapter Review

Fill in the blanks with the word or phrase from the box that correctly completes the paragraph.

Triduum	liturgy	Holy Trinity
God	Paschal Mystery	Lent

The _____ is the Church's work of worshiping

_____. The liturgy is the work of the

_____. The liturgy celebrates the

_____. The _____ is the center of

the liturgical year. _____ is a time to

prepare to welcome new members into the Church.

Holy, Holy, Holy Lord

God is the source of all our blessings. At Mass we begin our prayer of thanks, the Eucharistic Prayer, by praying an acclamation from the writings of Isaiah the Prophet. An acclamation is a prayer that honors God.

Leader: Let us join together with all the angels and Saints and give honor and glory to God, the Holy One.

All: **Holy, Holy, Holy, Lord God of hosts.
Heaven and earth are full of your glory.
Hosanna in the highest.
Blessed is he who comes in the
name of the Lord.
Hosanna in the highest.**

FROM PREFACE, *ROMAN MISSAL*

Con mi familia

Esta semana...

En el capítulo 10, "Celebrar el amor de Dios", su niño aprendió que:

- La liturgia es la obra de la Iglesia de adorar a Dios.

- En la liturgia, los miembros de la Iglesia se unen a Cristo, la Cabeza de la Iglesia, para dar alabanza y gloria al Padre. Recordamos el Misterio Pascual de Cristo y nos hacemos partícipes de él.

- El Misterio Pascual es la Pasión salvadora (sufrimiento y Muerte), Resurrección y Ascensión del Señor Jesús.

- El año litúrgico es el ciclo de tiempos y días festivos que componen el año eclesiástico del culto.

- La piedad o reverencia es uno de los siete Dones del Espíritu Santo que nos ayuda a honrar y a respetar a Dios y a la Iglesia.

Para saber más sobre otras enseñanzas de la Iglesia, consulten el *Catecismo de la Iglesia Católica,* 1076–1109, 1136–1186 y 1200–1206; y el *Catecismo Católico de los Estados Unidos para los Adultos,* páginas 165–179.

Compartir la Palabra de Dios

Lean juntos el Salmo 66:1–4. Hablen de cómo las palabras del Salmo reflejan la actitud de su familia cuando nos unimos a la Iglesia para adorar a Dios.

Vivimos como discípulos

El hogar cristiano con la familia es una escuela de discipulado. ¡Su familia crece junta en la fe! Elijan una de las siguientes actividades para hacer en familia, o creen una actividad similar ustedes mismos.

- En el camino de regreso de la Misa, recuerden a todas las personas que asistieron al sacerdote, por ejemplo, el diácono, el lector, el coro, los monaguillos y los ministros extraordinarios de la Sagrada Comunión. Comenten las numerosas maneras en las que su familia y el resto de la asamblea formaron parte de la celebración de la Misa.

- La palabra *eucaristía* significa "acción de gracias". La próxima vez que su familia comparta una comida, hablen de las cosas que están haciendo y que demuestren su agradecimiento a Dios por sus bendiciones.

- Inviten a cada miembro de la familia a compartir su tiempo litúrgico preferido. Pidan que comenten sus razones.

Nuestro viaje espiritual

Cuando Jesús entró en Jerusalén, lo recibieron con la aclamación "¡Hosanna!". Las palabras y los actos de ustedes pueden ser aclamaciones de su discipulado. La manera en la que reciben a los demás, lo que les dicen o lo que hacen por ellos pueden ser señales indicadoras que revelan la dirección que lleva su vida y pueden ser también invitaciones para que los demás sigan al Señor.

Para hallar más ideas sobre las maneras en que su familia puede vivir como discípulos de Jesús, visiten

seanmisdiscipulos.com

With My Family

This Week . . .

In chapter 10, Celebrating God's Love, your child learned:

▶ The liturgy is the Church's work of worshiping God.

▶ In the liturgy, the members of the Church gather with Christ, the Head of the Church, to give praise and glory to the Father. We remember and are made sharers in the Paschal Mystery of Christ.

▶ The Paschal Mystery is the saving Passion (suffering and Death), Resurrection, and Ascension of the Lord Jesus.

▶ The liturgical year is the cycle of seasons and feast that make up the Church's year of worship.

▶ Piety, or reverence, is one of the seven Gifts of the Holy Spirit that helps us honor and respect God and the Church.

For more about related teachings of the Church, see the *Catechism of the Catholic Church*, 1076–1109, 1136–1186, and 1200–1206; and the *United States Catholic Catechism for Adults*, pages 165–179.

◼ Sharing God's Word

Read together Psalm 66:1–4. Talk about how the words of the Psalm reflect the attitude of your family as we join with the Church in worshiping God.

◼ We Live as Disciples

The Christian home and family is a school of discipleship. Your family grows in faith together! Choose one of the following activities to do as a family, or design a similar activity of your own.

▶ On the way home from Mass, recall all of the people who assisted the priest, for example, the deacon, the readers, the choir, the altar servers, and the extraordinary ministers of Holy Communion. Talk about the many ways that your family and the rest of the assembly took part in the celebration of Mass.

▶ The word *eucharist* means "thanksgiving." The next time that your family shares a meal, talk about the things that your family is doing that show you are thankful to God for his blessings.

▶ Invite each family member to share which of the liturgical seasons is his or her favorite. Ask each person to share his or her reasons.

◼ Our Spiritual Journey

When Jesus entered Jerusalem, he was greeted with the acclamation "Hosanna!" Your words and deeds can be acclamations of your discipleship. The way that you greet others, what you say to them or what you do for them, can be signposts that reveal the direction of your life as well as invitations for others to follow the Lord.

For more ideas on ways your family can live as disciples of Jesus, visit **BeMyDisciples.com** ▶

CAPÍTULO

11

Lo que vendrá

En este capítulo el Espíritu Santo te invita a ▶

INVESTIGAR cómo los trabajadores continúan la obra de Cristo en el mundo.

DESCUBRIR los tres Sacramentos de la Iniciación Cristiana.

DECIDIR maneras de usar un don del Espíritu Santo.

Participar en la vida y la obra de Cristo

? ¿Qué signos y qué símbolos usa la Iglesia Católica?

Jesús usaba signos y símbolos. Imagina que te remontas a la época de Jesús. Has llegado al pozo de la aldea a sacar agua para beber. Y oyes que Jesús le dice a una samaritana:

> El que beba del agua que yo le daré nunca volverá a tener sed.   BASADO EN JUAN 4:14

? ¿Qué simboliza el agua de la que habla Jesús? ¿Dónde ves que la Iglesia usa este símbolo en tu parroquia?

Looking Ahead

In this chapter the Holy Spirit invites you to ▶

EXPLORE how workers continue the work of Christ in the world.

DISCOVER the three Sacraments of Christian Initiation.

DECIDE ways to use a gift of the Holy Spirit.

CHAPTER
11

Sharing in Christ's Life and Work

? What are some signs and symbols used by the Catholic Church?

Jesus used signs and symbols. Imagine yourself back in the time of Jesus. You have come to the village well to draw water for drinking. You hear Jesus say to a Samaritan woman,

> Whoever drinks the water I shall give will never thirst.   BASED ON JOHN 4:14

? What does the water that Jesus speaks of symbolize? Where in your parish church do you see the Church use this symbol?

Poder de los discípulos

Ciencia

La ciencia es uno de los siete Dones del Espíritu Santo. Nos ayuda a ver la verdad de todo lo que Dios nos ha revelado. Una persona que usa este don trata de aprender más acerca de Dios y de lo que significa ser un hijo de Dios.

Pan para el Mundo

El pan no es únicamente un alimento que comemos; es también un símbolo de todo aquello que da vida, un alimento espiritual. Jesús usó el pan como símbolo. En el Evangelio según Juan, Jesús dijo que Él es el Pan de Vida.

El Espíritu Santo ayuda a la Iglesia a traer el verdadero pan al mundo. El Espíritu Santo le enseña a la Iglesia qué es ese pan. El Espíritu Santo ayuda o le da a la Iglesia la gracia para traer ese pan al mundo.

Hace más de cincuenta años, un grupo de católicos y otros cristianos servían comida en salones parroquiales a los que vivían en la calle. Este grupito de cristianos quería hacer más. Quería hacer cosas para evitar el hambre antes de que empezara. Sus integrantes sabían del daño que el hambre estaba haciendo a tanta gente en todo el mundo. Rezaron para tener la ciencia con la cual poder ayudar a cambiar las cosas. En 1972, fundaron Pan para el Mundo.

Hoy, Pan para el Mundo cuenta con más de 44,000 trabajadores. Ellos trabajan con líderes gubernamentales y con líderes de la Iglesia para establecer programas que combatan las causas del hambre. La obra de Pan para el Mundo es también un símbolo. Señala el cuidado amoroso de Dios por todos los hombres, especialmente los necesitados.

? ¿Cómo puedes ayudar a los que necesitan alimentos? Habla con un compañero acerca de tus ideas.

Mujeres africanas moliendo granos para hacer pan.

Bread for the World

Bread is not only a food that we eat; it is also a symbol for all that is life-giving, a spiritual food. Jesus used bread as a symbol. In John's Gospel, Jesus said that he is the Bread of Life.

The Holy Spirit helps the Church bring true bread to the world. The Spirit teaches the Church what that bread is. The Spirit helps the Church, or gives to the Church, the grace to bring that bread to the world.

Over fifty years ago, a group of Catholics and other Christians were serving food in church halls to people who lived on the streets. This small group of Christians wanted to do more. They wanted to do things to stop hunger before it began. They learned about the harm that hunger was doing to so many people all over the world. They prayed for knowledge about how they could help make a difference. In 1972, they began Bread for the World.

Today there are over 44,000 Bread for the World workers. They work with government leaders and Church leaders to set up programs that fight the things that cause hunger. The work of Bread for the World is also a symbol. It points to the loving care of God for all people, especially people in need.

[?] How can you help people who need food? Talk with a partner about your ideas.

Disciple Power

Knowledge

Knowledge is one of the seven Gifts of the Holy Spirit. It helps us see the truth of everything that God has made known to us. A person who uses this gift tries to learn more about God and what is means to be a child of God.

African women grinding grain to make bread

ENFOQUE EN LA FE

¿Qué celebramos en los tres Sacramentos de la Iniciación Cristiana?

VOCABULARIO DE FE

Sacramentos

Los Sacramentos son los siete signos litúrgicos principales de la Iglesia, dados a nosotros por Jesucristo. Nos hacen partícipes de la obra salvadora de Cristo y de la vida en la Santísima Trinidad por el poder del Espíritu Santo.

Sacramentos de la Iniciación Cristiana

El Bautismo, la Confirmación y la Eucaristía, los cuales son las bases de la vida cristiana, son llamados Sacramentos de la Iniciación Cristiana.

Dios entre nosotros

La liturgia de la Iglesia se centra en la Eucaristía y en los otros seis Sacramentos. Los Siete Sacramentos son: Bautismo, Confirmación, Eucaristía, la Penitencia y la Reconciliación, Unción de los Enfermos, Orden Sagrado y Matrimonio.

Los **Sacramentos** son celebraciones de nuestra fe. Dados a nosotros por Jesús, los Sacramentos nos hacen, por el poder del Espíritu Santo, partícipes en la obra salvadora de Cristo y en la vida de la Santísima Trinidad. Por esta razón, la Iglesia enseña que, para quienes creen en Jesucristo, los Sacramentos son necesarios para la Salvación.

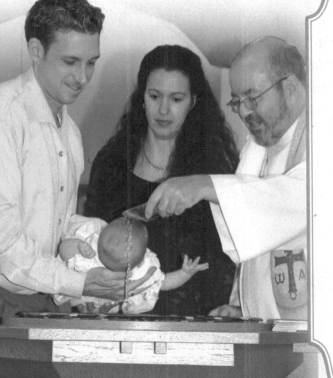

Actividad

Nombra los Sacramentos que hayas recibido o que hayas visto recibir a otra persona. Describe lo que viste y oíste.

_____

_____

_____

_____

_____

_____

_____

_____

God among Us

The liturgy of the Church centers on the Eucharist and the other six Sacraments. The Seven Sacraments are Baptism, Confirmation, the Eucharist, Penance and Reconciliation, Anointing of the Sick, Holy Orders, and Matrimony.

The **Sacraments** are celebrations of our faith. Given to us by Jesus, the Sacraments make us, through the power of the Holy Spirit, sharers in the saving work of Christ and in the life of the Holy Trinity. That is why the Church teaches that for believers in Jesus Christ, the Sacraments are necessary for Salvation.

FAITH FOCUS
What do we celebrate in the three Sacraments of Christian Initiation?

FAITH VOCABULARY

Sacraments
The Sacraments are the seven main liturgical signs of the Church, given to us by Jesus Christ. They make us sharers in the saving work of Christ and in the life of the Holy Trinity through the power of the Holy Spirit.

Sacraments of Christian Initiation
Baptism, Confirmation, and Eucharist, which are the foundation of the Christian life, are called the Sacraments of Christian Initiation.

Activity Name the Sacraments that you have received or have seen other people receive. Describe what you saw and heard.

I have recieved Baptism &
Eucharist.

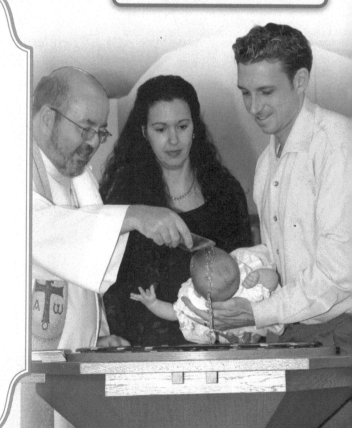

Kateri Tekakwitha pertenecía al pueblo mohawk. A los 11 años, oyó a los misioneros católicos predicar acerca de Jesús. Kateri trató de vivir como una seguidora de Jesús aun antes de bautizarse, lo cual ocurrió cuando ya tenía 20 años. Su vida de oración y de servicio a los enfermos y a los ancianos hizo que muchos indígenas americanos pidieran ser bautizados. La Santa Kateri Tekakwitha es la patrona de los católicos de origen indígena americano.

Bautismo y Confirmación

Los **Sacramentos de la Iniciación Cristiana** son el Bautismo, la Confirmación y la Eucaristía. Estos tres Sacramentos son la base de la vida cristiana. A través de la celebración de estos tres Sacramentos, la persona se une a Cristo y se hace miembro pleno de la Iglesia.

El Bautismo es el primer Sacramento que recibimos. Se lo llama el pórtico a la vida cristiana. A través del Bautismo, nos unimos a Cristo y nos hacemos miembros del Cuerpo de Cristo, la Iglesia. San Pablo enseña que todos hemos sido bautizados en el único cuerpo de Cristo:

"Todos ustedes son parte del cuerpo de Cristo".

BASADOS EN 1.ª CORINTIOS 12:27

En el Bautismo, recibimos el don del Espíritu Santo por primera vez. Renacemos como hijas e hijos adoptivos de Dios y empezamos nuestra nueva vida en Cristo. Se perdonan el Pecado Original y todos los pecados personales. Dado que el Bautismo nos marca para siempre como pertenecientes a Cristo, podemos recibirlo solamente una vez.

La Confirmación fortalece las gracias del Bautismo. En la Confirmación, nos fortalecemos para compartir con los demás la Buena Nueva de todo lo que Dios ha hecho en Jesucristo. En la Confirmación, como en el Bautismo, recibimos en el alma un carácter duradero o marca indeleble que indica que pertenecemos a Cristo para siempre.

? ¿Qué significa que estás marcado como perteneciente a Cristo para siempre?

Baptism and Confirmation

Baptism, Confirmation, and the Eucharist are the **Sacraments of Christian Initiation**. These three Sacraments are the foundation of the Christian life. Through the celebration of these three Sacraments, a person is joined to Christ and becomes a full member of the Church.

Baptism is the first Sacrament that we receive. It is called the doorway to the Christian life. Through Baptism we are joined to Christ and become members of the Body of Christ, the Church. Saint Paul teaches that we have all been baptized into the one body of Christ:

"We are all part of Christ's body."

BASED ON 1 CORINTHIANS 12:27

At Baptism, we first receive the gift of the Holy Spirit. We are reborn as God's adopted daughters and sons and begin our new life in Christ. Original Sin and all personal sins are forgiven. Since Baptism marks us forever as belonging to Christ, we can receive it only once.

Confirmation strengthens the graces of Baptism. In Confirmation, we are strengthened to share with others the Good News of all that God has done in Jesus Christ. In Confirmation, as in Baptism, we receive a lasting character, or indelible mark, on our soul that marks us as belonging to Christ forever.

? What does it mean that you are marked as belonging to Christ forever?

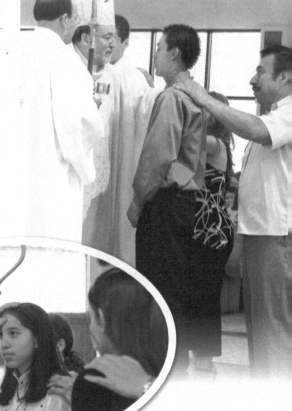

Los católicos creen

Sacramentales

Los sacramentales son objetos y acciones que nos da la Iglesia y que nos ayudan a recordar la presencia de Dios y los misterios de nuestra fe católica. Objetos como el agua bendita, el crucifijo y las cenizas bendecidas son sacramentales. La bendición de una persona, de una comida, de un objeto o de un lugar son acciones sacramentales comunes.

La Eucaristía

La Eucaristía es el tercer Sacramento de la Iniciación Cristiana. En todas las celebraciones de la Eucaristía, toda la Iglesia en la Tierra y en el Cielo se une a Cristo, la Cabeza de la Iglesia. Damos alabanza y acción de gracias a Dios Padre a través del poder del Espíritu Santo.

Jesucristo está presente y nos guía en todas las celebraciones de la Eucaristía. Por el poder del Espíritu Santo, Cristo está presente

▶ en las personas reunidas para el culto,

▶ en el sacerdote que conduce la celebración,

▶ en la Palabra de Dios proclamada en la Sagrada Escritura

▶ y, más especialmente, como el pan y el vino que se han convertido en su Cuerpo y su Sangre. Decimos que esta es la Presencia Real de Cristo en la Eucaristía.

Mediante nuestra participación en la celebración de la Eucaristía, nos hacemos partícipes en la vida de Dios y en la obra salvadora del Misterio Pascual de Cristo. Recibimos el Cuerpo y la Sangre de Cristo en la Sagrada Comunión y nos unimos más íntimamente con Cristo y entre nosotros.

Actividad

Con un compañero, prepara un guión en el que una persona joven esté mostrando con su acción que Cristo está presente en el mundo.

The Eucharist

The Eucharist is the third Sacrament of Christian Initiation. In every celebration of the Eucharist, the whole Church on Earth and in Heaven joins with Christ, the Head of the Church. We give praise and thanksgiving to God the Father through the power of the Holy Spirit.

Jesus Christ is present and leads us in every celebration of the Eucharist. By the power of the Holy Spirit, Christ is present

▶ in the people gathered for worship,

▶ in the priest who leads the celebration,

▶ in the Word of God proclaimed in Sacred Scripture,

▶ and, most especially, under the appearances of bread and wine, which have become his Body and Blood. We call this the Real Presence of Christ in the Eucharist.

Through our participation in the celebration of the Eucharist, we become sharers in God's life and the saving work of Christ's Paschal Mystery. We receive the Body and Blood of Christ in Holy Communion and are united more closely with Christ and one another.

Catholics Believe

Sacramentals

Sacramentals are objects and actions given to us by the Church that help us remember God's presence and the mysteries of our Catholic faith. Holy water, the crucifix, and blessed ashes are objects that are sacramentals. The blessing of a person, of a meal, of an object, or of a place are common sacramental actions.

Activity With a partner, prepare a scenario in which a young person is showing by his or her action that Christ is present in the world.

YO SIGO A JESÚS

Cuando te bautizaron, recibiste el don del Espíritu Santo. El Espíritu Santo te ayuda a vivir como un seguidor de Jesús y a continuar su obra en el mundo. El Espíritu Santo te da el don de la ciencia para que puedas aprender más acerca de la Iglesia y de cómo seguir a Jesús.

EL DON DE LA CIENCIA

Piensa dos cosas que Jesús enseñaba y de las que quieres aprender más. Luego cuenta cómo aprenderás.

Quiero aprender más acerca de...

I want to learn more about the challenges that jesus went through trying to lead everyone the right path.

Para aprender, yo voy a...

MI ELECCIÓN DE FE

Esta semana me esforzaré para aprender más acerca de lo que significa vivir como miembro del Cuerpo de Cristo, la Iglesia. Yo voy a

 Rézale al Espíritu Santo. Pídele al Espíritu Santo que te ayude a poner en práctica tu decisión.

I FOLLOW JESUS

When you were baptized, you received the gift of the Holy Spirit. The Holy Spirit helps you to live as a follower of Jesus and to continue his work in the world. The Holy Spirit gives you the gift of knowledge so that you can learn more about the Church and how to follow Jesus.

THE GIFT OF KNOWLEDGE

Think about two things that Jesus taught that you want to learn more about. Then tell how you will learn.

I want to learn more about . .

_____

_____

_____

_____,

I will learn by . . .

_____

_____

_____

This week I will do my best to learn more about what it means to live as a member of the Body of Christ, the Church. I will

_____

_____,

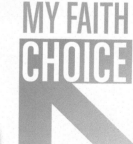

MY FAITH CHOICE

Pray to the Holy Spirit. Ask the Holy Spirit to help put your decision into practice.

1. Los Siete Sacramentos se los ha dado Cristo a la Iglesia. Nos hacen partícipes de la vida de Dios por el poder del Espíritu Santo.

2. El Bautismo, la Confirmación y la Eucaristía son los tres Sacramentos de la Iniciación Cristiana.

3. Al recibir los Sacramentos de la Iniciación Cristiana, nos unimos plenamente a Cristo y nos hacemos miembros plenos de la Iglesia.

Repaso del capítulo

Traza una línea para unir el Sacramento de la columna izquierda con el enunciado de la columna derecha que lo describe mejor.

Confirmación — Este Sacramento está en el centro de la celebración de la liturgia que hace la Iglesia y completa nuestra iniciación en el Cuerpo de Cristo, la Iglesia.

Eucaristía — A través de la celebración de este Sacramento, nos unimos por primera vez a Cristo y nos hacemos miembros de su Cuerpo, la Iglesia.

Bautismo — Este Sacramento fortalece las gracias del Bautismo.

Unción

La unción con Crisma es un sacramental. Es un ritual sagrado y antiguo de la Iglesia. Cuando nos ungen en el Bautismo, el sacerdote o el diácono nos frota la coronilla con el Santo Crisma haciendo la Señal de la Cruz.

Líder: Acérquense uno a la vez. Recordemos que pertenecemos a Cristo.

Todos: *[Acérquense y toquen el óleo con la mano derecha. Luego frótense las manos y regresen a su asiento.]*

Líder: Recordemos que el Espíritu Santo nos ayuda a vivir como hijos de Dios y discípulos de Jesús.

Todos: **En el nombre del Padre y del Hijo y del Espíritu Santo. Amén.**

Chapter Review

Draw a line to connect the Sacrament in the left column with the description in the right column that best describes it.

Confirmation   This Sacrament is at the center of the Church's celebration of the liturgy and completes our initiation into the Body of Christ, the Church.

Eucharist   Through the celebration of this Sacrament, we are first joined to Christ and become members of his Body, the Church.

Baptism   This Sacrament strengthens the graces of Baptism.

Anointing

Anointing with Chrism is a sacramental. It is a sacred and ancient ritual of the Church. When we are anointed in Baptism, the priest or deacon rubs sacred Chrism on the top of our head, making the Sign of the Cross.

Leader: Come forward one at a time. Let us remember that we belong to Christ.

All: *[Come forward and touch the oil with your right hand. Then rub your hands together and return to your seat.]*

Leader: Let us remember that the Holy Spirit helps us to live as children of God and disciples of Jesus.

All: **In the name of the Father, and of the Son, and of the Holy Spirit. Amen.**

Con mi familia

Esta semana...

En el capítulo 11, "Participar en la vida y la obra de Cristo", su niño aprendió que:

► Los Sacramentos son las siete celebraciones de la liturgia más importantes que Cristo nos ha dado. Participar en la celebración de los Sacramentos nos incluye en la vida de la Santísima Trinidad.

► El Bautismo, la Confirmación y la Eucaristía son los Sacramentos de la Iniciación Cristiana. Estos tres Sacramentos son la base de la vida cristiana.

► Al recibir estos tres Sacramentos, nos unimos plenamente a Cristo y entre nosotros, y nos hacemos miembros plenos de la Iglesia, el Cuerpo de Cristo.

► La ciencia es uno de los siete Dones del Espíritu Santo. Este don nos ayuda a aprender la verdad acerca de lo que Dios nos ha dado a conocer.

Para saber más sobre otras enseñanzas de la Iglesia, consulten el *Catecismo de la Iglesia Católica,* 1113–1130, 1210–1274, 1285–1314 y 1322–1405; y el *Catecismo Católico de los Estados Unidos para los Adultos,* páginas 181–199, 201–211, 213–232, 527.

■ Compartir la Palabra de Dios

Lean juntos Romanos 6:3–4. Comenten lo que significa decir que participar en la celebración de los Sacramentos nos incluye en la obra salvadora de Jesucristo.

■ Vivimos como discípulos

El hogar cristiano con la familia es una escuela de discipulado. Elijan una de las siguientes actividades para hacer en familia, o creen una actividad similar ustedes mismos.

► Tengan un recipiente con agua bendita cerca de la entrada de su casa. Anímense unos a otros a bendecirse con el agua bendita cuando salen y para recordar que son discípulos de Jesús.

► Comenten las historias familiares relacionadas a los Sacramentos. Compartan recuerdos de la celebración del Bautismo, la Confirmación y la Primera Eucaristía de los miembros de la familia.

► Investiguen acerca del hambre en el lugar donde viven y de cómo está afectando a la gente. Decidan qué puede hacer su familia para ayudar.

■ Nuestro viaje espiritual

En el Bautismo, nos hacemos partícipes en la obra de Jesús Sacerdote, Profeta y Rey. Tomamos parte, del sacerdote, en su obra de sacrificio; del profeta, en su obra de llamar a las personas a vivir fielmente la Palabra de Dios; y del rey, en su obra de velar por las personas, especialmente por los necesitados y por los que reciben un trato injusto. Recen la oración de la página 212 para recordar a su familia sus responsabilidades bautismales.

Para hallar más ideas sobre las maneras en que su familia puede vivir como discípulos de Jesús, visiten **seanmisdiscipulos.com**

With My Family

This Week . . .

In chapter 11, Sharing in Christ's Life and Work, your child learned:

▶ The Sacraments are the seven major celebrations of the liturgy given to us by Christ. Taking part in the celebration of the Sacraments makes us sharers in the life of the Holy Trinity.

▶ Baptism, Confirmation, and the Eucharist are the Sacraments of Christian Initiation. These three Sacraments are the foundation of the Christian life.

▶ By receiving these three Sacraments, we become fully united with Christ and with one another, and we become full members of the Church, the Body of Christ.

▶ Knowledge is one of the seven Gifts of the Holy Spirit. This gift helps us learn the truth about what God has made known to us.

For more about related teachings of the Church, see the *Catechism of the Catholic Church,* 1113–1130, 1210–1274, 1285–1314, and 1322–1405; and the *United States Catholic Catechism for Adults,* pages 181–199, 201–211, 213–232, 527.

Sharing God's Word

Read together Romans 6:3–4. Talk about what it means to say that taking part in the celebration of the Sacraments makes us sharers in the saving work of Jesus Christ.

We Live as Disciples

The Christian home and family form a school of discipleship. Choose one of the following activities to do as a family, or design a similar activity of your own.

▶ Keep a bowl of holy water near the entrance to your home. Encourage each other to use the holy water to bless yourselves when you go out and to remind yourselves that you are disciples of Jesus.

▶ Talk about your family's Sacrament stories. Share memories of your family members' Baptism, Confirmation, and First Eucharist celebrations.

▶ Find out about hunger where you live and about how it is affecting people. Decide what your family can do to help.

Our Spiritual Journey

At Baptism, we are made sharers in the work of Jesus the Priest, Prophet, and King. We take part in the priest's work of sacrifice; the prophet's work of calling people to live the Word of God faithfully; and the king's work of caring for people, especially those in need and who are being treated unjustly. Use the prayer on page 213 to remind your family of their baptismal responsibilities.

For more ideas on ways your family can live as disciples of Jesus, visit **BeMyDisciples.com**

INVESTIGAR cómo dos sacerdote escucharon el llamado de Dios y respondieron a él.

DESCUBRIR que el Bautismo nos llama a servir a Dios y a los demás.

DECIDIR maneras de escuchar el llamado de Dios y de responder a él.

Responder al llamado de Dios

? ¿Cuándo es especialmente importante escuchar a los demás?

En la Biblia, leemos acerca de un jovencito judío llamado Samuel. Su madre, Ana, lo llevó al santuario en Silo para que sirviera a Dios ayudando a los sacerdotes.

Una noche Samuel creyó haber oído que Helí lo llamaba. Helí comprendió que era Dios quien llamaba a Samuel. Y le dijo a Samuel que, si volvía a oír esa voz, dijera: "Habla, Señor, que tu siervo escucha". Samuel oyó de nuevo que lo llamaban por su nombre. Esta vez, respondió: "Habla, Señor, que tu siervo escucha".

BASADO EN 1.° SAMUEL 3:8–10

? ¿Dónde y cómo escuchas a Dios?

Looking Ahead

In this chapter the Holy Spirit invites you to ▶

EXPLORE how two priests listened and responded to God's call.

DISCOVER that Baptism calls us to serve God and others.

DECIDE ways to listen and respond to God's call.

CHAPTER
12

Responding to God's Call

[?] When is it especially important to listen to others?

In the Bible, we read about a young Jewish boy named Samuel. His mother Hannah brought him to the shrine at Shiloh to serve God by helping the priests.

One night Samuel thought he heard Eli calling him. Eli understood that it was God calling Samuel. He told Samuel if he heard the voice again to say, "Speak, Lord, for your servant is listening." Samuel heard his name called out again. This time he answered, "Speak, Lord. Your servant is listening."

BASED ON 1 SAMUEL 3:8–10

[?] Where and when do you listen to God?

Poder de los discípulos

Gozo

El gozo es uno de los Frutos del Espíritu Santo. Es un signo de que vivimos nuestro Bautismo. El gozo viene de saber que Dios nos ama profundamente. El don del gozo nos ayuda a ser conscientes de que la vida es un don de Dios.

Oír el llamado de Dios

El Padre Joe estaba a cargo de los monaguillos en la Iglesia de la Preciosísima Sangre. Les enseñaba el significado de las respuestas de la Misa y a ayudar en la Misa.

Uno de los monaguillos era Glenn. Él escuchaba atentamente todo lo que el Padre Joe decía. Observaba cómo el Padre Joe trataba a todo el mundo con respeto.

Un día, Glenn le dijo a su mamá:
—¿Crees que algún día yo podría ser como el Padre Joe? La mamá de Glenn dijo:
—Creo que sí podrías. Háblalo con el Padre Joe.

Catorce años después, Glenn se ordenó de sacerdote. Su primera Misa la presidió en la Iglesia de la Preciosísima Sangre.

Igual que Samuel, El Padre Joe y el Padre Glenn oyeron a Dios y dijeron:
—Habla, Señor, que tu siervo escucha.

Actividad Escribe los nombres de las personas que te han ayudado a escuchar el llamado de Dios a ayudar a los demás. Encierra un nombre en un círculo y cuéntale a un compañero cómo te ayudó esa persona.

_____

_____

_____

_____

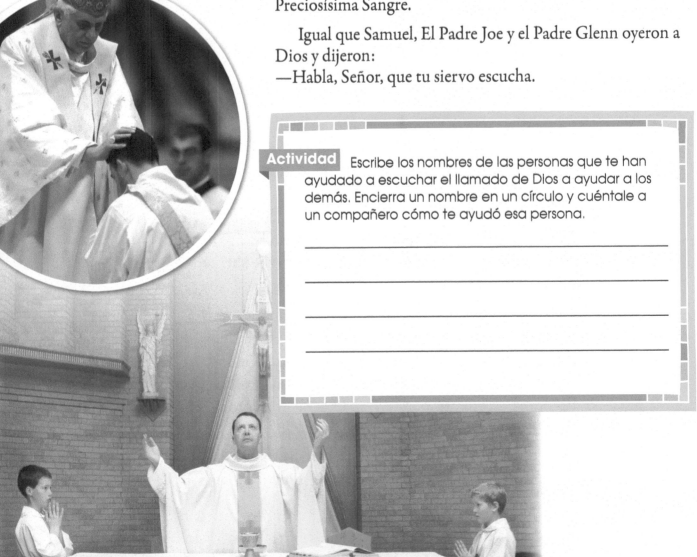

Hearing God's Call

Father Joe was in charge of the altar servers at Most Precious Blood Parish. He taught the altar servers the meaning of the Mass responses and how to help at Mass.

Glenn was one of the altar servers. He listened carefully to everything Father Joe said. He watched how Father Joe treated everyone with respect.

One day, Glenn said to his mom, "Do you think I could be like Father Joe some day?" Glenn's mom said, "I think that you could. Talk it over with Father Joe."

Fourteen years later, Glenn was ordained a priest. He presided over his first Mass at Most Precious Blood Parish.

Like Samuel, Father Joe and Father Glenn heard God and said, "Speak, Lord, your servant is listening."

Disciple Power

Joy

Joy is one of the Fruits of the Holy Spirit. It is a sign that we are living our Baptism. Joy comes from knowing that we are deeply loved by God. The gift of joy helps us be aware that life is a gift from God.

Activity

Write the names of the people who have helped you listen to God's call to help others. Circle one name, and tell a partner how that person helped you.

_____

_____

_____

_____

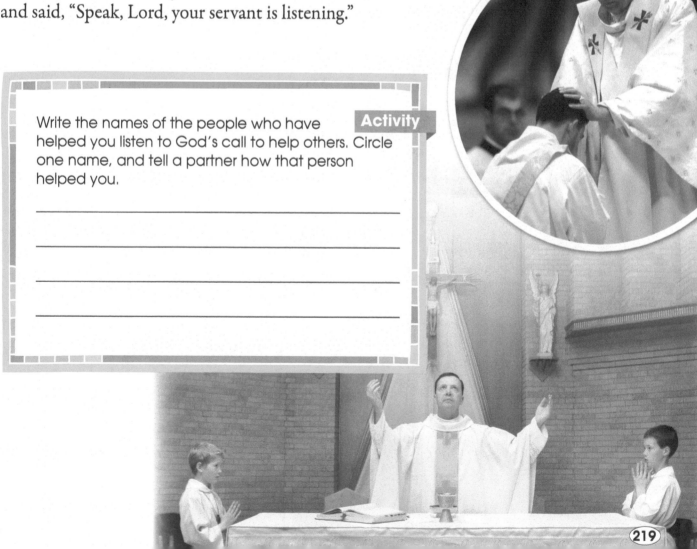

ENFOQUE EN LA FE
¿Cómo nos llama el
Bautismo a servir?

VOCABULARIO DE FE
vocación
Una vocación es la obra
que hacemos como
miembros de la Iglesia.
Estamos llamados a usar
nuestros talentos para
realizar la misión de
Cristo en el mundo.

Llamados a servir

Durante su ministerio público, Jesús llamó a sus discípulos a continuar la obra que su Padre le había encomendado. En la Última Cena, Jesús dijo:

"En esto reconocerán todos que son mis discípulos: en que se aman unos a otros". Juan 13:35

Justo antes de que el Jesús Resucitado regresara al Cielo con su Padre, dijo:

"Vayan, pues, y hagan que todos los pueblos sean mis discípulos".

Mateo 28:19

Después de la Ascensión, María, la madre de Jesús, los Apóstoles y otros discípulos estaban reunidos en una habitación superior en Jerusalén. Mientras esperaban y rezaban, el ruido de una fuerte ráfaga de viento llenó la habitación. Sobre sus cabezas bailaban pequeñas lenguas de fuego. Ellos quedaron llenos del Espíritu Santo. Ahora estaban preparados para empezar la obra que Jesús les había encomendado.

Más tarde, Pedro salió del lugar donde estaban y con audacia proclamó a todos:

Jesús de Nazaret es el Mesías. Es el que todos han estado buscando. Resucitó. Hemos visto y creemos. Basado en Hechos 2:1–4, 36

Hoy el Espíritu Santo ayuda y guía a la Iglesia bajo el liderazgo del Papa y los obispos para llevar a cabo la obra de Jesucristo. El Papa es el obispo de Roma y el sucesor de San Pedro. Los obispos son los sucesores de los otros Apóstoles.

? ¿Dónde y cómo ves que las personas de tu parroquia hacen lo que dijo Jesús?

Called to Serve

During his public ministry, Jesus called his disciples to continue the work that his Father had sent him to do. At the Last Supper, Jesus said,

"This is how all will know that you are my disciples, if you have love for one another."   JOHN 13:35

Just before the Risen Jesus returned to his Father in Heaven, he said,

"Go, therefore, and make disciples of all nations."   MATTHEW 28:19

After the Ascension, Mary, Jesus' mother, the Apostles, and other disciples were gathered in an upper room in Jerusalem. As they waited and prayed, the sound of a strong wind filled the room. Small flames danced over their heads. They were filled with the Holy Spirit. They were now ready to begin the work Jesus gave them.

Later, Peter left the place they were staying and boldly proclaimed to all:

Jesus from Nazareth is the Messiah. He is the one everyone has been looking for. He is risen. We have seen, and we believe.   BASED ON ACTS 2:1–4, 36

Today the Holy Spirit helps and guides the Church under the leadership of the Pope and bishops to carry out the work of Jesus Christ. The Pope is the bishop of Rome and the successor of Saint Peter. The other bishops are the successors of the other Apostles.

? Where and how do you see the people in your parish doing what Jesus said?

FAITH VOCABULARY
vocation
A vocation is the work that we do as members of the Church. We are called to use our talents to carry on Christ's mission in the world.

Personas de Fe

San Juan Bosco

Juan Bosco hacía trucos y malabarismos con bolas de colores vivos. Esto llamaba verdaderamente la atención y las personas lo escuchaban. Entre la gente que se reunía alrededor de Juan Bosco para mirarlo y escucharlo, había muchachos sin hogar. Juan Bosco decía: "Dios me ha dado estos dones. Yo los uso para enseñarles a mis muchachos acerca del amor de Dios". El día de San Juan Bosco es el 31 de enero.

El llamado a servir

En tu Bautismo, la Iglesia te dio la bienvenida en el Cuerpo de Cristo. Te uniste a Cristo. Te convertiste en hijo adoptivo de Dios. Recibiste el don del Espíritu Santo y la gracia para vivir como un signo del amor de Dios para el mundo. Tus padres y tus padrinos prometieron ayudarte a conocer, amar y servir a Dios.

Dios te creó a su imagen y semejanza. No existe nadie más exactamente igual a ti. Dios tiene en mente una obra o vocación especial para ti y todas las personas. Dios te ha dado los dones y los talentos que necesitas para hacer esta obra especial como miembro de la Iglesia.

Dios les da a las personas sus dones y sus talentos para que los usen para ayudar a que los demás lleguen a conocerlo, amarlo y servirlo, y a compartir de la mejor manera su amor con el mundo. A medida que descubres estos dones y talentos, puedes crecer en tu entendimiento de la vocación que Dios está llamándote e invitándote a aceptar. ¡Esta es la gran aventura de ser un discípulo de Jesucristo!

? ¿Cuáles son tus dones y tus talentos? ¿Cómo podrías usar uno de estos dones ahora mismo para compartir de la mejor manera el amor de Dios con el mundo? ¿Cómo podrías usar este don o este talento cuando seas adulto?

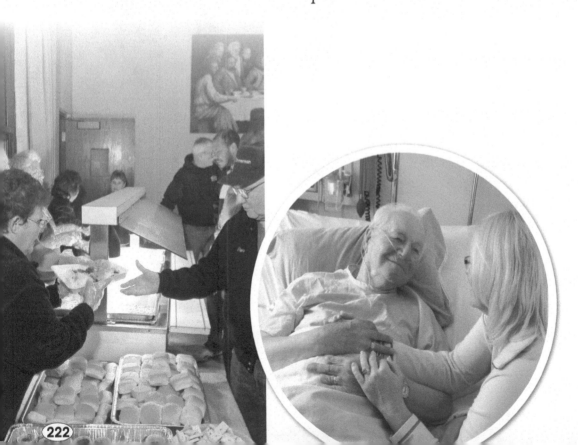

The Call to Serve

At your Baptism, the Church welcomed you into the Body of Christ. You were joined to Christ. You became an adopted son or daughter of God. You received the gift of the Holy Spirit and the grace to live as a sign of God's love for the world. Your parents and godparents promised to help you know, love, and serve God.

God created you in his image and likeness. There is no one else quite like you. God has a special work, or vocation, in mind for you and for every person. God has given you the gifts and talents you need to do this special work as a member of the Church.

God gives people their gifts and talents to use to help others come to know, love, and serve him and best share his love with the world. As you discover these gifts and talents, you can grow in your understanding of the vocation that God is calling and inviting you to accept. This is the great adventure of being a disciple of Jesus Christ!

? What are your gifts and talents? How might you use one of these gifts right now to best share God's love with the world? How might you use this gift or talent when you grow up?

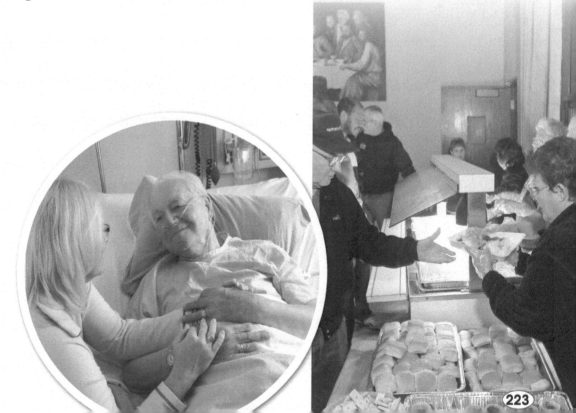

Vocación

La Iglesia te ayuda a saber cómo Dios está llamándote a que uses tus dones, talentos e intereses para continuar edificando el Reino de Dios que anunció Jesús.

Nuestra vocación

La obra que Dios te llama a hacer para servirlo a Él y a los demás se llama **vocación**. La palabra *vocación* significa "llamado". Todas las vocaciones son importantes. A pesar de que cada uno de nosotros tiene talentos diferentes, participamos de la obra de Cristo. Cada uno de nosotros trae la luz de Cristo al mundo.

Todas las personas que se bautizan reciben la vocación de servir a Dios y a los demás como miembro de la Iglesia. Dios les da a algunos miembros de la Iglesia la vocación de conducir y de servir a la Iglesia como obispos, sacerdotes o diáconos. Esto se llama ministerio ordenado.

Otros miembros de la Iglesia llevan a cabo la misión de Cristo integrando una comunidad religiosa aprobada por la Iglesia. Ellos reciben la vocación de vivir la vida consagrada. La mayoría de los bautizados sirven a la Iglesia como fieles laicos. Algunos laicos se casan; otros permanecen solteros, no se casan.

Tú puedes llegar a conocer tu vocación de muchas maneras. Como Samuel, tienes que rezar y comentarlo con Dios. Como el Padre Glenn, debes hablar con tus padres y otros adultos.

Actividad

Lee el titular acerca de una manera en que la gente realiza la obra de Cristo en las parroquias. Piensa en todas las personas que sirven a los demás a través de tu parroquia. Escribe tus propios titulares acerca de las personas o de los grupos de tu parroquia que sirven a los demás.

Adolescentes dirigen centro de ayuda escolar

Our Vocation

The work that God calls us to do to serve God and others is called a **vocation**. The word *vocation* means "a call." All vocations are important. Each of us has different talents, but we share in the work of Christ. We each bring the light of Christ to the world.

Every person who is baptized receives the vocation to serve God and other people as a member of the Church. God gives some members of the Church the vocation to lead and serve the Church as bishops or priests or deacons. This is called the ordained ministry.

Other members of the Church carry on Christ's mission as members of a religious community approved by the Church. They receive the vocation to live the consecrated life. Most of the baptized serve the Church as the lay faithful. Some lay people marry; some remain single and do not marry.

You can come to know your vocation in many ways. Like Samuel, you need to pray and talk things over with God. Like Father Glenn, you talk things over with your parents and other adults.

Activity Read the headline about one way that people do Christ's work in parishes. Think about all the people who serve others through your parish. Write your own headlines about persons or groups of people in your parish who serve others.

Teens Run Homework Help Center

_____

_____

_____

YO SIGO A JESÚS

Tú eres parte del Cuerpo de Cristo. Dios te ha dado dones y talentos para usarlos al servicio de los demás. A medida que crezcas y desarrolles tus talentos, descubrirás cuál es la mejor manera de usarlos para participar en la obra de Cristo. Esta será tu vocación y te traerá gozo.

HABLA, SEÑOR, QUE YO TE ESCUCHO

Escribe en cada globo un don o un talento que tengas. En la base del ramillete de globos, escribe cómo estás usando algunos de tus dones por los demás. ¿Cuál necesita fortalecerse? Encierra ese don en un círculo y cuenta cómo podrías fortalecerlo.

_____

_____

_____

MI ELECCIÓN DE FE

Tengo que desarrollar el don o talento de _____

aun más. Esta semana yo voy a

_____

Reza: "Jesús, tú me has hecho parte de tu Cuerpo. Ayúdame a vivir mi vida con gozo cuando uso mis dones a tu servicio. Amén".

I FOLLOW JESUS

You are part of the Body of Christ. God has given you gifts and talents to use in serving others. As you grow and develop your talents, you will discover how you can best use them to share in Christ's work. This will be your vocation and it will bring you joy.

SPEAK LORD, I AM LISTENING

Write a gift or talent you have in each balloon. At the base of the balloon bouquet, write how you are using some of your gifts for others. Which one needs to grow stronger? Circle that gift and tell how you could strengthen it.

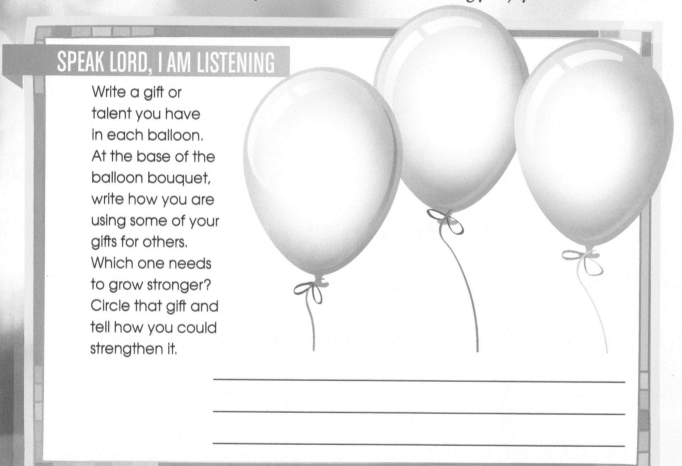

_____

_____

_____

I need to develop the gift or talent of _____ more fully. This week I will

_____.

MY FAITH CHOICE

 Pray, "Jesus, you have made me part of your Body. Help me to live my life with joy as I use my gifts in your service. Amen."

1. Samuel escuchó a Dios para saber qué quería Dios que hiciera.

2. Dios llama a todos los bautizados a realizar la obra de la Iglesia.

3. Todas las personas que están bautizadas tienen la vocación de conocer, amar y servir a Dios.

Repaso del capítulo

Usa tres de las siguientes palabras o frases en un párrafo corto que diga cómo escuchamos el llamado de Dios a tomar parte en la obra de la Iglesia y cómo respondemos a él.

| ministerio | dones y talentos | vocación |
| Espíritu Santo | llamado del Bautismo | discípulo |

_____

_____

_____

_____

Habla, Señor, que yo te escucho

Quedarse un rato en silencio con Dios y escucharlo es una oración de meditación. En una oración de meditación, tratamos de entender la Palabra de Dios y cómo la viviremos. Sigue estos pasos y reza una oración de meditación.

1. Siéntate tranquilamente. Cierra los ojos. Respira lentamente.

2. Imagínate que estás en un lugar donde puedes hablar con Dios y escucharlo.

3. Piensa en el relato bíblico de Samuel.

4. Tómate un tiempo para hablar con Dios y escucharlo. Dile: "Habla, Señor, que yo te escucho".

5. Reflexiona un momento, luego pregunta: "¿Qué está diciéndome Dios?".

6. Escribe palabras o frases breves que recuerdes.

Chapter Review

Use three of the words or phrases below in a short paragraph that tells how we listen and respond to God's call to take part in the work of the Church.

ministry	gifts and talents	vocation
Holy Spirit	baptismal call	disciple

_____

_____

_____

_____

Speak, Lord, I Am Listening

Spending quiet time with God and listening to him is called a prayer of meditation. In a prayer of meditation, we try to understand God's Word and how we will live it. Use these steps and pray a prayer of meditation.

1. Sit quietly. Close your eyes. Breathe slowly.

2. Picture yourself someplace where you can talk and listen to God.

3. Think about the Bible story of Samuel.

4. Take time to talk and listen to God. Say, "Speak, Lord, I am listening."

5. Reflect for a moment, then ask, "What is God saying to me?"

6. Write key words or phrases that you remember.

Con mi familia

Esta semana...

En el capítulo 12, "Responder al llamado de Dios", su niño aprendió que:

▶ Es importante escuchar y responder a la Palabra de Dios.

▶ A Samuel lo llamó Dios y él escuchó atentamente, y aprendió de Helí a responder al llamado de Dios.

▶ Todos los bautizados reciben la vocación de tomar parte en la obra de la Iglesia. El Espíritu Santo nos ayuda y nos enseña a vivir esa vocación.

▶ Cuando escuchamos el llamado de Dios y respondemos a él, estamos llenos de gozo. El gozo es un fruto del Espíritu Santo.

Para saber más sobre otras enseñanzas de la Iglesia, consulten el *Catecismo de la Iglesia Católica*, 54–61, 121–130, 157–165 y 1373–1381; y el *Catecismo Católico de los Estados Unidos para los Adultos*, páginas 37–45.

■ Compartir la Palabra de Dios

Lean juntos 1.° Samuel 3:3–5, 8–10, o lean la adaptación del relato en la página 216. Enfaticen que Samuel pidió la ayuda de Helí, luego Dios escuchó y él le respondió a Dios.

■ Vivimos como discípulos

El hogar cristiano con la familia es una escuela de discipulado. Elijan una de las siguientes actividades para hacer en familia, o creen una actividad similar ustedes mismos.

▶ Aprovechen las comidas en familia para conversar acerca de los dones y los talentos de los miembros de la familia. Hablen de cómo los dones y los talentos de cada uno de ustedes ayudan a que la familia participe en la obra de la Iglesia.

▶ Como parte de un ritual a la hora de acostarse, hagan un repaso de su día y recuerden los momentos de gozo de ese día. Digan una oración de agradecimiento a Dios por estos momentos.

■ Nuestro viaje espiritual

Una oración de meditación puede ayudar a que una persona llegue a conocer a Dios. Pasar tiempo con Dios de esta manera, nos recuerda que pertenecemos a Cristo. La práctica espiritual de meditar en la presencia de Dios es una fuente de gran gozo. En este capítulo, su niño aprendió a rezar una meditación. Lean y sigan juntos esta oración de la página 228.

Para hallar más ideas sobre las maneras en que su familia puede vivir como discípulos de Jesús, visiten **seanmisdiscipulos.com**

With My Family

This Week . . .

In chapter 12, Responding to God's Call, your child learned:

▶ It is important to listen and respond to the Word of God.

▶ Samuel was called by God and he listened attentively and learned from Eli how to respond to God's call.

▶ All of the baptized receive the vocation to take part in the work of the Church. The Holy Spirit helps and teaches us how to live that vocation.

▶ When we listen to and respond to God's call, we are filled with joy. Joy is a Fruit of the Holy Spirit.

For more about related teachings of the Church, see the *Catechism of the Catholic Church*, 54–61, 121–130, 157–165, and 1373–1381; and the *United States Catholic Catechism for Adults*, pages 37–45.

Sharing God's Word

Read together 1 Samuel 3:3–5, 8–10, or read the adaptation of the story on page 217. Emphasize that Samuel asked Eli's help, and then God listened and responded to God.

We Live as Disciples

The Christian home and family form a school of discipleship. Choose one of the following activities to do as a family, or design a similar activity of your own.

▶ Use your family mealtimes for conversations about gifts and talents of family members. Talk about how the gifts and talents of each of your family members help your family to take part in the work of the Church.

▶ As part of a bedtime ritual, look back on the day and recall the moments of joy in your day. Say a prayer of thanks to God for these moments.

Our Spiritual Journey

A prayer of meditation can help a person come to know God. Spending time with God this way reminds us that we belong to Christ. The spiritual practice of meditating on God's presence is a source of great joy. In this chapter your child learned to pray a meditation. Read and follow together this prayer on page 229.

For more ideas on ways your family can live as disciples of Jesus, visit **BeMyDisciples.com**

Unidad 3: **Repaso**

A. Elije la mejor palabra

Escribe en los espacios en blanco para completar las oraciones.
Usa las palabras de la lista.

piedad	liturgia	Sacramentos
Iniciación	Misterio Pascual	Confirmación

1. La _____ es la obra de adorar a Dios.

2. Los Sacramentos de la _____ Cristiana son las bases de la vida cristiana.

3. El Bautismo, la _____ y la Eucaristía son los Sacramentos de la Iniciación Cristiana.

4. La _____, también llamada reverencia, es un respeto profundo por Dios y por la Iglesia.

5. El _____ es el paso de Jesús a través de su sufrimiento y muerte a una nueva y gloriosa vida.

B. Muestra lo que sabes

Une las palabras o frases de la columna A con las palabras o frases de la columna B.

Columna A

1. caridad

2. Nazaret

3. Santos patronos

4. Liturgia de las Horas

5. Triduo Pascual

Columna B

_____ **a.** la oración diaria, pública y comunal de la Iglesia

_____ **b.** ciudad donde se crió Jesús

_____ **c.** la virtud más importante

_____ **d.** el centro del año litúrgico

_____ **e.** modelos de conducta que nos enseñan a vivir como discípulos

Unit 3 **Review**

A. Choose the Best Word

Use the words in the word bank to complete the sentences.

piety	liturgy	Sacraments
Initiation	Paschal Mystery	Confirmation

1. The _____ is the work of worshiping God.

2. The Sacraments of Christian _____ are the foundation of Christian life.

3. Baptism, _____, and the Eucharist are the Sacraments of Christian Initiation.

4. _____, also called reverence, is a deep respect for God and for the Church.

5. The _____ is Jesus' passing over from suffering and death to new and glorious life.

B. Show What You Know

Match the words or phrases in column A with the words or phrases in column B.

Column A

1. love

2. Nazareth

3. patron Saints

4. Liturgy of the Hours

5. The Triduum

Column B

____ **a.** the daily, public prayer of the church

____ **b.** town where Jesus grew up

____ **c.** the greatest virtue

____ **d.** the center of the liturgical year

____ **e.** role models who show us how to live as disciples

C. La Escritura y tú

Vuelve a leer el pasaje de la Sagrada Escritura de la página de Inicio de la unidad.
¿Qué relación hay entre lo que ves en esta página y lo que aprendiste en esta unidad?

_____

_____

_____

D. Sé un discípulo

1. *Repasa las cuatro páginas de esta unidad llamadas La Iglesia sigue a Jesús. ¿Qué persona o ministerio de la Iglesia de estas páginas te inspirará para ser un mejor discípulo de Jesús? Explica tu respuesta.*

_____

_____

_____

2. *Trabaja en grupo. Repasa las cuatro virtudes o dones de Poder de los discípulos que has aprendido en esta unidad. Después de anotar tus ideas, comparte con el grupo maneras prácticas en las que vivirás estas virtudes o dones día a día.*

_____

_____

_____

C. Connect with Scripture

Reread the Scripture passage on the Unit Opener page. What connection do you see between this passage and what you learned in this unit?

_____

_____

_____

D. Be a Disciple

1. *Review the four pages in this unit titled The Church Follows Jesus. What person or ministry of the Church on these pages will inspire you to be a better disciple of Jesus? Explain your answer.*

_____

_____

_____

2. *Work with a group. Review the four Disciple Power virtues or gifts you have learned about in this unit. After jotting down your own ideas, share with the group practical ways that you will live these virtues or gifts day by day.*

_____

_____

_____

Colombia: El Divino Niño Jesús

> En Colombia, la gente celebra el Adviento rezando una novena, nueve días de oración, al Niño Jesús.

Las familias y las comunidades católicas de Colombia tienen una forma particular de celebrar el Adviento. Participan en nueve días de oración al Divino Niño Jesús, que se llama rezar una novena. Esta devoción en Colombia empieza el 16 de diciembre y termina en Nochebuena.

Las personas se reúnen en la casa a rezar, cantar himnos, compartir una comida y hasta bailar. El día de Nochebuena, terminan la novena. Las familias se reúnen a celebrar, pero las fiestas terminan a medianoche. A esa hora, intercambian los regalos que el Niño Jesús ha traído.

Otra devoción popular al Divino Niño Jesús tiene lugar durante todo el año. Las personas rezan otra novena, pero hacen además otras tres cosas. Dan dinero a la Iglesia, hacen viajes religiosos llamados peregrinaciones y donan pan y chocolate a los pobres. Miles van también a una iglesia de Bogotá, la capital de Colombia, a rezar. Piden milagros o rezan para agradecer a Dios los favores que les ha otorgado.

Sin embargo, la mayoría de las personas rezan la novena en su casa durante Navidad o en otros momentos del año. También colocan imágenes del Divino Niño Jesús en la entrada de su casa, en sus bolsos de mano y billeteras, o en medallas de oro que llevan alrededor del cuello.

❓ ¿Por qué te parece que el pueblo colombiano honra al Niño Jesús de esta manera?

Colombia: The Divine Child Jesus

Catholic families and communities in Colombia have a unique way of celebrating Advent. They take part nine days of prayer to the Divine Child Jesus called a novena. The devotion in Colombia starts on December 16 and ends on Christmas Eve.

▶ People in Colombia celebrate Advent by praying a novena, nine days of prayer, to the Child Jesus.

People gather at home to pray, sing hymns, share a meal, and even dance. On Christmas Eve they finish the novena. Families gather to celebrate, but the parties stop at midnight. At this time they exchange presents that the Child Jesus has brought.

Another popular devotion to the Divine Child Jesus takes place throughout the year. The people pray another novena but also do three other things. They give money to the Church, go on religious trips called pilgrimages, and donate bread and chocolate to the poor. Thousands also go to a church in Bogota, the capital of Colombia, to pray. They ask for miracles or come to pray in thanksgiving for favors God has given them.

However, most people pray the Novena in their homes either during Christmas or at other times of the year. They also place images of the Divine Child Jesus in the entrances of their homes, in their handbags and wallets, or on gold medals that they wear around their necks.

[?] Why do you think the Colombian people honor the Child Jesus in this way?

Celebramos
Parte Dos

Apacienta a mis ovejas

Pedro y los otros discípulos habían estado pescando toda la noche. Cuando volvieron a la orilla, vieron a Jesús, que había encendido fuego de carbón. Jesús dijo: "Vengan a desayunar".

Cuando terminaron el desayuno, Jesús le preguntó a Simón Pedro tres veces: "Simón, hijo de Juan, ¿me amas?". Cada vez, Pedro contestó: "Sí, Señor, tú sabes que te quiero". Cuando Pedro contestó la primera vez, Jesús dijo: "Apacienta mis corderos".

Cuando Pedro contestó la segunda vez, Jesús dijo: "Cuida de mis ovejas". Cuando contestó la tercera vez, Pedro se puso triste y dijo: "Señor, tú lo sabes todo; tú sabes que te quiero". Y Jesús dijo: "Apacienta mis ovejas".

BASADO EN JUAN 21:3–17

We Worship

Part Two

Feed My Sheep

Peter and the other disciples had been fishing all night. When they were returning to shore, they saw Jesus who had started a charcoal fire. "Come, have breakfast," Jesus said.

When they had finished breakfast, Jesus asked Simon Peter at three different times, "Simon, son of John, do you love me?" Each time Peter answered, "Yes, Lord, you know that I love you." After the first time Peter answered, Jesus said, "Feed my lambs."

After the second time Peter answered, Jesus said, "Tend my sheep." After the third time, Peter was upset and said, "Lord, you know everything; you know that I love you." And Jesus said, "Feed my sheep."

BASED ON JOHN 21:3–17

Lo que he aprendido

¿Qué es lo que ya sabes acerca de estos términos de fe?

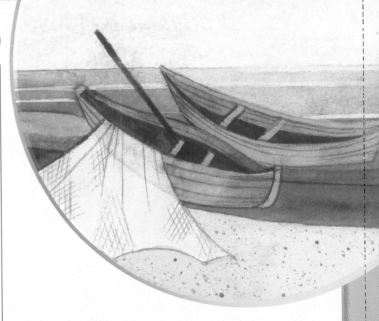

El Pan de Vida

_____

_____

_____

Los Sacramentos al Servicio de la Comunidad

_____

_____

_____

Los Sacramentos de Curación

_____

_____

_____

Vocabulario de fe para aprender

Escribe X junto a las palabras de fe que sabes. Escribe ? junto a las palabras de fe que necesitas aprender mejor.

_____ pecado

_____ maná

_____ contrición

_____ absolución

_____ sufrimiento

_____ Iglesia doméstica

_____ diáconos

La Biblia

¿Qué sabes acerca de la fiesta de la Pascua judía?

_____

_____

_____

La Iglesia

¿Qué sabes acerca de cómo la Iglesia celebra los Sacramentos de Curación?

_____

_____

_____

Tengo preguntas

¿Qué preguntas te gustaría hacer acerca del Sacramento del Orden Sagrado?

_____

_____

_____

What I Have Learned

What is something you already know about these three faith terms?

The Bread of Life

_____

_____

_____

The Sacraments at the Service of Communion

_____

_____

_____

The Sacraments of Healing

_____

_____

_____

Faith Terms to Know

Put an X next to the faith terms you know. Put a ? next to faith terms you need to learn more about.

_____ sin

_____ manna

_____ contrition

_____ absolution

_____ suffering

_____ domestic Church

_____ deacons

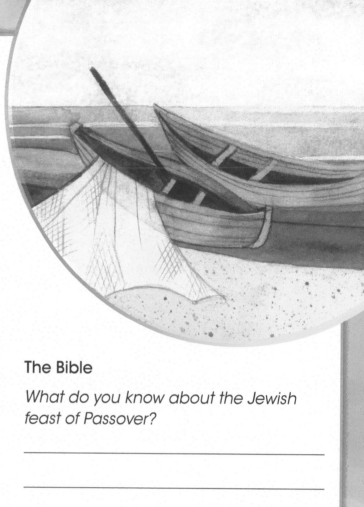

The Bible

What do you know about the Jewish feast of Passover?

_____

_____

_____

The Church

What do you know about how the Church celebrates the Sacraments of Healing?

_____

_____

_____

Questions I Have

What questions would you like to ask about the Sacrament of Holy Orders?

_____

_____

_____

CAPÍTULO
13

Lo que vendrá

En este capítulo el Espíritu Santo te invita a ▶

INVESTIGAR cómo Dios abasteció a una comunidad franciscana.

DESCUBRIR cómo tres relatos de la Biblia hablan del cuidado amoroso de Dios por nosotros.

DECIDIR cómo puedes ser un signo del cuidado amoroso de Dios.

Jesús nos alimenta

❓ Comenta acerca de alguna vez en que hayas estado cansado y hambriento. ¿Quién te ayudó? ¿Cómo?

En el Antiguo Testamento, leemos acerca de la vez en la que el pueblo de Dios empezó a perder la confianza en Dios. Se quejaban de lo miserable que era su vida. Dios oyó su queja. Escucha lo que Dios le dijo a su jefe, Moisés:

"Ahora les hago llover pan del cielo. Dile al pueblo que salga todos los días y recoja el pan que necesite para comer, de modo que ya no tenga más hambre."

BASADO EN ÉXODO 16:4

❓ ¿Qué otros relatos de la Biblia acerca del pan conoces? ¿Qué cuentan de cómo te cuida Dios?

Looking Ahead

In this chapter the Holy Spirit invites you to ▶

EXPLORE how God provided for a Franciscan community.

DISCOVER how three Bible stories tell of God's loving care for us.

DECIDE how you can be a sign of God's loving care.

CHAPTER

13

Jesus Feeds Us

? Tell about a time when you have been tired and hungry. Who cared for you? How?

In the Old Testament, we read about a time when God's people began to lose trust in God. They grumbled about how miserable their life was. God heard their complaining. Listen to what God told their leader, Moses,

> "I will now rain down bread from heaven for you. Have the people go out every day to gather enough bread to eat so that they are no longer hungry."
>
> BASED ON EXODUS 16:4

? What other Bible stories do you know about bread? How do they tell about how God cares for you?

Longanimidad

Una persona con longanimidad ama y cuida a los demás. Una persona bondadosa siempre trata a los demás con respeto. Vivimos la virtud de la longanimidad tratando a los demás como queremos que nos traten.

LA IGLESIA SIGUE A JESÚS

Danos hoy nuestro pan de cada día

Un hermano franciscano capuchino trataba de captar la atención del Padre Solanus Casey:

—¡Chis! ¡Padre Solanus! No tenemos más pan y cientos de hombres están esperando algo de comer —dijo preocupado el hermano.

El Padre Solanus, con su blanca barba, asintió con la cabeza. Entendió, pero conservó la calma. Sirviendo café caliente, hizo su recorrido por entre las mesas.

El Padre Solanus y otros hermanos habían inaugurado un comedor de beneficencia para ayudar a las numerosas personas hambrientas y afligidas que conocían. Todos los días, estas personas venían de todo Detroit a buscar un plato de comida gratis, su única comida del día. Ellas experimentaban la longanimidad de los demás.

Pero los capuchinos también dependían de que los demás les proveyeran los alimentos. Se comía lo que había. Si un agricultor donaba sacos de papas, comían sopa de papas. Cuando alguien dejaba una jaula de pollos junto a la puerta trasera, enseguida la caldera de sopa de pollo hervía sobre la estufa.

La noticia se propagó rápidamente por el salón. "En la cocina no quedan alimentos." Cuando el salón enmudeció de temor, la suave voz del Padre Solanus pidió una oración:

—¿Por qué no pedirle a Dios "nuestro pan de cada día"?

Cinco minutos después, estallaron los aplausos en la fila que esperaba. Los hombres se daban palmadas en la espalda unos a otros. El camión de una panadería, cargado de alimentos, acababa de llegar.

—¿Ven? —sonrió el Padre Solanus—. Dios provee. El Padre Solanus no se sorprendió en absoluto por la repentina bendición que apareció en la puerta trasera.

? ¿Cómo tiende la mano tu parroquia para compartir el cuidado amoroso de Dios con los demás?

Give Us Our Daily Bread

"Pssst! Father Solanus!" A Franciscan Capuchin brother tried to catch the eye of Father Solanus Casey. "We've no more bread, and hundreds of men are waiting for something to eat", the worried brother said.

The white-bearded Father Solanus nodded his head. He understood, but he stayed calm. Pouring hot coffee, he made his way down the rows between tables.

Father Solanus and others had opened a soup kitchen to help the many hungry, troubled people they met. Every day, people came from all over Detroit for a free meal—their only meal of the day. They experienced the kindness of others.

But the Capuchins also depended on others to provide the food. Dinner was whatever was available. If a farmer gave bushels of potatoes, then they ate potato soup. When a crate of clucking chickens was left near the back door, a kettle of chicken soup was soon simmering on the stove.

Word quickly spread through the room. "The kitchen is out of food." When the room grew quiet with fear, the soft-spoken Father Solanus asked for prayer. "Why shouldn't we ask God for 'our daily bread'?"

Five minutes later, cheering erupted in the waiting line. Men slapped each other on the back. A bakery truck, loaded with food, had just arrived.

"See?" grinned Father Solanus. "God provides." Father Solanus wasn't at all surprised by the sudden blessing at the back door.

? How does your parish reach out to share God's loving care with others?

Disciple Power

Kindness

A kind person is loving and caring toward others. A kind person always treats people with respect. We live the virtue of kindness by treating others as we want to be treated.

ENFOQUE EN LA FE
¿Qué está diciéndonos
Dios a través del relato
bíblico de cuando Jesús
alimentó a la gente
con pan?

VOCABULARIO DE FE

Éxodo
Es el viaje de los
israelitas, bajo el
liderazgo de Moisés,
desde la esclavitud en
Egipto hacia la libertad
en la tierra prometida
por Dios.

maná
La comida parecida al
pan que comieron los
israelitas en el desierto
durante el Éxodo se
llama maná.

Signos del amor de Dios

En la Biblia, hay muchos relatos acerca del pan. En la primera página de esta lección, escuchaste el comienzo de un importante relato del Antiguo Testamento acerca del pan. Es parte del relato del **Éxodo**.

El Éxodo es el viaje de los israelitas desde la esclavitud en Egipto hacia la libertad en la tierra prometida por Dios. Esto es lo que ocurrió después:

> Y, por la mañana, en torno al campamento, había una capa de rocío. Al evaporarse el rocío, apareció sobre el suelo del desierto una cosa menuda, como granos, parecida a la escarcha. Cuando los israelitas vieron esto, se dijeron unos a otros: 'Manha', o sea: '¿Qué es esto?' Pues no sabían lo que era. Y Moisés les dijo: 'Este es el pan que Yavé les da para comer.'
> Éxodo 16:14-15

Cada día, los israelitas recogían **maná** suficiente para el día. Lo horneaban y lo comían hasta quedar satisfechos. Para Moisés y los israelitas, comer el maná era un signo del amor bondadoso de Dios por ellos. Este es un ejemplo de la Divina Providencia, el amor bondadoso de Dios por nosotros.

Actividad

¿Cuáles son algunos de los signos del cuidado amoroso de Dios por ti? Escribe uno al lado de cada lugar de la lista.

Casa _____

Escuela _____

Comunidad _____

Parroquia _____

Signs of God's Love

There are many stories about bread in the Bible. On the first page of this lesson, you listened to the beginning of an important bread story in the Old Testament. It is part of the **Exodus** story.

The Exodus is the journey of the Israelites from slavery in Egypt to freedom in the land God promised them. Here is what happened next:

In the morning a dew lay all about the camp, and when the dew evaporated, there on the surface of the desert were fine flakes like hoarfrost on the ground. On seeing it, the Israelites asked one another, "What is this?" for they did not know what it was. But Moses told them, "This is the bread which the LORD has given you to eat."
Exodus 16:13–15

Each day the Israelites gathered enough **manna** for the day. They baked it and ate it until they were satisfied. For Moses and the Israelites, eating the manna was a sign of God's caring love for them. This is an example of Divine Providence, God's caring love for us.

FAITH FOCUS
What is God saying to us through the Bible story of Jesus feeding people with bread?

FAITH VOCABULARY
Exodus
The Exodus is the journey of the Israelites under the leadership of Moses from slavery in Egypt to freedom in the land promised them by God.

manna
The bread-like food the Israelites ate in the desert during the Exodus is called manna.

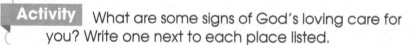

Activity What are some signs of God's loving care for you? Write one next to each place listed.

Home _____

School _____

Community _____

Parish _____

Jesús alimenta a cinco mil personas

Este es otro relato acerca del pan. Es otro relato del amor bondadoso de Dios por nosotros. Este relato es del Evangelio según Lucas, en el Nuevo Testamento.

Una multitud siguió a Jesús a un lugar desierto. La gente tenía hambre y estaba cansada. Jesús les dijo a los discípulos: "Denles ustedes algo de comer." Los discípulos contestaron: "No tenemos más que cinco panes y dos pescados." Jesús tomó los cinco panes y los dos pescados. Levantó la vista al cielo, dijo una bendición, partió el pan y entregó el alimento a los discípulos para que se lo dieran a la multitud. Todos comieron hasta que no tuvieron más hambre.

BASADO EN LUCAS 9:12–13, 16–17

Jesús hizo un milagro para alimentar a cinco mil personas con solo cinco panes y dos pescados. Incluso sobraron doce canastos llenos de comida. Jesús hizo muchos milagros. Un milagro es algo que puede hacer solamente Dios. Jesús hizo muchos milagros para mostrarles a las personas cuánto las ama y las cuida Dios.

? Imagina que estás entre la multitud que siguió a Jesús. ¿Qué les dirías a tu familia y a tus amigos acerca de Jesús?

Jesus Feeds Five Thousand People

Here is another bread story. It is another story of God's caring love for us. This story is from the Gospel according to Luke in the New Testament.

A crowd of people followed Jesus to a deserted place. The people were hungry and tired. Jesus said to the disciples, "Give the people some food." The disciples replied, "We only have five loaves and two fish." Jesus took the five loaves and the two fish. Looking up to heaven, he said the blessing over them, broke the bread and gave the food to the disciples to give to the crowd. They all ate and were no longer hungry.

BASED ON LUKE 9:11–13, 16–17

Jesus performed a miracle to feed five thousand people with only five loaves of bread and two fish. There were even twelve baskets of food left over. Jesus performed many miracles. A miracle is something that only God can do. Jesus performed many miracles to show people how much God loves them and cares for them.

? Pretend you are in the crowd who followed Jesus. What would you tell your family and friends about Jesus?

Limosna

La limosna es compartir nuestras bendiciones con los demás, especialmente con los necesitados. La palabra *limosna* proviene de una palabra latina que significa "acto de misericordia o de longanimidad". Dios es piadoso y bondadoso con nosotros. Los cristianos tratan a los demás de la misma manera.

El Pan de Vida

El milagro del maná en el desierto señala a la Eucaristía. En el Evangelio, Jesús alimentó a las personas con pan.

Este relato de los primeros cristianos les recordó que Jesús, el Pan de Vida, les había dado la Eucaristía.

[En la Última Cena, Jesús] tomó pan y, dando gracias, lo partió y se lo dio diciendo: "Esto es mi cuerpo, que es entregado por ustedes. Hagan esto en memoria mía."

LUCAS 22:199

La Eucaristía es el alimento espiritual que nos da la fortaleza para vivir como discípulos de Jesús. Jesús dijo:

"El que come mi carne y bebe mi sangre permanece en mí y yo en él... Este es *el pan que ha bajado del cielo*. Pero no como el de vuestros antepasados, que comieron y después murieron. El que coma este pan vivirá para siempre."

JUAN 6:56, 58

En la Misa, por el poder del Espíritu Santo, el pan y el vino se convierten en el Cuerpo y la Sangre de Cristo en el Sacramento de la Eucaristía. Cristo está plenamente presente de una manera real y verdadera en el pan y el vino consagrados.

Dar alimentos a los hambrientos.

Actividad

¿Qué puedes hacer para ayudar a que las personas lleguen a conocer el amor de Dios por ellas? En los corazones en blanco, escribe palabras o haz dibujos que muestren cómo puedes compartir con los demás la Buena Nueva del amor de Dios.

Sonreír.

Escuchar a alguien que tenga un problema.

The Bread of Life

The miracle of the manna in the desert points to the Eucharist. In the Gospel, Jesus fed the people with bread.

This early Christian story reminded them that Jesus, the Bread of Life, gave them the Eucharist.

> [At the Last Supper Jesus] took the bread, said the blessing, broke it, and gave it to them, saying, "This is my body, which will be given for you; do this in memory of me."
>
> LUKE 22:19

The Eucharist is the spiritual food which gives us strength to live as disciples of Jesus. Jesus said,

> "Whoever eats my flesh and drinks my blood remains in me and I in him. . . . This is the bread that came down from heaven. Unlike your ancestors who ate and still died, whoever eats this bread will live forever."
>
> JOHN 6:56, 58

At Mass, by the power of the Holy Spirit, the bread and wine become the Body and Blood of Christ in the Sacrament of the Eucharist. Christ is fully present in a true and real way in the consecrated bread and wine.

Activity What can you do to help people come to know God's love for them? In the blank hearts, use words or pictures to show how you can share the Good News of God's love with others.

Give food to people who are hungry.

Smile.

Listen to someone with a problem.

YO SIGO A JESÚS

Tú puedes ser bondadoso de muchas maneras. Cuando es así, eres para los demás un signo del amor bondadoso de Dios por ellos. Tus palabras y tus acciones de bondad ayudan a las personas a ver cuánto Dios las ama y cuida de ellas.

LONGANIMIDAD

Escribe un poema, una canción o un cuento que los describa a ti y a tus amigos siendo bondadosos y practicando la longanimidad con los demás.

_____

Título

_____

_____

_____

_____

_____

_____

_____

_____

_____

MI ELECCIÓN DE FE

Esta semana buscaré a personas que tengan hambre, no solo de comida, sino también de otras cosas importantes, como la amistad y la longanimidad. Yo voy a

_____

_____.

 Siéntate un momento en calma. Recuerda la longanimidad y el cuidado de Dios para contigo y tu familia. Di una oración de agradecimiento.

I FOLLOW JESUS

You can be kind to people in many ways. When you are, you are a sign to others of God's caring love for them. Your kind words and actions help people see how much God loves them and cares for them.

KINDNESS

Write a poem, song, or story that describes you and your friends being kind to others.

_____

Title

_____

_____

_____

_____

_____

_____

_____

_____

This week I will look for people who are hungry, not only for food, but also for other important things like friendship and kindness. I will

_____

_____ .

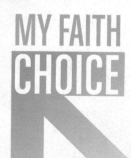

MY FAITH CHOICE

Sit for a moment in the stillness. Remember God's kindness and care towards you and your family. Say a prayer of thanks.

PARA RECORDAR

1. Durante el Éxodo, Dios alimentó a su pueblo, los israelitas, con maná.

2. Jesús alimentó a cinco mil personas con cinco panes y dos pescados.

3. La Biblia nos invita a creer y a confiar en el amor bondadoso de Dios por nosotros.

Repaso del capítulo

Compara y contrasta el relato de Moisés y el maná en el desierto con el relato de cuando Jesús alimentó a la multitud. ¿En qué se parecen y en qué se diferencian los dos relatos?

Moisés
(Éxodo 16:13–15)

_____

_____

_____

Jesús
(Lucas 9:11–13, 16–17)

_____

_____

_____

Jesús, el Pan de Vida

Una letanía es una serie de peticiones en las que, cada una de ellas, tiene una respuesta. Esta letanía está basada en una parte de un poema que se lee en Misa durante la Solemnidad del Cuerpo y la Sangre de Cristo.

Líder: Jesús, Buen Pastor, Pan verdadero,

Todos: **ten piedad de nosotros.**

Líder: Jesús, fuente de nuestra felicidad,

Todos: **ten piedad de nosotros.**

Líder: Jesús, Tú que todo lo sabes y puedes;

Todos: **ten piedad de nosotros.**

Líder: Jesús, haznos tus invitados en el Cielo;

Todos: **ten piedad de nosotros. Amén.**

Chapter Review

Compare and contrast the story of Moses and the manna in the desert with the story of Jesus feeding the crowd. How are the two stories alike and how are they different?

**Moses
(Exodus 16:13–15)**

_____

_____

_____

**Jesus
(Luke 9:11–13, 16–17)**

_____

_____

_____

TO HELP YOU REMEMBER

1. God fed his people, the Israelites, with manna during the Exodus.

2. Jesus fed five thousand people with five loaves of bread and two fish.

3. The Bible invites us to believe and trust in God's caring love for us.

Jesus, the Bread of Life

A litany is a series of petitions that each have a response. This litany is based on part of a poem that is read at Mass on the Solemnity of the Body and Blood of Christ.

Leader: Jesus, Good Shepherd and true Bread,

All: be merciful and kind to us.

Leader: Jesus, source of our happiness,

All: be merciful and kind to us.

Leader: Jesus, you know and can do all things;

All: be merciful and kind to us.

Leader: Jesus, make us your guests in Heaven;

All: be merciful and kind to us. Amen.

Con mi familia

Esta semana...

En el capítulo 13, "Jesús nos alimenta", su niño aprendió que:

▶ Durante el Éxodo en el desierto, Dios alimentó a los israelitas con maná.

▶ Jesús alimentó a cinco mil personas multiplicando cinco panes y dos pescados.

▶ En ambos relatos, Dios revela su amor por los hombres siempre presente y bondadoso.

▶ El relato del Evangelio de cuando Jesús alimentó a la gente recuerda además a los cristianos la Eucaristía, el alimento espiritual del Cuerpo y la Sangre de Jesús.

▶ Vivimos la virtud de la longanimidad tratando a los demás como queremos que nos traten.

Para saber más sobre otras enseñanzas de la Iglesia, consulten el *Catecismo de la Iglesia Católica*, 302–314, 1094, 1334, 1363 y 1391–1405; y el *Catecismo Católico de los Estados Unidos para los Adultos*, páginas 220–229.

■ Compartir la Palabra de Dios

Lean juntos Lucas 9:10–17, la versión de cuando Jesús alimentó a la multitud. O lean la adaptación del relato en la página 248. Enfaticen que Jesús alimentando a la gente, es un signo del amor bondadoso de Dios.

■ Vivimos como discípulos

El hogar cristiano con la familia es una escuela de discipulado. Elijan una de las siguientes actividades para hacer en familia, o creen una actividad similar ustedes mismos.

▶ Todos sabemos que una buena alimentación y el ejercicio ayudan a mantener sano el cuerpo. La próxima vez que su familia se reúna a compartir una comida, hablen de cómo la participación en la Misa ayuda a la salud espiritual.

▶ Jesús alimentó a la multitud para ayudar a los hombres a entender el amor de Dios por ellos. ¿Cómo se ayudan unos a otros los miembros de su familia a conocer el amor de Dios por ellos?

▶ El relato bíblico de cuando Jesús alimentó a la multitud está en los cuatro Evangelios. Lean y comparen las cuatro versiones: Mateo 14:13–21, Marcos 6:30–44, Lucas 9:10–17 y Juan 6:1–15.

■ Nuestro viaje espiritual

Dios en su infinita longanimidad y generosidad nos invita a vivir en comunión con Él. "... la oración es la relación viva de los hijos de Dios con su Padre infinitamente bueno, con su Hijo Jesucristo y con el Espíritu Santo" (*CIC* 2565). Dios nos dio el don de la Eucaristía para nutrir esa comunión. La Comunión frecuente es esencial para la vida cristiana.

Para hallar más ideas sobre las maneras en que su familia puede vivir como discípulos de Jesús, visiten **seanmisdiscipulos.com**

With My Family

This Week . . .

In chapter 13, Jesus Feeds Us, your child learned that:

▶ God fed the Israelites with manna in the desert during the Exodus.

▶ Jesus fed five thousand people by multiplying five loaves of bread and two fish.

▶ In both stories God reveals his ever-present caring love for people.

▶ The Gospel story of Jesus feeding the people also reminds Christians of the Eucharist, the spiritual food of the Body and Blood of Jesus.

▶ We live the virtue of kindness by treating others as we want to be treated.

For more about related teachings of the Church, see the *Catechism of the Catholic Church,* 302–314, 1094, 1334, 1363, and 1391–1405; and the *United States Catholic Catechism for Adults,* pages 220–229.

■ Sharing God's Word

Read Luke 9:10–17 together, the account of Jesus feeding the crowd. Or read the adaptation of the story on page 249. Emphasize that Jesus feeding the people is a sign of God's caring love.

■ We Live as Disciples

The Christian home and family is a school of discipleship. Choose one of the following activities to do as a family or design a similar activity of your own.

▶ We all know that good nutrition and exercise help keep our bodies healthy. Next time your family gathers to share a meal, talk about how participating in Mass helps our spiritual health.

▶ Jesus fed the crowd to help people understand God's love for them. How do the members of your family help each other know God's love for them?

▶ The Bible story about Jesus feeding the crowd is in all four Gospels. Read and compare all four stories: Matthew 14:13–21, Mark 6:30–44, Luke 9:10–17, and John 6:1–15.

■ Our Spiritual Journey

God in his infinite kindness and generosity invites us to live in communion with him. "Prayer is a living relationship of the children of God with their Father who is good beyond measure, with his Son Jesus Christ, and with the Holy Spirit" (CCC 2565). God gave us the gift of the Eucharist to nourish that communion. Frequent Communion is vital to the Christian life.

For more ideas on ways your family can live as disciples of Jesus, visit **BeMyDisciples.com**

CAPÍTULO
14

Lo que vendrá

En este capítulo el Espíritu Santo te invita a ▶

INVESTIGAR la historia del Beato Ceferino Namuncurá.

DESCUBRIR cómo la Iglesia continúa la obra de curación de Jesús.

DECIDIR continuar la obra de perdón de Jesús.

Jesús perdona

❓ ¿Cuándo te han perdonado por algo malo que hayas hecho? Describe cómo te sentiste cuando te perdonaron. ¿Qué recuerdas de cómo perdonaba Jesús a las personas?

Imagina que estás caminando de aldea en aldea con Jesús y sus discípulos. Escucha lo que Pedro le pregunta a Jesús:

"Señor, si mi hermano peca contra mí, ¿cuántas veces debo perdonarlo? ¿Tengo que perdonarlo siete veces?"

Jesús le contesta a Pedro: "No tienes que perdonarlo solamente siete veces, ¡sino setenta y siete veces! Debes perdonar una y otra vez. ¡Nunca debes dejar de perdonar!" BASADO EN MATEO 18:21–22

❓ ¿Por qué te parece que Jesús enseña que tenemos que perdonar una y otra vez?

Looking Ahead

In this chapter the Holy Spirit invites you to ▶

 **EXPLORE** the story of Venerable Zepherin Namuncurá.

 **DISCOVER** how the Church continues Jesus' work of healing.

 **DECIDE** to continue the forgiving work of Jesus.

CHAPTER
14

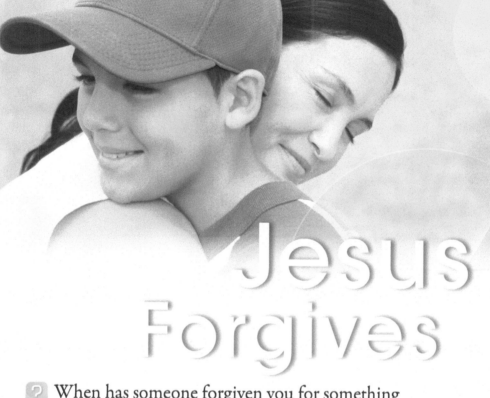

Jesus Forgives

? When has someone forgiven you for something wrong that you did? Describe how you felt when you were forgiven. What do you remember about how Jesus forgave people?

Imagine you are walking from village to village with Jesus and his disciples. Listen in as Peter asks Jesus,

"Lord, if my brother sins against me, how often must I forgive him? Do I have to forgive him seven times?"

Jesus answers Peter, "You need to forgive him not just seven times, but seventy-seven times! You must forgive over and over again. You must never stop forgiving!"

BASED ON MATTHEW 18:21–22

? Why do you think Jesus teaches that we need to forgive over and over again?

Poder de los discípulos

Perdón

El perdón es un acto de bondad o misericordia. Es la acción de la Bienaventuranza: "Felices los compasivos". Las personas que practican el perdón con generosidad son mediadores de paz. No guardan ningún rencor.

El Beato Ceferino

Cuando Ceferino Namuncurá era niño, lo animaban a que perdonara a los niños que se burlaran de él porque era un indígena araucano. Gracias a que los perdonó, se hicieron amigos y Ceferino les enseñó una valiosa lección.

—¿Puedo lanzar yo primero cuando los arcos estén terminados? —rogó Juan.

Se puso de rodillas para rogarles a sus amigos Ricardo, Felipe y Ceferino, que se reían. Juan era siempre el comediante del grupo.

Unos minutos después, los cuatro muchachos se reían a carcajadas. Juan, Ricardo y Felipe trataron de acertar un blanco que habían puesto en un árbol. Sus flechas volaban de aquí para allá.

—Ni siquiera pasan cerca —rieron todos juntos.

Entonces Ceferino, a quien los otros llamaban Pequeño Jefe, puso una flecha en su arco. Respirando profundo, Ceferino deslizó hacia atrás la flecha tensando la cuerda del arco. Entrecerró los ojos enfocando el blanco y soltó la flecha. Luego, ante los elogios de sus amigos, lanzó otras más. "Fsss, fsss." ¡Justo en el blanco todas las veces!

—Lanzar con un arco tiene otro significado para mí ahora que soy cristiano —dijo Ceferino. Luego, calmadamente, les explicó a sus amigos.

—Mi vida es como mi flecha —dijo Pequeño Jefe mientras tiraba suavemente de la cuerda de su arco—. Puedo ir en muchas direcciones. Hasta podría lastimar a alguien si voy por el camino equivocado. Pero yo quiero volar hacia Dios. Él es mi blanco, mi verdadero blanco.

Ceferino murió de tuberculosis en 1905 a los diecinueve años. La Iglesia lo declaró beato en 2007.

? ¿Qué haces tú para mantener tu "flecha" apuntada hacia el blanco correcto?

Blessed Zepherin

When Zepherin Namuncurá was a boy, he was challenged to forgive boys who teased him because he was an Araucano Indian. Because he forgave them, they became friends, and he taught them a valuable leson.

"Can I shoot first when the bows are done?" begged Juan. He fell to his knees to beg his friends Ricardo, Felipe, and Zeph as they laughed. Juan was always the comedian.

A few minutes later, the four boys were shrieking with laughter. Juan, Ricardo, and Felipe tried to hit a target on a tree. Their arrows flew this way and that. "Not even close," they all laughed together.

Then Zeph, whom they called the "Little Chief," fit an arrow to his bow. Breathing in deeply, Zeph pulled back the arrow and bowstring. Squinting at the target, he let his arrow fly. Then, as his friends shouted praise, he shot others. "Zzzzzip. Zzzzip." A bull's-eye every time!

"Shooting a bow means something different to me now that I am a Christian," said Zeph. Then, he quietly explained to his friends.

"My life is like my arrow," the "Little Chief" said as he pulled lightly on his bowstring. "I can go in many directions. I could even hurt someone if I go the wrong way. But I want to fly toward God. He is my target, my true target." Zeph died of tuberculosis in 1905 when he was nineteen. He was declared venerable by the Church in 1972 and blessed in 2007.

? What do you do to keep your "arrow" pointed toward the right target?

Disciple Power

Forgiveness

Forgiveness is an act of kindness or mercy. It is an action of the Beatitude, "Blessed are the merciful." People who generously practice forgiveness are peacemakers. They do not hold grudges.

VOCABULARIO DE FE

Sacramentos de Curación
Son el Sacramento de la Penitencia y de la Reconciliación, y el Sacramento de la Unción de los Enfermos.

pecado
Es elegir libremente alejarnos del amor de Dios y debilitar o romper nuestra amistad con Dios y la Iglesia.

Jesús perdona

A veces, las personas eligen moverse en una dirección que se aparta del amor de Dios. Dios envió a su Hijo, Jesús, para que nos ayudara cuando hiciéramos eso.

Jesús, el Hijo de Dios, es el Salvador y el Redentor. Él trajo al mundo el don del perdón y la curación de Dios. Los autores del Evangelio describen muchas veces que Jesús curaba a las personas.

Los amigos de un hombre que no podía caminar se lo llevaron a Jesús tendido en una camilla. Había tanta gente que, para llegar a Jesús, bajaron al hombre a través de un agujero en el techo.

Jesús vio la fe de las personas y dijo: "¡Ánimo, hijo, tus pecados quedan perdonados!"

Después le dijo al paralítico: "Levántate, toma tu camilla y vete a casa." El hombre se levantó y se fue a su casa. La multitud, al ver esto, quedó muy impresionada y glorificó a Dios por lo que acababa de ver. BASADO EN MATEO 9:1–8 Y MARCOS 2:1–12

La Iglesia continúa la obra de perdón y curación de Jesús. Si pecamos después de habernos bautizado, la Iglesia hace presente esa obra entre nosotros de una manera especial a través de los dos **Sacramentos de Curación:** el Sacramento de la Penitencia y de la Reconciliación, y el Sacramento de la Unción de los Enfermos.

Actividad

Elige uno de estos pasajes del Evangelio para leer. Cuéntale a un compañero lo que aprendas acerca de la obra de perdón de Jesús.

Mateo 18:35   Marcos 11:25   Lucas 6:37

Jesus Forgives

People sometimes choose to move in a direction that is away from God's love. God sent his Son, Jesus, to help us when we do.

Jesus, the Son of God, is the Savior and Redeemer. He brought the gift of God's forgiveness and healing to the world. The writers of the Gospel describe many times that Jesus healed people.

The friends of a man who could not walk carried him on a stretcher to Jesus. There were so many people that they lowered him down through a hole in the roof to get to Jesus.

Jesus saw the people's faith and said, "Courage, child, your sins are forgiven."

He then said to the person who was paralyzed, "Rise! Pick up your stretcher. Go home." The man got up and went home. When the crowds saw this they were struck with awe. They glorified God for what they had just seen. BASED ON MATTHEW 9:1–8 AND MARK 2:1–2

The Church continues Jesus' work of forgiveness and healing. If we sin after we are baptized, the Church makes that work present among us in a special way through the two **Sacraments of Healing**—the Sacrament of Penance and Reconciliation and the Sacrament of Anointing of the Sick.

FAITH FOCUS
How does Jesus' work and mission of forgiveness continue in the world today?

FAITH VOCABULARY
Sacraments of Healing
The Sacrament of Penance and Reconciliation, and the Sacrament of Anointing of the Sick

sin
Freely choosing to turn away from God's love and weakening or breaking one's friendship with God and the Church

Activity Choose one of these Gospel passages to read. Then tell a partner what you learned about Jesus' work of forgiveness.

Matthew 18:35　　Mark 11:25　　Luke 6:37

Personas de fe

El Beato Óscar Romero

El Beato Óscar Romero fue arzobispo de San Salvador, en El Salvador, un país de América Central. En sus homilías y en su programa de radio semanal, el Arzobispo Romero frecuentemente reclamaba justicia y hablaba contra la violencia. Igual que Jesús, él llamaba a ricos y pobres a llevar una vida de justicia y perdón. A causa de su obra, al Arzobispo Romero lo asesinaron mientras celebraba Misa el 24 de marzo de 1980.

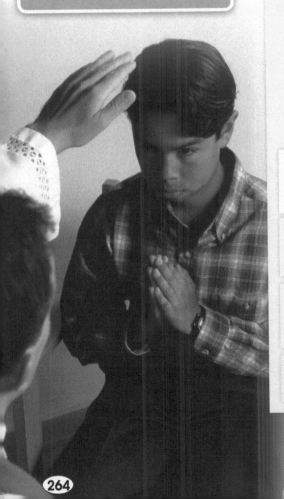

Pecado y perdón

Jesús enseñó que el perdón es una clase importante de curación. Dios perdona nuestros pecados a través de la obra de Jesucristo. Si cometemos **pecado,** nos alejamos del amor de Dios. Debilitamos o rompemos nuestra amistad con Dios y con la Iglesia.

Cuando las personas pecan, toman un rumbo que los aleja del amor de Dios. A veces, alguien puede elegir libremente darle completamente la espalda al amor de Dios. Cuando eso ocurre, esa persona comete un pecado mortal.

Cuando pecamos, el Espíritu Santo nos invita a pedir perdón y curar el daño que nuestro pecado ha causado. Esto lo hacemos en el Sacramento de la Penitencia y de la Reconciliación por cualquier pecado que hayamos cometido después del Bautismo. Este Sacramento se llama a veces Confesión, Penitencia o Reconciliación. En este Sacramento, nos reconciliamos con Dios y con la Iglesia.

La celebración del Sacramento

Para prepararte para celebrar el Sacramento de la Penitencia y la Reconciliación primero examinas tu conciencia. Observas tu vida con atención. Mencionas y te responsabilizas por las veces en las que has elegido libremente alejarte del amor de Dios, herir a los demás y a ti mismo.

La celebración de la Penitencia y la Reconciliación siempre consiste en:

Confesión. Le contamos nuestros pecados al sacerdote en privado. Debemos contarle al sacerdote nuestros pecados graves, o mortales.

Contrición o arrepentimiento. Nos arrepentimos sinceramente de nuestros pecados y prometemos tratar de no volver a pecar.

Penitencia o reparación de nuestros pecados. Aceptamos la oración o la acción que nos da el sacerdote como manera de curar el daño que causó nuestro pecado.

Absolución. Dios nos perdona a través de las palabras y las acciones de un obispo o un sacerdote.

? ¿De qué maneras puedes mostrar que perdonas a los demás?

Sin and Forgiveness

Jesus taught that forgiveness is an important kind of healing. God forgives our sins through the work of Jesus Christ. If we **sin**, we turn away from God's love. We weaken or break our friendship with God and the Church.

When people sin, they walk in a direction that leads them away from God's love. Sometimes a person may freely choose to turn his or her back completely away from God's love. When a person does this, he or she commits a mortal sin.

When we sin, the Holy Spirit invites us to ask for forgiveness and to heal the harm our sin has caused. We do this in the Sacrament of Penance and Reconciliation for any sins we have committed after Baptism. This Sacrament is sometimes called Confession, Penance, or Reconciliation. In this Sacrament we are reconciled with God and the Church.

The Celebration of the Sacrament

To prepare to celebrate the Sacrament of Penance and Reconciliation you first examine your conscience. You look closely at your life. You name and take responsibility for the times when you have freely chosen to turn away from God's love and to hurt others and yourself.

The celebration of Penance and Reconciliation always includes:

Confession. We tell our sins in private to a priest. We must tell the priest our serious, or mortal, sins.

Contrition, or repentance. We are truly sorry for our sins and promise to try not to sin again.

Penance, or satisfaction for our sins. We accept the prayer or action the priest gives us as a way to heal the damage caused by our sin.

Absolution. God forgives us through the words and actions of a bishop or a priest.

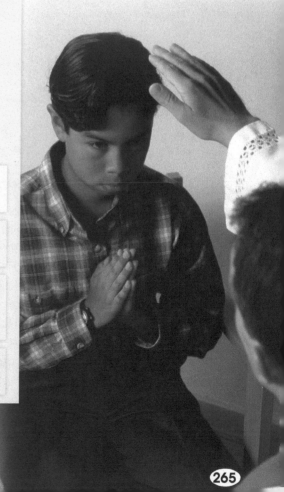

? What are some of the ways you can show that you forgive others?

Examen de conciencia

Dios les da a todas las personas el don de una conciencia. Tu conciencia es la capacidad de juzgar cuándo una acción está bien o cuándo está mal. El examen de conciencia es pensar en tus palabras y en tus acciones a la luz del Evangelio para ver cómo puedes haber pecado. Es una manera de prepararte para el Sacramento de la Penitencia y la Reconciliación.

Participar en el perdón de Dios

En el Sacramento de la Penitencia y la Reconcilación recibimos el amor sanador de Dios. El don del perdón de Dios nos da la gracia para volver nuestra vida hacia Él. Recibimos la gracia para dirigir nuestra vida hacia el rumbo correcto. La gracia de Dios cura y fortalece nuestra relación con Dios y con la Iglesia.

En las personas que han confesado un pecado mortal, este Sacramento restablece la relación con gracia santificante. Ahora viven en amistad con Dios y en la esperanza de que vivirán para siempre con Dios y todos los Santos en el Cielo.

En este Sacramento, recibimos también la gracia para rechazar las cosas que nos hieren y que hieren a los demás. Recibimos la gracia de evitar la tentación y de rechazar el pecado en el futuro. La tentación es todo lo que intente hacer que nos alejemos de Dios y de su amor.

La Penitencia y la Reconciliación nos dan además el don de la paz. Esta paz viene de saber que nuestra vida está encaminada en el rumbo correcto. Estamos de nuevo en el camino correcto hacia Dios. Una vez más, las cosas están bien entre Dios, la Iglesia, las otras personas y nosotros.

Actividad

Sigue este consejo para evitar las tentaciones y tomar buenas decisiones. Luego usa la primera letra de cada renglón para llenar los espacios en blanco y descubrir un mensaje acerca del Sacramento de la Penitencia y la Reconciliación.

Reflexiona sobre tus elecciones.
Eleva el corazón a Dios y reza.
Cálmate, no decidas apresuradamente.
Observa las consecuencias.
Medítalo hasta estar bien seguro.
Examina tu conciencia.
No te apures, ve tranquilo.
Zanja cualquier mala tentación.
Acuérdate de las enseñanzas de Jesús.
Respira hondo y toma una buena decisión.

El Sacramento de la Penitencia y de la Reconciliación te permite

___ ___ ___ ___ ___ ___ ___ ___ ___ ___

Sharing in God's Forgiveness

We receive God's healing love in the Sacrament of Penance and Reconciliation. God's gift of forgiveness gives us the grace to turn our lives toward him. We receive the grace to move our lives in the right direction. God's grace heals and strengthens our relationship with God and with the Church.

For people who have confessed a mortal sin, this Sacrament restores the relationship with sanctifying grace. They live in friendship with God now, and they live in hope that they will live forever with God and all the Saints in Heaven.

In this Sacrament we also receive the grace to say no to the things that hurt ourselves and others. We receive the grace to avoid temptation and to say no to sin in the future. Temptation is everything that tries to get us to walk away from God and his love.

Penance and Reconciliation also gives us the gift of peace. This peace comes from knowing that our lives are heading in the right direction. We are back on the right path toward God. Things are right once again between God, the Church, other people, and us.

Activity Follow this advice to avoid temptations and to make good choices. Then, use the first letter in each line to fill in the blanks and discover a message about the Sacrament of Penance and Reconciliation.

Figure out your choices.
Rest your brain awhile, then pray.
Ease off—don't decide in a hurry.
Stop and think about the consequences.
Hold off until you're pretty sure.

Set your conscience in action.
Take it slow and easy.
Ask what Jesus would do.
Review all the facts and advice.
Then make a right choice.

The Sacrament of Penance and Reconciliation gives you a

___ ___ ___ ___ ___   ___ ___ ___ ___ ___ ___.

YO SIGO A JESÚS

Te encuentras a veces frente a situaciones en las que alguien elige deliberadamente hacerte daño. Cuando esto sucede, debes decidir si perdonarás o si no perdonarás a esa persona. Ambas decisiones tienen consecuencias.

EN TUS MANOS

Piensa en alguna vez en la que alguien haya elegido hacerte daño. En el contorno de una mano, escribe o dibuja qué pasaría si rechazaras a la persona. En el contorno de la otra mano, escribe qué pasaría si la perdonaras. ¿Cuál es la mejor manera? ¿Por qué?

En una mano...

En la otra mano...

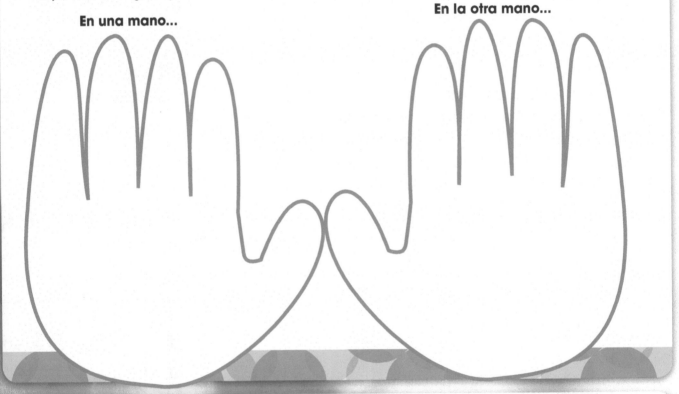

MI ELECCIÓN DE FE

Recordaré que Jesús me pidió que perdonara una y otra vez. Esta semana me esforzaré por continuar la obra de Jesús para perdonar. Yo voy a

_____

_____

 Reza: "Jesús, dame la fortaleza y el valor para perdonar a los que me hacen daño. Amén".

I FOLLOW JESUS

YOU are sometimes faced with situations in which someone deliberately chooses to hurt you. When this happens you must decide whether to forgive or not to forgive that person. There are consequences to both of these decisions.

IN YOUR HANDS

Think of a time when someone has chosen to hurt you. On one handprint, write or draw what would happen if you refused the person. On the other handprint, write what would happen if you did forgive. Which is the better way? Why?

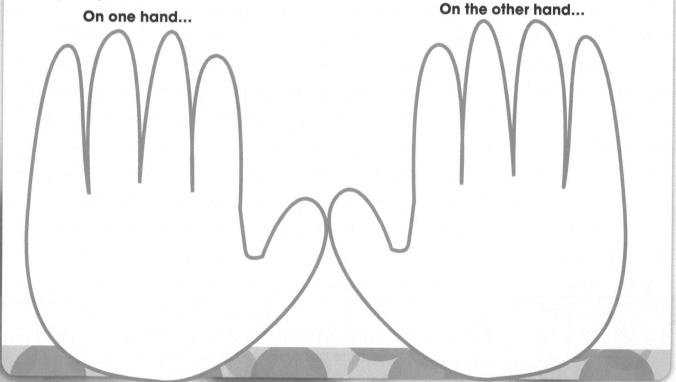

On one hand...

On the other hand...

I will remember that Jesus asked me to forgive over and over again. This week I will do my best to continue the forgiving work of Jesus. I will

_____

_____.

MY FAITH CHOICE

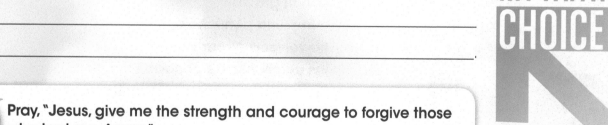

Pray, "Jesus, give me the strength and courage to forgive those who hurt me. Amen."

Repaso del capítulo

Para cada una de las letras de la palabra "Perdonar" escribe algo relacionado con el Sacramento de la Penitencia y de la Reconciliación.

P
CONT**R**ICIÓN
E
D
O
N
A
R

Oración del Penitente

En la Oración del Penitente, aceptamos la responsabilidad de nuestros pecados. Prometemos esforzarnos para no volver a pecar y para compensar nuestros pecados. Rézala al acostarte cada día.

Dios mío,
me arrepiento de todo corazón
de todo lo malo que he hecho y de
todo lo bueno que he dejado de hacer,
porque pecando te he ofendido a ti,
que eres el sumo bien y digno de ser
amado sobre todas las cosas.
Propongo firmemente,
con tu gracia,
cumplir la penitencia,
no volver a pecar y evitar
las ocasiones de pecado.
Perdóname, Señor, por los méritos
de la pasión de nuestro salvador
Jesucristo.
Amén.

Chapter Review

For each of the letters in the word "Forgive" write something about the Sacrament of Penance and Reconciliation.

F
C **O** N T R I T I O N
R
G
I
V
E

Act of Contrition

In an act of contrition, we accept responsibility for our sins. We promise that we will do our best not to sin anymore, and to make-up for our sins. Pray it at bedtime each day.

My God,
I am sorry for my sins with all my heart.
In choosing to do wrong
and failing to do good,
I have sinned against you
whom I should love above all things.
I firmly intend, with your help,
to do penance,
to sin no more,
and to avoid whatever leads me to sin.
Our Savior Jesus Christ
suffered and died for us.
In his name, my God, have mercy.
Amen.

Con mi familia

Esta semana...

En el capítulo 14, "Jesús perdona", su niño aprendió que:

▶ Los dos Sacramentos de Curación son el Sacramento de la Penitencia y de la Reconciliación, y el Sacramento de la Unción de los Enfermos.

▶ En el Sacramento de la Penitencia y de la Reconciliación, pedimos y recibimos el perdón de Dios por los pecados que hayamos cometido después de habernos bautizado.

▶ Las gracias que recibimos en el Sacramento de la Penitencia y de la Reconciliación fortalecen nuestra relación con Dios y con la Iglesia y nos ayudan a rechazar el pecado en el futuro.

▶ El perdón es una virtud que nos ayuda a ser piadoso con los demás.

Para saber más sobre otras enseñanzas de la Iglesia, consulten el *Catecismo de la Iglesia Católica,* 1420–1484 y 1499–1525; y el *United Catecismo Católico de los Estados Unidos para los Adultos* páginas 168, 233–247.

Compartir la Palabra de Dios

Lean juntos Mateo 18:21–22, el relato de cuando Pedro le pregunta a Jesús acerca del perdón. Enfaticen que Jesús continúa su obra de perdón a través de la Iglesia.

Vivimos como discípulos

El hogar cristiano con la familia es una escuela de discipulado. Elijan una de las siguientes actividades para hacer en familia, o creen una actividad similar ustedes mismos.

▶ Mencionen en familia de qué maneras celebran el perdón cuando uno de ustedes dice "Lo siento". Sigan poniéndolas en práctica.

▶ Agreguen una oración de petición sencilla a su oración antes de comer para pedirle a Dios perdón por las veces que los miembros de la familia se hieren entre sí y la gracia para aceptar el perdón del otro.

Nuestro viaje espiritual

Un examen de conciencia es una disciplina espiritual antigua y comprobada que nos ayuda a discernir dónde y cuándo hemos amado a Dios y a los demás de palabra y de acción, y también dónde y cuándo hemos dejado de hacerlo. Animen a su niño a examinar su conciencia a la hora de acostarse y a rezar la Oración del Penitente.

Para hallar más ideas sobre las maneras en que su familia puede vivir como discípulos de Jesús, visiten **seanmisdiscipulos.com**

With My Family

This Week . . .

In chapter 14, Jesus Forgives, your child learned that:

▶ The two Sacraments of Healing are the Sacrament of Penance and Reconciliation and the Sacrament of Anointing of the Sick.

▶ In the Sacrament of Penance and Reconciliation, we ask for and receive God's forgiveness for the sins we have committed after we have been baptized.

▶ The graces we receive in the Sacrament of Penance and Reconciliation strengthen our relationship with God and the Church, and help us to say no to sin in the future.

▶ Forgiveness is a virtue that helps us show mercy to others.

For more about related teachings of the Church, see the *Catechism of the Catholic Church,* 1420–1484 and 1499–1525; and the *United States Catholic Catechism for Adults,* pages 168, 233–247.

■ Sharing God's Word

Read Matthew 18:21–22 together, the account of Peter's questioning Jesus about forgiveness. Emphasize that Jesus continues his work of forgiveness through the Church.

■ We Live as Disciples

The Christian home and family is a school of discipleship. Choose one of the following activities to do as a family or design a similar activity of your own.

▶ As a family name several ways that you celebrate forgiveness when a family members says "I'm sorry." Continue to put them into practice as a family.

▶ Include a simple prayer of petition in your grace before meals both asking God's forgiveness for the times family members have hurt each other and for the grace to accept the forgiveness of each other.

■ Our Spiritual Journey

An examination of conscience is an ancient and proven spiritual discipline that helps us to discern where and when we have loved God and others through word and action, as well as where and when we have fallen short of loving God and others. Encourage your child to examine his or her conscience at bedtime and to pray an act of contrition.

For more ideas on ways your family can live as disciples of Jesus, visit **BeMyDisciples.com**

Lo que vendrá

En este capítulo el Espíritu Santo te invita a ▶

INVESTIGAR cómo continúa Jesús sirviendo a los enfermos y a los que sufren.

DESCUBRIR cómo continúa hoy el ministerio de Jesús para los enfermos.

DECIDIR cómo ser un signo del amor de Dios para los enfermos.

Jesús cura a los enfermos

? ¿Cuándo alguien te ha consolado y te ha cuidado cuando estabas enfermo?

La Biblia tiene muchos relatos acerca de personas que sufren y padecen enfermedades. Imagina que estás con Jesús, Pedro y los demás discípulos:

La suegra de Pedro estaba muy enferma. Tenía mucha fiebre. Su familia estaba muy preocupada por ella. Así que le pidieron a Jesús que la ayudara. Tenían fe en que él podría aliviarla. Jesús vino y se inclinó sobre ella. Le ordenó a la fiebre que se fuera y así ocurrió. La mujer se levantó de la cama e inmediatamente empezó a atender a su familia y a los invitados. BASADO EN LUCAS 4:38–39

? ¿Qué te dice este relato acerca de la preocupación de Jesús por las personas que sufren?

Looking Ahead

In this chapter the Holy Spirit invites you to ▶

EXPLORE how Jesus continues to serve the sick and suffering.

DISCOVER how Jesus' ministry to the sick continues today.

DECIDE how to be a sign of God's love to someone who is sick.

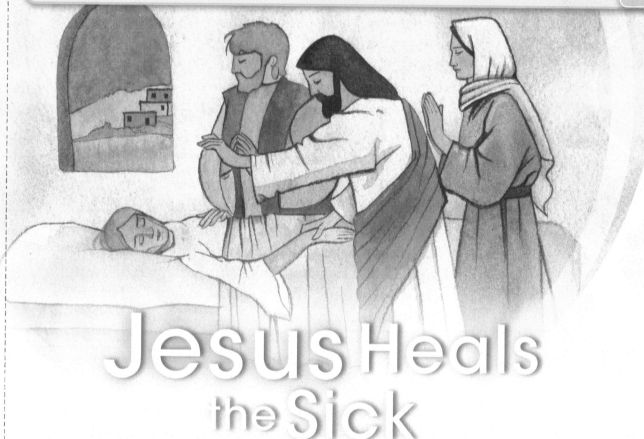

Jesus Heals the Sick

? When has someone comforted and cared for you when you were sick?

The Bible has many stories about people who were sick and suffering. Imagine you are with Jesus and Peter and the other disciples:

> Peter's mother-in-law was very sick. She had a high fever. Her family was very worried about her. They asked Jesus to help her. They had faith that he could comfort her. Jesus came and stood over her. He ordered the fever to leave her, and it did. She got up out of bed and immediately began to care for her family and guests. BASED ON LUKE 4:38–39

? What does this story tell you about Jesus' concern for people who are suffering?

Poder de los discípulos

Compasión

Una persona con compasión es aquella que siente el sufrimiento de otra y le tiende la mano para ayudarla. La parábola de El buen samaritano (Lucas 10:29-37) es un buen ejemplo de lo que Jesús nos enseña acerca de una persona con compasión.

Consolar al triste

La Iglesia les ha tendido la mano con compasión a los enfermos desde sus mismos comienzos. De hecho, hay evidencia de que ya los primeros cristianos habían fundado hospitales. Este es un relato que cuenta una manera en la que la Iglesia continúa hoy cuidando a los enfermos.

Michael estaba en el hospital preparándose para su cirugía. Los médicos iban a quitarle un pequeño tumor de un pulmón y no sabrían su gravedad hasta operarlo. Era un momento angustioso para Michael y su familia, y para sus amigos.

La noche anterior a la cirugía, la familia de Michael y tres de sus compañeros de clase estaban haciéndole compañía. Alguien llamó a la puerta. Todos voltearon y vieron a una mujer que preguntó: "¿Puedo pasar?". Y agregó: "He venido a rezar con Michael y a traerle la Sagrada Comunión. No hay problema, ¿verdad?". La familia de Michael la reconoció de inmediato; era la señora Barna, a quien habían visto a menudo en la iglesia los domingos.

Michael se avergonzó un poco, pero le dio la bienvenida. Después de que la señora Barna, su familia y sus amigos jugaran con él, Michael se sintió más tranquilo.

La señora Barna era uno de los miembros de su parroquia que visitan y cuidan a los enfermos. Estas personas recuerdan a los feligreses enfermos de su parroquia y a su familia que Jesús está presente con ellos. Para los enfermos, son signos de que toda la Iglesia está con ellos.

Así como Jesús le tendió la mano con compasión a la madre de la esposa de San Pedro, la señora Barna les tendió la mano a Michael y a su familia.

? ¿Por qué los miembros de tu parroquia que visitan y cuidan a los enfermos son signos del amor de Dios?

Comfort Those Who Suffer

The Church has reached out with compassion to people who were sick from her very beginning. In fact, there is evidence that hospitals were set up by early Christians. Here is one story that tells one way the Church continues to care for the sick today.

Michael was in the hospital preparing for his surgery. The doctors were to remove a small tumor on his lung, and they would not know how serious it was until they operated. It was a scary time for Michael and his family—and his friends.

The night before his surgery, Michael's family and three of his classmates were visiting with him. There was a knock on the door. Turning, they saw a woman who asked, "May I come in? I have come to pray with Michael and bring him Holy Communion," she said. "Will that be okay?" she asked. Michael's family immediately recognized her to be Mrs. Barna whom they had often seen at church on Sunday.

Michael felt a little embarrassed, but welcomed her. After Mrs. Barna and his family and friends prayed with him, Michael felt peaceful.

Mrs. Barna was one of many members of their parish who visit the sick. They remind parishioners from their parish who are sick and their families that Jesus is present with them. They are signs to the sick that the whole Church is with them.

Just as Jesus reached out with compassion to the mother of Saint Peter's wife, Mrs. Barna reached out to Michael and his family.

? How are the members of your parish who visit the sick signs of God's love?

Disciple Power

Compassion

A person who has compassion feels the suffering someone else is having and reaches out to help that person. The parable of the Good Samaritan (Luke 10:29–37) is a good example of what Jesus teaches us about a person who has compassion.

VOCABULARIO DE FE

sufrimiento
Es consecuencia del Pecado Original, el pecado de nuestros primeros padres. En el Sacramento de la Unción de los Enfermos, nuestro sufrimiento se une a la obra salvadora de Jesús.

sinagoga
Es el lugar donde el pueblo judío se reúne para rezar, leer o estudiar las Sagradas Escrituras y la Ley de Dios y otras enseñanzas de la religión judía.

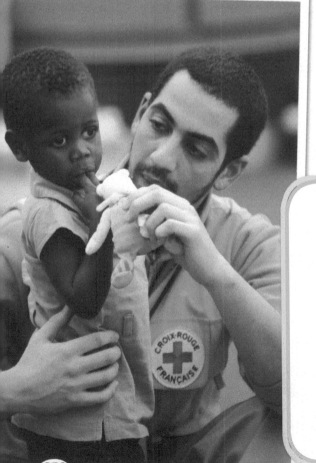

El amor sanador de Dios

El relato bíblico de la creación nos cuenta que Dios creó a todo el mundo "muy bueno". Dios nos creó para que fuéramos felices aquí en la Tierra y para siempre en el Cielo. En el plan de la creación de Dios no había enfermedad ni sufrimiento. Las enfermedades, la muerte y las otras formas de **sufrimient**o vinieron al mundo como consecuencia del Pecado Original, el pecado de nuestros primeros padres.

Algunos, equivocadamente, culpan a Dios del sufrimiento del mundo. Ellos a veces se alejan de Dios. Otros, en cambio, confían en el gran amor de Dios por ellos aun cuando sufren. Le tienden la mano a Dios en la oración como el autor de este versículo de un salmo.

Señor, escucha mis palabras,
y a mi queja pon atención.

SALMO 5:2

Las personas que creen verdaderamente en Dios saben que Él está siempre presente con ellas. Está presente con ellas cuando están sanas y cuando están enfermas.

> **Actividad**
>
> Busca el Salmo 4 en la Biblia. Elige un versículo para consolar a alguien que esté enfermo o sufriendo por alguna otra razón. Escribe el versículo en los renglones en blanco. Apréndelo de memoria. Rézalo solo. Rézalo con los demás.
>
> _____
>
> _____
>
> _____
>
> _____

God's Healing Love

The Bible story of creation tells us that God created everyone "very good." God created us to be happy here on Earth and forever in Heaven. God's plan of creation did not include sickness and suffering. Illness and death and other forms of **suffering** came into the world as a result of Original Sin, our first parents' sin.

Some people wrongfully blame God for the suffering in the world. They sometimes turn away from God. Other people trust in God's great love for them even when they suffer. They reach out to God in prayer as the writer of this psalm verse did.

> Hear my words, O LORD;
> listen to my sighing.
>
> PSALM 5: 2

People who truly believe in God know that he is always present with them. He is present with them when they are healthy and when they are sick.

FAITH FOCUS
How does Jesus' work of healing continue in the world today?

FAITH VOCABULARY

suffering
A consequence of Original Sin, the sin of our first parents. In the Sacrament of Anointing of the Sick, our suffering is united with the saving work of Jesus.

synagogue
The place in which Jewish people gather to pray, read, and study the Scriptures and the Law of God and other teachings of the Jewish religion

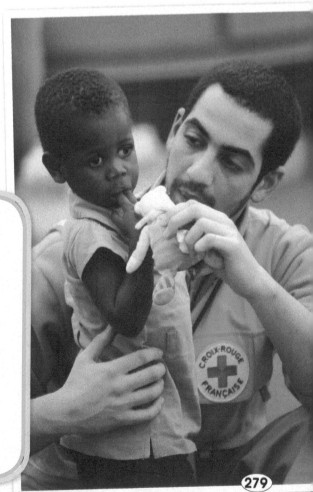

Activity Look up Psalm 4 in the Bible. Choose a verse to comfort someone who is sick or suffering in some other way. Write the verse in the space. Learn it by heart. Pray it alone. Pray it with others.

_____

_____

_____

_____

San Juan de Dios

Juan de Dios sirvió a su país como soldado, trabajó de pastor y a veces vendía libros. En 1538, después de escuchar un sermón, Juan decidió dedicar su vida al cuidado de los enfermos. Hoy más de 40,000 seguidores de San Juan de Dios cuidan a los enfermos y a los que sufren en todo el mundo. San Juan de Dios es el santo patrono de los hospitales, de los enfermos y de los enfermeros. Su día se celebra el 8 de marzo.

Jesús cura a una niña

Jesús revelaba a la gente el amor sanador de Dios una y otra vez. La gente acudía a Jesús en momentos de sufrimiento. El Evangelio nos cuenta que Jairo, un dirigente de la **sinagoga** cuya hija estaba muy enferma, vino a ver a Jesús. Lee y descubre lo que sucedió.

Un día, cuando Jesús y sus discípulos llegaban a una ciudad, Jairo vino a ver a Jesús. Cayó de rodillas y le rogó que fuera a su casa porque su hija, de doce años, estaba muriendo.

Jesús fue con él, pero en el camino alguien de la casa de Jairo vino y le dijo: "Tu hija está muerta; no molestes más al Maestro."

Al oír esto, Jesús dijo: "No temas; ten fe y tu hija se salvará."

Jesús fue hasta donde estaba la hija de Jairo, la tomó de la mano y le dijo: "¡Niña, levántate!"

Al instante, la niña se levantó.

BASADO EN LUCAS 8:40–42, 49–50, 53–55

Nosotros también creemos y confiamos en Jesús. Acudimos a Él cuando nosotros u otra persona padece una enfermedad o sufrimiento por alguna otra razón. Sabemos que Él siempre cumple su promesa:

"Yo estoy con ustedes todos los días." MATEO 28:20

? ¿Qué le pidió Jairo a Jesús? ¿Qué podrías pedirle a Jesús cuando tú u otro miembro de tu familia está enfermo?

Jesus Heals a Young Girl

Jesus revealed God's healing love to people, over and over again. People turned to Jesus in times of suffering. The Gospel tells us that Jairus, an official of the **synagogue** whose daughter was very sick, came to Jesus. Read and discover what happened.

One day when Jesus and his disciples were entering a town, Jairus came to Jesus. He fell on his knees and begged Jesus to come to his house because his twelve-year-old daughter was dying.

Jesus went with him and as they came toward Jairus' home, someone from his house came and said to Jairus, "Your daughter is dead; do not trouble the teacher any longer."

On hearing this, Jesus said, "Do not be afraid; just have faith and your daughter will be saved."

Jesus went over to Jairus's daughter, took her by the hand, and called to her, "Child, arise!"

The girl immediately arose.

BASED ON LUKE 8:40–42, 49–50, 53–55

We, too, believe and trust in Jesus. We turn to him when we or other people are sick or suffering in another way. We know that he is always true to his promise:

"I am with you always." MATTHEW 28:20

? What did Jairus ask Jesus? What might you ask Jesus when you or a member of your family is sick?

Óleo de los Enfermos

El óleo ayuda a que nos curemos. La Iglesia usa el Óleo de los Enfermos en la celebración de la Unción de los Enfermos. Todos los santos óleos se guardan en un lugar especial en la iglesia, que se llama caja de los santos óleos.

Unción de los Enfermos

Jesús continúa hoy su ministerio de curación entre los enfermos a través de la Iglesia. El Sacramento de la Unción de los Enfermos invita a las personas a tener fe y a confiar en Dios.

La Iglesia ha hecho esto desde sus primeros días. Santiago Apóstol escribió:

Si hay alguno entre ustedes que esté enfermo, que llame a los sacerdotes de la Iglesia. Y ellos rezarán por él y lo ungirán con óleo en el nombre de Jesús, Y la oración de fe salvará al enfermo.

BASADO EN SANTIAGO 5:14–15

La Iglesia celebra este Sacramento con nosotros cuando estamos gravemente enfermos, débiles por la edad avanzada o en riesgo de muerte. Un sacerdote nos unge las manos y la frente con el Óleo de los Enfermos.

Las gracias del Sacramento

Cuando celebramos este Sacramento, recibimos gracias especiales. Estas son las gracias que recibimos:

- Nos unimos más estrechamente a Cristo y a su sufrimiento.

- Recibimos la fortaleza, la paz y el valor para hacerle frente a nuestro sufrimiento.

- Recibimos el perdón de nuestros pecados si no podemos confesarlos en el Sacramento de la Penitencia.

- Nuestra salud puede restablecerse si eso nos ayudará a crecer en santidad.

- Nos preparamos para la muerte y para nuestro viaje hacia Dios en el Cielo.

Actividad

En papel cuché, crea una nota ¡Espero que te mejores! Incluye un mensaje de fe para la persona que está enferma.

Anointing of the Sick

Jesus continues his ministry of healing among the sick through the Church today. The Sacrament of Anointing of the Sick, invites people to have faith and trust in God.

The Church has done this from her earliest days. James the Apostle wrote:

> If there anyone among you who is sick, he should call the priests of the Church. And they will pray over him or her and anoint him or her with oil in the name of Jesus. And the prayer of faith will save the sick person.
>
> BASED ON JAMES 5:14–15

The Church celebrates this Sacrament with us when we are seriously ill, weak from old age, or in danger of death. A priest anoints our hands and forehead with the Oil of the Sick.

The Graces of the Sacrament

We receive special graces when we celebrate this Sacrament. These are the graces we receive:

We are united more closely to Christ and his suffering.

We receive the strength, peace, and courage to deal with our suffering.

We receive forgiveness for our sins if we are not able to confess our sins in the Sacrament of Penance.

Our health may be restored if that would help us grow in holiness.

We are prepared for death and our journey to God in Heaven.

Activity On art paper, create a get-well note. Include a faith message to the person who is sick.

YO SIGO A JESÚS

¿Cuándo has ayudado a un miembro enfermo de tu familia? ¿Cuándo has visitado a un amigo que estuviera enfermo o le has enviado una tarjeta de ¡Que te mejores!? Cuando lo hiciste, el Espíritu Santo te ayudó a ser un signo del amor bondadoso y sanador de Dios por esa persona. Estuviste haciendo la misma obra que Jesús.

CUIDAR A LOS DEMÁS

Escribe algunas de las cosas que tú y otros jóvenes pueden hacer para ayudar a los enfermos o a personas que tengan algún sufrimiento.

_____

_____

_____

_____

_____

_____

_____

_____

_____

_____

MI ELECCIÓN DE FE

Esta semana, cuando oiga o lea acerca de alguien que esté sufriendo, seré un signo del amor de Dios. Le tenderé la mano con compasión. Yo voy a

_____

_____

 Permanece un momento en calma para decir una oración por alguien que conozcas que esté enfermo. Reza: "Querido Dios, béndice y guarda a _____ bajo tu cuidado amoroso. Amén".

I FOLLOW JESUS

When have you helped a member of your family who was sick? When have you visited a friend who was sick or sent your friend a get-well card? When you did, the Holy Spirit helped you be a sign of God's caring and healing love for that person. You were doing the same work that Jesus did.

CARING FOR OTHERS

List some of the things you and other young people can do to help people who are sick or are suffering in some way.

_____

_____

_____

_____

_____

_____

_____

_____

_____

_____

_____

This week when I hear or read about some people who are suffering, I will be a sign of God's love. I will reach out with compassion. I will

_____

_____.

MY FAITH CHOICE

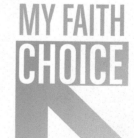

 Quiet yourself for a moment to say a prayer for someone you know who is sick. Pray, "Dear God, bless and keep _____ in your loving care. Amen."

1. La Biblia tiene muchos relatos que describen cómo las personas hacen frente a su enfermedad y sufrimiento.

2. Jairo creyó y confió en que Jesús curaría a su hija.

3. Debemos tender la mano a Jesús con fe y confianza cuando estamos enfermos o sufriendo por cualquier razón.

Repaso del capítulo

Usa las palabras de la lista para completar las oraciones.

sinagoga	Jairo	Juan
gracias	Iglesia	Curación

1. La Unción de los Enfermos es un Sacramento de _____.

2. Una _____ es el lugar donde los judíos se reúnen a rezar.

3. Quienes reciben el Sacramento de la Unción de los Enfermos, reciben _____ especiales.

4. _____ le pidió a Jesús que curara a su hija.

Te rogamos, Señor

En una oración de intercesión, rezamos por otra persona. Reza esta oración de intercesión por quien esté enfermo o tenga algún sufrimiento.

Líder: Dios de amor, Tú estás siempre presente con nosotros.

Todos: Consuela a (nombre) con tu amor.
(Cada niño repite la oración con el nombre de un amigo o de un miembro de su familia.)

Líder: Envía tu Espíritu Santo a consolar a *(nombre)* con el don de tu amor y tu presencia en este momento de enfermedad. Te lo pedimos por Cristo, nuestro Señor.

Todos: Amén

Chapter Review

Use the words in the word bank to complete each sentence.

synagogue	Jairus	John
graces	Church	healing

1. Anointing of the Sick is a Sacrament of _____.

2. A _____ is the place Jewish people gather to pray.

3. Those who receive the Sacrament of Anointing of the Sick receive special _____.

4. _____ asked Jesus to heal his daughter.

Lord, Hear Our Prayer

In a prayer of intercession we pray for other people. Pray this prayer of intercession for people who are sick or suffering in any way.

Leader: God of love, you are always present with us.

All: Comfort (name) with your love.
(Each child repeats the sentence with the name of a friend or family member.)

Leader: Send your Holy Spirit to comfort (name) with the gift of your love and presence in this time of sickness. We ask this through Christ, our Lord.

All: Amen

Con mi familia

Esta semana...

En el capítulo 15, "Jesús cura a los enfermos", su niño aprendió que:

▶ El Espíritu Santo nos da consuelo y valor en momentos de enfermedad y sufrimiento.

▶ El Espíritu Santo fortalece nuestra fe y confianza en Dios para que podamos hacer frente a nuestro sufrimiento.

▶ Recibimos el consuelo y el valor para unir nuestros sufrimientos a los de Cristo y para ser testigos del amor siempre presente de Dios en nuestra vida.

▶ La compasión es sentir el dolor y el sufrimiento de otra persona y tenderle la mano, y cuidar al que sufre.

Para saber más sobre otras enseñanzas de la Iglesia, consulten el *Catecismo de la Iglesia Católica,* 309–314 y 1500–1510; y el *Catecismo Católico de los Estados Unidos para los Adultos,* páginas 69–70, 168, 249–259.

■ Compartir la Palabra de Dios

Lean juntos Lucas 8:40–55, la versión de cuando Jesús curó a la hija de Jairo. O lean la adaptación del relato en la página 280. Enfaticen que Jesús desea que acudamos a Él cuando sufrimos o cuando otra persona está sufriendo y nos invita a hacerlo. Recuerden el significado de la promesa de Jesús: "Yo estoy con ustedes todos los días" (Mateo 28:20).

■ Vivimos como discípulos

El hogar cristiano con la familia es una escuela de discipulado. Elijan una de las siguientes actividades para hacer en familia, o creen una actividad similar ustedes mismos.

▶ Consulten si su parroquia tiene un grupo que rece todos los días por los enfermos de la parroquia. Si lo tiene, hagan que su familia participe en ese grupo.

▶ Mencionen algunas maneras en las que su familia pueda tender la mano a quienes estén sufriendo. Elijan una para hacerla en familia esta semana.

■ Nuestro viaje espiritual

Las Obras de Misericordia Espirituales nos proporcionan una serie de disciplinas para compartir nuestras bendiciones espirituales con los demás. Una de estas obras es "Consolar al triste". ¿Hasta qué punto están integradas en su vida la práctica de esta disciplina y la virtud de la compasión? Animen también a su niño a rezar por los enfermos y a que hable a los enfermos acerca de la oración.

Para hallar más ideas sobre las maneras en que su familia puede vivir como discípulos de Jesús, visiten **seanmisdiscipulos.com** ▶

With My Family

This Week . . .

In chapter 15, Jesus Heals the Sick, your child learned:

▶ The Holy Spirit gives us comfort and courage in times of sickness and suffering.

▶ The Holy Spirit strengthens our faith and trust in God so we can deal with our sufferings.

▶ We receive the comfort and the courage to join our sufferings to those of Christ and witness God's ever-present love in our lives.

▶ Compassion is feeling the pain and suffering of a person and reaching out to and caring for a person who is hurting.

For more about related teachings of the Church, see the *Catechism of the Catholic Church*, 309–314 and 1500–1510; and the *United States Catholic Catechism for Adults*, pages 69–70, 168, 249–259.

■ Sharing God's Word

Read Luke 8:40–55 together, the account of Jesus healing the daughter of Jairus. Or read the adaptation of the story on page 281. Emphasize that Jesus desires and invites us to turn to him when we or other people are suffering. Recall the meaning of Jesus' promise "I am with you always" (MATTHEW 28:20).

■ We Live as Disciples

The Christian home and family is a school of discipleship. Choose one of the following activities to do as a family or design a similar activity of your own.

▶ Find out if your parish has a group that prays every day for people in the parish who are sick. If your parish does, have your family become part of that group.

▶ Name some ways that your family can reach out to others who are suffering. Choose one thing that you will do as a family this week.

■ Our Spiritual Journey

The Spiritual Works of Mercy provide us with a series of disciplines to share our spiritual blessings with others. These works include "Comfort those who suffer." How well are the practice of this discipline and the virtue of compassion integrated into your life? Also encourage your child to pray for the sick and to let the sick person know about the prayer.

For more ideas on ways your family can live as disciples of Jesus, visit **BeMyDisciples.com**

Lo que vendrá

En este capítulo el Espíritu Santo te invita a ▶

INVESTIGAR la obra de la Beata María Romero Meneses.

DESCUBRIR cómo el Orden Sagrado y el Matrimonio llaman a algunos a servir.

DECIDIR cómo puedes vivir una vida santa.

Signos del amor de Dios

? ¿Qué hace la gente de tu pueblo o tu ciudad para ayudar a la comunidad?

Cierra los ojos y escucha. Un día, Jesús le enseña a sus discípulos. Quiere que sepan que, como discípulos suyos, deben compartir su amor con el mundo. Jesús dice:

> "Yo soy la vid, ustedes las ramas. Si ustedes permanecen en mí, y yo en ustedes, producirán mucho fruto. Sean discípulos míos. Como el Padre me ama, así los amo yo. Permanezcan en mi amor. Esto es lo que les pido que hagan: Que se amen unos a otros como yo los amo." BASADO EN JUAN 15:5, 6, 8, 12

? ¿Cómo obran en conjunto los miembros de la Iglesia para mostrarse su amor mutuamente?

Looking Ahead

In this chapter the Holy Spirit invites you to ▶

EXPLORE the work of Blessed Maria Romero Meneses.

DISCOVER how Holy Orders and Matrimony call some to serve.

DECIDE how you can live a holy life.

CHAPTER
16

Signs of God's Love

? What do people in your town or city do to help the community?

Close your eyes and listen. One day Jesus is teaching his disciples. He wants them to know that, as his disciples, they are to share his love with the world. Jesus says:

"I am the vine, you are the branches. If you remain in me, and I in you, you will bear much fruit. Be my disciples. As the Father loves me, so I also love you. Remain in my love. This is what I ask you to do: Love one another, as I love you." BASED ON JOHN 15:5, 6, 8, 12

? How do members of the Church work together to show their love for one another?

Santidad

La santidad es la vida en comunión con Dios. Las personas santas son signos vivientes del amor de Dios en el mundo. Todas las personas tienen la vocación de crecer en santidad.

LA IGLESIA SIGUE A JESÚS

Beata María Romero Meneses

Cristo es la vid. Los miembros de la Iglesia son las ramas. Este es un relato de cómo el amor que mostramos a los demás viene de nuestra relación con Jesús.

La Beata María Romero Meneses nació en Nicaragua en 1902, en una familia adinerada. A los doce años, se enfermó gravemente. Estuvo seis meses paralítica. Durante su enfermedad, descubrió su vocación de ser hermana religiosa.

Cuando se mejoró, María ingresó en la comunidad de los religiosos Salesianos. Ya como Hermana Salesiana, primero fue a Costa Rica. Ella compartía el amor de Cristo tanto con niñas de familias acomodadas como con niñas pobres.

A las niñas de familias acomodadas, la Hermana María les enseñaba música, dibujo y a escribir a máquina. A las pobres les enseñaba comercio, de modo que pudieran ganarse la vida.

La Hermana María inspiró a muchas de sus estudiantes para unirse a su obra. Le enseñó a la gente rica cómo compartir con los pobres el amor de Dios compartiendo sus bendiciones con ellos. Fundó centros recreativos, comedores, una escuela para niñas pobres y una clínica médica. Todos estos fueron signos maravillosos del amor de Dios.

Hoy, la Iglesia honra a la Hermana María como la Beata María Romero Meneses. La Beata María es un ejemplo de cómo podemos compartir el amor de Cristo la Vid, con los demás.

? ¿Cómo sirven a la Iglesia los hombres y las mujeres que son miembros de una comunidad religiosa?

Blessed Maria Romero Meneses

Disciple Power

Holiness

Holiness is living in communion with God. People who are holy are living signs of God's love in the world. Every person has the vocation to grow in holiness.

Christ is the vine. The members of the Church are the branches. Here's a story of how the love we show others comes from our connection to Jesus.

Blessed Maria Romero Meneses was born in Nicaragua in 1902 to a wealthy family. When she was twelve, she became very sick. She was paralyzed for six months. During her illness, she discovered her vocation to be a religious sister.

When she felt better, Maria joined the Salesian religious community. As a Salesian Sister, she first went to Costa Rica. She shared Christ's love with girls living in wealthy families and with those from families living in poverty.

Sister Maria taught music, drawing, and typing to the girls from wealthy families. She taught trades to people who were poor so that they could make a living.

Sister Maria inspired many of her students to join her in her work. She showed wealthy people how they could share God's love with people who were poor by sharing their blessings with them. She set up recreational centers, food pantries, a school for girls who were poor, and a health clinic. Together they were wonderful signs of God's love.

Today the Church honors Sister Maria as Blessed Maria Romero Meneses. Blessed Maria is an example of how we can share the love of Christ the Vine with others.

❓ How do men and women serve the Church as members of a religious community?

ENFOQUE EN LA FE

¿Qué celebran el Sacramento del Orden Sagrado y el Sacramento del Matrimonio?

VOCABULARIO DE FE

Sacramentos al Servicio de la Comunidad
El Orden Sagrado y el Matrimonio son llamados Sacramentos al Servicio de la Comunidad.

Iglesia doméstica
La Iglesia doméstica es la Iglesia del hogar.

Al servicio de la comunidad

Dios creó santo a todo el mundo. Él nos llama a cada uno de nosotros a vivir una vida de santidad. Nuestras palabras y acciones deben mostrar que somos hijos de Dios.

La mayoría de los miembros de la Iglesia están llamados a vivir una vida de santidad como laicos. Algunos se casan y otros permanecen solteros. Algunos miembros están llamados a vivir una vida de santidad en una comunidad religiosa, como hizo la Beata María. Algunos hombres bautizados están llamados a una vida de santidad en la vocación de obispo, sacerdote o diácono.

Los miembros de la Iglesia que están llamados a la vocación del matrimonio o del Orden Sagrado son elegidos para ayudarnos a vivir nuestro Bautismo y nuestro llamado a la santidad. Se los consagra o aparta, y se les otorga la gracia de Dios para esta obra en los **Sacramentos al Servicio de la Comunidad**. Estos Sacramentos son el Orden Sagrado y el Matrimonio.

Actividad

En los renglones en blanco, escribe por lo menos una manera en la que los sacerdotes, los diáconos y las parejas casadas sirven a la Iglesia.

Sacerdotes

_____

_____

Diáconos

_____

_____

Parejas casadas

_____

_____

At the Service of Communion

God created everyone holy. He calls each of us to live a life of holiness. Our words and actions are to show that we are children of God.

Most members of the Church are called to live a life of holiness as laypeople. Some marry and others remain single. Some members are called to live a life of holiness in a religious community, as Blessed Maria did. Some baptized men are called to a life of holiness in the vocation of a bishop, priest, or deacon.

Members of the Church who are called to the vocation of Marriage or Holy Orders are chosen to help us live our Baptism and our call to holiness. They are consecrated, or set aside, and given God's grace for this work in the **Sacraments at the Service of Communion**. These Sacraments are Holy Orders and Matrimony.

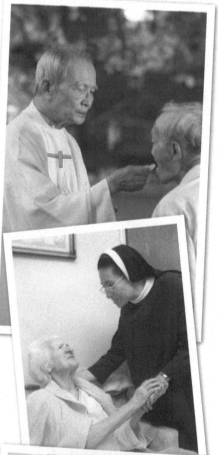

Activity In the spaces below, write at least one way that priests, deacons, and married couples serve the Church.

Priests

_____

_____

Deacons

_____

_____

Married Couples

_____

_____

Sacramento del Orden Sagrado

Desde los inicios de la Iglesia, obispos, sacerdotes y diáconos han servido a toda la Iglesia. Sin los obispos, los sacerdotes y los diáconos, no podemos hablar de la Iglesia. El ministerio ordenado es parte de la Iglesia que fundó Jesucristo.

Obispos, sacerdotes y diáconos se ordenan para este servicio en el Sacramento del Orden Sagrado. Ellos sirven a la Iglesia enseñando lo que Jesús enseñó, guiando a la Iglesia en el culto divino y gobernándola.

Obispos. Jesús eligió a los Apóstoles para que sirvieran a la Iglesia en su nombre (lee Marcos 3:13–14). Los obispos son los sucesores de los Apóstoles. En conjunto y bajo la autoridad del Papa, el obispo de Roma, los obispos son los maestros principales de la Iglesia.

Sacerdotes. Los sacerdotes son compañeros de trabajo de los obispos. Predican el Evangelio y nos conducen en la celebración de los sacramentos. Los sacerdotes nos guían en el entendimiento de la Sagrada Escritura y de las enseñanzas de la Iglesia.

Diáconos. Los diáconos, que a veces son casados, también se ordenan. Ellos ayudan a los obispos y a los sacerdotes. Proclaman la Palabra de Dios, bautizan y son testigos de los matrimonios. Se ocupan de los enfermos y de los necesitados.

? Mira las fotografías de esta página. ¿Cómo te ayudan los ministros ordenados a que vivas tu llamado a la santidad?

Sacrament of Holy Orders

Since the beginning of the Church, bishops, priests, and deacons have served the whole Church. Without bishops, priests, and deacons, one cannot speak of the Church. The ordained ministry is part of the Church founded by Jesus Christ.

Bishops, priests, and deacons are ordained for this service in the Sacrament of Holy Orders. They serve the Church by teaching what Jesus taught, by leading the Church in divine worship, and by governing the Church.

Bishops. Jesus chose the Apostles to serve the Church in his name (read Mark 3:13–14). Bishops are the successors of the Apostles. Under the authority of the Pope, the bishop of Rome, and together with him, the bishops are the chief teachers in the Church.

Priests. Priests are co-workers with the bishops. They preach the Gospel and lead us in the celebration of the Sacraments. Priests guide us in understanding Sacred Scripture and the teachings of the Church.

Deacons. Deacons, who are sometimes married, are also ordained. They help bishops and priests. They proclaim God's Word, baptize, and witness the marriage of people. They care for the sick and those in need.

? Look at the photos on this page. How do ordained ministers help you live your call to holiness?

Votos y promesas

Los miembros de las comunidades religiosas hacen promesas sagradas o votos a Dios y a la Iglesia. Esto los ayuda a vivir su llamado a la santidad. Prometen no casarse, vivir una vida sencilla y pobre, y obedecer a los líderes de su comunidad y a la Iglesia.

Matrimonio

El Matrimonio es el otro Sacramento al Servicio de la Comunidad. En este Sacramento, un hombre bautizado y una mujer bautizada prometen libremente aliarse en matrimonio para toda la vida. Reciben la gracia de Dios para amarse y servirse el uno al otro y para amar y servir a la familia de nuestra Iglesia. Su amor y servicio se convierten en un signo del amor de Jesús por la Iglesia.

En el Sacramento del Matrimonio, la pareja promete responder al llamado que les hace Dios de tener una familia. La familia cristiana se llama **Iglesia doméstica**. La palabra *doméstica* viene de la palabra latina *domus*, que significa "hogar" o "casa".

Los miembros de nuestra familia son los primeros en hablarnos de Jesús. De ellos aprendemos por primera vez acerca de Dios y de su amor por nosotros. Nuestra familia nos enseña de qué maneras podemos vivir una vida de santidad amando a Dios y a los demás como enseñó Jesús.

Actividad

Mira las fotografías. Luego escribe cómo cada una de estas familias está siendo la Iglesia doméstica.

_____

_____

_____

_____

Matrimony

Matrimony is the other Sacrament at the Service of Communion. In this Sacrament a baptized man and a baptized woman freely promise to enter into a lifelong marriage with each other. They receive God's grace to love and serve each other and the family of our Church. Their love and service become a sign of Jesus' love for the Church.

In the Sacrament of Matrimony, the couple promises to answer God's call to have a family. The Christian family is called the **domestic Church**. The word *domestic* comes from the Latin word *domus,* which means "home" or "household."

The members of our family are the first people to tell us about Jesus. From them we first learn about God and his love for us. Our family helps us learn the ways that we can live a life of holiness loving God and others as Jesus taught.

Activity   Look at each photo. Then write how the family in the photo is being the domestic Church.

_____

_____

_____

_____

YO SIGO A JESÚS

Tú eres miembro de tu familia y también de tu parroquia. Juntos, los miembros de tu familia y de tu parroquia se ayudan unos a otros a vivir su llamado a la santidad.

SERVIR A LOS DEMÁS

Crea un cartel que los aliente a ti y a tus amigos a ayudarse mutuamente a vivir una vida santa. Escribe o dibuja tus ideas en el espacio en blanco.

MI ELECCIÓN DE FE

Esta semana puedo tratar de trabajar con mi familia o con los miembros de mi parroquia para vivir una vida santa. Yo voy a

_____

_____.

 Jesús nos dice: "Permanezcan en mi amor" (Juan 15:9). Cierra los ojos y reflexiona sobre lo que significan para ti las palabras de Jesús.

I FOLLOW JESUS

You are a member of both your family and your parish. Together members of your family and your parish help one another live their call to holiness.

SERVING OTHERS

Create a poster that will encourage you and your friends to help one another live holy lives. Write or draw your ideas in the space provided.

This week I can try to work with my family or members of my parish to live a holy life. I will

_____

_____.

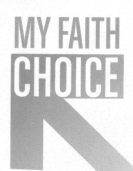

MY FAITH CHOICE

Jesus tells us, "Remain in my love" (John 15:9). Close your eyes and reflect on the meaning of Jesus' words for you.

1. Los Sacramentos al Servicio de la Comunidad apartan a algunos miembros de la Iglesia para que ayuden a todos los demás miembros a vivir una vida santa.

2. Los obispos, sacerdotes y diáconos se ordenan en el Sacramento del Orden Sagrado para servir a toda la Iglesia.

3. En el Matrimonio, un hombre bautizado y una mujer bautizada reciben la gracia para amarse y servirse uno al otro, y para amar y servir a la Iglesia.

Repaso del capítulo

Estos tres enunciados son falsos. Escribe en el renglón la palabra o las palabras que los harían verdaderos.

1. Los dos Sacramentos al Servicio de la Comunidad son el Orden Sagrado y la Reconciliación.

   _____

2. En el Orden Sagrado un hombre bautizado y una mujer bautizada se prometen fidelidad uno al otro.

   _____

3. Los obispos, los sacerdotes y las parejas casadas están llamados de una manera especial a través del Sacramento del Orden Sagrado.

   _____

Oración por las vocaciones

Dios nos llama a cada uno de nosotros a vivir una vida santa. Nos llama a hacerlo de diferentes maneras. A eso lo llamamos nuestra vocación. Reza ahora esta oración por las vocaciones con tu grupo y rézala solo cada día.

Señor Dios,

ayúdame a entender

cómo quieres que viva.

Entregaré todo el corazón a la tarea

de ser un signo de tu amor

para que todos lo conozcan.

Amén.

Chapter Review

These three statements are false. On the line write the word or words that would make them true.

1. The two Sacraments at the Service of Communion are Holy Orders and Reconciliation.

   _____

2. In Holy Orders a baptized man and a baptized woman promise to be faithful to each other.

   _____

3. Bishops, priests, and married couples are called in a special way through the Sacrament of Holy Orders.

   _____

▶ TO HELP YOU REMEMBER

1. The Sacraments at the Service of Communion set aside members of the Church to help all the members of the Church live holy lives.

2. Bishops, priests, and deacons are ordained in the Sacrament of Holy Orders to serve the whole Church.

3. In Mariage a baptized man and a baptized woman receive the grace to love and serve one another and the Church.

Prayer for Vocations

God calls each of us to live a holy life. He calls us to do this in different ways. We call this our vocation. Pray this prayer for vocations now as a group and pray it alone each day.

Lord God,

help me understand

how you want me to live.

I will give all my heart to the work

of being a sign of your love

for all to know.

Amen.

Con mi familia

Esta semana...

En el capítulo 16, "Signos del amor de Dios", su niño aprendió que:

▶ Todas las personas están llamadas a una vida de santidad.

▶ Los Sacramentos al Servicio de la Comunidad —Orden Sagrado y Matrimonio— apartan a algunos miembros de la Iglesia para que sirvan a toda la Iglesia.

▶ En el Sacramento del Orden Sagrado, un hombre bautizado se ordena para servir a toda la Iglesia como obispo, sacerdote o diácono.

▶ En el Sacramento del Matrimonio, un hombre bautizado y una mujer bautizada se unen para toda la vida en un vínculo de amor fiel como signo del amor de Cristo por su Iglesia.

▶ La santidad es vivir en comunión con Dios; todos estamos llamados a la santidad.

Para saber más sobre otras enseñanzas de la Iglesia, consulten el *Catecismo de la Iglesia Católica*, 1533–1589 y 1601–1658; y el *Catecismo Católico de los Estados Unidos para los Adultos*, páginas 262–292.

◼ Compartir la Palabra de Dios

Lean juntos Lucas 10:1–2, la versión de cuando Jesús envía a sus discípulos a una misión. Enfaticen que, mientras todos los bautizados están llamados a servirse unos a otros como mandó Jesús, los miembros del clero, las personas casadas y las personas solteras están llamados a servir a toda la Iglesia.

◼ Vivimos como discípulos

El hogar cristiano con la familia es una escuela de discipulado. Elijan una de las siguientes actividades para hacer en familia, o creen una actividad similar ustedes mismos.

▶ Hablen de cómo su párroco y los diáconos de su parroquia viven su vocación de servir a la Iglesia. Mencionen de qué maneras los ayudan a ustedes y los demás miembros de la parroquia a vivir su Bautismo. Comenten cómo su familia puede ayudarlos.

▶ Las familias son santas. Hablen de las maneras en las que en su familia se ayudan unos a otros a crecer en santidad. Prometan seguir haciendo estas cosas.

◼ Nuestro viaje espiritual

La gracia del discernimiento nos permite llegar a conocer y a vivir una vida de santidad. El discernimiento es la disciplina para alcanzar devotamente un profundo conocimiento y entendimiento de la propia vocación y de los medios para vivirla. Pedirle consejo a un director espiritual o a un confesor nos permite crecer en la práctica sabia de esta disciplina espiritual.

Para hallar más ideas sobre las maneras en que su familia puede vivir como discípulos de Jesús, visiten **seanmisdiscipulos.com**

With My Family

This Week . . .

In chapter 16, Signs of God's Love, your child learned:

▶ All people are called to a life of holiness.

▶ The Sacraments at the Service of Communion—Holy Orders and Matrimony—set aside some members of the Church to serve the whole Church.

▶ In the Sacrament of Holy Orders a baptized man is ordained to serve the whole Church as a bishop, priest, or deacon.

▶ In the Sacrament of Matrimony a baptized man and a baptized woman are united in a lifelong bond of faithful love as a sign of Christ's love for his Church.

▶ Holiness is living in communion with God; we are all called to holiness.

For more about related teachings of the Church, see the *Catechism of the Catholic Church,* 1533–1589 and 1601–1658; and the *United States Catholic Catechism for Adults,* pages 262–292.

■ Sharing God's Word

Read Luke 10:1–2 together, the account of Jesus sending his disciples on a mission. Emphasize that while all of the baptized are called to serve one another as Jesus commanded, members of the clergy, married people, and single people are all called to serve the whole Church.

■ We Live as Disciples

The Christian home and family is a school of discipleship. Choose one of the following activities to do as a family or design a similar activity of your own.

▶ Talk about how your parish priests and deacons live out their vocations to serve the Church. Name ways that they help you and other members of the parish live out your Baptism. Discuss how your family can help them.

▶ Families are holy. Talk about all the ways your family helps each other grow in holiness. Promise to continue doing these things.

■ Our Spiritual Journey

The grace of discernment enables us to come to know and to live a life of holiness. Discernment is the discipline of prayerfully coming to a deeper knowledge and understanding of one's vocation and of the means of living it. Asking the advice of a spiritual director or a confessor enables us to grow in the wise practice of this spiritual discipline.

For more ideas on ways your family can live as disciples of Jesus, visit **BeMyDisciples.com**

Unidad 4: **Repaso**

A. Elije la mejor palabra

Usa las palabras de la lista para completar las oraciones.

Curación	Servicio	Éxodo
Santidad	Iglesia doméstica	Papa

1. El Orden Sagrado y el Matrimonio son los Sacramentos al

_____ de la Comunidad.

2. La _____ es la vida en comunión con Dios.
Todas las personas tienen la vocación de crecer en ella.

3. La _____ es la Iglesia del hogar.

4. El _____ fue el viaje de los israelitas
de la esclavitud en Egipto a la libertad en la tierra
prometida por Dios.

5. El _____ es el sucesor de San Pedro Apóstol
y es el obispo de Roma.

B. Muestra lo que sabes

Coloca una V delante de la oración si es verdadera. Coloca una F si es falsa.
Cuéntale a tu clase cómo hacer verdaderos los enunciados falsos.

_____ **1.** La Reconciliación y la Unción de los Enfermos son Sacramentos de Servicio.

_____ **2.** La Iglesia usa óleo en el Sacramento de la Penitencia y la Reconciliación.

_____ **3.** La Iglesia doméstica es la Iglesia del hogar.

_____ **4.** El pecado es elegir libremente alejarnos de Dios.

_____ **5.** Recibimos la absolución cuando confesamos nuestros pecados en
el Sacramento de la Penitencia y la Reconciliación.

Unit 4 **Review**

Name _____

A. Choose the Best Word

Use the words in the word bank to complete the sentences.

Healing	Service	Exodus
Holiness	domestic Church	Pope

1. Holy Orders and Matrimony are the Sacraments at the
_____ of Communion.

2. _____ is living in communion with God.
Every person has the vocation to grow in this.

3. The _____ is the church of the home.

4. The _____ was the journey of the Israelites
from slavery in Egypt to freedom in the land God
promised them.

5. The _____ is the successor of Saint Peter the
Apostle and the bishop of Rome.

B. Show What You Know

Place a T in front of the sentence if it is true. Place an F if it is false.
Tell your class how to make the false statements true.

____ **1.** Reconciliation and Anointing of the Sick are Sacraments of Service.

____ **2.** The Church uses oil in the Sacrament of Penance and Reconciliation.

____ **3.** The domestic Church is the church of the home.

____ **4.** Sin is freely choosing to turn away from God.

____ **5.** We receive absolution when we confess our sins in the Sacrament
of Penance and Reconciliation.

C. La Escritura y tú

Vuelve a leer el pasaje de la Sagrada Escritura de la página de Inicio de la unidad.
¿Qué relación hay entre lo que ves en esta página y lo que aprendiste en esta unidad?

_____

_____

_____

D. Sé un discípulo

1. *Repasa las cuatro páginas de esta unidad llamadas La Iglesia sigue a Jesús. ¿Qué persona o ministerio de la Iglesia de estas páginas te inspirará para ser un mejor discípulo de Jesús? Explica tu respuesta.*

_____

_____

_____

2. *Trabaja en grupo. Repasa las cuatro virtudes o dones de Poder de los discípulos que has aprendido en esta unidad. Después de anotar tus ideas, comparte con el grupo maneras prácticas en las que vivirás estas virtudes o dones día a día.*

_____

_____

_____

C. Connect with Scripture

Reread the Scripture passage on the Unit Opener page. What connection do you see between this passage and what you learned in this unit?

_____

_____

_____

D. Be a Disciple

1. *Review the four pages in this unit titled The Church Follows Jesus. What person or ministry of the Church on these pages will inspire you to be a better disciple of Jesus? Explain your answer.*

_____

_____

_____

2. *Work with a group. Review the four Disciple Power virtues or gifts you have learned about in this unit. After jotting down your own ideas, share with the group practical ways that you will live these virtues or gifts day by day.*

_____

_____

_____

Semana Santa en Guatemala

> Durante Semana Santa, la gente de Guatemala decora las calles con alfombras hechas con pétalos de flores.

En todo el mundo, las celebraciones de Semana Santa honran la Pasión y Muerte de Jesús. En Guatemala tienen lugar algunas de las celebraciones de Semana Santa más elaboradas del hemisferio occidental. Una de las más conocidas se hace en Antigua, la capital original de Guatemala.

Durante Semana Santa, los fieles cristianos decoran las calles con alfombras hechas de pétalos de flores, frutas, verduras y aserrín. Familias, grupos religiosos y hasta comercios pasan meses haciendo las alfombras para las celebraciones.

Cuando llega Semana Santa, se extienden las alfombras en las calles. En las procesiones que se llevan a cabo sobre ellas, las carrozas religiosas llevan a personas con trajes alusivos, que dramatizan las diferentes Estaciones de la Cruz. La gente camina detrás de las carrozas para expresar arrepentimiento por sus pecados. Las alfombras quedan estropeadas después de las procesiones. Son vistas como sacrificios a Dios en acción de gracias por el don de Jesús, el Salvador

? ¿Por qué te parece que las personas hacen las hermosas *alfombras* aunque vayan a destruirlas?

Holy Week in Guatemala

Holy Week celebrations all over the world honor the Passion and Death of Jesus. Guatemala holds some of the most elaborate Holy Week celebrations in the Western Hemisphere. One of the best known is in Antigua, the original capital of Guatemala.

During Holy Week, faithful Christians decorate the streets with alfombras, elaborate carpets made out of flower petals, fruits, vegetables, and sawdust. Families, religious groups, and even businesses spend months making the carpets for the celebrations.

When Holy Week arrives, the carpets are spread on the streets. In the processions that take place over the carpets, religious floats carry people in costumes who act out different Stations of the Cross. People walk behind the floats to express sorrow for their sins. The carpets are ruined by the processions. The alfombras are seen as sacrifices to God in thanksgiving for the gift of Jesus the Savior.

? Why do you think the people make the beautiful alfombra if they are going to destroy them?

In Guatemala, people decorate streets with carpets made out of flower petals during Holy Week.

¡Bien hecho!

Un hombre reunió a sus servidores. Al primero le dio cinco monedas; al segundo, dos monedas; y al tercero, una moneda. Después se fue de viaje.

El que recibió cinco monedas negoció con el dinero y ganó otras cinco. El que recibió dos ganó otras dos. Pero el que recibió una, cavó un hoyo en la tierra y enterró el dinero.

Cuando el patrón regresó, le dijo: "Tuve miedo de perder tu dinero y lo escondí en la tierra. Aquí lo tienes".

El patrón tomó la moneda y se la dio al sirviente que había ganado cinco. Le dijo a este último: "¡Bien hecho!, eres un servidor bueno y honrado. Ven a compartir la alegría de tu patrón".

BASADO EN MATEO 25:14–26

Well Done!

A man called his servants together. He gave one servant five coins, to another two coins, and to a third servant, one coin. Then the master went away.

The servant who received five coins went and traded them and earned five more. The one who received two earned two more. But the man who received one coin dug a hole in the ground and buried it.

When the master returned, the man who buried the coin said, "I was afraid of losing your money, so I buried it. Here it is back."

The master took the coin and gave it to the servant who had already made five coins. He said to this servant, "Well done, my good and faithful servant. Come, share your master's joy."

BASED ON MATTHEW 25:14–26

Lo que he aprendido

¿Qué es lo que ya sabes acerca de estos conceptos de fe?

Santidad

_____

_____

_____

Felicidad

_____

_____

_____

Virtudes Cardinales

_____

_____

_____

Vocabulario de fe para aprender

Escribe X junto a las palabras de fe que sabes. Escribe ? junto a las palabras de fe que necesitas aprender mejor.

_____ alma

_____ libre albedrío

_____ conciencia

_____ prudencia

_____ Bienaventuranzas

_____ gracia santificante

_____ emociones

_____ Dones del Espíritu Santo

La Biblia

¿Qué sabes acerca de los Diez Mandamientos que Dios entregó a Moisés?

_____

_____

_____

La Iglesia

¿Sobre qué Santo u organización de la Iglesia te gustaría aprender más?

_____

_____

_____

Tengo preguntas

¿Qué preguntas te gustaría plantear acerca de ser una persona con valores morales?

_____

_____

_____

What I Have Learned

What is something you already know about these faith concepts?

Holiness

_____

_____

_____

Happiness

_____

_____

_____

Cardinal Virtues

_____

_____

_____

Faith Terms to Know

Put an X next to the faith terms you know. Put a ? next to faith terms you need to learn more about.

_____ soul

_____ free will

_____ conscience

_____ prudence

_____ Beatitudes

_____ sanctifying grace

_____ emotions

_____ Gifts of the Holy Spirit

The Bible

What do you know about God's giving Moses the Ten Commandments?

_____

_____

_____

The Church

Which Saint or organization of the Church would you like to learn more about?

_____

_____

_____

Questions I Have

Which questions would you like to ask about being a moral person?

_____

_____

_____

Lo que vendrá

En este capítulo el Espíritu Santo te invita a ▶

INVESTIGAR cómo San Agustín eligió seguir a Jesús.

DESCUBRIR cómo usamos el intelecto y el libre albedrío para hacer buenas elecciones.

DECIDIR hacer buenas elecciones.

Creados a imagen de Dios

? ¿De qué manera eres diferente a los demás? ¿De qué manera eres igual? ¿De qué manera especial creó Dios a las personas?

En muchos lugares de la Biblia Dios nos dice que hay algo muy especial acerca de cada persona. Piensa qué es tan especial acerca de las personas. Ahora escucha lo que Dios nos dice en estas palabras del Salmo 119:

> [Señor,] tus manos me han hecho y organizado, dame inteligencia para aprender tus mandatos y ayúdame a elegir seguirlos.
>
> BASADO EN EL SALMO 119:73

? ¿Qué significa que las manos de Dios te han hecho y te han formado?

Looking Ahead

In this chapter the Holy Spirit invites you to ▶

EXPLORE how Saint Augustine chose to follow Jesus.

DISCOVER how we use intellect and free will to make good choices.

DECIDE to make good choices.

CHAPTER

17

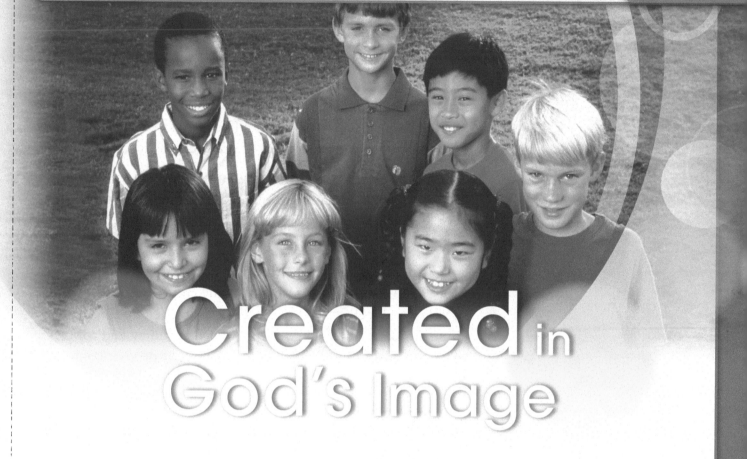

Created in God's Image

❓ What is one way that you are different from other people? What is one way that you are the same? What is special about how God created people?

There are many places in the Bible that God tells us that there is something very special about every person. Think about what is so special about people. Now listen to what God says to us in these words from Psalm 119:

> [Lord God,] your hands made me and fashioned me.
> Help me learn your commands
>   and help me choose to follow them.
>
> BASED ON PSALM 119:73

❓ What does it mean that God's hands made you and fashioned you?

Poder de los discípulos

Prudencia

La prudencia, una de las cuatro Virtudes Cardinales, es una virtud que nos ayuda a saber lo que es verdaderamente bueno para nosotros. También nos ayuda a saber elegir lo que es correcto y bueno.

Las elecciones de Agustín

Agustín pasó muchos años tratando de aprender y seguir los mandatos de Dios. De joven, hizo muchas elecciones malas. Sin embargo, se convirtió en un modelo de cómo tomar decisiones. Su elección de seguir a Jesús se ha hecho famosa. Ha ayudado a muchas personas a hacer buenas elecciones.

Cuando Agustín era joven, hizo muchas elecciones malas, pensando que lo harían feliz. Su madre, Santa Mónica, rezaba y rezaba por su hijo. Rezaba para que Agustín dejara de hacer elecciones que lo lastimaban a él y lastimaban a los demás.

Cuando Agustín tenía veintinueve años, oyó predicar al Obispo Ambrosio. Ambrosio logró que Agustín pensara en su vida y en las elecciones que había estado haciendo. Agustín empezó a poner en práctica la virtud de la prudencia. Pronto tomó la decisión de cambiar su forma de ser y de vivir como Jesús había enseñado.

Agustín escribió un libro sobre su vida. El libro se titula *Confesiones*. Todavía hoy lo leen personas de todas partes del mundo. Su lectura continúa ayudando a la gente a hacer buenas elecciones y a vivir una vida santa.

? ¿Quiénes te ayudan a tomar buenas decisiones?

Augustine's Choices

Augustine spent many years trying to learn God's commands and to follow them. He made many bad choices when he was young. However he became a model decision maker. His choice to follow Jesus has become famous. It has helped many people make good choices.

When Augustine was a young man, he made many bad choices that he thought would bring him happiness. His mother, Saint Monica, prayed over and over again for her son. She prayed that Augustine would learn to stop making choices that were hurting him and others.

When he was twenty-nine years old, Augustine heard Bishop Ambrose preach. Ambrose made Augustine think about his life and the choices he had been making. Augustine started to put the virtue of prudence into action. He soon made the decision to change his ways and live as Jesus had taught.

Augustine wrote a book about his life. The book is called *Confessions*. People all over the world still read this book today. Reading it continues to help people make good choices and live a holy life.

? Who helps you learn to make good decisions?

Disciple Power

Prudence

One of the four Cardinal Virtues, prudence is a virtue that helps us know what is truly good for us. It also helps us know how to choose what is right and good.

ENFOQUE EN LA FE
¿Qué dones nos
ha dado Dios que
nos permitan hacer
elecciones para vivir una
vida santa?

VOCABULARIO DE FE

intelecto
El intelecto es la parte de
cada persona que le da
la habilidad de conocer
a Dios, a sí mismo y a los
demás, y de saber cómo
quiere Dios que vivamos.

libre albedrío
El libre albedrío es la
parte de cada persona
que le da la habilidad
de elegir amar y servir a
Dios y a los demás, para
lo cual Él nos creó, o de
elegir no amar ni servir a
Dios ni a los demás.

A imagen de Dios

En el relato de la Creación, Dios nos dice lo más
importante que podemos saber acerca de nosotros mismos y
de las demás personas.

Y creó Dios al hombre a su imagen.
A imagen de Dios lo creó.
Macho y hembra los creó.

GÉNESIS 1:27

Dios crea a todas las personas a su imagen y semejanza.
Crea a todas las personas con un alma. El alma es la parte
espiritual de todas las personas, que nos hace parecer a Dios y
que vive para siempre.

Nuestra alma también nos da dos poderes maravillosos:
el **intelecto** y el **libre albedrío**. Con el poder del intelecto,
llegamos a conocer a Dios, a conocernos nosotros mismos,
a conocer a otras personas y a conocer las maravillas y los
misterios de la creación. Con el poder del libre albedrío
podemos elegir amar y servir a Dios y a los demás, o podemos
elegir no hacerlo.

Jesús nos recuerda que:

"Amarás al Señor tu Dios con todo tu corazón, con
toda tu alma, con toda tu inteligencia y con todas tus
fuerzas.... Amarás a tu prójimo como a ti mismo".

MARCOS 12:30–31

Actividad

Trabaja con un compañero. Crea una
escena en la que una persona use su libre
albedrío correctamente. Describe la situación
en este espacio en blanco.

_____

_____

_____

In God's Image

In the Creation story, God tells us the most important thing that we can ever know about ourselves and other people:

> God created man in his image;
> in the divine image he created him;
> male and female he created them.
>
> GENESIS 1:27

God creates every person in his image and likeness. He creates every person with a soul. The soul is the spiritual part of every person that makes us like God and that lives forever.

Our souls also gives us two wonderful powers—**intellect** and **free will**. With the power of intellect, we can come to know God, ourselves, other people, and the wonders and mysteries of creation. With the power of free will, we can choose to love and serve God and others, or we can choose not to.

Jesus reminds us that:

> "You shall love the Lord your God with all your heart, with all your soul, with all your mind, and with all your strength. . . . You shall love your neighbor as yourself."
>
> MARK 12:30–31

FAITH VOCABULARY

intellect
Intellect is the part of every person that gives him or her the ability to know God, oneself, and other people, and how God wants us to live.

free will
Free will is the part of every person that gives him or her the ability to choose to love and serve God and others as he has created us to do, or to choose not to love and serve God and others.

Activity Work with a partner. Create a skit in which a person is using his or her free will correctly. Describe the situation in this space.

_____

_____

_____

Personas de fe

San Pablo

Pablo viajó por tierra y por mar para predicar el Evangelio. Predicaba sobre lo que significa ser discípulo de Jesús y sobre las elecciones que hacemos todos los días para vivir una vida santa. No siempre era bien recibido por los demás. Lo arrestaron, encarcelaron y, por último, mataron por su fe en Jesús. La Iglesia celebra el Día de la Conversión de San Pablo el 25 de junio y la Solemnidad de Pedro y Pablo Apóstoles el 29 de junio.

¡Elecciones, elecciones, elecciones!

Todos los días usamos el intelecto para aprender más y más, y el libro albedrío para hacer elecciones. Las elecciones que entendemos y hacemos libremente se llaman *acciones deliberadas*. Tenemos la responsabilidad de usar el intelecto y el libre albedrío para hacer acciones deliberadas buenas.

Usamos el intelecto y el libre albedrío con responsabilidad cuando elegimos decir o hacer lo que sabemos que es correcto. Cuando elegimos algo que sabemos que está en contra de las Leyes de Dios, no estamos usando el intelecto y el libre albedrío con responsabilidad. Somos siempre responsables de nuestras acciones deliberadas.

No siempre es fácil saber qué es lo que está bien y elegirlo. Cuando no estamos seguros de qué debemos hacer, tenemos que pedir ayuda. Tenemos que aprender lo que la Iglesia enseña acerca de las elecciones buenas y malas. Tenemos que rezarle al Espíritu Santo. El Espíritu Santo nos ayuda a saber, a hacer y a decir lo que es bueno y a evitar lo que está en contra de las leyes de Dios.

Todas nuestras elecciones, aun las elecciones simples que hacemos cada día, tienen consecuencias. Las consecuencias son efectos buenos o malos de nuestras elecciones. Somos moralmente responsables de las consecuencias de nuestras acciones.

? ¿Qué obstáculos se atraviesan en el camino de las buenas elecciones? Cuéntaselo a un compañero.

Choices! Choices! Choices!

Every day we use intellect to learn more and more and free will to make choices. The choices that we understand and make freely are called *deliberate actions*. We have the responsibility to use intellect and free will to make good deliberate actions.

We use intellect and free will responsibly when we choose to say or do what we know is good. When we choose something that we know is against God's Laws, we are not using our intellect and free will responsibly. We are always responsible for our deliberate actions.

It is not always easy to know what is good and to choose it. When we are not sure about what to do, we need to ask for help. We need to learn what the Church teaches about good and bad choices. We need to pray to the Holy Spirit. The Holy Spirit gives us the help to know, do, and say what is good and to avoid what is against God's laws.

All of our choices, even the simple choices that we make each day, have consequences. Consequences are the good or bad effects of our choices. We are morally responsible for the consequences of our actions.

? What gets in the way of making good choices? Tell a partner about it.

Cartas papales

Una manera en que la Iglesia enseña es a través de cartas. Por ejemplo, Papa Juan Pablo II escribió varias cartas oficiales que nos enseñan acerca de la fe de la Iglesia. Una de esas cartas, "El Evangelio de la vida" enseña que toda persona es creada a imagen de Dios.

Nuestros sentimientos

Así como tienes libre albedrío e intelecto, también tienes sentimientos o emociones. Estos son dones de Dios para nosotros y tienen el poder de influir en las elecciones que hacemos.

Las emociones son sentimientos que están en nuestro interior. Son parte de lo que nos hace humanos. Nos ayudan a elegir hacer o decir lo que está bien. También pueden influirnos para que elijamos hacer o decir lo que es malo. Las emociones no son ni buenas ni malas, lo importante es cómo las usamos.

Ira y tristeza. La ira y la tristeza son dos emociones o sentimientos. No son malos y a veces nos ayudan a hacer el bien. A través de todas y cada una de las emociones, Dios nos llama a vivir una vida buena y santa.

Podemos sentir ira cuando vemos que tratan a alguien injustamente. Podemos usar el sentimiento de la ira para trabajar por la justicia y la longanimidad.

Podemos sentirnos tristes cuando vemos a un amigo que está enfermo. Podemos usar el sentimiento de tristeza para ayudar a las personas que están enfermas o tienen problemas.

Lee Lucas 22:54–62 y responde a estas preguntas. **Actividad**

Sentimientos y elecciones

¿Qué sentimientos tenía Pedro que influyeron en las elecciones que hizo?

_____

_____

Nombra un sentimiento que te ayudó a decir o a hacer algo bueno. Describe lo que sucedió.

_____

_____

Our Feelings

Just as you have a free will and an intellect, you also have feelings or emotions. These are God's gifts to us, and they have the power to influence the choices that we make.

Emotions are feelings inside us. They are part of what makes us human. They can help us choose to do or say what is good. They can also influence us to choose to do or say what is evil. Emotions are neither good nor bad; it is how we use them that is important.

Anger and Sadness. Anger and sadness are two emotions or feelings. They are not bad, and sometimes they can help us do good. Through each and every emotion, God calls us to live a good and holy life.

We might feel angry when we see someone being treated unfairly. We can use the feeling of anger to work for justice and kindness.

We might feel sad when we see a friend who is sick. We can use the feeling of sadness to help people when they are sick or in trouble.

Catholics Believe

Papal letters

One way that the Church teaches is through letters. For example, Pope John Paul II wrote several official letters that teach us about the faith of the Church. One of these letters, "The Gospel of Life," teaches that every person is created in the image of God.

Activity Read Luke 22:54–62 and answer these questions.

Feelings and Choices

What feelings do you think Peter had that influenced the choices he made?

_____

_____

Name a feeling that helped you choose to say or do something good. Describe what happened.

_____

_____

Tú estás creado a imagen y semejanza de Dios. Lo demuestras con las muchas elecciones que haces cada día para vivir una vida santa. Las buenas elecciones que haces tienen consecuencias que te ayudan a ti y a los demás a vivir como hijos de Dios.

TOMAR DECISIONES DIFÍCILES

Lee la siguiente situación. Piensa en cómo puedes practicar la virtud de la prudencia. Completa dos consecuencias de una buena elección que podrías hacer y dos consecuencias de una mala elección.

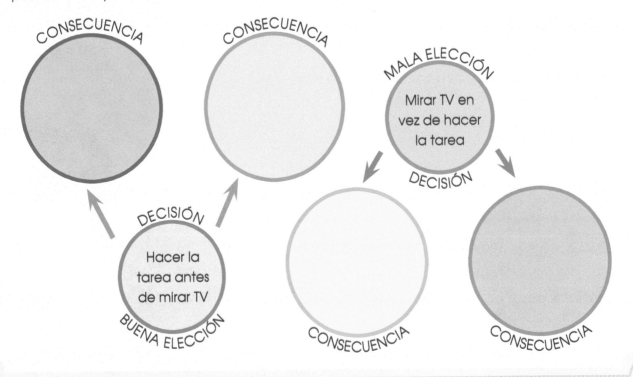

MI ELECCIÓN DE FE

Esta semana pensaré detenidamente en las consecuencias de mis decisiones antes de tomarlas. Para recordarlo, yo voy a

_____

_____

 Dedica un momento para pedir a Dios el don de la prudencia y hacer buenas elecciones.

I FOLLOW JESUS

You are created in the image and likeness of God. You show that by the many choices you make each day to live a holy life. The good choices that you make have consequences that help you and others live as children of God.

MAKING DIFFICULT DECISIONS

Read the situation below. Think about how you can practice the virtue of prudence. Fill in two consequences for a good choice that you could make and two consequences for a bad choice.

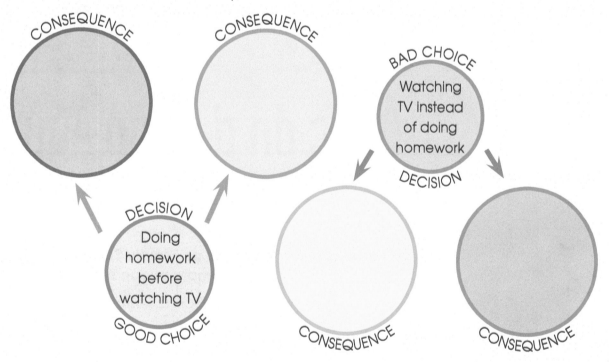

This week I will think carefully about the consequences of my decisions before I make them. As a reminder to do this, I will

_____

_____

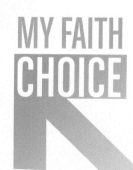

MY FAITH
CHOICE

 Take a moment and ask God for the gift of prudence in making good choices.

PARA RECORDAR

1. Cada uno de nosotros está creado con un alma por la que nos parecemos Dios, y que vive para siempre.

2. Cada uno de nosotros está creado con los dones del intelecto y el libre albedrío, que nos ayudan a tomar buenas decisiones.

3. Cada uno de nosotros está creado con emociones o sentimientos que influyen en nuestras decisiones para vivir una vida santa.

Repaso del capítulo

Ordena las letras de las palabras de fe. Une las palabras con las descripciones.

1. N G E M A I _____

2. B R E I L Í D L O E A R B _____

3. O N M O C E I S E _____

4. T E L O C T E N I _____

Descripciones

_____ **a.** Término usado en la Biblia que revela que somos creados a semejanza de Dios

_____ **b.** Sentimientos que experimentamos y que influyen en nuestras elecciones.

_____ **c.** El poder de conocer a Dios, a los demás y a nosotros mismos, y de aprender cosas nuevas.

_____ **d.** El poder de elegir entre el bien y el mal

Oración de San Agustín

Muchas oraciones están escritas por Santos. Reza esta oración de San Agustín. Pide al Espíritu Santo que te ayude a vivir una vida santa.

Todos: **Guárdame pues oh Espíritu Santo para que yo siempre pueda ser santo.**

Grupo 1: Respira en mí oh Espíritu Santo para que mis pensamientos puedan ser todos santos.

Grupo 2: Actúa en mí oh Espíritu Santo para que mi trabajo, también pueda ser santo.

Todos: **Guárdame pues oh Espíritu Santo para que yo siempre pueda ser santo.**

Grupo 1: Atrae mi corazón oh Espíritu Santo para que solo ame lo que es santo.

Grupo 2: Fortaléceme oh Espíritu Santo para que defienda todo lo que es Santo.

Todos: **Guárdame pues oh Espíritu Santo para que yo siempre pueda ser santo. Amén.**

Chapter Review

Unscramble the letters of the faith words. Match the words to the descriptions.

1. G E M A I _____

2. E R E F   L W L I _____

3. O N M O T I S E _____

4. T E L L C T E N I _____

Descriptions

_____ **a.** Term used in the Bible that reveals that we are created in God's likeness

_____ **b.** Feelings that we experience that influence our choices

_____ **c.** The power to know God, others, and ourselves, and to learn new things

_____ **d.** The power to choose between good and evil

Prayer of Saint Augustine

Many prayers are written by the Saints. Pray this prayer of Saint Augustine. Ask the Holy Spirit to help you live a holy life.

All: **Guard me, then, O Holy Spirit,
That I always may be holy.**

Group 1: Breathe in me, O Holy Spirit,
that my thoughts may all be holy;

Group 2: Act in me, O Holy Spirit,
that my work, too, may be holy;

All: **Guard me, then, O Holy Spirit,
that I always may be holy.**

Group 1: Draw my heart, O Holy Spirit,
that I love but what is holy;

Group 2: Strengthen me, O Holy Spirit,
that I defend all that is holy;

All: **Guard me, then, O Holy Spirit,
that I always may be holy. Amen.**

Con mi familia

Esta semana...

En el capítulo 17, Creados a imagen de Dios, su niño aprendió que:

▶ Toda persona está creada a imagen y semejanza de Dios. Dios crea a todas las personas con un alma.

▶ Dios nos da a cada uno de nosotros intelecto y libre albedrío. Estos dones maravillosos nos ayudan a conocer, amar y servir a Dios y a los demás.

▶ Dios también nos bendice con emociones o sentimientos. Estos dones, que no son buenos ni malos en sí mismos, influyen en la manera en que hacemos elecciones.

▶ Todas nuestras elecciones tienen consecuencias. Somos responsables de nuestras elecciones y de sus consecuencias.

▶ La Virtud Cardinal de la prudencia nos ayuda a saber lo que es bueno para nosotros y a elegir lo que es bueno.

Para saber más sobre otras enseñanzas de la Iglesia, consulten el *Catecismo de la Iglesia Católica*, 33–35, y el *Catecismo Católico de los Estados Unidos para los Adultos*, páginas 56–57, 67–68, 310, 319.

■ Compartir la Palabra de Dios

Lean juntos Génesis 1:27, el relato de Dios cuando creó a las personas, o lean la adaptación del relato de la página 320. Enfaticen que Dios creó a todas las personas a su propia imagen.

■ Vivimos como discípulos

La familia cristiana es una escuela de discipulado. Elijan una de las siguientes actividades para hacer en familia, o creen una actividad similar ustedes mismos.

▶ Mencionen y comenten las muchas maneras en que los miembros de su familia se ayudan unos a otros a tomar buenas decisiones.

▶ Hagan una lista de los pasos que sigue su familia para tomar buenas decisiones. Exhíbanla donde todos los miembros de la familia puedan verla y recuerden seguir los pasos.

■ Nuestro viaje espiritual

Muchas personas se han presentado ante nosotros para mostrarnos cómo se vive una vida santa. Los santos de la Iglesia son un ejemplo de lo que significa ser discípulos de Jesucristo y de cómo se hacen elecciones de entrega personal. Las oraciones que han escrito pueden ser una rica fuente para la vida de oración de su familia. En este capítulo, su niño rezó la Oración de San Agustín. Lean y recen juntos la oración de la página 328.

Para hallar más ideas sobre las maneras en que su familia puede vivir como discípulos de Jesús, visiten **seanmisdiscipulos.com**

With My Family

This Week . . .

In chapter 17, Created in God's Image, your child learned:

▶ Every person is created in the image and likeness of God. God creates every person with a soul.

▶ God gives each of us an intellect and a free will. These wonderful gifts help us to know, love, and serve God and others.

▶ God has also blessed us with emotions, or feelings. These gifts, which are neither good nor bad in themselves, influence the way in which we make choices.

▶ All of our choices have consequences. We are responsible for our choices and their consequences.

▶ The Cardinal Virtue of prudence helps us to know what is good for us, and helps us to choose what is good.

For more about related teachings of the Church, see the *Catechism of the Catholic Church*, 33–35 and 1699–1742; and the *United States Catholic Catechism* for Adults, pages 56–57, 67–68, 310, 319.

■ Sharing God's Word

Read Genesis 1:27 together, the story of God creating people, or read the adaptation of the story on page 321. Emphasize that God created all people in his own image.

■ We Live as Disciples

The Christian family is a school of discipleship. Choose one of the following activities to do as a family, or design a similar activity of your own.

▶ Name and discuss the many ways that your family members help each other make good decisions.

▶ Make a list of the steps that your family can use to make good decisions. Post it where all the family members can see it and be reminded to follow the steps.

■ Our Spiritual Journey

Many people have come before us to show us how to live holy lives. The saints of the Church model what it means to be disciples of Jesus Christ and how to make life-giving choices. The prayers that they have written can be a rich source for your family's prayer life. In this chapter, your child prayed the Prayer of Saint Augustine. Read and pray together the prayer on page 329.

For more ideas on ways your family can live as disciples of Jesus, visit **BeMyDisciples.com**

Lo que vendrá

En este capítulo el Espíritu Santo te invita a ▶

INVESTIGAR la historia de la Santa Madre Teresa de Calcuta.

DESCUBRIR que las Bienaventuranzas nos enseñan a ser discípulos.

DECIDIR vivir las Bienaventuranzas.

Las Bienaventuranzas

? ¿Qué te hace feliz? ¿Qué enseñó Jesús acerca de lo que realmente hará felices a las personas?

Todos quieren ser felices. Escucha con atención lo que Dios nos cuenta acerca de ser felices y piensa en lo que te dice en este pasaje de la Sagrada Escritura del Libro de los Proverbios:

Feliz es el que es amable y generoso con los pobres.

BASADO EN PROVERBIOS 14:21

? ¿De qué manera ser amable y generoso con los pobres hace feliz a una persona?

Looking Ahead

In this chapter the Holy Spirit invites you to ▶

EXPLORE the story of Saint Teresa of Calcutta.

DISCOVER what the Beatitudes teach us about being a disciple.

DECIDE to live the Beatitudes.

CHAPTER
18

The Beatitudes

❓ What makes you happy? What did Jesus teach about what really will make people happy?

Everybody wants to be happy. Listen carefully to what God tells us about being happy, and then think about what God says to you in this Scripture passage from the Book of Proverbs:

Happy is the person who is kind and generous to people who are poor.   BASED ON PROVERBS 14:21

❓ How does being kind and generous to people who are poor make a person happy?

Poder de los discípulos

Benignidad

Las personas benignas comparten libremente lo que tienen. Comparten debido a su amor por Dios y por los demás. Las personas benignas, o generosas, creen verdaderamente que todos somos miembros de la familia de Dios.

Algo bello para Dios

La historia de nuestra Iglesia está repleta de personas abnegadas que eran realmente felices. Estas personas eran felices porque sabían que eran verdaderas amigas de Dios. Tenían un espíritu generoso. Buscaban las maneras de amar a Dios a través del amor por los demás. Una de estas personas era la Santa Teresa de Calcuta.

Cuando era una joven monja, Teresa viajó a Calcuta, India, a enseñar en una escuela para niñas. Durante esa época, la conmovió profundamente la cantidad de enfermos y moribundos que había en las calles.

Un día, oyó que Dios la llamaba. Sintió la llamada a compartir el amor benigno de Dios con las personas que veía. Y eso fue exactamente lo que hizo. Cuidó de los enfermos y de los moribundos. Los lavaba y les limpiaba las heridas. Los alimentaba y les daba agua potable. Encontró un lugar donde llevarlos y proporcionarles un hogar.

Con el tiempo, otras mujeres se unieron a Teresa. Algunas de ellas eran sus antiguas alumnas. Pronto fundó una orden de religiosas llamada Misioneras de la Caridad. Con el tiempo, las Misioneras de la Caridad construyeron hogares en todo el mundo para cuidar de los pobres.

En 1979, la Madre Teresa recibió el Premio Nobel de la Paz. Millones de personas admiran su vida de santidad y amor. Es un ejemplo de servicio humilde y generoso. En 2016 la Madre Teresa fue nombrada una santa de la Inglesia por Papa Francisco.

? El sencillo mensaje de la Madre Teresa era: "Empieza transformando todo lo que haces en algo bello para Dios". ¿De qué manera ser benigna ayuda a una persona a hacer esto?

Something Beautiful for God

The story of our Church is filled with giving people who were really happy. These people were happy because they knew they were true friends of God. They had generous spirits. They looked for ways to love God by loving others. Saint Teresa of Calcutta is one of these people.

As a young nun, Teresa traveled to Calcutta, India, to teach at a school for girls. During that time, she was deeply moved by the number of sick and dying people on the streets.

One day, she heard God calling her. She felt called to share God's generous love with people she saw. She did just that. She took care of the sick and dying. She washed them and cleaned their sores. She fed them and gave them fresh water. She found a place that she could bring them to and give them a home.

Eventually, other women joined Teresa. Some of these women were her former students. Soon she started an order of religious women called the Missionaries of Charity. Over time, the Missionaries of Charity built homes throughout the world to care for the poor.

In 1979, Mother Teresa received the Nobel Peace Prize. Millions of people admire her life of holiness and love. She is an example of humble and generous service. In 2016 she was named a saint of the Church by Pope Francis.

❓ Mother Teresa's simple message was, "We are put on Earth to do something beautiful for God." How can being generous help a person do this?

Disciple Power

Generosity

Generous people freely share what they have. They share because of their love for God and for people. Generous people truly believe that we are all members of the family of God.

El camino a la felicidad

Muchas personas y cosas de aquí, de la Tierra, nos dan felicidad. La felicidad que sentimos es solo una pizca de la felicidad que Dios quiere que tengamos.

La felicidad verdadera es la felicidad que Dios creó para nosotros. Jesús enseñó a sus discípulos que la felicidad verdadera es estar con Dios. Es ser amigo de Dios ahora en la Tierra y para siempre en el Cielo. Llegamos a conocer y a descubrir esta felicidad verdadera cuando vivimos como Jesús nos enseñó.

Un día, un hombre que conocía todas las Leyes de Dios se acercó a Jesús. Le preguntó a cómo podía encontrar la felicidad verdadera:

Le dijo a Jesús: "He cumplido todas las leyes de Dios". Jesús le contestó: "Vende todo lo que tienes y reparte el dinero entre los pobres. Después, ven y sígueme".

BASADO EN MATEO 19:16–21

Jesús le estaba diciendo que fuera tan benigno con los demás como Dios lo era con él.

COLECTA DE ALIMENTOS

Actividad

Usa el código para descubrir un mensaje acerca de la felicidad verdadera.

A	B	C	D	E	F	G	H	I	J	K	L	M
1	2	3	4	5	6	7	8	9	10	11	12	13
N	Ñ	O	P	Q	R	S	T	U	V	W	X	Y	Z
14	15	16	17	18	19	20	21	22	23	24	25	26	27

___ ___ ___ ___ ___   ___ ___   ___ ___
6   5   12 9   27   5   20   12 1

___ ___ ___ ___ ___ ___ ___   ___ ___ ___   ___ ___ ___ ___ ___ ___
17 5   19 20 16 14 1   18 22 5   3   16 14 6   9   1

___ ___   ___ ___   ___ ___ ___ ___ ___. BASADO EN PROVERBIOS 16:20
5   14   5   12   20 5   15 16 19

The Way to Happiness

Many people and things here on Earth bring us happiness. The happiness that we experience here is only a glimpse of the happiness that God wants us to have.

Real happiness is the happiness that God created us to have. Jesus taught his disciples that real happiness is being with God. It is being a friend of God now on Earth and forever in Heaven. We come to know and discover this real happiness when we live as Jesus taught us.

One day, a lawyer who knew all about God's Laws came to Jesus. He asked Jesus how he could find real happiness:

> The man told Jesus, "I have kept all of God's laws." Jesus then told the man, "Go sell everything you have and give it to the poor. Come, follow me."
>
> BASED ON MATTHEW 16:19–21

Jesus was telling the man to be as generous to others as God is to him.

FAITH FOCUS
What do the Beatitudes teach us about making good choices that bring us true happiness?

FAITH VOCABULARY
Beatitudes
The Beatitudes are the sayings or teachings of Jesus that describe real happiness, the happiness that God created people to have.

Activity Use the code to discover a message about real happiness.

A	B	C	D	E	F	G	H	I	J	K	L	M
1	2	3	4	5	6	7	8	9	10	11	12	13
N	O	P	Q	R	S	T	U	V	W	X	Y	Z
14	15	16	17	18	19	20	21	22	23	24	25	26

___ ___ ___ ___ ___   ___ ___   ___ ___ ___
8 1 16 16 25   9 19   20 8 5

___ ___ ___ ___ ___ ___   ___ ___ ___   ___ ___ ___ ___ ___ ___
16 5 18 19 15 14   23 8 15   20 18 21 19 20 19

___ ___   ___ ___ ___   ___ ___ ___ ___. BASED ON PROVERBS 16:20
9 14   20 8 5   12 15 18 4

337

Personas de fe

Santa Luisa de Marillac

Luisa de Marillac creció sin conocer a su madre. Cuando era adulta, fundó las Hijas de la Caridad con San Vicente de Paúl. Las Hijas de la Caridad trabajan con los pobres y los enfermos, y con los niños abandonados por sus padres al nacer. Santa Luisa de Marillac es la Santa patrona de los trabajadores sociales. La Iglesia celebra su día el 15 de marzo.

Las Bienaventuranzas

Las **Bienaventuranzas** son los dichos o enseñanzas de Jesús que describen la felicidad verdadera. En cada una de las Bienaventuranzas, Jesús describe una cosa que las personas pueden hacer para alcanzar la felicidad que Dios quiere que tengamos. Es la felicidad de quienes dan su corazón a Dios.

Lee las Bienaventuranzas para descubrir qué enseña Jesús acerca de la felicidad que produce ser bendecido por Dios:

"Felices los que tienen el espíritu del pobre,
porque de ellos es el Reino de los Cielos." MATEO 5:3

Los que tienen el espíritu del pobre tienen fe en Dios y confían en su amor por ellos.

"Felices los que lloran,
porque recibirán consuelo." MATEO 5:4

Los que lloran están tristes porque la gente sufre. Muestran compasión haciendo lo que pueden por ayudarla.

"Felices los pacientes,
porque recibirán la tierra en herencia". MATEO 5:5

Los pacientes son longánimos y tratan a los demás con respeto.

"Felices los que tienen hambre y sed
de justicia,
porque serán saciados." MATEO 5:6

Las personas que tienen hambre de justicia tratan a los demás con imparcialidad y trabajan por la justicia.

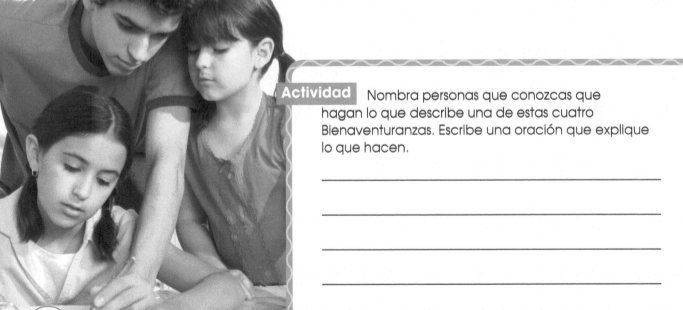

Actividad Nombra personas que conozcas que hagan lo que describe una de estas cuatro Bienaventuranzas. Escribe una oración que explique lo que hacen.

_____

_____

_____

_____

The Beatitudes

The **Beatitudes** are sayings and teachings of Jesus that describe real happiness. In each of the Beatitudes, Jesus describes one thing that people can do that leads to the happiness that God wants us to have. It is the happiness of people who give their hearts to God.

Read the Beatitudes to discover what Jesus teaches about the happiness that comes from being blessed by God:

"Blessed are the poor in spirit,
for theirs is the kingdom of heaven." MATTHEW 5:3

The poor in spirit have faith in God and trust in his love for them.

"Blessed are they who mourn,
for they will be comforted." MATTHEW 5:4

Those who mourn are sad because people suffer. They show compassion by doing what they can to help.

"Blessed are the meek,
for they will inherit the land." MATTHEW 5:5

The meek are kind and treat others with respect.

"Blessed are they who hunger and thirst
for righteousness,
for they will be satisfied." MATTHEW 5:6

People who hunger for righteousness treat others fairly and work for justice.

Activity

Name someone you know who does the things that one of these four Beatitudes describes. Write a sentence telling what they do.

_____

_____

_____

_____

Bienaventuranzas y vocación

Las enseñanzas de las Bienaventuranzas reflejan las promesas de Dios hechas al Pueblo Elegido desde Abrahán. Describen la vocación de todo el Pueblo de Dios.

Más Bienaventuranzas

Las Bienaventuranzas son como letreros en el camino de la vida. Nos señalan la dirección correcta. Nos guían para hacer elecciones que nos lleven a la felicidad que Dios quiere que todos disfruten. Estas son otras cuatro Bienaventuranzas, que Jesús enseñó:

> "Felices los compasivos,
>   porque obtendrán misericordia."
>   Mateo 5:7

Las personas que son compasivas perdonan a los demás como Dios las perdona a ellas.

> "Felices los de corazón limpio,
>   porque verán a Dios."
>   Mateo 5:8

Los de corazón limpio ponen a Dios en primer lugar en su vida.

> "Felices los que trabajan por la paz,
>   porque serán reconocidos como hijos de Dios." Mateo 5:9

Los que trabajan por la paz resuelven los problemas sin dañar a nadie.

> "Felices los que son perseguidos por
>   causa del bien,
>   porque de ellos es el Reino de los Cielos."
>   Mateo 5:10

Los que son perseguidos por causa del bien hacen lo que Dios quiere, aun cuando los demás se burlen de ellos o traten de lastimarlos.

? ¿Qué Bienaventuranzas están viviendo los niños de las fotografías?

340

More Beatitudes

The Beatitudes are like signposts on the road of life. They point us in the right direction. They guide us to make choices that lead to the happiness that God wants every person to enjoy. Here are four more Beatitudes that Jesus taught.

"Blessed are the merciful,
for they will be shown mercy."   MATTHEW 5:7

People who are merciful forgive others just as God forgives them.

"Blessed are the clean of heart,
for they will see God."   MATTHEW 5:8

The clean of heart keep God first in their lives.

"Blessed are the peacemakers,
for they will be called children of God."   MATTHEW 5:9

Peacemakers solve problems without hurting anyone.

"Blessed are they who are persecuted for
the sake of righteousness,
for theirs is the kingdom of heaven."

MATTHEW 5:10

Those who are persecuted for the sake of righteousness do what God wants, even when others laugh at them or threaten to harm them.

? What Beatitudes are the people in the pictures living?

Catholics Believe

Beatitude and Vocation

The teachings in the Beatitudes reflect God's promises made to the Chosen People since Abraham. They describe the vocation of all of the People of God.

341

YO SIGO A JESÚS

Como todos, tú quieres ser feliz. Cuando piensas en ello, las elecciones que haces a diario son maneras de buscar la felicidad. Vivir las Bienaventuranzas es el camino a la felicidad verdadera.

EL CAMINO A LA FELICIDAD VERDADERA

Escribe o dibuja cómo puedes vivir una de las Bienaventuranzas. Describe las consecuencias de vivir esa Bienaventuranza.

Bienaventuranza

Consecuencia

MI ELECCIÓN DE FE

Esta semana trataré de hacer todo lo posible para vivir la Bienaventuranza que describí en la actividad. Yo voy a

_____

_____

 Dedica un momento de silencio a rezar una de la Bienaventuranzas. ¡Pide la gracia de Dios para entenderla mejor y vivirla!

I FOLLOW JESUS

Like everyone else, you want to be happy. When you think of it, the choices you make each day are ways of looking for happiness. Living the Beatitudes is the path to true happiness.

THE WAY TO TRUE HAPPINESS

Write or draw how you can live one of the Beatitudes. Describe the consequences of living that Beatitude.

Beatitude

Consequence

This week I will try my best to live the Beatitude that I described in the activity. I will

_____

_____.

MY FAITH CHOICE

Spend a moment quietly praying one of the Beatitudes. Ask for God's grace to understand it better and to live it!

Repaso del capítulo

Escribe la Bienaventuranza que te ayudaría a responder mejor a esta situación.

Parece que nadie elige a Sam para su equipo. Al día siguiente, en el recreo, te nombran para que seas uno de los dos capitanes que elegirán jugadores para los equipos de *kickball*.

_____

_____

_____

_____

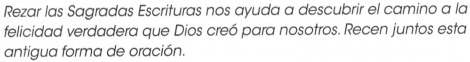

Rezar las Bienaventuranzas

Rezar las Sagradas Escrituras nos ayuda a descubrir el camino a la felicidad verdadera que Dios creó para nosotros. Recen juntos esta antigua forma de oración.

Líder: Amado Dios, sabemos que nos creaste para que seamos felices. Recordamos que tu Hijo, Jesús, dijo: "al Padre de ustedes le agradó darles el Reino" (basado en Lucas 12:32).

Todos: **Nos enseñarás la senda de la vida, gozos y plenitud en tu presencia, felicidad para siempre a tu derecha.**

Líder: *(Lee devotamente Mateo 5:3-10 de la Biblia. Hace una pausa después de cada Bienaventuranza.)*

Todos: ***(Responden después de cada Bienaventuranza.)*** **Nos enseñarás la senda de la vida.**

Líder: Sagrado Dios, bendícenos siempre. Enséñanos la senda de la vida.

Todos: **Amén.**

Chapter Review

Write the Beatitude that would help you respond best to this situation.

No one ever seems to choose Sam to be on their team. The next day at recess, you are chosen to be one of the two captains who will choose players for the kickball teams.

_____

_____

_____

_____

Praying the Beatitudes

Praying the Scriptures helps us discover the path to the happiness that God has created us to have. Together, join in praying this ancient form of prayer.

Leader: Dear God, we know that you created us to be happy. We remember that your Son, Jesus, said, "It is your Father's pleasure to give you the kingdom" (based on Luke 12:32).

All: **You show us the path of life. In your presence there is fullness of joy. In your right hand, happiness forever.**

Leader: (Read Matthew 5:3–10 prayerfully from the Bible. Pause after each Beatitude.)

All: **(Respond after each Beatitude.)**
You show us the path of life.

Leader: Holy God, bless us always. Show us the path of life.

All: **Amen.**

Con mi familia

Esta semana…

En el capítulo 18, Las Bienaventuranzas, su niño aprendió que:

- ▶ Las Bienaventuranzas son las enseñanzas del Sermón de la montaña que describen las cualidades y las acciones de las personas que Dios bendice.

- ▶ Muchas cosas pueden brindarnos felicidad, pero algunas no nos dan felicidad verdadera ni perdurable.

- ▶ Vivir las Bienaventuranzas nos ayuda a descubrir la felicidad que Dios quiere que tengamos.

- ▶ Las personas que practican la benignidad son personas que se entregan y comparten. Quienes son benignos son felices.

Para saber más sobre otras enseñanzas de la Iglesia, consulten el *Catecismo de la Iglesia Católica*, 1716–1724, y el *Catecismo Católico de los Estados Unidos para los Adultos*, página 308.

■ Compartir la Palabra de Dios

Lean juntos los versículos de la Biblia conocidos como las Bienaventuranzas. Pueden encontrar estos versículos en las páginas 338–340 o en Mateo 5:3–10. Enfaticen que en cada Bienaventuranza, Jesús describe una cosa que las personas hacen que las conduce a la felicidad que Dios quiere que tengamos.

■ Vivimos como discípulos

La familia cristiana es una escuela de discipulado. Elijan una de las siguientes actividades para hacer en familia, o creen una actividad similar ustedes mismos.

- ▶ Jueguen a hacer charadas usando los enunciados de las Bienaventuranzas para dramatizarlos.

▶ En su próxima comida en familia, comenten la virtud de la benignidad. ¿De qué manera son ustedes una familia benigna? Elijan juntos una manera de ser aun más benignos con su tiempo, su talento o sus bienes.

■ Nuestro viaje espiritual

Jesús dio a sus discípulos una descripción exhaustiva de lo que se necesita para ser un discípulo. Las Bienaventuranzas describen la clase de vida que cada uno de nosotros, como seguidores de Jesús, estamos llamados a vivir. En este capítulo, su niño rezó las Bienaventuranzas. Lean y recen juntos la oración de la página 344.

Para hallar más ideas sobre las maneras en que su familia puede vivir como discípulos de Jesús, visiten **seanmisdiscipulos.com**

With My Family

This Week . . .

In chapter 18, The Beatitudes, your child learned:

▶ The Beatitudes are the teachings from the Sermon on the Mount that describe the qualities and actions of the people blessed by God.

▶ Many things can bring us happiness, but some things do not give true and lasting happiness.

▶ Living the Beatitudes helps us discover the happiness that God wants us to have.

▶ People who practice generosity are giving and sharing people. Generous people are happy people.

For more about related teachings of the Church, see the *Catechism of the Catholic Church*, 1716–1724, and the *United States Catholic Catechism for Adults*, pages 308.

Sharing God's Word

Read together the Bible verses known as the Beatitudes. You can find these verses on pages 339–341 or in Matthew 5:3–10. Emphasize that in each Beatitude, Jesus describes one thing that people do that leads to the happiness that God wants us to have.

We Live as Disciples

The Christian family is a school of discipleship. Choose one of the following activities to do as a family, or design a similar activity of your own.

▶ Play a game of charades using the Beatitudes as the statements to be acted out.

▶ Gather at your next family meal and discuss the virtue of generosity. How is your family a generous family? Choose a way together to be even more generous with your time, talent, or treasure.

Our Spiritual Journey

Jesus gave his disciples a comprehensive description of what it takes to be a disciple. The Beatitudes describe the kind of life that each of us, as Jesus' followers, are called to live. In this chapter, your child prayed the Beatitudes. Read and pray together the prayer on page 345.

For more ideas on ways your family can live as disciples of Jesus, visit **BeMyDisciples.com**

Lo que vendrá

En este capítulo el Espíritu Santo te invita a ▶

 **INVESTIGAR** una manera en que las familias católicas actúan con justicia.

 **DESCUBRIR** cómo nos guía nuestra conciencia para hacer buenas elecciones.

 **DECIDIR** hacer buenas elecciones para vivir una vida santa.

Vivir una Vida Santa

? ¿Cuáles son algunas buenas elecciones que has hecho esta semana?

Dios nunca nos deja solos para hacer buenas elecciones. Debemos buscarlo y escucharlo. Escucha este pasaje del Libro de los Salmos:

> "¡Cuánto amo tu Ley!
>   En ella medito todo el día. Me haces más sabio
>   que mis enemigos por tu mandamiento
>   que es siempre mío.
>
> Soy más agudo que todos mis maestros,
>   merced a tus testimonios que medito...
>   Para mis pasos tu palabra es una lámpara,
>   una luz en mi sendero". Salmo 119:97–99, 105

? ¿Cuál es una manera en que la luz de la Palabra de Dios pueda ayudar a tu familia y tu parroquia a tomar buenas decisiones y vivir una vida santa?

Looking Ahead

In this chapter the Holy Spirit invites you to ▶

EXPLORE one way that Catholic families act with justice.

DISCOVER how our consciences guide us in making good choices.

DECIDE to make good choices to live a holy life.

CHAPTER
19

Living a Holy Life

? What are some of the good choices that you have made this week?

God never leaves us alone in making good choices. We are to turn to him and listen to him. Listen to this passage from the Book of Psalms:

How I love your teaching, LORD!
  I study it all day long.
Your command makes me wiser than my foes,
  for it is always with me.
I have more understanding than all my teachers,
  because I ponder your decrees.

Your word is a lamp for my feet,
  a light for my path.

PSALM 119:97–99, 105

? What is one way that the light of God's Word can help your family and parish make good decisions and live a holy life?

Poder de los discípulos

Justicia

La justicia es una de las cuatro Virtudes Cardinales. Es el buen hábito de darles a Dios y a las personas lo que debidamente les corresponde. Nos fortalece para tomar decisiones y edificar un mundo de paz.

CRS Plato de Arroz

La Iglesia es una "luz" que Dios nos ha dado para guiarnos en la toma de decisiones. Es nuestra Madre y nuestra Maestra.

Durante la Cuaresma, la Iglesia de los Estados Unidos invita a los católicos a participar en el CRS Plato de Arroz. El CRS Plato de Arroz pide a las familias católicas que recen, ayunen, aprendan y compartan sus bendiciones con los necesitados.

Durante la Cuaresma, los católicos renunciamos a postres, bocaditos y otras cosas que realmente nos gustan. El dinero que ahorramos al no comprar estos alimentos lo guardamos en la caja CRS Plato de Arroz. Al final de la Cuaresma, cada familia lleva el dinero a la iglesia, donde se recolecta y se usa para ayudar a otras personas.

Los miembros de la parroquia Santa Rosa participan todos los años de el CRS Plato de Arroz. Se sienten realmente bien y bendecidos al saber que su dinero contribuye a que los agricultores de Bolivia reciban entrenamiento para mejorar sus cultivos. Da a los niños de Afganistán la oportunidad de ir a la escuela y ayuda a combatir el hambre y la pobreza en los Estados Unidos.

? ¿Qué hace tu parroquia para actuar con justicia? Haz una lista.

CRS Rice Bowl

The Church is a "light" that God has given us to guide us in making decisions. She is our Mother and our Teacher.

During Lent, the Church in the United States invites Catholics to take part in CRS Rice Bowl. CRS Rice Bowl asks Catholic families to pray, fast, learn, and to share their blessings with people in need.

During Lent, Catholics give up things, such as desserts, snacks, or other things we really like. The money that we save from not buying those things is put into the CRS Rice Bowl box. At the end of Lent, each family brings the money to church. It is collected and the Church uses it to help people.

The people of St. Rose's parish take part in CRS Rice Bowl every year. They feel really good and blessed to learn that their money helps farmers in Bolivia receive training to improve their crops. It gives children in Afghanistan the chance to go to school, and it helps fight hunger and poverty here in the United States

? Which things does your parish do to act with justice? Make a list.

Justice

Justice is one of the four Cardinal Virtues. It is the good habit of giving to God and to all people what is rightfully due to them. It strengthens us to make decisions that build a world of peace.

VOCABULARIO DE FE

conciencia
La conciencia es el don que Dios da a cada persona y que nos ayuda a saber y a juzgar lo que es correcto o incorrecto.

gracia santificante
La gracia santificante es el don de Dios de compartir su propia vida con nosotros, el don de la santidad.

Nuestro llamado a la santidad

Dios llama a todos a hacer buenas elecciones y a vivir una vida santa. La **conciencia** y las cuatro Virtudes Cardinales son dos de los muchos dones que Dios nos da para ayudarnos a vivir una vida santa.

Tu conciencia te ayuda a saber y a juzgar lo que es correcto o incorrecto. Necesitamos entrenar nuestra conciencia para que haga un buen trabajo. Necesitamos rezar, leer la Biblia, aprender las enseñanzas de la Iglesia y pedir buenos consejos. Es importante que entrenes tu conciencia correctamente. Cada uno de nosotros tiene la obligación de hacer lo que nuestra conciencia dice que es correcto y de no hacer lo que dice que es incorrecto.

Las Virtudes Morales son hábitos de hacer lo que es correcto. Hay cuatro Virtudes Morales que son la base de todas las demás. Son las Virtudes Cardinales de la prudencia, la justicia, la fortaleza y la templanza. Nos ayudan a actuar según nuestros sentimientos de manera correcta y a hacer lo que nuestra conciencia y nuestra fe nos dice que es correcto. Debemos recordar que los buenos hábitos se forman con la práctica.

? ¿Piensa en tomar una decisión importante. Cuéntale a un amigo cómo te guía tu conciencia?

Our Call to Holiness

God calls everyone to make good choices and to live holy lives. **Conscience** and the four Cardinal Virtues are two of the many gifts that God gives us to help us live holy lives.

Your conscience helps you know and judge what is right and wrong. We need to train our consciences to do a good job. We need to pray, read the Bible, learn the teachings of the Church, and ask people for good advice. It is important to train your conscience correctly. We each have an obligation to do what our consciences say is right and not do what it says is wrong.

Moral Virtues are habits of doing what is good. There are four Moral Virtues that are the foundation of all Moral Virtues. They are the Cardinal Virtues of prudence, justice, fortitude, and temperance. They help us act on our feelings correctly and do what our consciences and our faith tell us is the right thing to do or say. We must remember that good habits come from practice.

? Think about making an important decision. Tell a friend how your conscience guides you.

FAITH FOCUS
How does God help us make good choices?

FAITH VOCABULARY

conscience
Conscience is the gift that God gives to every person that helps us know and judge what is right and what is wrong.

sanctifying grace
Sanctifying grace is the gift of God's sharing his own life with us, the gift of holiness.

Tomás Moro

Tomás Moro fue el canciller principal del rey de Inglaterra. Cuando tuvo que enfrentar decidir entre lo incorrecto que el rey quería que hiciera y lo correcto que creía y sabía que Dios quería que hiciera, eligió seguir su conciencia. Eligió servir a Dios. La Iglesia celebra el día de Santo Tomás Moro el 22 de junio.

Tentación y pecado

A veces, las personas y las cosas influyen en nosotros y nos alejan de vivir una vida santa. Estas son las *tentaciones*. Las tentaciones no son pecados, pero pueden conducirnos al pecado.

Pecamos cuando elegimos conciente y libremente hacer o decir algo que sabemos que está en contra de la voluntad de Dios. También pecamos si no elegimos hacer o decir algo que sabemos que Dios nos ordena. El pecado daña siempre nuestra amistad con Dios y con las demás personas.

Pecado mortal y pecado venial. La Iglesia habla de pecado mortal y del pecado venial. El pecado mortal es una falta grave a nuestro amor por Dios, el prójimo, nosotros mismos o la creación. El pecado mortal nos hace perder el don de la santidad, o **gracia santificante**. Los demás pecados son pecados veniales. Los pecados veniales debilitan nuestro amor por Dios y por los demás.

Vicios. Aunque no lo creas, podemos entrenarnos para hacer lo que sabemos que está en contra de la voluntad de Dios. Podemos favorecer los malos hábitos o vicios. La Iglesia nos enseña acerca de los siete vicios principales. Estos son la soberbia, la avaricia, la envidia, la ira, la lujuria, la gula y la pereza. Cuando permitimos que estos malos hábitos se desarrollen en nuestra vida, nos entrenamos para pecar. Entonces es muy difícil vivir una vida santa.

Actividad ¿De qué manera las acciones de la siguiente lista te ayudan a aprender a hacer buenas elecciones, a decir no a la tentación y a evitar el pecado? Explícaselo a un compañero.

- [ ] Leer la Biblia.
- [ ] Comentar mis elecciones con mis padres.
- [ ] Rezarle al Espíritu Santo
- [ ] Pedir ayuda a mis amigos.
- [ ] Pensar con tranquilidad en mis elecciones.
- [ ] Escuchar a mis maestros.
- [ ] Hablar con el sacerdote de mi parroquia.

Temptation and Sin

Sometimes people and things influence us away from living holy lives. These are called *temptations*. Temptations are not sins but can lead us to sin.

We sin when we knowingly and freely choose to do or say something we know is against God's will. We can also sin by not choosing to do or say something that we know God commands us to do or say. Sin always hurts our friendship with God and other people.

Mortal and Venial Sin. The Church speaks about mortal sin and venial sin. Mortal sin is a serious failure in our love for God, our neighbors, ourselves, or creation. Mortal sin causes us to lose the gift of holiness, or **sanctifying grace**. All other sins are venial sins. Venial sins weaken our love for God and for one another.

Vices. Believe it or not, we can train ourselves to do what we know is against God's will. We can grow in bad habits, or vices. The Church teaches us about seven main vices. These vices are pride, greed, envy, anger, lust, gluttony, and laziness. When we let these bad habits grow in our lives, we train ourselves to sin. It is then very difficult to live a holy life.

Activity

How do the actions in the list below help you learn to make good choices, say no to temptation, and avoid sin? Explain to a partner.

☐ Read the Bible.

☐ Discuss my choices with my parents.

☐ Pray to the Holy Spirit.

☐ Ask my friends for help.

☐ Think quietly about my choices.

☐ Listen to my teachers.

☐ Talk to the priest in my parish.

Los católicos creen

Gracia

La gracia es un don que Dios no da libremente. En el Bautismo recibimos el don de la gracia santificante. La palabra *santificante* significa "que hace santo". La gracia santificante es el don de Dios de compartir su propia vida con nosotros. La da el Espíritu Santo para limpiarnos del pecado y hacernos santos.

El Espíritu Santo también nos da gracias especiales cuando recibimos los Sacramentos. En el Bautismo recibimos los siete dones del Espíritu Santo. Estos dones, que se fortalecen con la Confirmación, nos ayudan a vivir nuestra amistad con Dios.

El Espíritu Santo nos da siempre la gracia para ayudarnos a vivir una vida santa y para que hagamos y digamos lo que sabemos que es correcto. Estas se llaman gracias actuales. Si elegimos pecar, el Espíritu Santo nos ayuda a alejarnos del pecado. El Espíritu Santo nos ayudará a volver nuestro corazón hacia el amor de Dios.

Actividad Nombra a alguien que conozcas que viva uno de los Dones del Espíritu Santo. Escribe un *haiku,* un poema de tres versos, sobre esta persona. Sigue las instrucciones que están debajo de cada renglón.

_____
(Título)

_____
(Cinco sílabas)

_____
(Siete sílabas)

_____
(Cinco sílabas)

La **admiración y veneración, o temor de Dios**, nos ayuda a alabar, dar gracias y bendecir a Dios.

La **ciencia** nos ayuda a ver la verdad de todo lo que Dios nos ha revelado.

La **sabiduría** nos ayuda a ver el mundo a través de los ojos de la fe. Nos ayuda a ver el mundo como Dios lo ve.

El **entendimiento** nos ayuda a ver la relación entre conocer nuestra fe y vivirla.

La **reverencia, o piedad**, nos ayuda a llamar a Dios Abbá o Padre, con amor y confianza.

El **buen juicio, o consejo**, nos ayuda a hacer buenas elecciones morales.

La **fortaleza, o valor**, nos da la fuerza para tomar la decisión de vivir como Dios quiere que vivamos.

Grace

Grace is a free gift from God. At Baptism we receive the gift of sanctifying grace. The word *sanctifying* means "making holy." Sanctifying grace is the gift of God's own life that he shares with us. It is given by the Holy Spirit to heal us of sin and to make us holy.

The Holy Spirit also gives us special graces when we receive the Sacraments. At Baptism we receive the sevenfold gift of the Holy Spirit. These gifts, which are strengthened in Confirmation, help us live our friendship with God.

The Holy Spirit always gives us the grace to help us live holy lives and to do and say what we know is the right thing. These are called actual graces. If we choose to sin, the Holy Spirit helps us turn away from sin. The Holy Spirit will help us turn our hearts back toward God's love.

Catholics Believe

Lenten Practices

During the season of Lent, the Church guides us to eat less, not to eat meat on certain days, to pray, and to share our blessings with others, especially people in need. These Lenten practices of prayer, abstaining and fasting, and almsgiving are ways that the Church guides us to live holy lives.

Knowledge helps us see the truth of all that God has made known to us.

Wonder and awe, or fear of the Lord, help us praise, thank, and bless God.

Wisdom helps us see the world through the eyes of faith. We are helped to see the world as God sees it.

Understanding helps us see the connection between knowing our faith and living it.

Fortitude, or courage, gives us the strength to make decisions to live as God wants us to live.

Right judgment, or counsel, helps us make good moral choices.

Reverence, or piety, helps us call God Abba, or Father, with love and trust.

Activity Name someone you know who is living one of the Gifts of the Holy Spirit. Write a haiku, a three-line poem, about this person. Follow the directions under each line.

_____
(Title)

_____
(Five syllables)

_____
(Seven syllables)

_____
(Five syllables)

YO SIGO A JESÚS

Cada año aprendes más y más acerca de hacer buenas elecciones para vivir una vida santa. Tu familia y la Iglesia te guían para hacer esas elecciones. El Espíritu Santo te da la gracia para conocer y elegir el camino que Dios quiere que vivas y para actuar con justicia como Dios manda.

ACERCARSE MÁS A JESÚS

¿Quiénes te ayudan a aprender a vivir una vida santa como seguidor de Jesucristo? ¿Cómo te ayudan?

Personas

Cómo me ayudan

_____

_____

_____

_____

_____

_____

_____

_____

_____

_____

MI ELECCIÓN DE FE

Esta semana viviré una vida santa siguiendo mi conciencia y haciendo buenas elecciones. Una buena elección que haré es

_____

_____

"Espíritu Santo, dame el valor para actuar con justicia y hacer buenas elecciones que muestren mi amor por Dios y por los demás. Amén".

I FOLLOW JESUS

Each year you are learning more and more about how to make good choices to live a holy life. Your family and the Church guide you to make those choices. The Holy Spirit gives you the grace to know and choose the way that God wants you to live and to act with justice as God commands.

BECOMING CLOSER TO JESUS

Who helps you learn to live a holy life as a follower of Jesus Christ? How do they help you?

People

_____

_____

How I Am Helped

_____

_____

_____

_____

_____

_____

_____

_____

This week I will live a holy life by following my conscience and making good choices. One good choice I will make is

_____

_____

MY FAITH CHOICE

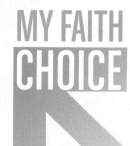

 "Holy Spirit, give me the courage to act with justice and to make good choices that show my love for God and others. Amen."

PARA RECORDAR

1. La conciencia y las Virtudes Morales nos ayudan a hacer elecciones para vivir una vida santa.

2. El pecado es la elección libre de hacer o decir algo que sabemos que está en contra de la voluntad de Dios o no hacer o no decir algo que sabemos que Dios nos ordena.

3. Los Dones del Espíritu Santo nos ayudan a saber y a elegir vivir como hijos de Dios y seguidores de Jesús.

Repaso del capítulo

Escribe V junto a los enunciados verdaderos. Escribe F junto a los enunciados falsos. Haz verdaderos los enunciados falsos.

_____ **1.** Dios llama y ayuda a todas las personas a vivir una vida santa.

_____ **2.** La conciencia nos ayuda a saber y a juzgar lo que es correcto o incorrecto.

_____ **3.** Las Virtudes Morales nos ayudan a hacer lo que nuestra conciencia y nuestra fe nos dicen que Dios quiere que hagamos.

_____ **4.** Los Dones del Espíritu Santo son la prudencia, la justicia, la fortaleza y la templanza.

Examen de conciencia

Examinar tu conciencia te ayuda a crecer en la vivencia del Gran Mandamiento de amar a Dios y al prójimo como a ti mismo.

Líder: Pidamos al Espíritu Santo que nos ayude a pensar en las elecciones que hemos hecho. Espíritu Santo, ayúdanos a pensar en las maneras en que hemos elegido mostrar o no mostrar nuestro amor por Dios.

Todos: *(Reflexionan en silencio.)*

Líder: Espíritu Santo, ayúdanos a pensar en las maneras en que hemos elegido mostrar o no mostrar nuestro amor por las demás personas y por nosotros mismos.

Todos: *(Reflexionan en silencio.)*

Líder: Dios, nuestro Padre amoroso, enviaste a Jesús para que nos enseñara a vivir el Gran Mandamiento. Envíanos al Espíritu Santo para que nos ayude a vivir una vida santa como Jesús nos enseñó a hacerlo.

Todos: **Amén.**

Chapter Review

Write T next to the true statements. Write F next to the false statements. Make the false statements true.

_____ **1.** God calls and helps every person live a holy life.

_____ **2.** Conscience helps us know and judge what is right and what is wrong.

_____ **3.** Moral Virtues help us do what our conscience and faith tell us God wants us to do.

_____ **4.** The Gifts of the Holy Spirit are prudence, justice, fortitude, and temperance.

TO HELP YOU REMEMBER

1. Conscience and Moral Virtues help us make choices to live holy lives.

2. Sin is freely choosing to do or say something we know is against God's will, or not freely choosing to do or say something that we know that God commands.

3. The Gifts of the Holy Spirit help us know and choose to live as children of God and followers of Jesus.

Examination of Conscience

Examining your conscience helps you grow in living the Great Commandment to love God and your neighbor as yourself

Leader: Let us ask the Holy Spirit to help us think about the choices that we have made. Holy Spirit, help us think about the ways we have chosen to show or not to show our love for God.

All: (*Reflect silently.*)

Leader: Holy Spirit, help us think about the ways we have chosen to show or not to show our love for other people and for ourselves.

All: (*Reflect silently.*)

Leader: God, our loving Father, you sent Jesus to teach us to live the Great Commandment. Send us the Holy Spirit to help us live holy lives as Jesus taught us to do.

All: **Amen.**

Con mi familia

Esta semana...

En el capítulo 19, Vivir una vida santa, su niño aprendió que:

▶ En el Bautismo recibimos el don de la gracia santificante.

▶ Todas las personas nacen con una conciencia. La conciencia nos ayuda a saber y a juzgar lo que está de acuerdo o no está de acuerdo con la voluntad de Dios.

▶ Las Virtudes Cardinales de la prudencia, la justicia, la fortaleza y la templanza, y los dones del Espíritu Santo nos fortalecen para hacer elecciones que contribuyan a que vivamos una vida santa.

▶ A veces, pecamos consciente y libremente. Elegimos no vivir una vida santa. Cuando pecamos, Dios nos invita a volver a vivir en amistad con Él.

▶ La justicia es una de las cuatro Virtudes Cardinales. Es el buen hábito de darles a Dios y a las personas lo que debidamente les corresponde.

Para saber más sobre otras enseñanzas de la Iglesia, consulten el *Catecismo de la Iglesia Católica*, 1776–1794, 1803–1832, 1846–1869 y 1996–2004; y el *Catecismo Católico de los Estados Unidos para los Adultos*, páginas 108, 314–315, 315–317, 341.

■ Compartir la Palabra de Dios

Lean juntos el Salmo 119:97–99, 105. Enfaticen que la conciencia, las Virtudes Cardinales y los Dones del Espíritu Santo nos ayudan a hacer elecciones para vivir según los mandamientos de Dios.

■ Vivimos como discípulos

La familia cristiana es una escuela de discipulado. Elijan una de las siguientes actividades para hacer en familia, o creen una actividad similar ustedes mismos.

▶ Compartan unos con otros algunas de las buenas elecciones que hicieron esta semana. Expliquen por qué hicieron las elecciones y qué sucedió después de hacerlas.

▶ Identifiquen a alguien que viva uno de los Dones del Espíritu Santo. Comenten ese don y cómo los ayudaría a vivir como familia cristiana. Luego comenten cómo su familia puede cooperar con las gracias del Espíritu Santo y actuar con justicia como Dios ordena.

■ Nuestro viaje espiritual

Los seguidores de Cristo tienen la obligación y el deber de formar conciencias buenas a través del estudio y la oración, como con la Palabra de Dios y a través de la práctica. En este capítulo, su niño aprendió e hizo un breve examen de conciencia. Desarrollar y aplicar la disciplina de examinar la propia conciencia diariamente permite que la luz de la Palabra de Dios los guíe para vivir una vida santa.

Para hallar más ideas sobre las maneras en que su familia puede vivir como discípulos de Jesús, visiten

seanmisdiscipulos.com

With My Family

This Week . . .

In chapter 19, Living a Holy Life, your child learned:

▶ At Baptism we receive the gift of sanctifying grace.

▶ Every person is born with a conscience. Conscience helps us know and judge what is and is not in agreement with God's will.

▶ The Cardinal Virtues of prudence, justice, fortitude, and temperance and the Gifts of the Holy Spirit strengthen us to make choices that contribute to our living holy lives.

▶ We sometimes knowingly and freely sin. We choose not to live holy lives. When we sin, God invites us back to a life of friendship with him.

▶ Justice is one of the four Cardinal Virtues. It is the good habit of giving to God and to all people what is rightfully due to them.

For more about related teachings of the Church, see the *Catechism of the Catholic Church,* 1776–1794, 1803–1832, 1846–1869, and 1996–2004; and the *United States Catholic Catechism for Adults,* pages 108, 314–315, 315–317, 341.

▌Sharing God's Word

Read together Psalm 119:97–99, 105 together. Emphasize that conscience, the Cardinal Virtues, and the Gifts of the Holy Spirit help us make good choices to live by God's commands.

▌We Live as Disciples

The Christian family is a school of discipleship. Choose one of the following activities to do as a family, or design a similar activity of your own.

▶ Share with each other some of the good choices you each made this past week. Explain why you made the choices and what happened after you made the choices.

▶ Identify someone who is living one of the Gifts of the Holy Spirit. Talk about that gift and how it might help your family live as a Christian family. Then discuss how your family can cooperate with the graces of the Holy Spirit and act with justice as God commands.

▌Our Spiritual Journey

Followers of Christ have the obligation and duty to form good consciences through study and prayer, such as with the Word of God and through practice. In this chapter, your child learned about and used a brief examination of conscience. Developing and using the discipline of examining one's conscience daily will enable the light of God's Word to guide you in living a holy life.

For more ideas on ways your family can live as disciples of Jesus, visit **BeMyDisciples.com** ▶

CAPÍTULO

20

Lo que vendrá

En este capítulo el Espíritu Santo te invita a ▶

INVESTIGAR cómo Pedro Claver buscaba a Dios con todo su corazón.

DESCUBRIR que los Diez Mandamientos son Leyes básicas de Dios.

DECIDIR poner práctica los Diez Mandamientos.

Vivir la Alianza de Dios

❓ ¿Qué estás aprendiendo sobre los grandes líderes y sucesos de nuestra nación?

La Biblia es la historia del Pueblo de Dios que lo escuchaba y se esforzaba por conocerlo, amarlo y servirlo. A veces, el pueblo de Dios escuchaba, pero otras veces no. Presta atención a por qué es importante escuchar la Palabra de Dios. Dios nos dice:

> *Dichosos los que observan los decretos de Dios*
> *y caminan según la Ley del Señor.*
> *Dichosos los que lo buscan de todo corazón,*
> *que sin cometer injusticia caminan por sus sendas.*

BASADO EN EL SALMO 119:1–3

❓ ¿Qué has aprendido acerca de los decretos o Leyes de Dios?

Looking Ahead

In this chapter the Holy Spirit invites you to ▶

EXPLORE how Peter Claver sought God with all his heart.

DISCOVER that the Ten Commandments are God's basic Laws.

DECIDE to put the Ten Commandments into action.

CHAPTER
20

Living God's Covenant

? What are you learning about the great leaders and events of our nation?

The Bible is the story of the People of God listening to God and striving to know, love, and serve him. Sometimes God's people listened, but sometimes they did not. Listen to why it is important to listen to God's Word. God tells us,

> Blessed are people who observe God's decrees,
> who walk by the teaching of the Lord,
> and who seek him with all their heart.
> They do no wrong, they walk in God's ways.

BASED ON PSALM 119:1–3

? What have you learned about God's decrees or Laws?

Poder de los discípulos

Fortaleza

La fortaleza es una de las cuatro Virtudes Cardinales. Es un buen hábito de enfrentar las dificultades con fuerza y valor. La fortaleza nos hace fuertes para resistir al pecado. La fortaleza nos ayuda a superar las cosas en nuestra vida que nos impiden amar a Dios y a los demás.

El Apóstol de los Esclavos

La historia de la Iglesia está colmada de líderes que aprendieron y siguieron los decretos o Leyes de Dios. Todos vivieron las palabras del Salmo que acabas de rezar. Buscaban a Dios de todo corazón. Una de esas personas es Pedro Claver.

Pedro era hijo de un agricultor. Hace más de 400 años, dejó su hogar en España y tuvo la valentía de cruzar el océano Atlántico. Viajó a Cartagena, en lo que hoy se conoce como Colombia, en América del Sur. Cada año a Cartagena llegaban por barco más de diez mil esclavos y se los obligaba a trabajar en las minas.

Pedro abordaba las naves, bajaba a las bodegas y cuidaba de los esclavos. Los seguía hasta las minas y los alimentaba, curaba sus heridas, los vestía y rezaba con ellos. Los amos de los esclavos y hasta algunas personas de su parroquia se burlaban de Pedro diciéndole "el esclavo de los esclavos". Otros lo honraron con el título de "Apóstol de los Esclavos".

El trabajo de Pedro Claver nos muestra qué sucede cuando respetamos la dignidad y la vida de todas las personas. La Iglesia honra a Pedro como Santo y celebra su día el 9 de marzo.

? ¿A quién conoces que haya ayudado a las personas mostrando valor? Explícalo.

The Apostle of the Slaves

Disciple Power

Fortitude

Fortitude is one of the four Cardinal Virtues. It is the good habit of facing difficulties with strength and courage. Fortitude strengthens us to resist temptation. Fortitude helps us overcome the things in our lives that keep us from loving God and others.

The story of the Church is filled with leaders who learned and followed God's decrees, or Laws. Each lived the words of the Psalm that you just prayed. They sought God with all their hearts. Peter Claver is one of those people.

Peter was the son of a farmer. More than 400 years ago, he left his home in Spain and braved crossing the Atlantic Ocean. He traveled to Cartagena, which is now in Colombia, South America. Each year more than ten thousand enslaved people arrived by ship in Cartagena and were forced to work as slaves in the mines.

Peter boarded the ships, climbed down into the hulls, and cared for the slaves. He followed them into the mines and fed them, took care of their wounds, clothed them, and prayed with them. The slave owners and even some of the people of his parish ridiculed Peter as "the slave of the slaves." Others honored Peter with the title "The Apostle of the Slaves."

The work of Peter Claver shows us what happens when we respect the dignity and life of every person. The Church honors Peter as a Saint and celebrates his feast day on March 9.

❓ Who do you know who has helped people by showing strength in courage? Explain.

VOCABULARIO DE FE
hebreos
Hebreos es el nombre que recibió el pueblo de Dios, los israelitas, cuando vivían en Egipto.

Diez Mandamientos
Los Diez Mandamientos son las leyes de la Alianza reveladas a Moisés en el monte Sinaí, que nos enseñan a amar a Dios, a los demás y a nosotros mismos.

Los Diez Mandamientos

Moisés fue uno de los grandes líderes del pueblo de Dios. Dios le reveló los decretos o leyes que su pueblo debía seguir. Estas leyes los guiarían para vivir la Alianza que pactaron con Dios.

Dios eligió a Moisés para que sacara a los israelitas o **hebreos** (como también se los llamaba), de la esclavitud de Egipto y los llevara a un nuevo hogar. Este viaje de la esclavitud a la libertad se conoce como el Éxodo. El centro del relato del Éxodo es la Alianza o acuerdo solemne que Dios y los israelitas pactaron entre sí.

Dios prometió ser fiel y leal a los israelitas para siempre. Los israelitas, a su vez, prometieron:

"Haremos todo lo que Yavé ha mandado".

ÉXODO 19:8

Actividad

Nombra las habilidades que Moisés necesitaba para ser un buen líder del pueblo de Dios. Elige una y describe cómo ayudaba a Moisés.

_____

_____

_____

_____

_____

_____

_____

The Ten Commandments

Moses was one of the great leaders of God's people. God revealed to Moses the decrees, or laws, that his people were to follow. These laws would guide them to live the Covenant that they entered into with God.

God chose Moses to lead the Israelites, or **Hebrews** as they were also called, out of slavery in Egypt to a new homeland. This journey from slavery to freedom is known as the Exodus. The heart of the Exodus story is the Covenant, or solemn agreement, that God and the Israelites made with each other.

God promised to be faithful and loyal to the Israelites forever. The Israelites in turn promised,

"Everything the Lord has said, we will do."

EXODUS 19:8

FAITH FOCUS
What does the story of the Exodus tell us about God's people?

FAITH VOCABULARY

Hebrews
The Hebrews is the name given to God's people, the Israelites, when they lived in Egypt.

Ten Commandments
The Ten Commandments are the laws of the Covenant revealed to Moses on Mount Sinai that teach us to love God, others, and ourselves.

Activity Name the abilities that Moses would need to be a good leader of God's people. Choose one, and describe how it would help Moses.

_____

_____

_____

_____

_____

_____

_____

San Carlos Lwanga y sus compañeros

Carlos Lwanga vivía en el reino de Buganda, que ahora es parte del país de Uganda, África. A Carlos y a otros veintiún jóvenes, entre ellos muchos adolescentes, los mataron el 3 de junio de 1886 porque seguían las Leyes de Dios, desafiaban las prácticas del rey y llamaban la atención a sus pecados. Carlos y los otros mártires fueron proclamados santos en 1964. El Día de los Santos Mártires de Uganda se celebra el 3 de junio.

El Señor llama a Moisés

La Biblia nos cuenta que Moisés vio que la fe del pueblo en Dios se iba debilitando a medida que cruzaban el desierto. Así que subió al monte Sinaí. Allí rezó para ver qué debía hacer.

Cuando Moisés regresó, le dijo a los ancianos del pueblo israelita:

Dios dijo: "Yo vendré a ti en medio de una espesa nube para que el pueblo oiga cuando yo hable contigo y tenga fe en ti también para siempre".

Los israelitas se prepararon durante tres días para encontrarse con Dios. Al amanecer del tercer día, el Señor llamó a Moisés y él fue a la cima del monte Sinaí. Dios dio a Moisés los Diez Mandamientos.

BASADO EN ÉXODO 19:9, 14–16, 20; 20:1

Los **Diez Mandamientos** son un signo del amor de Dios por su pueblo. Ayudaron a los israelitas a aprender a vivir fielmente la Alianza que habían hecho con Dios. Cuando vivimos los Diez Mandamientos, vivimos fielmente nuestro Bautismo. Vivimos nuestra alianza con Dios. Vivimos como fieles hijos adoptivos de Dios. Crecemos en nuestra fe y esperanza en Dios y en nuestro amor por Dios.

? ¿De qué manera la entrega de los Diez Mandamientos por parte de Dios es un signo de su amor por nosotros?

The Lord Calls Moses

The Bible tells us that Moses saw the people's faith in God growing weak as they journeyed across the desert. So Moses went up Mount Sinai. He prayed there to learn what he should do.

When Moses came down, he told the elders of the Israelites:

God said, "I am coming to you in a dense cloud, so that when the people hear me speaking with you, they may always have faith in you also."

For three days the Israelites prepared themselves to meet God. On the morning of the third day, the Lord called Moses, and he went up to the top of Mount Sinai. God gave Moses the Ten Commandments. BASED ON EXODUS 19:9, 14–16, 20; 20:1

The **Ten Commandments** are a sign of God's love for people. They helped the Israelites learn to live faithfully the Covenant they made with God. When we live the Ten Commandments, we faithfully live our Baptism. We live our covenant with God. We live as faithful adopted sons and daughters of God. We grow in our faith and hope in God and our love for God.

? How is God's giving us the Ten Commandments a sign of his love for us?

Los católicos creen

Enseñanza social de la Iglesia Católica

La enseñanza social de la Iglesia Católica nos ayuda a vivir los Diez Mandamientos. La Iglesia resume su enseñanza social en temas, o ideas principales. Dos de esos temas son:

1. Toda vida humana es sagrada.
2. Tenemos la responsabilidad de cuidar de las personas que son tratadas injustamente.

El Decálogo

El Decálogo es otro nombre para los Diez Mandamientos. La palabra *decálogo* significa "diez palabras". Los Diez Mandamientos son la Palabra de Dios a nosotros. Son las leyes básicas que nos enseñan cómo amar a Dios, a nosotros mismos y a los demás.

Jesús, el Hijo de Dios, vino a mostrarnos cómo se viven los Diez Mandamientos. Él dijo:

"El que los cumpla [estos mandamientos] y los enseñe, será grande en el Reino de los Cielos".

MATEO 5:19

Las elecciones que hacemos para vivir los Diez Mandamientos son signos de nuestra fe y esperanza en Dios y de nuestro amor por Dios.

Actividad Diseña estas tablas que contienen los Diez Mandamientos con palabras y símbolos que te recuerden vivirlos.

Ama a Dios con todo tu corazón

1. Yo soy el Señor, tu Dios. No tendrás otros dioses fuera de mí.

2. No tomes en vano el nombre del Señor, tu Dios.

3. Acuérdate del Día del Señor, para santificarlo.

Ámate a ti mismo y ama a los demás

4. Respeta a tu padre y a tu madre.

5. No mates.

6. No cometas adulterio.

7. No robes.

8. No atestigües en falso contra tu prójimo.

9. No codicies la mujer de tu prójimo.

10. No codicies nada que sea de tu prójimo.

The Decalogue

The Decalogue is another name for the Ten Commandments. The word *decalogue* means "ten words." The Ten Commandments are God's Word to us. They are the basic laws that teach us how to love God, ourselves, and other people.

Jesus, the Son of God, came to show us how to live the Ten Commandments. He said,

"Whoever obeys and teaches these commandments will be called greatest in the kingdom of heaven."

MATTHEW 5:19

The choices we make to live the Ten Commandments are signs of our faith and hope in God and of our love for God.

Activity Design these tablets containing the Ten Commandments with words and symbols that remind you to live the Commandments.

Catholics Believe

Social Teachings of the Catholic Church

The social teachings of the Catholic Church help us live the Ten Commandments. The Church has summarized its social teachings around themes, or main ideas. Two such themes are:
1. Every human life is sacred.
2. We have a responsibility to care for people who are treated unjustly.

Love God with All Your Heart

1. I am the LORD your God: you shall not have strange gods before me.

2. You shall not take the name of the LORD your God in vain.

3. Remember to keep holy the LORD's Day.

Love Yourself and Others

4. Honor your father and your mother.

5. You shall not kill.

6. You shall not commit adultery.

7. You shall not steal.

8. You shall not bear false witness against your neighbor.

9. You shall not covet your neighbor's wife.

10. You shall not covet your neighbor's goods.

YO SIGO A JESÚS

Todos los días sabes de personas que están trabajando por liberar a las personas esclavas de las drogas, la comida, el dinero y otras cosas. El Espíritu Santo te ayuda a vivir los Diez Mandamientos y a apartarte de estas y otras cosas que te quitan la libertad.

EL CAMINO A LA LIBERTAD

Escribe en el círculo varias cosas de las que las personas necesitan liberarse. En el espacio que rodea al círculo, escribe qué puedes hacer para apartarte y apartar a los demás de lo que has escrito en el círculo.

_____

_____

MI ELECCIÓN DE FE

Esta semana pensaré en mis acciones y pondré en práctica los Diez Mandamientos. Yo voy a

_____

_____.

Reza al Espíritu Santo por la virtud de la fortaleza, para que seas capaz de enfrentar las dificultades con fuerza y valor.

I FOLLOW JESUS

Each day you learn about people who are working to free people who are slaves to drugs, food, money, and other things. The Holy Spirit helps you live the Ten Commandments and be free from these and other things that take away your freedom.

THE WAY OF FREEDOM

In the circle, write several things from which people need to be freed. In the space around the circle, write what you can do to keep yourself and others free from what you have written in the circle.

_____

_____

This week I will think about my actions and put the Ten Commandments into action. I will

_____

_____.

 Pray to the Holy Spirit for the virtue of fortitude, so that you are able to face difficulties with strength and courage.

Repaso del capítulo

Coloca la letra de cada palabra de la columna derecha junto a la frase de la columna izquierda que mejor la describe.

Descripciones

_____ 1. Otro nombre para los israelitas

_____ 2. Sacó al pueblo de Dios de la esclavitud de Egipto

_____ 3. Nos muestra cómo se viven los Mandamientos

_____ 4. Otro nombre para los Diez Mandamientos

_____ 5. Acuerdo solemne que Dios hizo con los hebreos

Palabras de fe

a. Decálogo

b. Alianza

c. hebreos

d. Moisés

e. Jesús

Oración de meditación

Una meditación es una oración en la que usamos la imaginación. Nos ubicamos en el relato de la Biblia y le pedimos al Espíritu Santo que nos enseñe a vivir los mandamientos de Dios como Jesús enseñó.

1. Cierra los ojos. Recuerda que el Espíritu Santo vive dentro de ti.

2. Recuerda el relato de Moisés que sacó al pueblo de Dios fuera de Egipto y lo guió a través del desierto.

3. Imagina que eres Moisés y que Dios te está hablando. Lee o escucha a tu catequista leer Éxodo 19:9–20.

4. Recuerda que Jesús vino a cumplir los Diez Mandamientos. Dedica un tiempo de silencio en oración y conversación con Dios.

5. Pide al Espíritu Santo que te enseñe a vivir los Diez Mandamientos y a ser un signo de fe, esperanza y caridad para los demás.

Chapter Review

Place the letter of each word in the right column in front of the phrase in the left column that best describes it.

Descriptions

_____ **1.** Another name for the Israelites

_____ **2.** Led God's people out of slavery in Egypt

_____ **3.** Shows us how to live the Commandments

_____ **4.** Another name for the Ten Commandments

_____ **5.** The solemn agreement that God made with the Hebrews

Faith Words

a. Decalogue

b. Covenant

c. Hebrews

d. Moses

e. Jesus

► **TO HELP YOU REMEMBER**

1. During the Exodus, God gave Moses the Ten Commandments on Mount Sinai.

2. The Ten Commandments are the basic laws that teach us how to love God and our neighbors as ourselves.

3. Jesus came to show us how to live the Ten Commandments.

A Prayer of Meditation

A meditation is a prayer in which we use our imagination. We place ourselves in the Bible story and ask the Holy Spirit to teach us to live God's commands as Jesus taught.

1. Close your eyes. Remember that the Holy Spirit lives within you.

2. Recall the story of Moses leading God's people out of Egypt through the desert.

3. Imagine that you are Moses and that God is speaking to you. Read or listen as your catechist reads Exodus 19:9–20.

4. Remember that Jesus came to fulfill the Ten Commandments. Spend some quiet time in prayer and conversation with God.

5. Ask the Holy Spirit to teach you to live the Ten Commandments and be a sign of faith, hope, and love for others.

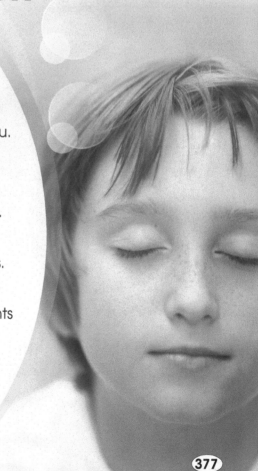

Con mi familia

Esta semana...

En el capítulo 20, Vivir la Alianza de Dios, su niño aprendió que:

▶ Dios reveló los Diez Mandamientos a Moisés y los israelitas. Los Diez Mandamientos son las leyes básicas que guían a todas las personas a amar a Dios de todo corazón y a amar al prójimo como a sí mismas.

▶ Jesús enseñó que debemos obedecer y vivir los Diez Mandamientos.

▶ La fortaleza, una de las cuatro Virtudes Cardinales, es el buen hábito de enfrentar las dificultades con fuerza y valor para vivir de acuerdo con las Leyes de Dios.

Para saber más sobre otras enseñanzas de la Iglesia, consulten el *Catecismo de la Iglesia Católica*, 2052-2074, y el *Catecismo Católico de los Estados Unidos para los Adultos*, páginas 341-457.

Compartir la Palabra de Dios

Lean juntos Éxodo 19:9-20, el relato de Moisés y los Diez Mandamientos o lean la adaptación del relato de la página 370. Enfaticen que los Diez Mandamientos son signos del amor de Dios por su pueblo y que vivir los Diez Mandamientos es un signo del amor del pueblo por Dios.

Vivimos como discípulos

La familia cristiana es una escuela de discipulado. Elijan una de las siguientes actividades para hacer en familia, o creen una actividad similar ustedes mismos.

▶ Nombren maneras en que su familia sigue los Diez Mandamientos.

▶ Hablen de por qué las reglas y las leyes son necesarias. Comenten las reglas y las leyes que los ayudan a vivir como una familia cristiana.

Nuestro viaje espiritual

Cuando practicamos la disciplina espiritual de la oración, adquirimos una conciencia cada vez más profunda de la presencia y el amor de Dios. Santa Teresa de Jesús decía que la oración es estar en amistad con Dios. La meditación es una antigua forma de oración que profundiza esta amistad. En este capítulo, su niño rezó una meditación. Recen juntos la meditación de la página 376.

Para hallar más ideas sobre las maneras en que su familia puede vivir como discípulos de Jesús, visiten

seanmisdiscípulos.com

With My Family

This Week . . .

In chapter 20, Living God's Covenant, your child learned:

▶ God revealed the Ten Commandments to Moses and the Israelites. The Ten Commandments are the basic laws that guide all people to love God with all their hearts and to love their neighbor as themselves.

▶ Jesus taught that we are to obey and live the Ten Commandments.

▶ Fortitude, one of the four Cardinal Virtues, is the good habit of facing difficulties to live according to God's Laws with strength and courage.

For more about related teachings of the Church, see the *Catechism of the Catholic Church*, 2052–2074, and the *United States Catholic Catechism for Adults*, pages 341–457.

■ Sharing God's Word

Read Exodus 19:9–20 together, the story of Moses and the Ten Commandments, or read the adaptation of the story on page 371. Emphasize that the Ten Commandments are signs of God's love for people and that living the Ten Commandments is a sign of the love of people for God.

■ We Live as Disciples

The Christian family and family is a school of discipleship. Choose one of the following activities to do as a family, or design a similar activity of your own.

▶ Name the ways in which your family follows the Ten Commandments.

▶ Talk together about why rules and laws are necessary. Discuss the rules and laws that help your family live as a Christian family.

■ Our Spiritual Journey

When we practice the spiritual discipline of prayer, we are led into an ever-deepening awareness of God's presence and love. Saint Teresa of Jesus said that prayer is being on terms of friendship with God. Meditation is an ancient prayer form that deepens this friendship. In this chapter, your child prayed a meditation. Pray together the meditation on page 377.

For more ideas on ways your family can live as disciples of Jesus, visit **BeMyDisciples.com**

Unidad 5: **Repaso**

A. Elije la mejor palabra

Escribe en los espacios en blanco para completar las oraciones.
Usa las palabras de la lista.

Decálogo	emociones	conciencia
intelecto	Bienaventuranzas	Sacramentos

1. Nuestro _____ nos da el poder de conocer a Dios.

2. Nuestras _____ son dones de Dios que nos ayudan a tomar decisiones para hacer o decir algo.

3. Las _____ son dichos y enseñanzas de Jesús que describen a las personas verdaderamente bendecidas por Dios.

4. Nuestra _____ nos ayuda a juzgar lo que es correcto o bueno y lo que es incorrecto o malo.

5. El _____ es otro nombre para los Diez Mandamientos.

B. Muestra lo que sabes

Une los elementos de la columna A con los de la columna B.

Columna A

1. prudencia

2. alma

3. benignidad

4. justicia

5. fortaleza

Columna B

____ **a.** parte espiritual de las personas, que vive para siempre

____ **b.** nos fortalece para darles a Dios y a los demás lo que debidamente les corresponde

____ **c.** buen hábito de compartir nuestras bendiciones con los demás

____ **d.** nos fortalece para hacer buenas elecciones con valor cuando es difícil hacerlas

____ **e.** virtud para saber lo que es verdaderamente bueno.

Unit 5 **Review**

A. Choose the Best Word

Fill in the blanks to complete each of the sentences.
Use the words from the word bank.

Decalogue	emotions	conscience
intellect	Beatitudes	Sacraments

1. Our _____ gives us the power to know God.

2. Our _____ are gifts from God that help us make decisions to do or say something.

3. The _____ are sayings and teachings of Jesus that describe people truly blessed by God.

4. Our _____ helps us judge what is right or good and what is wrong or evil.

5. The _____ is another name for the Ten Commandments.

B. Show What You Know

Match the items in column A with those in column B.

Column A

1. prudence

2. soul

3. generosity

4. justice

5. fortitude

Column B

_____ **a.** spiritual part of every person that lives forever

_____ **b.** strengthens us to give to God and others what is rightfully due to them

_____ **c.** good habit of sharing our blessings with others

_____ **d.** strengthens us to make good choices with courage when they are difficult to make

_____ **e.** strength to know what is truly good

C. La Escritura y tú

Vuelve a leer el pasaje de la Sagrada Escritura de la página de Inicio de la unidad.
¿Qué relación hay entre lo que ves en esta página y lo que aprendiste en esta unidad?

_____

_____

_____

D. Sé un discípulo

1. *Repasa las cuatro páginas de esta unidad llamadas La Iglesia sigue a Jesús. ¿Qué persona o ministerio de la Iglesia de estas páginas te inspirará para ser un mejor discípulo de Jesús? Explica tu respuesta.*

_____

_____

_____

2. *Trabaja en grupo. Repasa las cuatro virtudes o dones de Poder de los discípulos que has aprendido en esta unidad. Después de anotar tus ideas, comparte con el grupo maneras prácticas en las que vivirás estas virtudes o dones día a día.*

_____

_____

_____

C. Connect with Scripture

Reread the Scripture passage on the Unit Opener page. What connection do you see between this passage and what you learned in this unit?

_____

_____

_____

D. Be a Disciple

1. *Review the four pages in this unit titled The Church Follows Jesus. What person or ministry of the Church on these pages will inspire you to be a better disciple of Jesus? Explain your answer.*

_____

_____

_____

2. *Work with a group. Review the four Disciple Power virtues or gifts you have learned about in this unit. After jotting down your own ideas, share with the group practical ways that you will live these virtues or gifts day by day.*

_____

_____

_____

Colombia: El Señor Caído de Monserrate

Los colombianos escalan la ladera hasta el santuario del Señor Caído como un acto de penitencia.

Desde toda Colombia acuden personas a visitar el santuario de El Señor Caído de Monserrate. El santuario está situado en lo alto de un cerro sobre la ciudad de Bogotá. La gente sube al cerro a pie como un acto de penitencia. Muchos rezan las Estaciones de la Cruz, que están ubicadas a lo largo del camino. Cuando llegan, visitan una estatua famosa de Jesús caído bajo el peso de su Cruz. Hacen esto para mostrar su amor por Él y para expresar arrepentimiento por sus pecados.

Cuando entran en el santuario, se arrodillan y rezan por intenciones especiales. Algunos suben el cerro nueve domingos seguidos. Cuando sus oraciones tienen respuesta, las personas vuelven al santuario para agradecer a Dios por los milagros o las bendiciones que han recibido. A veces, como muestra de su gratitud, renuncian a una comida o a una bebida preferida. Otros eligen ocuparse de los pobres, o colocan una placa o una medalla en un muro dentro del santuario. La devoción reúne al pueblo de Colombia como una familia de fe.

? ¿Por qué te parece que la gente quiere hacer esta peregrinación? ¿Qué haces tú como acción de gracias a Jesús para mostrar tu amor por Él?

Colombia: The Fallen Lord of Monserrate

> Colombian people climb up to the shrine of the Fallen Lord as an act of penance.

People from all over Colombia come to visit the shrine to the Fallen Lord of Monserrate. The shrine is high up on a mountain above the city of Bogota. The people climb the mountain on foot as an act of penance. Many pray the Stations of the Cross that are placed along the road. When they arrive, they visit a famous statue of Jesus fallen beneath the weight of his Cross. They do this to show their love for him and to express sorrow for their sins.

When they enter the shrine, they kneel and pray for special intentions. Some make the climb nine Sundays in a row. When their prayers are answered, people come back to the shrine to thank God for the miracles or blessings they have received. Sometimes they give up a favorite food or drink to show their gratitude. Others choose to care for the poor, or place a plaque or medal inside the wall of the sanctuary. The devotion brings the people of Colombia together as a family of faith.

? Why do you think the people want to make this pilgrimage? What do you do to show your thanksgiving to Jesus to show your love for him?

Pedro y Cornelio

Cornelio era un comandante de los soldados romanos que gentilmente dio la bienvenida a Simón Pedro a su hogar. Cornelio dijo: "Ahora estamos todos aquí, en la presencia de Dios, dispuestos a escuchar todo lo que el Señor te ha ordenado".

Pedro dijo: "Verdaderamente, Dios mira con benevolencia a todo el que vive según su voluntad.

Pedro proclamó la Buena Nueva de la vida, muerte y resurrección de Jesús de entre los muertos. Mientras Pedro hablaba, el Espíritu Santo bajó sobre todos los que estaban escuchando. Al ver esto, Pedro bautizó a Cornelio y a toda su familia en el nombre de Jesucristo.

BASADO EN HECHOS DE LOS APÓSTOLES 10:25-48

Peter and Cornelius

Cornelius was a commander of Roman soldiers who graciously welcomed Simon Peter to his home. Cornelius said, "We are all here in the presence of God to listen to all that you have been commanded by the Lord."

Peter said, "In truth, God accepts everyone who lives according to his will."

Peter proclaimed the good news of Jesus' life, death, and rising from the dead. As Peter was speaking, the holy Spirit came upon all who were listening to the word. Seeing this, Peter baptized Cornelius and his whole household in the name of Jesus Christ.

BASED ON ACTS OF THE APOSTLES 10:25–48

Lo que he aprendido

¿Qué es lo que ya sabes acerca de estos conceptos de fe?

adorar

_____

_____

_____

El Tercer Mandamiento

_____

_____

_____

reparación

_____

_____

_____

Vocabulario de fe para aprender

Escribe X junto a las palabras de fe que sabes. Escribe ? junto a las palabras de fe que necesitas aprender mejor.

_____ honrar

_____ respeto

_____ Día del Señor

_____ rabino

_____ codiciar

_____ Padre Nuestro

_____ Cuarto Mandamiento

La Biblia

¿Qué sabes acerca del Séptimo Mandamiento?

_____

_____

_____

La Iglesia

¿Qué sabes acerca de por qué rezamos el Padre Nuestro?

_____

_____

_____

Tengo preguntas

¿Qué te gustaría preguntar acerca de vivir los Diez Mandamientos?

_____

_____

What I Have Learned

What is something you already know about these three faith terms?

worship

_____

_____

_____

The Third Commandment

_____

_____

_____

reparation

_____

_____

_____

Faith Terms to Know

Put an X next to the faith terms you know. Put a ? next to faith terms you need to learn more about.

_____ honor

_____ respect

_____ Lord's Day

_____ Rabbi

_____ covet

_____ Lord's Prayer

_____ Fourth Commandment

The Bible

What do you know about the Seventh Commandment?

_____

_____

_____

The Church

What do you know about why we pray the Our Father?

_____

_____

_____

Questions I Have

What questions would you like to ask about the living the Ten Commandments?

_____

_____

_____

CAPÍTULO

21

Lo que vendrá

En este capítulo el Espíritu Santo te invita a ▶

INVESTIGAR cómo Juana de Arco se mantuvo fiel en su amor por Dios.

DESCUBRIR lo que enseñan los tres primeros mandamientos.

DECIDIR cómo mantener a Dios en el primer lugar de tu vida.

Amen a Dios con todo su corazón

[?] ¿A quién consideras como la mejor persona en algo?

Un día, un fariseo quiso interrogar a Jesús. Quería ver lo que diría Jesús acerca de los Diez Mandamientos. Le preguntó: "Maestro, ¿cuál mandamiento es el más importante?". Escucha lo que le dijo Jesús:

"Amarás al Señor tu Dios con todo tu corazón, con toda tu alma y con toda tu mente. Este es el gran mandamiento, el primero".

BASADO EN MATEO 22:34–38

[?] ¿Cómo demuestras que Dios está primero en tu vida?

Looking Ahead

In this chapter the Holy Spirit invites you to ▶

EXPLORE how Saint Joan of Arc stayed true to loving God.

DISCOVER what the first three Commandments teach.

DECIDE how to keep God first in your life.

CHAPTER

21

Love God with All Your Heart

? Who is someone whom you consider to be the best at doing something?

One day, a Pharisee wanted to quiz Jesus. He wanted to see what Jesus would say about the Ten Commandments. He asked him, "Teacher, which commandment is the greatest?" Listen to what Jesus tells him:

> "You shall love the Lord, your God, with all your heart, with all your soul, and with all your mind. This is the greatest and the first commandment."
>
> BASED ON MATTHEW 22:34–38

? How do you show that God is first in your life?

Diligencia

La diligencia es la determinación y la decisión de cumplir con algo. Una persona que practica la virtud de la diligencia se compromete y permanece fiel al amor de Dios ante todo.

Santa Juana de Arco

Todos quieren ser el "Número 1", pero casi todos los días el equipo, la canción o la película Número 1 cambia. Jesús nos enseñó que Dios es siempre el Número 1 (el único Número 1) y que nunca cambia.

Juana de Arco sabía que Dios estaba en primer lugar. Vivía según el lema "Al Señor Dios es al primero que se ha de servir". Juana creció en una época de guerra entre Francia, su país, e Inglaterra. Juana creía que Dios la llamaba para ayudar a Francia. Juana se hizo soldado y guió a Francia durante la guerra. La decisión de Juana cambió su vida y la vida del pueblo francés.

Los líderes de Francia, sin embargo, no valoraban a Juana. Pensaban que era una bruja, que hacía la obra del demonio. Juana nunca dejó de hacer lo que creía que Dios la estaba llamando a hacer. Fue diligente y perseveró en su amor por Dios en primer lugar, por encima de todo lo demás. Al final, los líderes de Francia la ejecutaron cuando tenía diecinueve años.

La Iglesia nombró Santa a Juana de Arco. En la actualidad, es la Santa patrona de Francia. Su día es el 30 de mayo.

Actividad Describe cómo el lema "Dios debe ser el primer servido" podría ayudar a los líderes a tomar decisiones.

_____

_____

_____

_____

_____

_____

Saint Joan of Arc

Disciple Power

Diligence

Diligence is when you stick with something and have resolve. A person who practices the virtue of diligence is committed and stays true to loving God first and foremost.

Everyone wants to be "Number 1," but almost every day the Number 1 team, song, or movie changes. Jesus taught us that God is always Number 1—and the only Number 1—and that never changes!

Joan of Arc knew that God is first. She lived by the motto "Let God be served first." Joan grew up in a time of war between her country, France, and England. Joan believed that God was calling her to help France. Joan became a soldier and led France during the war. Joan's decision changed her life and the life of the French people.

The leaders of France, however, did not think much of Joan. They thought she was a witch, doing the work of the devil. Joan never stopped doing what she believed God was calling her to do. She was diligent, and she persevered in loving God first, above all else. In the end, France's leaders had her executed, when she was nineteen.

The Church has named Joan of Arc a Saint. Today she is the patron Saint of France. Her feast day is May 30.

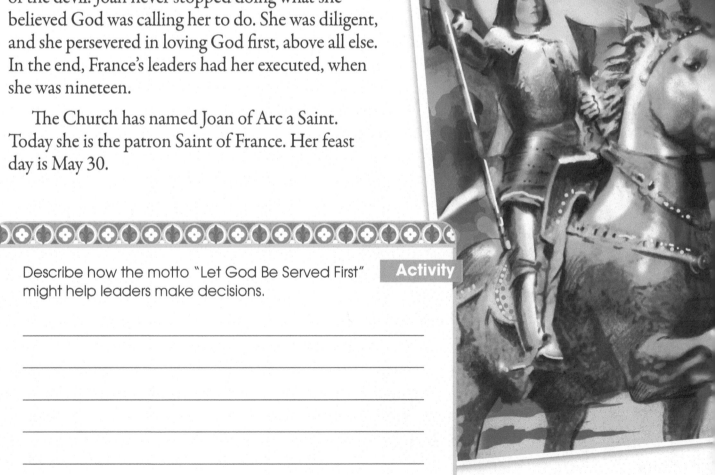

Describe how the motto "Let God Be Served First" might help leaders make decisions.

Activity

_____

_____

_____

_____

_____

ENFOQUE EN LA FE
¿Cómo los primeros
tres de los Diez
Mandamientos nos
ayudan a mostrar
nuestro amor por Dios?

VOCABULARIO DE FE

adorar
Adorar es honrar y
respetar por sobre
todas las cosas, es dar
adoración y alabanzas
a Dios.

Día del Señor
El Día del Señor es
el nombre que los
cristianos dieron al
domingo, porque el
domingo es el día de la
Resurrección del Señor.

Dios, el centro de nuestra vida

El Primero, el Segundo y el Tercer Mandamiento nos enseñan que debemos amar a Dios con todo nuestro corazón, nuestra mente y nuestra alma. El Primer Mandamiento reclama nuestra fe:

Yo soy el Señor, tu Dios. No tendrás otros dioses fuera de mí. BASADO EN ÉXODO 20:2–3

El Primer Mandamiento enseña que Dios está primero en nuestra vida y que esto no debe cambiar jamás. Solo Dios es digno de nuestra adoración. **Adorar** a alguien o a algo significa que la persona o el objeto está en el centro de nuestra vida. Debemos amar y honrar a Dios por sobre todas las demás cosas.

Jesús enseñó que nada ni nadie puede jamás tomar el lugar de Dios en nuestra vida. No debemos permitir que ninguna persona ni ninguna cosa debilite o rompa nuestra amistad con Dios.

Solo el Señor es Dios.

BASADO EN DEUTERONOMIO 6:4

¿De qué maneras los estudiantes de cuarto grado pueden demostrar que Dios es el "Número 1" de sus vidas? Comenta tus ideas con todo el grupo.

God, the Center of Our Lives

The First, Second, and Third Commandments teach us that we are to love God with all our heart, with our whole mind, and with our whole soul. The First Commandment calls for our faith:

I am the LORD your God: you shall not have strange gods before me. BASED ON EXODUS 20:2–3

The First Commandment teaches that God is first in our lives and that this should never change. Only God is worthy of our **worship**. To worship someone or something means that the person or thing is the center of our lives. We honor and love God above all else.

Jesus taught that no person or thing can ever take the place of God in our lives. We are not to allow any person or any thing to weaken or break our friendship with God.

The LORD alone is God.

BASED ON DEUTERONOMY 6:4

❓ What are some ways that fourth graders can show that God is "Number 1" in their lives? Share your ideas with the whole group.

FAITH VOCABULARY
worship
To worship is to honor and respect above all else, to give adoration, and praise to God.

Lord's Day
The Lord's Day is the name given to Sunday by Christians, because Sunday is the day of the Lord's Resurrection.

Personas de Fe

Los profetas del Antiguo Testamento

Los profetas eran personas que Dios eligió para que hablaran en su nombre. En el Antiguo Testamento, hay dieciocho libros Proféticos. Estos libros contienen las enseñanzas de los profetas.

El Segundo Mandamiento

Una de las maneras más importantes en la que mostramos nuestro respeto y amor por alguien es en cómo hablamos de esa persona o el modo en que usamos su nombre. El Segundo Mandamiento llama al respeto por Dios.

No tomes en vano el nombre de Yavé, tu Dios...

ÉXODOS 20:7

El Segundo Mandamiento enseña que debemos respetar el nombre de Dios. El respeto es una virtud que nos ayuda a honrar a Dios a través de todo lo que decimos o hacemos. En especial, jamás debemos usar el nombre de Dios para hacer creer a las personas que una mentira es verdad.

El Segundo Mandamiento también enseña que debemos respetar el nombre *Jesús,* el nombre de *María* y los nombres de los Santos. Debemos respetar los objetos y los lugares sagrados. Al vivir de este modo, no tomamos en vano el nombre de Dios. Mostramos respeto y amor por Dios.

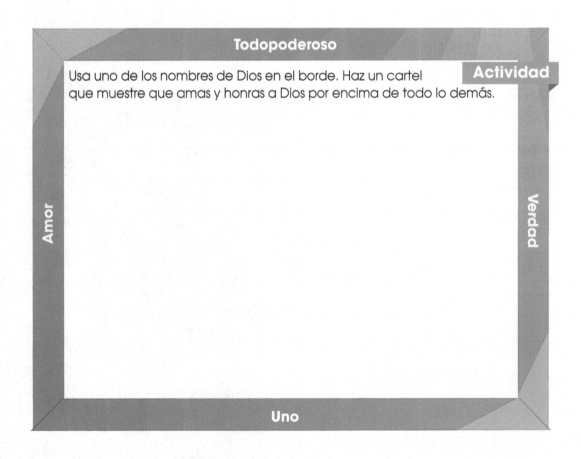

Todopoderoso

Actividad

Usa uno de los nombres de Dios en el borde. Haz un cartel que muestre que amas y honras a Dios por encima de todo lo demás.

Amor

Verdad

Uno

The Second Commandment

One of the most important ways that we show our respect and love for someone is by the way that we speak about him or her, or use his or her name. The Second Commandment calls for respect of God:

You shall not take the name of the LORD your God in vain.

EXODUS 20:7

The Second Commandment teaches that we are to use God's name with respect. Respect is a virtue that helps us honor God by everything we say or do. We especially must never use God's name to make people believe that a lie is the truth.

The Second Commandment also teaches that we must use the name *Jesus*, the name *Mary*, and the names of the Saints with respect. We are to treat holy things and holy places with respect. When we live this way, we do not take God's name in vain. We show our respect and love for God.

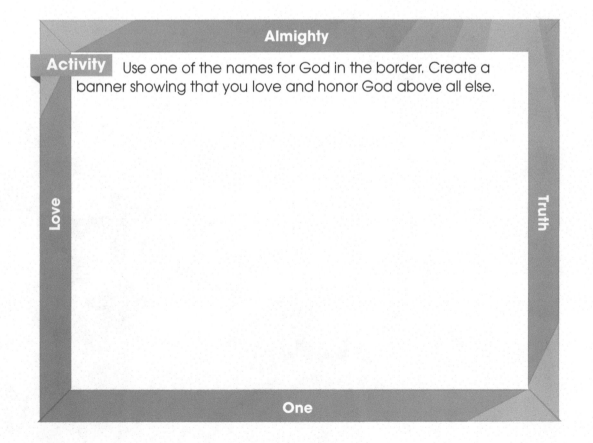

Almighty

Activity Use one of the names for God in the border. Create a banner showing that you love and honor God above all else.

Love

Truth

One

Preceptos de la Iglesia

Los preceptos de la Iglesia son reglas que nos da la Iglesia. Los preceptos de la Iglesia nos ayudan a cumplir con nuestras responsabilidades de adorar a Dios y crecer en nuestro amor por Él y por el prójimo.

El Tercer Mandamiento

El Tercer Mandamiento enseña que debemos dedicar un día de la semana a Dios nuestro Señor. Para los cristianos, el domingo es el **Día del Señor.** Es el día de la Resurrección del Señor. El Tercer Mandamiento es:

Acuérdate del Día del Señor, para santificarlo.

BASADO EN ÉXODO 20:8

Los católicos viven el Tercer Mandamiento al reunirse para la Misa el sábado a la noche o el domingo, para adorar a Dios. Los católicos también se reúnen para la Misa en los días de precepto.

También vivimos el Tercer Mandamiento cuando descansamos los domingos de todo trabajo que no sea necesario. En el día del Señor, hacemos cosas que celebran y guardan a Dios en el centro de nuestra vida durante toda la semana.

? ¿De qué manera podrías vivir el Primero, el Segundo o el Tercer Mandamiento esta semana?

The Third Commandment

The Third Commandment teaches that we must set aside one day each week for the Lord God. For Christians, Sunday is the **Lord's Day**. It is the day of the Lord's Resurrection. The Third Commandment is

Remember to keep holy the Lord's Day.

BASED ON EXODUS 20:8

Catholics live the Third Commandment by gathering for Mass on Saturday evening or Sunday to worship God. Catholics also gather for Mass on holy days of obligation.

We also live the Third Commandment by resting from unnecessary work on Sundays. On the Lord's Day, we do things that celebrate and keep God at the center of our lives all week long.

What is one way that you might live the First, Second, or Third Commandment this week?

YO SIGO A JESÚS

Tú haces muchas cosas todos los días que muestran que Dios está primero en tu vida Estas cosas ayudan a los demás a ver lo bueno que sucede cuando las personas ponen primero a Dios y viven según sus Mandamientos.

¡PONER PRIMERO A DIOS!

Haz un tablero de anuncios que muestre por qué guardar a Dios en el centro de nuestra vida marca la diferencia. Escribe o dibuja tus ideas en el espacio en blanco provistote abajo.

MI ELECCIÓN DE FE

Esta semana trataré de acordarme de guardar a Dios como el Número 1 de mi vida. Yo voy a

_____

_____.

Tómate un momento para agradecer a Dios por su presencia en tu vida. Reza que serás diligente al amar a Dios primero y más que a nadie.

I FOLLOW JESUS

You do many things each day that show that God is first in your life. These things help others see the good things that happen when people put God first and live by his Commandments.

PUTTING GOD FIRST!

Create a bulletin board that shows why keeping God at the center of your life makes a difference. Write or draw your ideas in the space provided.

This week I will try to remember to keep God Number 1 in my life. I will

_____

_____ .

MY FAITH CHOICE

Take a moment to thank God for his presence in your life. Pray that you will be diligent in loving God first and foremost.

PARA RECORDAR

1. El Primer Mandamiento enseña que debemos adorar solo a Dios.

2. El Segundo Mandamiento enseña que debemos mostrar nuestro amor y respeto por el nombre de Dios y todo lo que pertenece a Él.

3. El Tercer Mandamiento enseña que debemos dedicar un día de la semana como el Día del Señor. Los cristianos dedican el domingo como el Día del Señor.

Repaso del capítulo

Une los términos de la columna A con los Mandamientos de la columna B. Uno de los Mandamientos puede usarse más de una vez.

Columna A

____ **1.** Día del Señor

____ **2.** respeto

____ **3.** adorar

____ **4.** días de precepto

Columna B

a. Primer Mandamiento

b. Segundo Mandamiento

c. Tercer Mandamiento

Las alabanzas divinas

Las alabanzas divinas es una oración escrita para adorar y honrar a Dios. Arrodíllate, y repite cada una de las frases después del líder.

Bendito sea Dios.

Bendito sea su Santo Nombre.

Bendito sea Jesucristo, verdadero Dios y verdadero hombre.

Bendito sea el Nombre de Jesús.

Bendito sea su Sagrado Corazón.

Bendita sea su Preciosísima Sangre.

Bendito sea Jesús en el Santísimo Sacramento del altar.

Bendito sea el Espíritu Santo, Paráclito.

Bendita sea la santa Madre de Dios, María santísima.

Bendita sea Su Santa e Inmaculada Concepción.

Bendita sea su gloriosa Asunción.

Bendito sea el nombre de María, Virgen y Madre.

Bendito sea San José, su castísimo esposo.

Bendito sea Dios en sus santos, santas y en sus ángeles.

Chapter Review

Match the terms in column A with the Commandments in column B. One of the Commandments can be used more than one time.

Column A

____ **1.** Lord's Day

____ **2.** respect

____ **3.** worship

____ **4.** holy days of obligation

Column B

a. First Commandment

b. Second Commandment

c. Third Commandment

▶ **TO HELP YOU REMEMBER**

1. The First Commandment teaches that we are to worship only God.

2. The Second Commandment teaches that we are to show our love and respect for the name of God and all that belongs to God.

3. The Third Commandment teaches that we are to set aside one day each week as the Lord's Day. Christians set aside Sunday as the Lord's Day.

The Divine Praises

The Divine Praises is a prayer written to praise and honor God. Kneel, and repeat each of the phrases after the leader.

Blessed be God.

Blessed be his holy name.

Blessed be Jesus Christ, true God and true man.

Blessed be the name of Jesus.

Blessed be his most Sacred Heart.

Blessed be his most precious Blood.

Blessed be Jesus in the most holy Sacrament of the altar.

Blessed be the Holy Spirit, the Paraclete.

Blessed be the great Mother of God, Mary most holy.

Blessed be her holy and Immaculate Conception.

Blessed be her glorious Assumption.

Blessed be the name of Mary, Virgin and Mother.

Blessed be Saint Joseph, her most chaste spouse.

Blessed be God in his angels and in his saints.

Con mi familia

Esta semana…

En el capítulo 21, "Amen a Dios con todo su corazón" su niño aprendió que:

▶ El Primer Mandamiento enseña que Dios está y estará siempre en el centro de nuestra vida. En todo lo que decimos y hacemos, nos esforzamos para glorificar y honrar a Dios.

▶ El Segundo Mandamiento enseña que debemos respetar el nombre de Dios y de todos los santos, lugares y objetos sagrados.

▶ El Tercer Mandamiento enseña que debemos destinar un día de la semana para el día del Señor.

▶ Para los cristianos, el domingo es el Día del Señor. Los domingos los católicos se reúnen para celebrar la Misa. Todo lo que hacemos y decimos nos refresca y nos ayuda a guardar a Dios en el centro de nuestra vida durante toda la semana.

▶ La virtud de la diligencia nos ayuda a perseverar en el amor a Dios, en primer lugar y sobre todas las cosas.

Para saber más *sobre otras enseñanzas de la Iglesia, consulten el Catecismo de la Iglesia Católica, 2084–2132, 2142–2159 y 2168–2188, y el Catecismo Católico de los Estados Unidos para los Adultos, páginas 339–371.*

■ Compartir la Palabra de Dios

Lean juntos la primera parte de El Gran Mandamiento en la página 390 o en Mateo 22:37. Enfaticen que el Primero, Segundo y Tercer Mandamientos nos ayudan a guardar a Dios en el centro de nuestra vida.

■ Vivimos como discípulos

El hogar cristiano con la familia es una escuela de discipulado. Elijan una de las siguientes actividades para hacer en familia, o creen una actividad similar ustedes mismos.

▶ Miren en revistas o den un paseo en familia por un centro comercial. Hablen acerca de cómo las vidrieras podrían tentar a las personas para no guardar a Dios como el Número 1 de su vida.

▶ Hablen acerca de las maneras en las que la familia santifica el domingo. Elijan una cosa que harán esta semana para santificar el domingo.

■ Nuestro viaje espiritual

Recordar ses un acto profundamente espiritual. Recordamos que Dios es nuestro Dios, que nos creó a su imagen y que está en el centro de nuestra vida. Recordamos que está presente en cada uno y todos los momentos de nuestro día. Cuando recordamos a Dios, nos lleva a la oración. Las alabanzas divinas son una serie de alabanzas que los católicos han rezado durante generaciones. Podemos recitar esta hermosa oración en cualquier momento y lugar para recordar, glorificar y honrar a Dios. En este capítulo, su niño rezó las alabanzas divinas. Lean y recen juntos la oración de la página 403.

Para hallar más ideas sobre las maneras en que su familia puede vivir como discípulos de Jesús, visiten

seanmisdiscipulos.com

With My Family

This Week . . .

In chapter 21, Love God with All Your Heart, your child learned:

▶ The First Commandment teaches that God is and always should be at the center of our lives. In all we do and say, we strive to give glory and honor to God.

▶ The Second Commandment teaches that we are to show respect for God's name and for all holy people, places, and things.

▶ The Third Commandment teaches that we must make one day each week the Lord's Day.

▶ For Christians, Sunday is the Lord's Day. On Sundays, Catholics gather to celebrate Mass. All that we do and say refreshes us and helps us keep God at the center of our lives throughout the week.

▶ The virtue of diligence helps us persevere in loving God first and foremost.

For more about related teachings of the Church, see the *Catechism of the Catholic Church*, 2084–2132, 2142–2159, 2168–2188; and the *United States Catholic Catechism for Adults*, pages 339–371.

■ Sharing God's Word

Read together the first part of the Great Commandment on page 391 or in Matthew 22:37. Emphasize that the First, Second, and Third Commandments help us keep God at the center of our lives.

■ We Live as Disciples

The Christian family is a school of discipleship. Choose one of the following activities to do as a family, or design a similar activity of your own.

▶ Look through magazines or take a walk through a shopping mall as a family. Talk about how the displays might tempt people not to keep God as Number 1 in their lives.

▶ Talk about the ways that your family keeps Sunday holy. Choose one thing that you will do this week to keep Sunday holy.

■ Our Spiritual Journey

Remembering is a profoundly spiritual act. We remember that God is our God, that he created us in his image, and that he is at the center of our life. We remember that he is present in each and every moment of our day. When we remember God, we are moved to prayer. The Divine Praises are a series of praises that Catholics have prayed for generations. We can recite this beautiful prayer any time and anywhere, to remember and to give glory and honor to God. In this chapter, your child prayed the Divine Praises. Read and pray together the prayer on page 404.

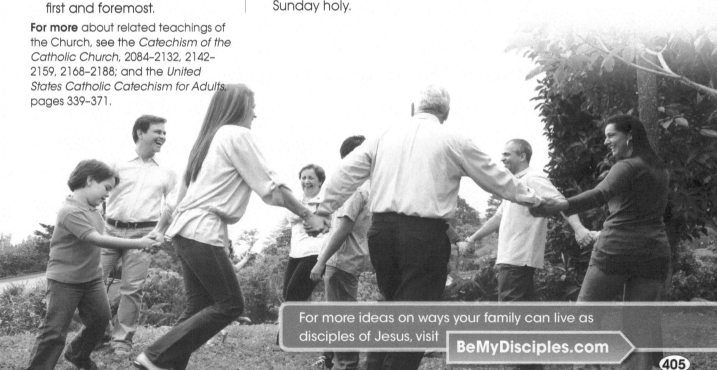

For more ideas on ways your family can live as disciples of Jesus, visit **BeMyDisciples.com**

CAPÍTULO
22

Lo que vendrá

En este capítulo el Espíritu Santo te invita a ▶

INVESTIGAR una comunidad que demuestra que la vida humana es sagrada.

DESCUBRIR cómo los demás Mandamientos enseñan a respetar a los demás.

DECIDIR cómo honrarás y respetarás a los demás como lo hizo Jesús.

Ama a tu prójimo como a mismo

? ¿Cómo trataste a cada una de las personas con las que te encontraste hoy?

Recuerda al fariseo que había preguntado a Jesús acerca de los Diez Mandamientos. Jesús le dijo amar a Dios por sobre todas las cosas.

Luego dijo:

"El segundo es parecido: Amarás a tu prójimo como a ti mismo. Toda la ley de Dios se fundamenta en estos dos mandamientos". BASADO EN MATEO 22:39-40

? ¿De qué maneras muestras respeto por ti mismo y por los demás?

Looking Ahead

In this chapter the Holy Spirit invites you to ▶

EXPLORE a community that demonstrates that human life is sacred.

DISCOVER how the other Commandments teach to respect others.

DECIDE how you will honor and respect others as Jesus did.

CHAPTER

22

Love Your Neighbor as Yourself

? How did you treat each person you met today?

Remember the Pharisee had asked Jesus about the Ten Commandments. Jesus said to love God above all else.

Then he said:

"The second is like it: You shall love your neighbor as yourself. All of God's law comes from these two commandments." BASED ON MATTHEW 22:39–40

? What are some ways that you show respect for yourself and for other people?

Poder de los discípulos

Respeto

El respeto es dar a alguien o a algo el honor que se merece. Las personas respetuosas tratan a los demás con dignidad por la manera en que actúan y en lo que dicen.

Comunidades El Arca

Observamos personas a quienes se trata de maneras diferentes. La segunda parte de la respuesta de Jesús al fariseo nos enseña a mostrar respeto por nosotros mismos y por los demás. Debemos honrar y respetar a las demás personas. No elegimos a quién respetar. Respetamos a todos.

Si visitaras la comunidad El Arca, verías en acción la respuesta de Jesús al fariseo. Las comunidades El Arca son comunidades de fe. La frase *l'arche* en francés significa "el arca" o "la alianza". Las comunidades El Arca viven la alianza que tenemos con Dios y con el prójimo.

Las comunidades El Arca creen en la dignidad y valor de cada persona. Reúnen a los católicos y a otros cristianos para formar una familia con personas que tienen fuertes discapacidades. Todos los miembros de la comunidad El Arca viven y trabajan juntos. Todos comparten las bendiciones que Dios les ha dado con los demás.

Todos los días, en todo el mundo, las comunidades El Arca muestran que toda vida humana es sagrada. Se ama y se valora a todas las personas como hijos de Dios.

❓ ¿Qué hacen los miembros de tu parroquia para mostrar que respetan la vida humana como sagrada? ¿Qué haces tú?

Jean Vanier y otros miembros de la comunidad El Arca

L'Arche Communities

We see people treated in many ways. The second part of Jesus' reply to the Pharisee teaches us to show respect for ourselves and for other people. We are to honor and respect other people. We don't pick and choose those whom we respect. We respect everyone.

If you were to visit a L'Arche community, you would see Jesus' response to the Pharisee being put into action. L'Arche communities are communities of faith. The word *l'arche* means "the ark" or "the covenant." L'Arche communities live the covenant that we have with God and with one another.

L'Arche communities believe in the dignity and value of every person. They bring together Catholics and other Christians to form a family with people who have severe disabilities. All of the members of a L'Arche community live and work together. Everyone shares the blessings God has given them with everyone else.

Every day, all over the world, L'Arche communities show that all human life is sacred. Everyone is loved and valued as a child of God.

❓ What do the members of your parish do to show that they respect human life as sacred? What do you do?

Jean Vanier and members of the L'Arche community

VOCABULARIO DE FE
honrar
Honrar a alguien es sentir un respeto especial por esa persona o tenerla en alta estima.

Honrar y respetar los unos a los otros

El Cuarto Mandamiento enseña acerca de ser buenos integrantes de la familia, buenos vecinos y buenos ciudadanos. El Cuarto Mandamiento hace un llamado al respeto:

Respeta a tu padre y a tu madre...

Éxodo 20:12

Debemos **honrar** y respetar a nuestros padres. Debemos cuidarlos y pensar en ellos con amor. Debemos obedecerlos y agradecerles por todo lo que hacen para ayudarnos a crecer.

Nuestros padres comparten su fe con nosotros. Nos ayudan a llegar a conocer a Jesús y nos enseñan maneras de vivir como sus seguidores. En nuestra familia, primero llegamos a conocer y confiar en el amor que Dios Padre, Hijo y Espíritu Santo tiene por nosotros. Esto es lo que queremos decir cuando decimos que la familia es una señal de la Santísima Trinidad.

El Cuarto Mandamiento también enseña que debemos respetar a los demás miembros de la familia y a todas las personas que tienen la responsabilidad de cuidarnos. Debemos respetar a nuestros maestros y a toda autoridad legítima de nuestra comunidad. Debemos ser ciudadanos buenos y responsables.

Dibuja o escribe una manera en la que muestres que estás viviendo el Cuarto Mandamiento.

Actividad

Honor and Respect One Another

The Fourth Commandment teaches about being good family members, neighbors, and citizens. The Fourth Commandment calls for respect:

Honor your father and your mother.

EXODUS 20:12

We are to **honor** and respect our parents. We are to care about them and think of them with love. We are to obey them and show our thanks to them for all that they do to help us grow.

Parents share their faith with us. They help us come to know Jesus, and they teach us ways to live as his followers. In our families, we first come to know and trust in the love that God the Father, Son, and Holy Spirit has for us. That is what we mean when we say that the family is a sign of the Holy Trinity.

The Fourth Commandment also teaches that we are to respect other family members and other people who have the responsibility to care for us. We are to respect our teachers and all legitimate authority in our community. We are to be good and responsible citizens.

FAITH FOCUS
How do the Fourth, Fifth, Sixth, and Ninth Commandments help us live as Jesus taught?

FAITH VOCABULARY
honor
To have special respect for someone or to hold someone in high regard is to honor him or her.

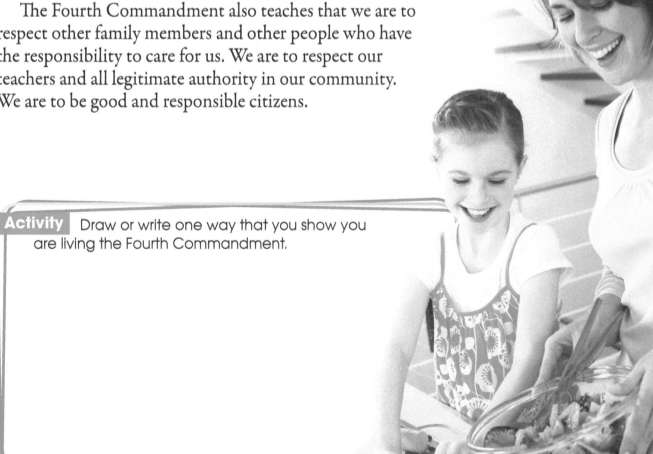

Activity Draw or write one way that you show you are living the Fourth Commandment.

Hermana Helen Prejean

La Hermana Helen Prejean vive como seguidora de Jesús al visitar y cuidar de los prisioneros, las familias de los prisioneros y las familias de las víctimas de delitos violentos.

El Quinto Mandamiento

Dios crea a todas las personas a su imagen y semejanza. Toda vida pertenece a Dios y es un don de Él. Esto significa que la vida de toda persona es sagrada o santa. El Quinto Mandamiento enseña que debemos tratar toda vida humana como sagrada. El Quinto Mandamiento es:

> No mates.
>
> ÉXODO 20:13

Vivimos el Quinto mandamiento cuando:

- cuidamos y respetamos toda vida humana.
- respetamos nuestra propia vida, nuestro propio cuerpo y la vida y el cuerpo de los demás.
- cuidamos de nuestra propia salud y de la de los demás.
- usamos los alimentos y la medicina con sabiduría.
- actuamos con prudencia.

El Quinto Mandamiento también nos habla de que no debemos herir o matar a personas inocentes a propósito, o hacer mal uso del alcohol, de las drogas o de los alimentos. No debemos burlarnos de los demás, cometer actos de terrorismo, herirnos o poner fin a nuestra vida con el suicidio.

Jesús enseñó a sus seguidores cómo vivir el Quinto Mandamiento. Debemos estar en paz con aquellos que nos lastiman. No debemos vengarnos o ajustar cuentas con las personas que nos lastiman. Debemos ser cuidadosos para no permitir que nuestro sentimiento de ira se transforme en actos de odio. Debemos amar a nuestros enemigos.

? ¿Cómo cada uno de estos titulares muestran a las personas la manera de vivir el Quinto Mandamiento? Comenta con un amigo lo que piensas.

> Jóvenes que sirven como mentores enseñan a leer a los niños

> **La Iglesia local ayuda a construir hospital en Uganda**

> Familias de la parroquia construyen casas en vecindario devastado por la inundación

The Fifth Commandment

God creates every person in his image and likeness. All life belongs to God and is a gift from God. That means that the life of every person is sacred, or holy. The Fifth Commandment teaches that we must treat all human life as sacred. The Fifth Commandment is

You shall not kill. EXODUS 20:13

We live the Fifth Commandment when we

- care for and respect all human life.

- respect our own lives and bodies and the lives and bodies of the other people.

- care for our own health and the health of others.

- use food and medicine wisely.

- act safely.

The Fifth Commandment also tells us that we must not deliberately hurt or kill innocent people or misuse alcohol, drugs, or food. We are not to bully others, commit acts of terrorism, or harm or end our own lives by suicide.

Jesus taught his followers how to live the Fifth Commandment. We are to make peace with those who hurt us. We are not to take revenge or get even with people who hurt us. We are to be careful not to let our feelings of anger turn into acts of hatred. We are to love our enemies.

? How do each of these headlines show people living according to the Fifth Commandment? Share what you think with a friend.

Youth Serve as Mentors, Teaching Children to Read

Local Church Helps Builds Hospital in Uganda

Parish Families Build Homes in Flood-Ravaged Neighborhood

Los católicos creen

El Sexto y Noveno Mandamiento

La amistad es un don de Dios. El matrimonio es una clase especial de amistad entre un hombre y una mujer. En la boda, el hombre y la mujer prometen amarse y respetarse el uno al otro por el resto de sus vida. El Sexto y el Noveno Mandamientos nos enseñan acerca de lo que un esposo, una esposa y los demás deben hacer para honrar el amor entre un esposo y una esposa. El Sexto Mandamiento honra el matrimonio:

No cometas adulterio.

ÉXODO 20:14

Este Mandamiento enseña que un esposo y una esposa deben honrarse y no traicionar el amor que prometieron compartir solamente el uno con el otro.

El Noveno Mandamiento también honra el matrimonio:

No codicies la mujer de tu prójimo.

BASADO EN ÉXODO 20:17

La palabra *codicia* significa "querer o desear indebidamente algo que pertenece a otra persona". Este Mandamiento enseña que la familia, los amigos y los vecinos deben ayudar a un esposo y a una esposa a crecer en su amor. Ninguno debe quebrar nunca, o incluso intentar quebrar, el amor que comparten un esposo y una esposa.

Nos preparamos para vivir este tipo de amor marital cuando somos jóvenes. Respetamos nuestro cuerpo y el cuerpo de los demás. Exigimos que los demás traten a nuestro cuerpo con respeto. Mantenemos las promesas que hacemos. Trabajamos para ser amigos fieles.

Actividad

Haz un *collage* de palabras con las cualidades de un amigo bueno y fiel. Usa el espacio en blanco a continuación para diseñar cómo se verá tu *collage*.

The Sixth and Ninth Commandments

Friendship is a gift from God. Marriage is a special kind of friendship between a man and a woman. At their wedding, a man and a woman promise to love and honor each other their whole lives. The Sixth and Ninth Commandments teach us about what a husband and wife and others must do to honor the love between a husband and a wife. The Sixth Commandment honors marriage:

You shall not commit adultery.

EXODUS 20:14

This Commandment teaches that a husband and a wife must honor and not betray the love that they promised to share only with each other.

The Ninth Commandment also honors marriage:

You shall not covet your neighbor's wife.

EXODUS 20:17

The word *covet* means "to want or desire wrongfully what belongs to someone else." This Commandment teaches that family, friends, and neighbors are to help a husband and a wife grow in their love. No one should ever break up, or even want to break up, the love that a husband and a wife share.

We prepare to live this kind of married love when we are young. We respect our body and the bodies of others. We demand that others treat our bodies with respect. We keep the promises that we make. We work at being loyal friends.

Activity Create a collage of words using qualities of a good and true friend. Using the space below, design how your collage will look.

YO SIGO A JESÚS

Todos los días puedes mostrar que honras y respetas a las personas. Cuando lo haces, creas una escuela, una familia y una comunidad solidarias. Creas un mundo que respeta la dignidad de todas las personas. Estás viviendo los Diez Mandamientos como Jesús enseñó.

ALIANZA DE AMISTAD

Describe la alianza en la que tú y tus amigos basan su amistad. Cuenta qué promete cada uno de ustedes para mantener fuerte esa amistad.

MI ELECCIÓN DE FE

Esta semana buscaré oportunidades de mostrar mi respeto por las personas como Jesús enseñó. Yo voy a

_____

_____.

Reza una oración en la que pidas la bendición de Dios en tu esfuerzo por amar y respetar a tu familia, a tus maestros, a tus compañeros de clase y a tus amigos.

I FOLLOW JESUS

Every day, you can show that you honor and respect people. When you do, you build a caring school, family, and community. You build a world that respects the dignity of every person. You are living the Ten Commandments as Jesus taught.

A FRIENDSHIP COVENANT

Describe a covenant on which you and your friends build your friendship. Tell what each of you promise to do to keep your friendship strong.

This week I will look for opportunities to show my respect for people as Jesus taught. I will

_____

_____.

MY FAITH CHOICE

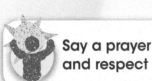

Say a prayer asking for God's blessing as you strive to love and respect your family, teachers, classmates, and friends.

1. El Cuarto Mandamiento enseña acerca de nuestras responsabilidades como miembros de la familia, buenos vecinos y buenos ciudadanos.

2. El Quinto Mandamiento enseña que debemos respetar y honrar toda vida humana, nacida o por nacer, como un don sagrado de Dios.

3. El Sexto y Noveno Mandamientos enseñan que debemos expresar y compartir nuestra amistad y nuestro amor de manera apropiada.

Repaso del capítulo

Lee las historias. Escribe en los renglones el número del mandamiento que está viviendo cada una de estas personas.

1. Jane debe tomar una decisión. ¿Qué debe comer, otro caramelo u otra fruta? Se decide por la fruta. _____

2. Tom tiene la costumbre de burlarse de sus amigos. Uno de ellos le dice que no lo haga y le recuerda que necesitan mostrarse respeto mutuamente. _____

3. La maestra le pide a John que pare de hablar y molestar a la clase. Él lo hace de inmediato y le pide perdón. _____

Oración por todos

Líder: Dios, Padre y Creador, toda vida es un don que nos ofreces. Escucha nuestras plegarias mientras rezamos (pausa)…
Por todas las personas que valoran el don de la vida como don sagrado que recibimos de ti,

Todos: Dios de vida, escucha nuestra oración.

Líder: Por todos los niños que sufren abusos, desnutrición y no tienen hogar,

Todos: Dios de vida, escucha nuestra oración.

Líder: Por todos los niños que no han nacido para que sean atendidos y nazcan sanos,

Todos: Dios de vida, escucha nuestra oración.

Líder: Por todas las personas que sufren actos de injusticia, terror y violencia,

Todos: Dios de vida, escucha nuestra oración.

Líder: Recemos juntos como Jesús nos enseñó.

Todos: Padre Nuestro...

Chapter Review

Read each story. On the lines, write the number of the commandment that each of these people is living.

1. Jane has a decision to make. Should she eat another candy bar or should she eat some fruit? She decides on the fruit. _____

2. Tom has a habit of teasing his friends. One of his friends tells him to stop and reminds him that they need to respect each other. _____

3. The teacher asks John to stop talking and bothering the class. He immediately stops and apologizes to her. _____

▶ TO HELP YOU
REMEMBER

1. The Fourth Commandment teaches about our responsibilities as family members, neighbors, and citizens.

2. The Fifth Commandment teaches that we are to respect and honor all human life, born and unborn, as a sacred gift from God.

3. The Sixth and Ninth Commandments teach that we must express and share our friendships and love in appropriate ways.

A Prayer for All People

Leader: God, Creator and Father, all life is your gift to us.
Hear our prayers as we pray (pause). . .
For all people that they value the gift of life as a sacred gift from you,

All: God of life, hear our prayer.

Leader: For all children who suffer from abuse, from lack of food and a place to call their home,

All: God of life, hear our prayer.

Leader: For all unborn children that they are taken care of so that they are born healthy,

All: God of life, hear our prayer.

Leader: For all people who suffer from acts of injustice, terror, and violence,

All: God of life, hear our prayer.

Leader: Let us pray together as Jesus taught us.

All: Our Father . . .

Con mi familia

Esta semana...

En el capítulo 22, "Ama a tu prójimo como a ti mismo" su niño aprendió que:

▶ Del Cuarto al Décimo Mandamientos se nos enseña a vivir la segunda parte del Gran Mandamiento: "Ama a tu prójimo como a ti mismo" (Mateo 22:37).

▶ El Cuarto Mandamiento enseña que debemos honrar y respetar a nuestros padres y vivir como buenos miembros de la familia, buenos vecinos y buenos ciudadanos.

▶ El Quinto Mandamiento enseña que la vida humana es sagrada y un don de Dios. Debemos respetar y cuidar toda vida de la mejor manera que podamos.

▶ El Sexto y Noveno Mandamientos enseñan que debemos respetar y honrar el matrimonio como un compromiso fiel de por vida entre un hombre y una mujer.

▶ Las personas que practican la virtud del respeto tratan a los demás con dignidad por la manera en que actúan y en lo que dicen.

Para saber más sobre otras enseñanzas de la Iglesia, consulten el *Catecismo de la Iglesia Católica,* 2196–2246, 2258–2317 y 2331–2391, y el Catecismo *Católico de los Estados Unidos para los Adultos,* páginas 373–416 y 439–446.

Compartir la Palabra de Dios

Lean juntos las segunda parte del Gran Mandamiento, Mateo 22:37 o en la página 406. Enfaticen que del Sexto al Décimo Mandamiento se nos enseña a respetar y amar a nuestro prójimo como a nosotros mismos.

Vivimos como discípulos

El hogar cristiano con la familia es una escuela de discipulado. Elijan una de las siguientes actividades para hacer en familia, o creen una actividad similar ustedes mismos.

▶ Pidan a los miembros de la familia que compartan una experiencia en la que se sintieran tratados irrespetuosamente. Comenten cuán importante es para ustedes tratar con respeto a todas las personas.

▶ Pidan a todas las personas que comenten dos situaciones de la semana pasada en las que hayan seguido el Décimo Mandamiento para hacer una elección.

▶ ¿Qué hace su parroquia para mostrar respeto por toda vida humana? Busquen ideas en el boletín o en el sitio web de la parroquia.

Nuestro viaje espiritual

Todo tipo de oración es una expresión de fe en Dios, esperanza en Dios y amor por Dios. Es también una expresión de amor por nuestro prójimo. Cuando rezamos oraciones de intercesión, pedimos a Dios que ayude a los demás. Rezamos para que todas las personas puedan conocer el amor de Dios por ellos. En este capítulo, su niño rezó una oración de intercesión. Lean y recen juntos la oración de la página 418.

Para hallar más ideas sobre las maneras en que su familia puede vivir como discípulos de Jesús, visiten

seanmisdiscipulos.com

With My Family

This Week...

In chapter 22, Love Your Neighbor as Yourself, your child learned:

▶ The Fourth through Tenth Commandments teach us to live the second part of the Great Commandment, "You shall love your neighbor as yourself" (Matthew 22:37).

▶ The Fourth Commandment teaches that we honor and respect our parents and live as good family members, neighbors, and citizens.

▶ The Fifth Commandment teaches that all human life is sacred and a gift from God. We are to respect and care for all life to the best of our ability.

▶ The Sixth and Ninth Commandments teach that we respect and honor marriage as a faithful lifelong commitment between a man and a woman.

▶ People who practice the virtue of respect treat others with dignity in the way that they act and in what they say.

For more about related teachings of the Church, see the *Catechism of the Catholic Church*, 2196–2246, 2258–2317, 2331–2391, and 2514–2527 and the *United States Catholic Catechism for Adults*, pages 373–416 and 439–446.

■ Sharing God's Word

Read together the second part of the Great Commandment in Matthew 22:37 or on page 199. Emphasize that the Sixth through Tenth Commandments teach us to respect and love our neighbors as ourselves.

■ We Live as Disciples

The Christian family is a school of discipleship. Choose one of the following activities to do as a family, or design a similar activity of your own.

▶ Ask family members to share an experience when they felt they were treated disrespectfully. Discuss how important it is for you to treat all people with respect.

▶ Ask each person to share two situations in the past week when he or she followed the Ten Commandments in making a choice.

▶ What does your parish do to show respect for all human life? Look in your parish bulletin or on your parish Web site for ideas.

■ Our Spiritual Journey

Every kind of prayer is an expression of faith in God, hope in God, and love of God. It is also an expression of love for our neighbor. When we pray prayers of intercession, we ask God to help others. We pray that all people may know God's love for them. In this chapter, your child prayed a prayer of intercession. Read and pray together the prayer on page 419.

For more ideas on ways your family can live as disciples of Jesus, visit **BeMyDisciples.com**

CAPÍTULO

23

Lo que vendrá

En este capítulo el Espíritu Santo te invita a ▶

INVESTIGAR cómo un grupo de personas muestran su amor por Dios.

DESCUBRIR cómo los Diez Mandamientos nos ayudan a vivir como Jesús enseñó.

DECIDIR cómo serás amable y misericordiosos.

Ámense Unos a otros

? ¿Cuál es una manera en la que demuestras tu amor por los demás?

En los Evangelios, Jesús enseñó a sus discípulos lo que es el amor. Les enseñó acerca del amor a través de sus palabras y sus acciones. Les dijo que si lo amaban, seguirían sus Mandamientos. Escucha lo que les dijo Jesús a sus discípulos:

> "Este es mi mandamiento:
> que se amen unos a otros como yo los he amado.
>
> JUAN 15:12

? ¿Cómo tratas de vivir este Mandamiento de Jesús?

Looking Ahead

In this chapter the Holy Spirit invites you to ▶

EXPLORE how a group of people show their love for God.

DISCOVER how the Ten Commandments help us live as Jesus taught.

DECIDE how you will be kind and merciful.

CHAPTER

23

Love One Another

? What is one way in which you show that you love others?

In the Gospels, Jesus taught his disciples what love is. He taught them about love through his words and his actions. He told them that if they loved him, they would keep his Commandments. Listen to what Jesus told his disciples:

"This is my commandment:
love one another as I love you."

JOHN 15:12

? How do you try to live this Commandment of Jesus?

Poder de los discípulos

Misericordia

La misericordia es el hábito de vivir con longanimidad, compasión y bondad. Una persona que vive la virtud de la misericordia tiene un corazón bondadoso y generoso. Una persona que practica la misericordia busca maneras de ayudar a los que sufren.

Cargas de amor

Las personas muestran su amor por la familia y por los amigos de muchas maneras. Todos los años, los cristianos y las personas de otras religiones se juntan para el Proyecto papas y hortalizas de la Sociedad de San Andrés. Recolectan acerca de veinte millones de libras de papas que las empresas van a desechar. Las empresas no quieren las papas porque no tienen la forma o el tamaño que necesitan o tienen marcas en la cáscara.

Los voluntarios del Proyecto papas y hortalizas evitan que se tiren y desperdicien alimentos. Se aseguran de que los buenos alimentos con los que Dios ha bendecido nuestras granjas sean compartidos por todos. Los voluntarios llevan las papas a despensas de alimentos, iglesias y otros lugares donde las personas que pasan hambre acuden para obtener alimentos.

Alimentan a muchas personas con hambre gracias a sus actos de bondad y misericordia.

❓ ¿Cómo ves la bondad de las personas que te rodean?¿Cómo ves a las personas compartir sus bendiciones con los demás desinteresadamente?

Love by the Truckload

People show their love for their family and friends in many ways. Each year, Christians and people of other religions join together for the Society of St. Andrew's Potato Project. They collect about twenty million pounds of potatoes that businesses are going to throw away. Businesses do not want the potatoes because they are the wrong size or shape or have marks on their skins.

The Potato Project volunteers save food from being thrown away and wasted. They make sure that the good food that God has blessed our farms with is shared by all. The volunteers bring the potatoes to food pantries, churches, and other places where people who are hungry come to get food. They feed many who are hungry because of their acts of kindness and mercy.

? How do you see the goodness in the people around you? How do you see people unselfishly sharing their blessings with others?

Las muchas bendiciones de Dios

El Séptimo, Octavo y Décimo Mandamientos nos ayudan a mostrar nuestro amor por las personas. Nos guían para usar las cosas que tenemos y respetar las pertenencias de los demás.

El Séptimo Mandamiento llama al respeto de la propiedad de las demás personas.

No robes. ÉXODO 20:15

Este Mandamiento enseña que debemos respetar los dones que Dios le da a los demás. Debemos usar de manera justa las cosas con las que Dios nos ha bendecido.

No debemos robar, hacer trampas o dañar lo que pertenece a otra persona. Cuando pedimos cosas prestadas, debemos usarlas con cuidado y devolverlas en buenas condiciones.

Si robamos algo o dañamos o perdemos lo que alguien nos ha permitido usar, debamos hacer algo en **reparación**. Tenemos la responsabilidad de devolver lo que hemos robado, reparar lo que hemos dañado o reponer lo que hemos perdido.

Actividad

Describe cómo el niño de la foto vive el Séptimo Mandamiento.

_____

_____

_____

_____

_____

_____

God's Many Blessings

The Seventh, Eighth, and Tenth Commandments help us show our love for people. They guide us in using the things we have and respecting the belongings of others.

The Seventh Commandment calls for respect of other people's property:

You shall not steal.   Exodus 20:15

This Commandment teaches that we are to respect the gifts that God gives to others. We must use the things with which God has blessed us justly.

We must not steal, cheat, or damage what belongs to someone else. When we borrow things, we are to use them carefully and return them in good condition.

If we steal something or damage or lose something that someone has let us use, we must make **reparation**. We have the responsibility to give back what we have stolen, repair what we have damaged, or replace what we have lost.

FAITH FOCUS
How do the Seventh, Eighth, and Tenth Commandments help us live as Jesus taught?

FAITH VOCABULARY

reparation
Reparation is the work of repairing or making up for harm that we have wrongfully caused.

perjury
Perjury is lying under oath.

Activity   Describe how the child in this photo can live the Seventh Commandment.

_____

_____

_____

_____

_____

_____

San Esteban fue uno de los primeros seguidores de Jesús. Fue un diácono que ayudó a viudas, huérfanos y otros cristianos necesitados. Cuando una multitud indignada le preguntó a Esteban acerca de Jesús, fue honesto y dijo la verdad acerca de Él. La multitud condenó a muerte a Esteban. La Iglesia celebra el día de San Esteban el 26 de diciembre.

El Octavo Mandamiento

Jesús dijo: "Yo soy la Verdad" (ver Juan 14:6). Los discípulos de Jesús deben ser honestos y sinceros. El Octavo Mandamiento nos ayuda a vivir de esta manera. El Octavo Mandamiento nos recuerda hacer lo correcto.

No atestigües en falso contra tu prójimo. ÉxODO 20:16

Este Mandamiento enseña que debemos decir la verdad y ser responsables de todas nuestras palabras y acciones.

No debemos mentir acerca de nosotros o dañar el buen nombre o la reputación de los demás al mentir acerca de ellos. No debemos murmurar o descalificar a las personas o insultar a los demás por el error que hemos cometido.

No somos honestos ni sinceros cuando levantamos falso testimonio o decimos mentiras acerca de los demás. La mentira bajo juramento, que significa cometer perjurio, es especialmente grave. Debemos reparar todas estas cosas. Necesitamos decir la verdad y reparar el daño que hemos provocado indebidamente.

Actividad | Lee la siguiente situación. Escribe tu propio final.

Juan, Chelsea y tú están jugando al básquetbol durante el recreo. Juan se enoja y patea la pelota contra la pared. La pelota comienza a desinflarse. Al final del recreo, Juan devuelve la pelota al maestro y le dice: "La pelota tiene un problema".

_____

_____

_____

_____

_____

_____

The Eighth Commandment

Jesus said, "I am the truth" (see John 14:6). Disciples of Jesus are to be honest and truthful. The Eighth Commandment helps us live this way. The Eighth Commandment reminds us to do right.

> You shall not bear false witness against your neighbor.
>
> EXODUS 20:16

This Commandment teaches that we must speak the truth and take responsibility for all our words and actions.

We must not lie about ourselves or damage the good name or reputation of others by lying about them. We are not to gossip and put other people down, or to blame others for the wrong that we have done.

We are not honest or truthful when we bear false witness, or tell lies, about others. Lying under oath, or committing **perjury**, is especially serious. We must make reparation for all of these things. We need to tell the truth and repair the damage that we have wrongfully caused.

Activity

Read this situation. Write your own ending.

Juan, Chelsea, and you are playing basketball at recess. Juan gets angry and kicks the ball against the wall. The ball begins to lose air. At the end of recess, Juan returns the ball to the teacher and says, "There is something wrong with this ball."

_____

_____

_____

_____

_____

_____

En los primeros días de la Iglesia, cuando los cristianos se reunían para la Eucaristía, llevaban alimentos a la Iglesia. Se juntaban los alimentos y se los daba a los necesitados. En la actualidad, parte del dinero que damos en la colecta de la Misa se usa para ayudar a los necesitados.

El Décimo Mandamiento

Jesús enseñó acerca de nuestro deseo de poseer cosas. Él enseñó:

"Tu padre quiere que vivas en el Reino de Dios. No deseen demasiado las cosas materiales. Pueden ser obstáculos en el camino al Cielo. Porque donde está tu tesoro, allí estará también tu corazón".

BASADO EN LUCAS 12:32–34

El Décimo Mandamiento habla acerca de nuestro corazón y lo que este desea. El Décimo Mandamiento prohíbe la envidia y la codicia:

No codicies nada que sea de tu prójimo.

BASADO EN ÉXODO 20:17

Este Mandamiento enseña que debemos tener un corazón generoso, gentil y agradecido. Debemos tratar de ser tan generosos y gentiles con las demás personas como Dios es con nosotros. Debemos agradecer a Dios por todas las bendiciones que nos da a nosotros y a las demás personas.

El Décimo Mandamiento advierte contra el egoísmo, la codicia y la envidia. Somos egoístas cuando queremos y guardamos cosas solo para nosotros. La codicia es nuestro deseo de poseer más cosas de las que realmente necesitamos. La envidia es sentirse triste y celoso por las cosas buenas que tienen las demás personas. El egoísmo, la codicia y la envidia nos aleja de tener un corazón amable, gentil y agradecido.

? ¿Cuál es tu posesión preferida? Cuenta cómo puedes compartirla con alguien más.

The Tenth Commandment

Jesus taught about our desire to want things. He taught,

"Your father wants you to live in the kingdom of God. Do not want things too much. They can get in the way of your getting to heaven. For your heart will always be where your treasure is."

BASED ON LUKE 12:32–34

The Tenth Commandment talks about our heart and what it wants. The Tenth Commandment forbids envy and greed.

You shall not covet your neighbor's goods.

BASED ON EXODUS 20:17

This Commandment teaches that we are to have a generous, kind, and grateful heart. We must try to be as generous and kind to other people as God is to us. We are to thank God for all the blessings that he gives to us and others.

The Tenth Commandment warns against selfishness, greed, and envy. We are selfish when we want and keep things only for ourselves. Greed is our wanting more things for ourselves than we really need. Envy is being sad and jealous over the good things that other people have. Selfishness, greed, and envy keep us from having a kind, generous, and grateful heart.

❓ What is one of your favorite possessions? Tell how you can share it with someone else.

Catholics Believe

The Collection at Mass

In the first days of the Church, when Christians gathered for Eucharist, they brought food to church. The food was collected and given to people in need. Today some of the money that we give in the collection at Mass is used to help people in need.

YO SIGO A JESÚS

Todos los días puedes hacer elecciones para vivir los Diez Mandamientos. Puedes ser honesto y sincero. Puedes ser amable y generoso. Por medio de tus acciones, puedes practicar la virtud de la misericordia. Puedes tender la mano para ayudar a los que sufren. Puedes continuar la obra de Jesús.

SER AMABLES Y MISERICORDIOSOS

Describe una persona o un grupo que sea amable y misericordioso contigo.

Nombre _____

Qué comparten: _____

_____

_____

_____

_____

Qué diferencia hace en mi vida: _____

_____

_____

_____

_____

_____

_____

MI ELECCIÓN DE FE

Cuando soy honesto y sincero, amable y misericordioso, estoy siguiendo el camino de Jesús. Esta semana seré especialmente amable y misericordioso. Yo voy a

_____

_____.

Haz una pausa y recuerda la longanimidad y misericordia de Dios hacia ti y tu familia. Agradécele su cuidado amoroso.

I FOLLOW JESUS

Each day you make choices to live the Ten Commandments. You can be honest and truthful. You can be kind and generous. Through your actions, you can practice the virtue of mercy. You can reach out to help those who are hurting. You can continue the work of Jesus.

BEING KIND AND MERCIFUL

Describe one person or group who is kind and merciful to you.

Name _____

What They Share _____

_____

_____

_____

_____

What Difference This Makes in My Life _____

_____

_____

_____

_____

_____

When I am honest and truthful, kind and merciful, I am following the way of Jesus. This week I will be specially kind and merciful. I will

_____

_____.

MY FAITH CHOICE

Pause and remember God's kindness and mercy toward you and your family. Thank him for his loving care.

1. El Séptimo Mandamiento enseña que debemos respetar la propiedad de los demás.

2. El Octavo Mandamiento enseña que debemos ser sinceros y honestos.

3. El Décimo Mandamiento enseña que debemos ser generosos y agradecidos.

Repaso del capítulo

Une las virtudes de la columna de la izquierda con los mandamientos de la columna de la derecha.

Virtudes

_____ **1.** respeto

_____ **2.** benignidad

_____ **3.** longanimidad

_____ **4.** verdad

Mandamientos

a. Séptimo Mandamiento

b. Octavo Mandamiento

c. Décimo Mandamiento

Señas de misericordia

Aprende a decir esta oración con señas. Enséñala a tus amigos y a tu familia. Rézala varias veces por día.

Dios, siempre nos muestras misericordia.

Dios   tú   siempre

nos   muestras   misericordia

Chapter Review

Match the virtues in the left column with the commandments in the right column.

Virtues

_____ **1.** respect

_____ **2.** generosity

_____ **3.** kindness

_____ **4.** truthfulness

Commandments

a. Seventh Commandment

b. Eighth Commandment

c. Tenth Commandmen

▶ TO HELP YOU REMEMBER

1. The Seventh Commandment teaches that we are to respect the property of others.

2. The Eighth Commandment teaches that we are to be honest and truthful.

3. The Tenth Commandment teaches that we are to be grateful and generous.

Signs of Mercy

Learn to sign this prayer. Teach it to your friends and your family. Pray it often each day.

God, you always show us mercy.

God,

you

always

show

us

mercy.

Con mi familia

Esta semana...

En el capítulo 23, Ámense unos a otros", su niño aprendió que:

▶ Dios les ha dado a todas las personas el mundo y todo lo bueno que hay en él. Debemos respetar el mundo, usarlo con sabiduría y compartir con generosidad y un corazón agradecido nuestras bendiciones.

▶ El Séptimo Mandamiento enseña que debemos respetar los dones de los demás.

▶ El Octavo Mandamiento nos enseña que debemos ser sinceros y honestos. Debemos respetar el buen nombre de los demás.

▶ El Décimo Mandamiento nos enseña que debemos tener un corazón amable, generoso y agradecido. Vivir los Diez Mandamientos nos ayuda a amar a Dios y al prójimo como nos enseñó Jesús.

▶ La virtud de la misericordia nos lleva a tender la mano y ayudar a los que sufren con actos de compasión y amor.

Para saber más sobre otras enseñanzas de la Iglesia, consulten el *Catecismo de la Iglesia Católica*, 2401–2449, 2464–2503 y 2534–2550, y el *Catecismo Católico de los Estados Unidos para los Adultos*, páginas 417–438 y 447–457.

■ Compartir la Palabra de Dios

Lean la enseñanza de Jesús en Lucas 12:32–34 acerca de tener posesiones o lean la adaptación del relato en la página 430. Enfaticen la importancia de ser honestos y sinceros, amables, generosos y justos.

■ Vivimos como discípulos

El hogar cristiano con la familia es una escuela de discipulado. Elijan una de las siguientes actividades para hacer en familia, o creen una actividad similar ustedes mismos.

▶ Comenten las personas que conocen que comparten desinteresadamente sus bendiciones con los demás. Luego elijan algo que puedan hacer esta semana para compartir sus bendiciones con los demás.

▶ Busquen las siete Obras de Misericordia Corporales y las Obras de Misericordia Espirituales de la página 525. Hablen acerca de las maneras en que las Obras de Misericordia los ayudan a ser generosos y amables.

■ Nuestro viaje espiritual

"Felices los compasivos porque obtendrán misericordia" (Mateo 5:7). No hay palabra adecuada en español para la palabra hebrea que se traduce como "misericordia". La misericordia de Dios es la infinita e inmerecida caridad, longanimidad y benignidad que Dios comparte con su creación. Esa misericordia es incalificable. Tal como Cristo "se redujo a nada" en la cruz de la humanidad, también nosotros debemos "reducirnos a nada" en nuestro esfuerzo por vivir el Gran Mandamiento. En este capítulo, su niño aprendió a rezar con señas una oración de misericordia. Lean, hagan las señas y recen juntos la oración de la página 434.

Para hallar más ideas sobre las maneras en que su familia puede vivir como discípulos de Jesús, visiten

seanmisdiscipulos.com ▶

With My Family

This Week...

In chapter 23, Love One Another, your child learned that:

▶ God has given the world and all the good in it to all people. We are to respect the world, use it wisely, and generously share our blessings with grateful hearts.

▶ The Seventh Commandment teaches that we are to respect the gifts of others.

▶ The Eighth Commandment teaches us to be honest and truthful. We are to respect the good name of other people.

▶ The Tenth Commandment teaches us to have kind, generous, and grateful hearts. Living all of the Ten Commandments helps us love God and one another as Jesus taught.

▶ The virtue of mercy leads us to reach out and help those who are hurting with acts of compassion and love.

For more about related teachings of the Church, see the *Catechism of the Catholic Church,* 2401–2449, 2464–2503, and 2534–2550, and the *United States Catholic Catechism for Adults,* pages 417–438, 447-457.

■ Sharing God's Word

Read the teaching of Jesus in Luke 12:32–34 about gathering possessions, or read the adaptation of the story on page 431. Emphasize the importance of being honest and truthful, kind and generous, and just.

■ We Live as Disciples

The Christian family is a school of discipleship. Choose one of the following activities to do as a family, or design a similar activity of your own.

▶ Talk about the people you know who unselfishly share their blessings with others. Then choose one thing that you can do this week to share your blessings with others.

▶ Look up the Corporal Works of Mercy and the Spiritual Works of Mercy on page 526. Talk about the ways that the Works of Mercy help you to be generous and kind.

■ Our Spiritual Journey

"Blessed are the merciful, for they will be shown mercy" (Matthew 5:7). There is no adequate English word for the Hebrew word that is translated as "mercy." God's mercy is the infinite and undeserved kindness, goodness, and generosity that God shares with his creation. Such mercy is nonquantifiable. As Christ "emptied himself" on the cross of humanity, so too are we to "empty ourselves" as we strive to live the Great Commandment. In this chapter, your child learned to sign a prayer of mercy. Read, sign, and pray together the prayer on page 435.

For more ideas on ways your family can live as disciples of Jesus, visit **BeMyDisciples.com**

CAPÍTULO
24

Lo que vendrá

En este capítulo el Espíritu Santo te invita a ▶

INVESTIGAR cómo una parroquia enseña que el amor de Jesús está hoy vivo.

DESCUBRIR cómo el Padre Nuestro nos enseña a ser discípulos de Jesús.

DECIDIR a rezar el Padre Nuestro todos los días.

La oración
de los discípulos

? ¿Cómo te ayudan a aprender tus padres y maestros?

Un día Jesús estaba pasando el rato con sus discípulos. Les estaba enseñando acerca de lo que significa ser un discípulo y estaba rezando. Escucha lo que preguntó uno de sus discípulos cuando Él terminó de rezar:

"Señor, enséñanos a orar como Juan Bautista enseñó a rezar a sus discípulos". BASADO EN LUCAS 11:1

? ¿Recuerdas cómo respondió Jesús al discípulo?

Looking Ahead

In this chapter the Holy Spirit invites you to ▶

EXPLORE how a parish teaches that Jesus' love is alive today.

DISCOVER how the Our Father teaches us to be disciples of Jesus.

DECIDE to pray the Our Father every day.

CHAPTER

24

The Prayer of Disciples

❓ How do your parents and teachers help you learn?

One day Jesus was spending time with his disciples. He was teaching them about what it means to be a disciple, and he was praying. Listen to what one of his disciples asked him when he had finished praying:

"Lord, teach us to pray as John the Baptist taught his disciples to pray." BASED ON LUKE 11:1

❓ Do you remember how Jesus answered the disciple?

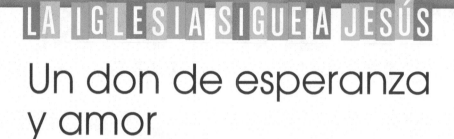

LA IGLESIA SIGUE A JESÚS

Caridad

La caridad es una de las tres Virtudes Teologales. Amor es otra palabra para caridad. Practicamos la virtud de la caridad amando a Dios por sobre todas las cosas, y amando a nuestro prójimo como a nosotros mismos.

Un don de esperanza y amor

Todos los días, podemos vivir la Oración del Señor o Padre Nuestro según las cosas que hacemos o decimos. Podemos elegir vivir como discípulos de Jesús.

Los niños de la Iglesia del Santísimo Sacramento aceptaron la invitación de Jesús para ser sus discípulos. Aprendieron que más de mil millones de personas se van a la cama con hambre todas las noches. Decidieron participar del Proyecto Heifer.

En el Proyecto Heifer, las personas compran animales que se entregan a las familias de todo el mundo. Estas familias crían a los animales y entregan las crías a otras familias necesitadas.

Los niños de la Iglesia del Santísimo Sacramento decidieron ganar suficiente dinero para comprar dos bandadas de pollos para una familia. Estaban viviendo su oración: "Danos hoy el pan de cada día". Le estaban entregando a una familia el don de alimento y el don de la esperanza y la caridad.

Los niños de la Iglesia del Santísimo Sacramento estaban enseñando a todos que Dios está obrando en el mundo. Él obra edificando el reino que Jesús enseñó que vendrá algún día. Entonces todos sabrán realmente que Dios es el Padre de todas las personas.

? ¿Puedes describir a algunas personas u organizaciones que conozcas que practiquen la virtud de la caridad y compartan el don de la esperanza con los demás?

Niño de Kenia con cabras obtenidas por medio del Proyecto Heifer

A Gift of Hope and Love

Every day we can live the Lord's Prayer, or Our Father, by the things that we do or say. We can choose to live as Jesus' disciples.

The children of Blessed Sacrament Church accepted Jesus' invitation to be his disciples. They learned that more than one billion people go to bed hungry every night. They decided to take part in the Heifer Project.

In the Heifer Project, people buy animals that are given to families around the world. These families raise the animals and give the offspring to other families in need.

The children of Blessed Sacrament Church decided to earn enough money to buy two flocks of chicks for a family. They were living their prayer, "Give us this day our daily bread." They were giving a family the gift of food and the gift of hope and love.

The children of Blessed Sacrament Church were teaching everyone that God is at work in the world. He is at work building the kingdom that Jesus taught will one day come. Everyone then will really know that God is the Father of all people.

❓ Can you describe some of the people or organizations you know who practice the virtue of charity and share the gift of hope with others?

Disciple Power

Charity

Charity is one of the three Theological Virtues. Another word for charity is love. We practice the virtue of charity by loving God above all things, and by loving our neighbor as ourselves.

Kenyan child with goats provided through the Heifer Project

ENFOQUE EN LA FE
¿Qué nos enseña Jesús
en el Padre Nuestro?

VOCABULARIO DE FE

rabino
Rabino viene de la palabra hebrea que significa "maestro", un título de honor y respeto en la Biblia dado a alguien en quien las personas confiaban en que las ayudaría a entender y vivir la Ley de Dios.

Oración del Señor
La Oración del Señor es otro nombre para el Padre Nuestro, la oración que Jesús, nuestro Señor, le enseñó a rezar a sus discípulos.

El resumen del Evangelio

En la época de Jesús, algunas personas eran honradas con el título de **Rabino** o Maestro. Las personas se reunían alrededor de ese maestro para entender y vivir la Ley de Dios. Estas personas eran discípulos de ese maestro. Un discípulo es alguien que aprende de otra persona y sigue sus enseñanzas.

Jesús fue honrado con el título de rabino. Los discípulos de Jesús viajaban con Él. Iban al Templo y a la sinagoga con Él. Todo el tiempo escuchaban y observaban. Hacían una pregunta tras otra, en busca de su consejo. Confiaban en Él para que los ayudara a entender y vivir fielmente las leyes y las costumbres de su religión.

Cuando Jesús enseñó a sus discípulos el Padre Nuestro, estaba ayudándolos a entender la Ley de Dios y cómo vivirla. Los discípulos de Jesús llegaron a creer que Él era el Santo que Dios enviaba como el Mesías. Era el Santo que cumplía la Ley y todo lo que Dios había prometido a su pueblo.

Un rabino judío enseñando hebreo a un joven.

Actividad

Nombra dos cosas que hayas aprendido de Jesús acerca de Dios.

Dios es _____

_____

_____

Dios es _____

_____

_____

The Summary of the Gospel

In Jesus' time, some people were honored with the title of **Rabbi**, or Teacher. People gathered around such a teacher to understand and live God's Law. These people were disciples of that teacher. A disciple is a person who learns from and follows the teachings of another person.

Jesus was honored with the title of rabbi. The disciples of Jesus traveled with him. They went to the Temple and synagogue with him. All the time they listened and watched. They asked question after question, seeking his advice. They trusted him to help them understand and live faithfully the laws and customs of their religion.

When Jesus taught his disciples the Our Father, he was helping them understand God's Law and how to live God's Law. The disciples of Jesus came to believe that Jesus was the One sent by God to be the Messiah. He was the One who fulfilled the Law and everything that God had promised to his people.

FAITH FOCUS
What does Jesus teach us in the Our Father?

FAITH VOCABULARY
rabbi
Rabbi is a Hebrew word meaning "teacher," a title of honor and respect in the Bible given to someone whom people trusted to help them understand and live the Law of God.

Lord's Prayer
The Lord's Prayer is another name for the Our Father, the prayer that Jesus, our Lord, taught his disciples to pray.

A Jewish rabbi teaching Hebrew to a young boy.

Activity Name two things you have learned about God from Jesus.

God is _____

_____

_____.

God is _____

_____

_____.

443

Personas de fe

Marta y María

Marta y María eran hermanas que se hicieron amigas de Jesús muy cercanas. Fueron sus discípulas. Cuando su hermano Lázaro murió, Jesús lloró con Marta y con María. Las hermanas tenían gran fe en Él. Marta dijo: "Creo que eres el Mesías, el Hijo de Dios, el santo que tenía que venir al mundo". Jesús, entonces, entró al sepulcro y gritó: "¡Lázaro, sal fuera!". Jesús resucitó a Lázaro de entre los muertos (basado en Juan 11:1-44).

Señor, enséñanos a orar

Recuerda el versículo de la Sagrada Escritura que leíste en la primera página de esta lección. Escucha ahora el resto de la respuesta que Jesús dio al discípulo:

"Cuando recen, digan:

Padre, santificado sea tu Nombre,
   venga tu Reino.
 Danos cada día el pan que nos corresponde.
    Perdónanos nuestros pecados, porque
    también nosotros perdonamos a todo el que nos debe.
 Y no nos dejes caer en la tentación".

Lucas 11:2–4

Cuando los discípulos y los primeros cristianos se reunían, rezaban como Jesús les había enseñado. Esta oración se hizo conocida como la **Oración del Señor** o el Padre Nuestro.

Actividad Subraya las palabras en la cita de la Sagrada Escritura que son similares a las palabras que rezamos en el Padre Nuestro.

Lord, Teach Us to Pray

Recall the Scripture verse that you read on the first page of this lesson. Listen now to the rest of the answer that Jesus gave to the disciple:

"When you pray, say:

Father, hallowed be your name,
    your kingdom come.
    Give us each day our daily bread
    and forgive us our sins
    for we ourselves forgive everyone in debt to us,
and do not subject us to the final test."

Luke 11:2–4

When the disciples and the first Christians gathered, they prayed as Jesus had taught them. This prayer became known as the **Lord's Prayer** or the Our Father.

> **Activity**
>
> Underline the words in the Scripture quotation that are similar to the words we pray in the Our Father.

La doxología

Rezamos el Padre Nuestro en cada Misa. En la Misa, terminamos el Padre Nuestro cantando o diciendo en voz alta: "Tuyo es el reino, tuyo el poder y la gloria, por siempre, Señor". Estas palabras se denominan *doxología*. Una doxología es una oración de alabanza. La Iglesia ha rezado esta doxología desde sus primeros días.

El Padre Nuestro

Cuando rezamos el Padre Nuestro, le decimos a Dios que Él es el centro de nuestra vida. Ponemos nuestra confianza en Él por encima de todos y de todo. Cada vez que rezamos el Padre Nuestro:

- adoramos a Dios al honrar y respetar su nombre como santo.

- hacemos la petición o pedimos a Dios que siga edificando su reino. Prometemos a Dios que queremos vivir como Jesús nos enseñó.

- pedimos a Dios nuestro "pan de cada día". Pedimos en nombre de todos que, nosotros y los demás, vivamos como hijos de Dios.

- pedimos a Dios que perdone nuestros pecados y nos ayude a perdonar a los demás como Él nos perdona a nosotros. Recordamos que la Muerte y Resurrección de Jesús de entre los muertos son los signos más grandes del amor indulgente de Dios por nosotros.

- pedimos a Dios que nos ayude a hacer el bien y evitar el pecado. Le pedimos a Dios que nos ayude a seguir el camino de Jesús de servir a los demás.

El Padre Nuestro es la oración de todos los cristianos. Sus palabras nos enseñan a rezar y a vivir como discípulos de Jesús. Es por eso que se conoce como la oración perfecta para los cristianos. Es el resumen del Evangelio.

? ¿Cuándo has hecho algo que el Padre Nuestro te enseña a hacer?

The Our Father

When we pray the Our Father, we tell God that he is the center of our lives. We place our trust in him above everyone and everything else. Each time we pray the Our Father,

- we worship God by honoring and respecting his name as holy.

- we petition, or ask, God to continue to build his kingdom. We promise God that we want to live as Jesus taught us.

- we petition God for our "daily bread." We ask for all that we and others need to live as children of God.

- we petition God to forgive our sins and to help us forgive others as he forgives us. We remember that Jesus' dying and being raised from the dead are the greatest signs of God's forgiving love for us.

- we petition God to help us do good and to avoid sin. We ask God to help us follow Jesus' way of serving others.

The Our Father is the prayer of all Christians. Its words teach us both how to pray and how to live as disciples of Jesus. That is why it is called the perfect prayer for Christians. It is the summary of the Gospel.

? When have you done one thing that the Our Father teaches you to do?

YO SIGO A JESÚS

El Espíritu Santo te ayuda a entender, a rezar y a vivir el Padre Nuestro.

VIVIR EL PADRE NUESTRO

Elige una de las líneas del Padre Nuestro. Describe cómo podría ayudarte a vivir como mejor seguidor de Jesús.

_____

_____

_____

_____

_____

_____

_____

_____

_____

MI ELECCIÓN DE FE

Esta semana rezaré todos los días el Padre Nuestro. Cuando lo haga, yo voy a

_____

_____

Reza: "Padre Nuestro, que estás en el cielo, santificado seá tu Nombre".

I FOLLOW JESUS

The Holy Spirit helps you understand, pray, and live the Our Father.

LIVING THE OUR FATHER

Choose one of the lines of the Our Father. Describe how it coiuld help you live as a better follower of Jesus.

_____

_____

_____

_____

_____

_____

_____

_____

_____

This week I will pray the Our Father every day. When I do, I will

_____

_____

MY FAITH CHOICE

 Pray, "Our Father who art in heaven. Hallowed be your name."

Repaso del capítulo

Une las palabras del Padre Nuestro que están en la columna A con el significado correspondiente de la columna B.

Columna A

_____ 1. Santificado sea tu Nombre.

_____ 2. Venga a nosotros tu reino.

_____ 3. Danos hoy nuestro pan de cada día.

_____ 4. Perdona nuestras ofensas.

_____ 5. Líbranos del mal.

Columna B

a. El Espíritu Santo obra en nosotros para preparar la venida del reino que Jesús comenzó.

b. Damos gloria a Dios que es todo santidad.

c. Confiamos en que Dios nos dará todo lo que necesitamos para vivir como sus hijos.

d. Pedimos a Dios que nos ayude a hacer el bien y evitar hacer el mal. Le pedimos a Él que nos ayude a seguir el camino de Jesús de servir a los demás.

e. Confiamos en que Dios perdonará nuestros pecados.

El Padre Nuestro

La Iglesia reza el Padre Nuestro todos los días. Reúnanse como miembros de la Iglesia. Recen como Jesús nos enseñó:

Líder: Oh Dios, por la gracia del Espíritu Santo, te llamamos Padre y vivimos como tus hijos. Rezamos como Jesús nos enseñó.

Todos: Padre Nuestro...

Líder: Terminemos rezando a Dios.

Todos: Tuyo es el reino, tuyo el poder y la gloria, por siempre, Señor. Amén.

Chapter Review

Match the words from the Our Father in column A with their meanings in column B.

Column A

_____ **1.** Hallowed be thy name.

_____ **2.** Thy kingdom come.

_____ **3.** Give us this day our daily bread.

_____ **4.** Forgive us our trespasses.

_____ **5.** Deliver us from evil.

Column B

a. The Holy Spirit works with us to prepare for the coming of the kingdom that Jesus began.

b. We give glory to God who is All-holy.

c. We trust that God will give us all that we need to live as his children.

d. We ask God to help us do good and avoid doing wrong. We ask him to help us follow Jesus' way of serving others.

e. We trust that God will forgive our sins.

TO HELP YOU REMEMBER

1. Jesus is our Teacher, who helps us best understand and live as children of God.

2. Jesus taught us to call God, our Father, in prayer.

3. When we pray the Our Father, we tell God that he is the center of our lives.

The Our Father

The Church prays the Our Father every day. Join together as members of the Church. Pray as Jesus taught us:

Leader: O God, by the grace of the Holy Spirit we call you Father and live as your children. We pray as Jesus taught us.

All: **Our Father . . .**

Leader: Let us conclude by praising God.

All: **For the kingdom, the power and the glory are yours now and forever. Amen.**

Con mi familia

Esta semana...

En el capítulo 24, "Oración de los discípulos" su niño aprendió que:

▶ Desde los primeros días de la Iglesia, los cristianos han rezado el Padre Nuestro, o la Oración del Señor, cuando se reunían para rezar.

▶ Cuando rezamos el Padre Nuestro, reconocemos que Dios es el centro de nuestra vida.

▶ El Padre Nuestro es el resumen del Evangelio.

▶ El Padre Nuestro no solo nos enseña a rezar, sino que también nos muestra cómo vivir como los hijos de Dios, que es el Padre de todas las personas.

▶ Practicamos la virtud de la caridad amando a Dios por encima de todas las cosas y amando a nuestro prójimo como a nosotros mismos.

Para saber más sobre otras enseñanzas de la Iglesia, consulten el *Catecismo de la Iglesia Católica,* 2759–2856, y el *Catecismo Católico de los Estados Unidos para los Adultos,* páginas 481–495.

■ Compartir la Palabra de Dios

Lean juntos el relato de la Biblia en Lucas 11:2–4 de Jesús que enseña a rezar a sus discípulos, o lea la adaptación del relato en la página 444. Enfaticen que Jesús nos dio el Padre Nuestro para rezar.

■ Vivimos como discípulos

El hogar cristiano con la familia es una escuela de discipulado. Elijan una de las siguientes actividades para hacer en familia, o creen una actividad similar ustedes mismos.

▶ Las primeras comunidades cristianas rezaban el Padre Nuestro tres veces al día. Sigan el ejemplo de los primeros cristianos y hagan lo mismo esta semana.

▶ El Padre Nuestro es la oración de todos los cristianos. Aprendan las palabras del Padre Nuestro en un idioma diferente del que usan por lo general para rezar.

■ Nuestro viaje espiritual

Rezar la Oración del Señor con frecuencia durante el día es una antigua tradición. Esta práctica cristiana da un lineamiento y una visión básica de la vida cristiana. Desarrolle el hábito de hacer una pausa y rezar el Padre Nuestro de manera reflexiva varias veces al día. Récenlo al despertar en la mañana, a media mañana, al mediodía, a media tarde y por la noche como una manera de reunirse con los cristianos que rezan la Liturgia de las Horas. En este capítulo, su niño rezó el Padre Nuestro. Récenlo juntos todos los días.

Para hallar más ideas sobre las maneras en que su familia puede vivir como discípulos de Jesús, visiten **seanmisdiscipulos.com** ▶

With My Family

This Week . . .

In chapter 24, The Prayer of Disciples, your child learned that:

▶ From the earliest days of the Church, Christians have prayed the Our Father, or Lord's Prayer, when they gathered for prayer.

▶ When we pray the Our Father, we acknowledge that God is the center of our lives.

▶ The Our Father is the summary of the Gospel.

▶ The Our Father not only teaches us how to pray but also shows us how to live as the children of God, who is the Father of all people.

▶ We practice the virtue of charity by loving God above all things, and by loving our neighbor as ourselves.

For more about related teachings of the Church, see the *Catechism of the Catholic Church*, 2759–2856, and the *United States Catholic Catechism for Adults*, pages 481–495.

■ Sharing God's Word

Read together the Bible story in Luke 11:2–4 about Jesus teaching his disciples to pray, or read the adaptation of the story on page 445. Emphasize that Jesus gave us the Our Father to pray.

■ We Live as Disciples

The Christian family is a school of discipleship. Choose one of the following activities to do as a family, or design a similar activity of your own.

▶ The first Christian communities prayed the Our Father three times a day. Follow the example of the first Christians and do the same this week.

▶ The Our Father is the prayer of all Christians. Learn the words of the Our Father in a language other than the language that you usually use to pray.

■ Our Spiritual Journey

Praying the Lord's Prayer often during the day is an ancient tradition. This Christian practice gives a basic outline and vision for the Christian life. Develop the habit of pausing and reflectively praying the Our Father several times a day. Praying it when you wake up, in the morning, mid-morning, noon, mid-afternoon, and evening is one way to join with Christians who pray the Liturgy of the Hours. In this chapter, your child prayed the Our Father. Pray it together every day.

For more ideas on ways your family can live as disciples of Jesus, visit **BeMyDisciples.com**

Unidad 6: **Repaso**

A. Elije la mejor palabra

Escribe en los espacios en blanco para completar las oraciones.

Padre nuestro	honrar	egoísmo
verdad	adorar	perjurio

1. El Cuarto Mandamiento nos llama a _____ y obedecer a nuestros padres.

2. El Octavo Mandamiento nos enseña a decir

la _____.

3. El Primer Mandamiento dice que solo Dios es digno

de _____.

4. El Décimo Mandamiento advierte contra el _____ y la codicia.

5. El _____ es mentir bajo juramento.

B. Muestra lo que sabes

Une los elementos de la columna A con los de la columna B.

Columna A

_____ **1.** "No mates."

_____ **2.** "No cometas adulterio."

_____ **3.** "Danos hoy nuestro pan de cada día."

_____ **4.** "Venga a nosotros tu Reino."

_____ **5.** Solo Dios es digno de nuestra adoración.

Columna B

a. El Espíritu Santo obra con nosotros para preparar la llegada del reino que Jesús comenzó.

b. Confiamos en que Dios nos dará todo lo que necesitamos para vivir como sus hijos.

c. El Quinto Mandamiento

d. El Sexto Mandamiento

e. El Primer Mandamiento

Unit 6 **Review**

Name _____

A. Choose the Best Word

Use the words in the word bank to complete the sentences.

Our Father	honor	selfishness
truth	worship	perjury

1. The Fourth Commandment calls us to _____ and obey our parents.

2. The Eighth Commandment teaches us to speak the _____.

3. The First Commandment says that only God is worthy of _____.

4. The Tenth Commandment warns against _____ and greed.

5. _____ is lying under oath.

B. Show What You Know

Match the items in column A with those in column B.

Column A

_____ 1. "You shall not kill."

_____ 2. "You shall not commit adultery."

_____ 3. "Give us this day our daily bread."

_____ 4. "Thy kingdom come."

_____ 5. Only God is worthy of our worship.

Column B

a. The Holy Spirit works with us to prepare for the coming of the kingdom Jesus began.

b. We trust that God will give us all we need to live as his children.

c. Fifth Commandment

d. Sixth Commandment

e. First Commandment

C. La Escritura y tú

Vuelve a leer el pasaje de la Sagrada Escritura de la página de Inicio de la unidad.

¿Qué relación hay entre lo que ves en esta página y lo que aprendiste en esta unidad?

_____

_____

_____

D. Sé un discípulo

1. *Repasa las cuatro páginas de esta unidad llamadas La Iglesia sigue a Jesús. ¿Qué persona o ministerio de la Iglesia de estas páginas te inspirará para ser un mejor discípulo de Jesús? Explica tu respuesta.*

_____

_____

_____

2. *Trabaja en grupo. Repasa las cuatro virtudes o dones de Poder de los discípulos que has aprendido en esta unidad. Después de anotar tus ideas, comparte con el grupo maneras prácticas en las que vivirás estas virtudes o dones día a día.*

_____

_____

_____

C. Connect with Scripture

Reread the Scripture passage on the Unit Opener page. What connection do you see between this passage and what you learned in this unit?

_____

_____

_____

D. Be a Disciple

1. *Review the four pages in this unit titled The Church Follows Jesus. What person or ministry of the Church on these pages will inspire you to be a better disciple of Jesus? Explain your answer.*

_____

_____

_____

2. *Work with a group. Review the four Disciple Power virtues or gifts you have learned about in this unit. After jotting down your own ideas, share with the group practical ways that you will live these virtues or gifts day by day.*

_____

_____

_____

Perú: Santa Rosa de Lima

La Fiesta de Santa Rosa Lima se celebra el 30 de agosto.

Santa Rosa nació en Lima, Perú. Debido a que fue la primera Santa nacida en el continente americano, es la Santa patrona de Perú y sus pueblos originarios, y de todas las Américas. En Perú su fiesta se celebra el 30 de agosto, aunque su fiesta oficial en la Iglesia es el 23 de agosto. Durante las celebraciones, se decoran las calles, las casas y las iglesias con flores, especialmente rosas. La gente reza y va a Misa con su familia. De ser posible, van a la basílica dedicada a ella en Lima.

Santa Rosa tenía un huerto en su casa, donde cultivaba frutas y verduras que compartía con los pobres. Como parte de la celebración de su fiesta, muchos visitan el huerto y su pozo. Miles de personas escriben cartas a Santa Rosa y le piden su intercesión para obtener favores y milagros de Dios. Luego van hasta el pozo y echan las cartas dentro de él. Muchos, además, caminan en procesión por las calles de Lima, detrás de una estatua que llevan en alto para que todos la vean.

? ¿Por qué te parece que la gente honra a Santa Rosa? ¿Por qué Santo sientes tú una devoción especial? ¿Cómo la celebras?

Peru:
Saint Rose of Lima

The Feast of Saint Rose of Lima is celebrated on August 30 in Peru.

Saint Rose was born in Lima, Peru. Because she was the first Saint born in the Americas, she is the patron Saint of Peru and its native peoples, and of all the Americas. The people of Peru celebrate her feast day on August 30, although her official feast day in the Church is August 23. During the celebrations, people decorate the streets, their homes, and churches with flowers, especially roses. The people pray and go to Mass with their families. If possible, they go to the basilica dedicated to her in Lima.

Saint Rose had a garden at her house where she grew fruits and vegetables that she shared with the poor. As part of her feast day celebration, many people visit her garden and its well. Thousands of people write letters asking Saint Rose for her intercession in obtaining favors and miracles from God. They then come and place the letters inside the well. Many also walk in procession through the streets of Lima, behind a statue carried high for all to see.

? Why do you think the people honor Saint Rose? To what Saint do you have a special devotion? How do you celebrate it?

CELEBRAMOS EL AÑO ECLESIÁSTICO

El año de la gracia

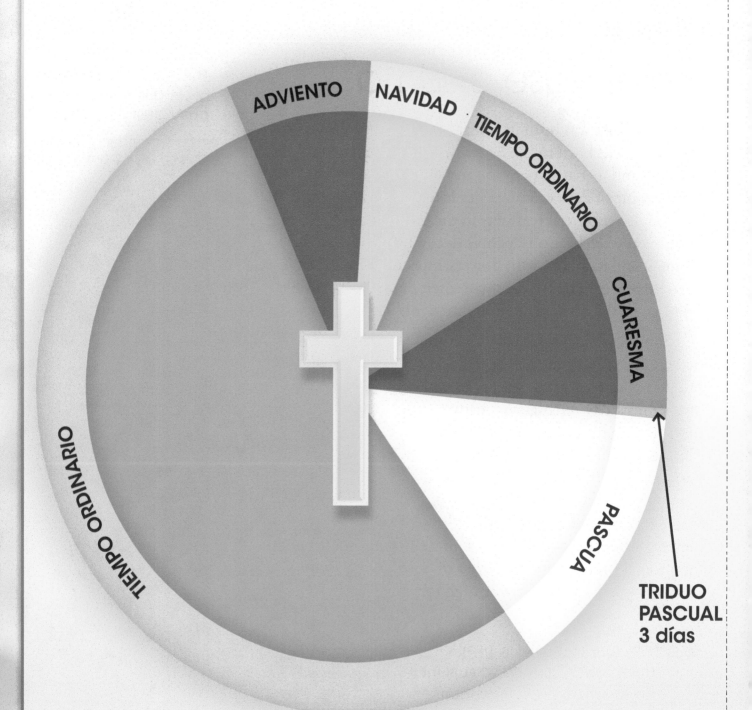

ADVIENTO

NAVIDAD

TIEMPO ORDINARIO

CUARESMA

PASCUA

TRIDUO PASCUAL 3 días

TIEMPO ORDINARIO

WE CELEBRATE THE CHURCH YEAR

The Year of Grace

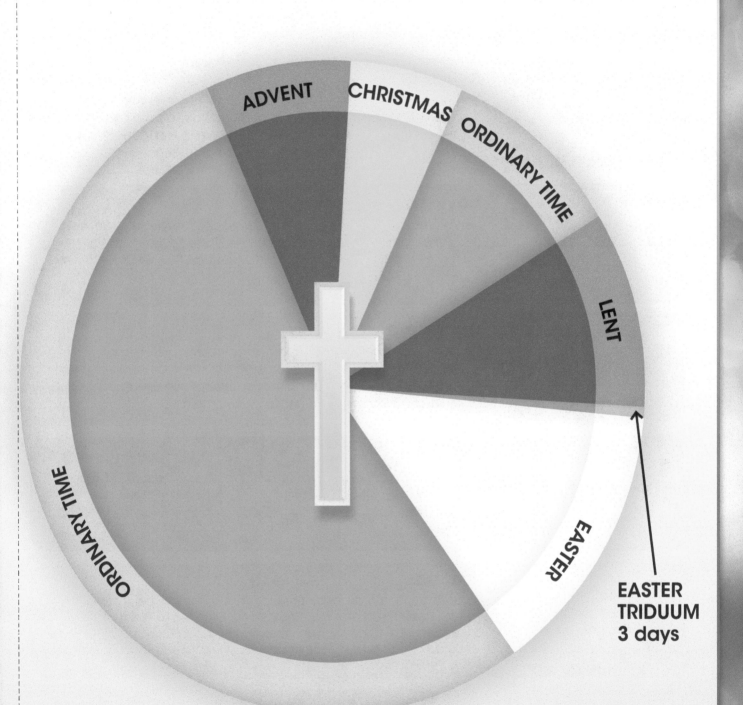

ADVENT

CHRISTMAS

ORDINARY TIME

LENT

EASTER

EASTER TRIDUUM 3 days

ORDINARY TIME

El año litúrgico

Aunque algunas cosas que ves y oyes en la Misa son siempre las mismas, hay otras que cambian. Las lecturas cambian, como también los colores de los estandartes y las vestiduras. Todos estos cambios nos ayudan a saber qué parte del año eclesiástico estamos celebrando. Cada año es un año de la gracia porque celebramos la presencia salvadora de Cristo en el mundo.

Adviento

Comenzamos el año litúrgico anticipando el nacimiento de Jesucristo durante el tiempo de Adviento. Esta es una época para prepararnos a través de la oración y el sacrificio. De esta manera, guardamos un lugar en nuestro corazón para el nacimiento del Señor.

Navidad

Celebramos la encarnación de Jesucristo a través de su nacimiento de la Virgen María. Durante el tiempo de Navidad, también celebramos la Solemnidad de María, Madre de Dios, la Epifanía y el Bautismo del Señor.

Cuaresma

Durante los cuarenta días de Cuaresma, rezamos y hacemos sacrificios personales para llevar nuestro corazón más completamente a Dios. Nos preparamos para la mayor celebración del año eclesiástico: la Resurrección del Señor.

Triduo

El Triduo Pascual está en el centro de nuestro año de culto. El Triduo Pascual, que comienza la tarde del Jueves Santo y termina la tarde del Domingo de Pascua, es nuestra celebración solemne de tres días del Misterio Pascual.

Pascua

Durante cada uno de los cincuenta días de Pascua, celebramos nuestra nueva vida en Cristo Resucitado. En la Vigilia Pascual, encendemos el cirio Pascual en medio de la oscuridad para que nos recuerde que Jesús es la Luz del mundo. Nuestra celebración continúa hasta Pentecostés.

Tiempo Ordinario

El resto del año eclesiástico se llama Tiempo Ordinario. Celebramos muchos acontecimientos de la vida y el ministerio de Jesús. También celebramos fiestas y solemnidades importantes en honor a Jesús, a María y los Santos.

The Liturgical Year

While many things you see and hear at Mass are always the same, other things change. The readings change, as do the colors of banners and vestments. All of the changes help us know what part of the Church's year we are celebrating. Each year is a year of grace because we celebrate the saving presence of Christ in the world.

Advent

We begin the liturgical year by anticipating the birth of Jesus Christ during the season of Advent. It is a time to prepare ourselves through prayer and sacrifice. In these ways, we make room in our hearts for the birth of the Lord.

Christmas

We celebrate the Incarnation of Jesus Christ through his birth to the Virgin Mary. During the Christmas season, we also celebrate the Solemnity of Mary, the Holy Mother of God, Epiphany, and the Baptism of the Lord.

Lent

During the forty days of Lent, we pray and make personal sacrifices so that we can turn our hearts more completely toward God. We are preparing for the greatest celebration of the Church year—the Resurrection of the Lord.

The Triduum

The Easter Triduum is at the center of our year of worship. Beginning on the evening of Holy Thursday and ending on Easter Sunday evening, the Triduum is our three-day solemn celebration of the Paschal Mystery.

Easter

On each of the fifty days of Easter, we celebrate our new life in the Risen Christ. At the Easter Vigil, we light the Paschal candle in the midst of darkness to remind us that Jesus is the Light of the world. Our celebration continues until Pentecost.

Ordinary Time

The rest of the Church's year is called Ordinary Time. We celebrate many events in the life and ministry of Jesus. We also celebrate other great feasts and solemnities honoring Jesus, Mary, and the Saints.

Solemnidad de Todos los Santos

Enfoque en la fe
¿Por qué celebramos la Solemnídad de Todos los Santos?

Palabra de Dios
Estas son las lecturas para la Solemnidad de Todos los Santos. Elige una y pide a tu familia que la lea contigo. Comenta con ellos la lectura.

Primera lectura
Apocalipsis 7:2–4, 9–14

Segunda lectura
1.° Juan 3:1–3

Evangelio
Mateo 5:1–12a

A lo largo de su historia, la Iglesia ha nombrado a ciertas mujeres y hombres Santos. Sus vidas son ejemplos sagrados del amor de Dios. Son la clase de héroes y heroínas que Dios quiere que imitemos. La Santísima Virgen María, madre de Jesús, es la más importante. Rezamos a María y a los Santos, y les pedimos que recen por nosotros.

Los miembros de la Iglesia que son nombrados Santos provienen de todas las naciones y de todas las épocas. Durante su vida en la Tierra, amaban a Dios por sobre todos los demás y por sobre todas las cosas. Algunos Santos eran maestros, algunos eran agricultores, otros eran escritores e, incluso, otros eran padres de familia. Cuando estaban en la tierra, los Santos que ahora están en el cielo eran diferentes personas que hacían trabajos de diferentes tipos, pero en todo lo que hacían dedicaban su vida a cumplir la voluntad de Dios. Ahora estos Santos viven en el cielo con Jesús en la presencia de Dios Padre. En el Cielo también hay muchos Santos desconocidos.

La Iglesia celebra el día de todos los Santos del Cielo el 1 de noviembre. Este día se llama Solemnidad de Todos los Santos. En este día de precepto vamos a Misa. Agradecemos a Dios por la fe de los Santos, que son un modelo para nosotros. Junto con los Santos del Cielo y las almas del Purgatorio, los miembros de la Iglesia que están en la tierra forman la Comunión de los Santos. A través de la Comunión de los Santos nos ayudamos mutuamente a ser Santos.

Beata Madre Teresa, San Pedro Claver, San Agustín, Santa Juana

Solemnity of All Saints

Throughout her history, the Church has named certain women and men to be Saints. Their lives are holy examples of God's love. They are the kind of heroes and heroines that God wants us to model. The Blessed Virgin Mary, mother of Jesus, is the greatest of these Saints. We pray to Mary and the Saints, asking them to pray for us.

The members of the Church who are named as Saints come from all nations and all times. During their lives on Earth, they loved God more than anyone or anything else. Some Saints were teachers, some were farmers, others were writers, and still others were parents. While on earth, the Saints now in Heaven were different people doing different work, but in everything they did they devoted their lives to doing the will of God. Now these Saints live in Heaven with Jesus in the presence of God the Father. There are also many unknown Saints who are now in Heaven.

The Church celebrates the feast of all of the Saints in Heaven on November 1. This is called the Solemnity of All Saints. On this holy day of obligation we go to Mass. We thank God for the faith of the Saints who are models for us. Together with the Saints in Heaven and the souls in Purgatory, members of the Church on Earth make up the Communion of Saints. Through the Communion of Saints we help one another become holy.

Faith Focus
Why do we celebrate the Solemnity of All Saints?

The Word of the Lord
These are the readings for the Solemnity of All Saints. Choose one, and ask your family to read it with you. Talk about the reading with them.

First reading
Revelation 7:2-4, 9-14

Second reading
1 John 3:1-3

Gospel
Matthew 5:1-12a

Blessed Mother Teresa, Saint Peter Claver, Saint Augustine, Saint Joan

Santos como amigos

En la columna izquierda, escribe el nombre de tres santos preferidos. En la columna de la derecha, di cómo te ayudan ellos a ser un buen discípulo de Jesús.

Santos que me guían

Santos	Cómo me ayudan
1. _____	_____
	_____
2. _____	_____
	_____
3. _____	_____
	_____

MI ELECCIÓN DE FE

Esta semana aprenderé acerca de uno de los Santos de Dios. Con la ayuda de un adulto, yo voy a (encierra en un círculo una opción):

✚ Retirar de la biblioteca un libro sobre Santos y aprender acerca de otro Santo.

✚ Visitar saintsresource.com y leer acerca de un Santo a quien no conozco.

Reza: "Amado Padre Celestial, te agradezco por los Santos que nos ayudan a ser signos de tu amor para los demás. Amén".

Saints as Friends

In the left column, write the names of three favorite saints. In the right column, tell how they help you to be a good disciple of Jesus.

Saints to Guide Me

Saints	How They Help Me
1. _____	_____
	_____
2. _____	_____
	_____
3. _____	_____
	_____

This week I will learn about one of God's Saints. With an adult's help I will (circle one):

✚ Sign a book about the Saints out of the library and learn about a new Saint.

✚ Go to saintsresource.com and read about a Saint whom I don't know.

MY FAITH CHOICE

Pray, "Dear Father in Heaven, thank you for the Saints who help us be signs of your love for others. Amen."

El Adviento

Enfoque en la fe
¿Para qué nos preparamos durante el Adviento?

Palabra de Dios
Estas son las lecturas del Evangelio para el Primer Domingo de Adviento. Elige la lectura de este año y búscala en la Biblia. Lee y comenta la lectura con tu familia.

Año A:
Mateo 24:37–44

Año B:
Marcos 13:33–37

Año C:
Lucas 21:25–28, 34–36

A la vista
La tradición de la corona de Adviento empezó en Alemania. La corona se hace con un círculo de ramas de árboles perennes y cuatro velas. Cada semana en las iglesias y hogares de todo el mundo, se enciende una de las velas y se reza una oración.

El Adviento

Durante el mes de diciembre, hacemos o compramos regalos y los envolvemos. Decoramos un árbol. Las familias se preparan para la Navidad, al igual que la Iglesia.

El Adviento es el tiempo en que recordamos la promesa de Dios de enviar al Mesías. Durante las Misas de Adviento escuchamos relatos del Antiguo Testamento acerca de esta promesa. En una de las lecturas de Adviento, en el libro del profeta Isaías, está escrito:

> Que se alegren el desierto y la tierra seca,
>   que con flores se alegre la pradera.
> Que se llene de flores como junquillos,
>   que salte y cante de contenta...

Isaías 35:1–2a

Cada uno de los cuatro domingos de Adviento, encendemos una vela de nuestra corona de Adviento. Las velas nos ayudan a contar las semanas hasta Navidad. También nos recuerdan que Jesús ilumina nuestro mundo como el sol ilumina la tierra.

Nos preparamos para la Navidad al ser una luz para los demás. Buscamos maneras de ayudar a los demás. Ofrecemos dones de servicio. Podemos disfrutar encontrando maneras de ser generosos secretamente. Nuestros dones iluminan la vida de los demás.

Advent

During the month of December, we make or buy gifts and wrap them. We decorate a tree. Families get ready for Christmas, and so does the Church.

Advent is the time we remember God's promise to send the Messiah. During the Masses of Advent we listen to stories from the Old Testament about this promise. In one of the Advent readings, we read in the book of prophet Isaiah:

> The desert and parched land will exult;
> the steppe will rejoice and bloom.
> They will bloom with abundant flowers,
> and rejoice with joyful song.
>
> ISAIAH 35:1–2A

On each of the four Sundays of Advent, we light a candle on our Advent wreath. The candles help us count the weeks until Christmas. They also remind us that Jesus lights our world as the sun lights the earth.

We prepare for Christmas by being a light for others. We find ways to help others. We offer gifts of service. We may delight in finding ways to be secret givers. Our gifts light up the lives of others.

Faith Focus
What do we prepare for during Advent?

The Word of the Lord
These are the Gospel readings for the First Sunday of Advent. Choose this year's reading and look it up in the Bible. Read and discuss the reading with your family.

Year A:
Matthew 24:37–44

Year B:
Mark 13:33–37

Year C:
Luke 21:25–28, 34–36

What You See
The tradition of the Advent wreath began in Germany. It is made of a circle of evergreens and four candles. Each week in churches and homes throughout the world, a candle is lighted and a prayer is said.

¡Sé una luz en el mundo!

Completa la fecha de Navidad y de los cuatro domingos de Adviento que la preceden. Para cada semana de Adviento, escribe al menos una cosa que podrías hacer solo o con tu familia para prepararte para la venida de Jesús. Decora el calendario con símbolos de Adviento.

L	M	Mi	J	V	S	D

MI ELECCIÓN DE FE

En el tiempo de Adviento, seré una luz para los demás. Yo voy a

_____

_____

_____

 Reza: "Jesús, tú eres la luz del mundo. Amén".

Be a Light in the World!

Fill in the dates for Christmas and the four Sundays of Advent that precede it. For each week of Advent, write in at least one thing you could do to prepare for the coming of Jesus, alone or with your family. Decorate your calender with symbols of Advent.

M	T	W	Th	F	S	S

For the season of Advent, I will be a light for others. I will

_____

_____

_____

MY FAITH CHOICE

 Pray, "Jesus, you are the light of the world. Amen."

La Inmaculada Concepción

Enfoque en la fe
¿Por qué María es la santa más importante?

Palabra de Dios
Esta es la Segunda Lectura para la Solemnidad de la Inmaculada Concepción. Pide a tu familia que la lea contigo. Comenta con ellos la lectura.

Efesios
1:3–6, 11–12

María es la Santa más importante. Ella es María santísima. Vivió siempre como hija de Dios. Todo lo que María hizo y dijo mostraba su amor por Dios.

Cada año el 8 de diciembre, la Iglesia honra a María Santísima. Celebramos la Solemnidad de la Inmaculada Concepción de la Santísima Virgen María. Este Solemnidad es una celebración de nuestra fe. La Iglesia usa la palabra *inmaculada* para decir que María estuvo siempre libre de pecado.

Dios Padre eligió a María para que fuera la Madre del Hijo de Dios. El Espíritu Santo la preparó para este enorme privilegio manteniéndole el alma libre de pecado desde el primer momento de su vida. Esto se llama Inmaculada Concepción. Con la gracia de Dios, María permaneció libre de pecado durante toda su vida, hasta su Asunción al Cielo.

María, modelo de santidad

Cuando el ángel anunció a María que Dios la había elegido para que fuera la Madre del Hijo de Dios, le dijo que llamara a su bebé Jesús. María no entendía lo que el ángel estaba diciendo. "¿Cómo puede ser eso...?", preguntó. Pero después agregó: "... hágase en mí tal como has dicho" (Lucas 1:38). María dijo sí a Dios por su gran fe y amor por Él.

María es nuestro modelo de santidad. María nos muestra lo que significa vivir como hijos de Dios. Nos muestra siempre cómo se sigue la voluntad de Dios. Nuestra Bienaventurada Madre, María, oye nuestras oraciones y reza por nosotros. Nos ayuda a entender qué quiere Dios que hagamos. Sus oraciones nos ayudan a vivir una vida santa.

Santa Ana, San Joaquín y la niña María

The Immaculate Conception

Mary is the greatest Saint. She is Mary most holy. She always lived as a child of God. All that Mary did and said showed her love for God.

Each year on December 8th, the Church honors Mary, Most Holy. We celebrate the Solemnity of the Immaculate Conception of the Blessed Virgin Mary. This Solemnity is a celebration of our faith. The Church uses the word *immaculate* to tell us that Mary was always free from sin.

God the Father chose Mary to be the Mother of the Son of God. The Holy Spirit prepared her for this great privilege by keeping her soul free of sin from the first moment of her life. This is called the Immaculate Conception. With God's grace, Mary remained sinless her entire life, until her Assumption into Heaven.

Mary, Model of Holiness

When the angel Gabriel announced to Mary that God had chosen her to be the Mother of the Son of God, he told her to name her baby Jesus. Mary did not understand what the angel was saying. "How could this be?" she asked. But Mary said, "May it be done to me according to your word" (Luke 1:38). Mary said yes to God because of her great faith and love of God.

Mary is our model of holiness. Mary shows us what it means to live as a child for God. She shows us always to follow the will of God. Our Blessed Mother, Mary, hears our prayers and prays for us. She helps us understand what God wants us to do. Her prayers for us help us to live holy lives.

Faith Focus
Why is Mary the greatest Saint?

The Word of the Lord
This is the Second Reading for the Solemnity of the Immaculate Conception. Ask your family to read it with you. Talk about the reading with them.

Ephesians 1:3–6, 11–12

Saint Anne, Saint Joachim, and the infant Mary

Modelos de fe

De acuerdo con la tradición católica, Santa Ana y San Joaquín eran los padres de María. Le transmitieron su sólida fe y la ayudaron a prepararse para ser la madre del Salvador.

¿De qué manera ha sido María un modelo de fe para ti? Escríbele una nota de agradecimiento por su ejemplo. Decora la nota.

Querida María:

_____

_____

_____

_____

_____

_____

_____

MI ELECCIÓN DE FE

Esta semana seguiré el ejemplo de María Santísima. Yo voy a

_____

_____

_____

Reza: "¡María, bendita Tú eres entre todas las mujeres! Amén".

Models of Faith

According to Catholic tradition, Saint Anne and Saint Joachim were the parents of Mary. They handed on to her their strong faith and helped prepare her to be the mother of the Savior.

How has Mary been a model of faith for you? Write her a note thanking her for her example. Decorate your note.

Dear Mary:

_____

_____

_____

_____

_____

_____

This week I will follow the example of Mary, Most Holy. I will

_____

_____

_____

MY FAITH CHOICE

 Pray, "Mary, blessed are you among all women! Amen."

Nuestra Señora de Guadalupe

Enfoque en la fe
¿Por qué honramos a Nuestra Señora de Guadalupe?

Palabra de Dios
Estas son las tres lecturas para la Fiesta de Nuestra Señora de Guadalupe. Elige una de las lecturas y búscala en una Biblia. Lee y comenta la lectura con tu familia.

Isaías 7:10–14
Gálatas 2:4–7
Lucas 1:39–48

El 12 de diciembre es un día festivo especial de la Iglesia en las Américas. Este día honramos a la Santísima Virgen María con el título de Nuestra Señora de Guadalupe.

Ese día, en el año 1531, la Virgen María se le apareció a Juan Diego en Tepeyac. Tepeyac es un cerro que está cerca de lo que hoy es la ciudad de México. María pidió a Juan que le dijera al obispo de México que construyera un santuario en el cerro. Como el obispo quería una señal de María, ella indicó a Juan que recolectara rosas para dárselas.

Juan envolvió las rosas en su *tilma*, que es una capa hecha con tela de cactus. Cuando Juan la abrió, en la tela estaba la imagen de María. La imagen muestra a María, la madre de Jesús, como "una mujer, vestida del sol, con la luna bajo sus pies" (Apocalipsis 12:1). La tilma de Juan y la imagen de la Virgen María han perdurado por casi 500 años.

Desde 1886, en México, la gente ha hecho peregrinaciones a la Basílica de Guadalupe. Algunas personas caminan muchas millas desde su casa; muchas otras van en bicicleta. Algunas entran a la basílica de rodillas. Muchas visitan la basílica para adorar a Dios, rezar a María y pedirle que rece por ellas.

Cuando participamos de la Misa el Día de Nuestra Señora de Guadalupe, la Patrona de las Américas, rezamos para que María ayude a todas las personas a aceptarse como hermanos y hermanas. Rezamos por el don de la paz, que su Hijo, Jesús, trajo al mundo.

Our Lady of Guadalupe

December 12 is a special feast day of the Church in the Americas. On this day, we honor the Blessed Virgin Mary with the title of Our Lady of Guadalupe.

On that day, in the year 1531, the Virgin Mary appeared to Juan Diego at Tepeyac. Tepeyac is a hill near present-day Mexico City. Mary told Juan to ask the bishop to build a shrine on the hill. When the bishop wanted a sign from Mary, she told Juan to gather roses to give to the bishop.

Juan wrapped the roses in his *tilma*, which is a cloak made of cactus cloth. When Juan unwrapped it there was an image of Mary on the cloth. The image shows Mary, the mother of Jesus, as "a woman clothed with the sun, with the moon under her feet" (Revelations 12:1). Juan's *tilma* and the image of the Virgin Mary have survived for almost 500 years.

Since 1886, people in Mexico have made pilgrimages to the Basilica of Guadalupe. Some people walk many miles from their homes; many others ride bicycles. Some enter the basilica walking on their knees. Many people visit the basilica to worship God, pray to Mary, and ask her to pray for them.

When we take part in Mass on the Feast of Our Lady of Guadalupe, the Patroness of the Americas, we pray that Mary will help all people to accept each other as brothers and sisters. We pray for the gift of peace that her Son, Jesus, gave to the world.

Faith Focus

Why do we honor Mary as Our Lady of Guadalupe?

The Word of the Lord

These are the three readings for the Feast of Our Lady of Guadalupe. Choose one of the readings, and find it in a Bible. Read and discuss the reading with your family.

Isaiah 7:10–14
Galatians 2:4–7
Luke 1:39–48

La paz de Cristo

El 12 de diciembre, honramos a María como Nuestra Señora de Guadalupe, Patrona de las Américas. En el siguiente espacio en blanco, escribe un lema o una oración corta por la paz. Pide a María que ruegue a su Hijo, Jesús, que ayude a todas las personas a vivir en paz.

Esta semana honraré a María mostrando respeto por los demás. Yo voy a

_____

_____

_____

 Reza: "Nuestra Señora de Guadalupe, ayúdame a ver a todas las personas como hermanos y hermanas. Amén".

The Peace of Christ

On December 12, we honor Mary as Our Lady of Guadalupe, Patroness of the Americas. In the space below, write a slogan or short prayer for peace. Ask Mary to ask her Son, Jesus, to help all people live in peace.

This week I will honor Mary by showing respect for others. I will

_____

_____

_____

MY FAITH CHOICE

 Pray, "Our Lady of Guadalupe, help me to see all people as brothers and sisters. Amen."

Navidad

Enfoque en la fe
¿Qué hicieron los pastores cuando oyeron el mensaje de los ángeles acerca de Jesús?

Palabra de Dios
Estas son las lecturas del Evangelio para la Misa del Día de Navidad. Elige una de las lecturas y búscala en la Biblia. Lee y comenta la lectura con tu familia.

Años A, B y C:
Juan 1:1–18 o
Juan 1:1–5, 9–14

Cuando tú naciste, ¡toda tu familia se regocijó! También se regocijaron muchas personas cuando Jesús nació.

El Evangelio nos dice que la gloria del Señor brilló en la noche oscura en el lugar donde los pastores estaban cuidando sus ovejas. Los pastores tenían miedo, pero los ángeles dieron esta Buena Nueva:

"[H]oy, en la ciudad de David, ha nacido para ustedes un Salvador, que es el Mesías y el Señor".

Lucas 2:11

Jesús nació en Belén, que se llama "ciudad de David". Muchos años antes, había nacido en Belén el rey más importante de Israel, David.

Los ángeles no anunciaron el nacimiento de Jesús, el Salvador, a reyes importantes. Los ángeles anunciaron su nacimiento a los pastores, que entonces dejaron su rebaño y fueron a ver al Niño nacido en Belén. Después los pastores regresaron

alabando y glorificando a Dios por todo lo que habían visto y oído, tal como los ángeles se lo habían anunciado.

Lucas 2:20

Christmas

When you were born, your whole family rejoiced! Many rejoiced when Jesus was born too.

The Gospel tells us that the glory of the Lord shone in the dark night over the place where shepherds were watching their sheep. The shepherds were afraid but the angels brought this Good News:

"[T]oday in the city of David a savior has been born for you who is Messiah and Lord."   LUKE 2:11

Jesus was born in Bethlehem, which is called the "city of David." Many years before, Israel's greatest king, David, had been born in Bethlehem.

The angels did not announce the birth of Jesus, the Savior, to great kings. The angels announced his birth to shepherds who then left their sheep and went to see the Child born in Bethlehem. Then the shepherds went about

glorifying and praising God for all they had heard and seen, just as it had been told to them.

LUKE 2:20

Faith Focus
What did the shepherds do when they heard the angels' message about Jesus?

The Word of the Lord
These are the Gospel readings for Mass on Christmas Day. Choose one reading and find it in the Bible. Read and discuss the reading with your family.

Years A, B, and C:
John 1:1–18 or John 1:1–5, 9–14

Gloria y alabanza a Dios

Cuando rezamos el Gloria en la Misa, alabamos a Dios como los pastores hicieron. Da gloria a Dios rezando parte del Gloria junto con la clase.

¡Gloria a Dios!

Todos: **Gloria a Dios en el cielo, y en la tierra paz a los hombres que ama el Señor.**

Grupo 1: Te alabamos, te bendecimos, te adoramos, te glorificamos.

Grupo 2: **Por tu inmensa gloria te damos gracias Señor Dios, Rey celestial, Dios Padre todopoderoso.**

Todos: y en la tierra paz a los hombres que ama el Señor.

Misal Romano

MI ELECCIÓN DE FE

Esta semana seguiré el ejemplo de los pastores. Yo voy a

_____

_____

_____.

Reza: "¡Jesús, tú eres el Mesías y el Señor! Amén".

Glory and Praise to God

When we pray the Gloria at Mass, we are praising God just as the shepherds did. Give glory to God by praying part of the Gloria together as a class.

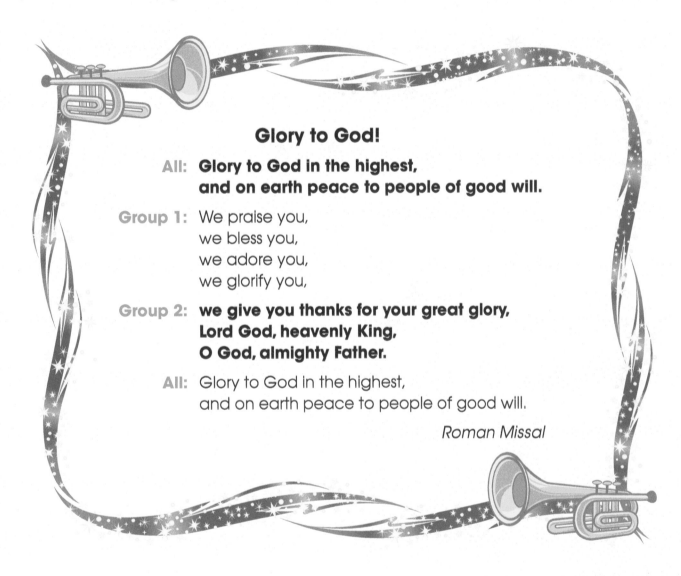

Glory to God!

All: **Glory to God in the highest, and on earth peace to people of good will.**

Group 1: We praise you, we bless you, we adore you, we glorify you,

Group 2: **we give you thanks for your great glory, Lord God, heavenly King, O God, almighty Father.**

All: Glory to God in the highest, and on earth peace to people of good will.

Roman Missal

This week I will follow the example of the shepherds. I will

_____

_____

_____,

MY FAITH CHOICE

 Pray, "Jesus, you are Messiah and Lord! Amen."

Enfoque en la fe
¿Cómo nos guía a la paz María, nuestra madre?

Palabra de Dios
Esta es la lectura del Evangelio para la Solemnidad de Santa María, Madre de Dios. Léela y coméntala con tu familia.

Evangelio:
Lucas 2:16–21

El Día de Navidad celebramos el nacimiento de Jesucristo, Hijo de Dios e Hijo de María. La Iglesia continúa celebrando el nacimiento de Jesús, el Salvador del mundo, por dos semanas. A esto le decimos tiempo de Navidad. La celebración del tiempo de Navidad dura hasta el Día del Bautismo del Señor.

El 1 de enero, la Iglesia celebra la Solemnidad de Santa María, Madre de Dios. Como María es la madre de Jesús, que es verdaderamente Dios, María es verdaderamente la Madre de Dios. Este es un día de precepto. Durante la Liturgia rezamos:

> Hoy brillará una luz sobre nosotros, porque nos ha nacido el Señor y se le llamará Admirable, Dios, Príncipe de la paz, Padre del mundo futuro, y su Reino no tendrá fin.

ORACIÓN INICIAL, SOLEMNIDAD DE SANTA MARÍA, MADRE DE DIOS, *MISAL ROMANO*

En 1967 el Venerable Papa Pablo VI nombró el 1 de enero como la Jornada Mundial de Oración por la Paz. Desde entonces, se les pide a los Cristianos que empiecen el Año Nuevo con oraciones por la paz. Cuando celebramos la Solemnidad de Santa María, Madre de Dios, pedimos a María que lleve nuestras oraciones por la paz a su Hijo, Jesús, Príncipe de la Paz.

Solemnity of Mary, the Holy Mother of God

On Christmas Day we celebrate the birth of Jesus Christ, the Son of God and the Son of Mary. The Church continues to celebrate the birth of Jesus, the Savior of the world, for two weeks. We call this the Christmas season. The celebration of the Christmas season lasts until the Feast of the Baptism of the Lord.

On January 1, the Church celebrates the Solemnity of Mary, the Holy Mother of God. Because Mary is the mother of Jesus, who is truly God, Mary is truly the Mother of God. This day is a holy day of obligation. During the liturgy we pray:

> Today a light will shine upon us,
>   for the Lord is born for us;
>   and he will be called Wondrous God, . . .

COLLECT, SOLEMNITY OF MARY, THE HOLY MOTHER OF GOD
ROMAN MISSAL

In 1967 Venerable Pope Paul VI named January 1 World Day of Prayer for Peace. Since then, Christians have been asked to begin the New Year with prayers for peace. When we celebrate the Solemnity of Mary, the Holy Mother of God, we ask Mary to take our prayers for peace to her Son, Jesus, the Prince of Peace.

Faith Focus
How does Mary, our mother, lead us to peace?

The Word of the Lord
This is the Gospel reading for the Solemnity of Mary, the Holy Mother of God. Read and discuss it with your family.

Gospel:
Luke 2:16–21

Madre de Jesús

Lee uno de los siguientes pasajes de la Biblia. Debajo de ellos, escribe qué cosa nueva aprendió María acerca de su hijo, Jesús, en el acontecimiento que se describe en el relato.

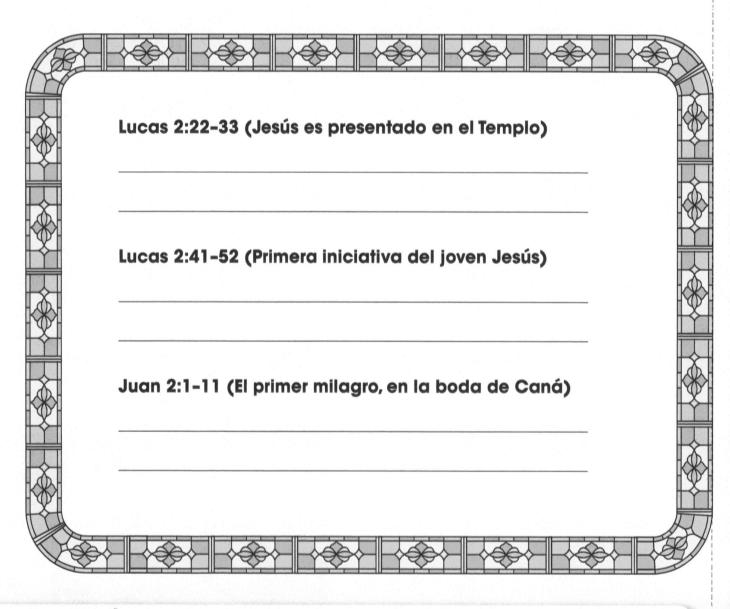

Lucas 2:22-33 (Jesús es presentado en el Templo)

_____

_____

Lucas 2:41-52 (Primera iniciativa del joven Jesús)

_____

_____

Juan 2:1-11 (El primer milagro, en la boda de Caná)

_____

_____

MI ELECCIÓN DE FE

Esta semana trabajaré por la paz, como María pide que lo haga. Yo voy a

_____

_____

_____

Reza: "Santa Madre de Dios, trae paz a nuestro mundo. Amén".

Mother of Jesus

Read one of the Bible passages below. Under it, write what new thing Mary learned about her son, Jesus, in the event described in the story.

Luke 2:22-33 (The Presentation of Jesus in the Temple)

_____

_____

Luke 2:41-52 (The Boy Jesus in the Temple)

_____

_____

John 2:1-11 (The Wedding at Cana)

_____

_____

This week I will work for peace as Mary asks. I will

_____

_____

_____

MY FAITH CHOICE

 Pray, "Holy Mother of God, bring peace to our world. Amen."

Epifanía

Enfoque en la fe
¿Quiénes eran los Reyes Magos?

Palabra de Dios
Esta es la lectura para la Solemnidad de la Epifanía. Búscala en la Biblia y léela y coméntala con tu familia.

Años A, B y C:
Efesios 3:2-3, 5-6

Nombra a un líder a quien respetes mucho. ¿Por qué respetas a este líder? ¿Cómo muestras tu respeto por esa persona?

En la época en que Jesús nació, algunos hombres sabios, llamados Reyes Magos, estudiaban las estrellas para hallar signos del nacimiento de un líder importante y sagrado. Una noche, los Reyes Magos vieron una gran estrella en el cielo. Creyeron que la estrella los guiaría hasta este líder importante.

Los Reyes Magos, comenzaron un largo viaje y siguieron la estrella. Esta los condujo hasta Belén. Allí encontraron a Jesús, María y José. Ofrecieron a Jesús regalos de oro, incienso y mirra para honrarlo como rey y mostrarle su gran respeto.

El metal precioso, el oro, significaba que Jesús sería nuestro rey. Los pueblos antiguos quemaban incienso porque creían que este llevaba sus oraciones al Cielo. Hoy lo encendemos para simbolizar que nuestro Sumo Sacerdote, Jesús, también lleva nuestras oraciones al Cielo. La mirra se usaba en el entierro de los muertos. Era una pomada que se utilizó después en la sepultura de Jesús.

La Salvación de Dios es para todas las personas: los pastores pobres, los Reyes Magos, nosotros y todo el mundo.

Epiphany

Name a leader for whom you have great respect. Why do you respect this leader? How do you show your respect for this person?

At the time Jesus was born, some wise men, called Magi, studied the stars to find signs of the birth of a great and holy leader. One night the Magi saw a great star in the sky. They believed the star would lead them to this great leader.

The Magi set out on a long journey and followed the star. It led them to Bethlehem. There they found Jesus, Mary, and Joseph. They offered gifts of gold, frankincense, and myrrh to Jesus to honor him as a king and show their great respect for him.

The precious metal, gold, signified that Jesus would be our king. Frankincense was burned by ancient people, who believed it carried their prayers to Heaven. Today, we burn incense to symbolize that our High Priest, Jesus, carries our prayers to Heaven too. Myrrh was used in the burial of the dead. It was an ointment used later in the burial of Jesus.

God's Salvation is for all people—the poor shepherds, the royal Magi, us, and everyone.

Faith Focus
Who were the Magi?

The Word of the Lord
This is the Second Reading for the Solemnity of the Epiphany of the Lord. Find it in the Bible and read and discuss it with your family.

Years A, B, and C: Ephesians 3:2–3, 5–6

Dones de servicio

Los Reyes Magos honraron y respetaron a Jesús con regalos. En cada una de las cajas de regalo, escribe un don o regalo, de servicio que harás para honrar a Jesús y ayudar a edificar su reino.

Esta semana ayudaré a los demás a que conozcan a Jesús. Yo voy a

_____

_____

_____

Reza: "Señor, ayúdame a seguirte siempre. Amén".

Gifts of Service

The Magi honored and respected Jesus with gifts. In each of the gift boxes, write a gift of service that you will do to honor Jesus and help build his kingdom.

This week I will help others come to know Jesus. I will

_____

_____

_____

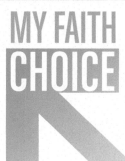

MY FAITH
CHOICE

 Pray, "Lord, help me to follow you always. Amen."

Miércoles de Ceniza

Todo viaje tiene un comienzo. El Miércoles de Ceniza es el primer día de nuestro viaje cuaresmal hacia la Pascua. La Cuaresma empieza el Miércoles de Ceniza y termina el Jueves Santo.

Durante el tiempo de Cuaresma, nos preparamos para la Pascua con el ayuno, la oración y los actos de caridad. Hacemos sacrificios para recordar el gran sacrificio de Jesús en la Cruz.

El Miércoles de Ceniza, nos unimos a los católicos de todo el mundo. Vamos a la iglesia y escuchamos la Palabra de Dios. Se nos marca una cruz en la frente con cenizas. Esta cenizas provienen de las ramas de palma bendecidas el Domingo de Ramos de la Pasión del Señor. Este rito es una señal de que deseamos cambiar nuestro corazón. Deseamos apartarnos del pecado y cambiar nuestra vida. Deseamos vivir como amorosos hijos de Dios.

Mientras el sacerdote bendice las cenizas, reza: "Señor Dios, que te apiadas de quienes se humillan y concedes tu paz a los que se arrepienten, escucha con bondad nuestras súplicas y derrama la gracia de tu bendición sobre estos siervos tuyos que van a recibir la ceniza, para que, fieles a las prácticas cuaresmales puedan llegar, con un alma purificada, a celebrar la Pascua de tu Hijo, que vive y reina por los siglos de los siglos.

BENDICIÓN E IMPOSICIÓN DE LA CENIZA, *MISAL ROMANO,*

Ash Wednesday

Every journey has a beginning. Ash Wednesday is the first day of our Lenten journey toward Easter. Lent begins on Ash Wednesday and ends on Holy Thursday.

During the season of Lent we prepare for Easter through fasting, prayer, and acts of charity. We make sacrifices remembering the great sacrifice of Jesus on the Cross.

On Ash Wednesday we join with Catholics all over the world. We go to church and listen to the Word of God. Our forehead is marked with ashes in the form of a cross. These ashes are made from the palm branches blessed on Palm Sunday of the Passion of the Lord. This ritual is a sign that we desire to change our hearts. We want to turn away from sin and change our lives. We want to live as loving children of God.

As the priest blesses the ashes, he prays,

> [P]our out the grace of your blessing
> on your servants who are marked with these ashes,
> that, . . . they may be made worthy . . .
> to celebrate the Paschal Mystery of your Son."

BLESSING AND DISTRIBUTION OF ASHES, ROMAN MISSAL

Faith Focus
Why does the Church bless us with ashes on Ash Wednesday?

The Word of the Lord
This is the First Reading for Ash Wednesday. Read and discuss it with your family.

First Reading
Joel 2:12–18

Dones de sacrificio y ofrenda

El Miércoles de Ceniza recordamos cuántos nos ama Dios.
Recordamos que el Hijo de Dios se hizo uno de nosotros.
Él nos mostró cuánto nos ama Dios. Él nos mostró cómo
debemos mostrar nuestro amor por Dios.

*Durante la Cuaresma, renunciamos o sacrificamos algo
en especial en honor a Jesús. También damos algo a los
demás para compartir nuestro amor por Dios. Durante cada
semana de la Cuaresma, escribe un sacrificio y un acto
de ofrenda que realizarás. Asegúrate de escribir cuándo lo
piensas hacer.*

Semanas de Cuaresma	Renuncio a...		Doy a...	
	Qué	**Cuándo**	**Quién**	**Cuándo**
1				
2				
3				
4				
5				
6				
¡PASCUA!				

MI ELECCIÓN DE FE

Esta semana haré una obra especial de caridad o amor para
alguien de mi familia. Yo voy a

_____

_____

_____

Reza: "Señor, ayúdame a apartarme del pecado y vivir con amor. Amén".

Gifts of Sacrifice and Giving

On Ash Wednesday we remember how much God loves us. We remember that the Son of God became one of us. He showed us how much God loves us. He showed us how we are to show our love for God.

During Lent we give up or sacrifice something special in honor of Jesus. We also give to others to share our love for God. For each week in Lent, write one sacrifice and one act of giving that you will do. Be sure to write when you will do it.

Weeks In Lent	Giving Up...		Giving To...	
	What	**When**	**Who**	**When**
1				
2				
3				
4				
5				
6				
EASTER!				

This week I will do a special work of charity, or love, for someone in my family. I will

_____

_____

_____ .

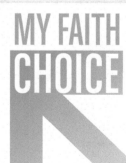

MY FAITH CHOICE

Pray, "Lord, help me to turn away from sin and live with love. Amen."

La Cuaresma

Enfoque en la fe
¿Por qué la Iglesia celebra la Cuaresma?

Palabra de Dios
Estas son las lecturas del Evangelio para la primera semana de Cuaresma. Elige la lectura de este año y búscala en la Biblia. Léela y coméntala con tu familia.

Año A:
Mateo 4:1–11

Año B:
Marcos 1:12–15

Año C:
Lucas 4:1–13

Lo que oyes
La palabra *aleluya* no se usa durante la Cuaresma. Antes de la lectura del Evangelio, solamente se lee un versículo del Salmo.

Cuando llega la primavera, nos vestimos con ropa más liviana y cómoda. Por lo general, hacemos una limpieza profunda de la casa. La primavera es una época para disfrutar de un momento más fresco y colorido del año.

La Cuaresma es la primavera de la Iglesia. Es la época del año eclesiástico que pasamos en preparación para nuestra celebración Pascual de la Resurrección de Jesús a una nueva vida.

La Cuaresma comienza el Miércoles de Ceniza. Ese día, como se traza una cruz con cenizas sobre nuestra frente, escuchamos las palabras:

"Arrepiéntete y cree en el Evangelio". Misal Romano

La Cuaresma es un momento para recordar la nueva vida de Cristo que se nos entregó a través del Bautismo. Se nos recuerda que necesitamos el perdón de Dios. Recordamos que necesitamos la oración diaria. Buscamos con frecuencia maneras de compartir nuestras bendiciones con los demás. Renovamos nuestros esfuerzos por vivir el Evangelio al amar a Dios y al prójimo.

Lent

When spring comes, we put on lighter and more comfortable clothing. We often do spring cleaning around our home. Spring is a time to enjoy a fresh, new colorful season of the year.

Lent is the Church's springtime. It is the time of the Church's year that we spend preparing for our Easter celebration of Jesus' Resurrection to new life.

Lent begins on Ash Wednesday. On Ash Wednesday, as a cross is traced on our forehead with ashes, we hear the words,

"Repent, and believe in the Gospel." ROMAN MISSAL

Lent is a time to remember the new life of Christ given to us through Baptism. We are reminded that we are in need of God's forgiveness. We remember our needs for daily prayer. We often look for ways to share our blessings with others. We renew our efforts to live the Gospel by loving God and one another.

Faith Focus
Why does the Church celebrate Lent?

The Word of the Lord
These are the Gospel readings for the First Week of Lent. Choose this year's reading and look it up in a Bible. Read and discuss the reading with your family.

Year A:
Matthew 4:1-11

Year B:
Mark 1:12-15

Year C:
Luke 4:1-13

What You Hear
The word *alleluia* is not used during Lent. Before the reading of the Gospel, only a psalm verse is read.

Vivir el Evangelio

Los Frutos del Espíritu Santo nos ayudan a vivir el Evangelio. Mira la lista de algunos de los Frutos del Espíritu Santo. En cada uno de los siguientes espacios en blanco, dibuja o escribe una escena que muestre a alguien viviendo uno de los Frutos del Espíritu Santo. Escribe el Fruto en la parte de arriba de cada ilustración.

Frutos del Espíritu Santo

mansedumbre	continencia	caridad
gozo	longanimidad	paz
fidelidad	benignidad	paciencia

MI ELECCIÓN DE FE

Esta semana viviré el Evangelio al practicar una virtud. Yo voy a

_____

_____

_____

Reza: "Jesús, ayúdame a renovar mis esfuerzos para amar a Dios y a los demás. Amén".

Live the Gospel

The Fruits of the Holy Spirit help us live the Gospel. Look at the list of some of the Fruits of the Holy Spirit. In each of the spaces below, draw or write a scene showing someone living one of the Fruits of the Holy Spirit. Write the Fruit at the top of each picture.

Fruits of the Holy Spirit

gentleness	self-control	love
kindness	peace	faithfulness
patience	joy	generosity

This week I will live the Gospel by practicing a virtue. I will

_____

_____

_____

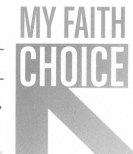

MY FAITH CHOICE

 Pray, "Jesus, help me to renew my efforts to love God and others. Amen."

Domingo de Ramos de la Pasión del Señor

Enfoque en la fe
¿Qué recuerda y celebra la Iglesia el domingo que inicia la Semana Santa?

Palabra de Dios
Estas son las lecturas del Evangelio para el Domingo de Ramos de la Pasión del Señor. Elige la lectura de este año y búscala en la Biblia. Léela y coméntala con tu familia.

Año A:
Mateo 26:14–27, 66
o Mateo 27:11–54

Año B:
Marcos 14:1–15:47
o Marcos 15:1–39

Año C:
Lucas 22:14–23:56
o Lucas 23:1–49

Cuando tienes una fiesta de cumpleaños, necesitas prepararte de muchas maneras. Debes decidir la hora de la fiesta y a quién invitar. ¿Comprarás la torta o la harás tú?

Una vez, durante la celebración de la Pascua judía, Jesús envió a sus discípulos a Jerusalén para preparar la celebración. Fueron a Jerusalén antes que Jesús e hicieron todos los preparativos.

En la actualidad, en el Domingo de Ramos de la Pasión del Señor nos reunimos cerca de la entrada de la iglesia para prepararnos para nuestra celebración. Se nos da ramas de palma para usar en la celebración.

Se nos unen el sacerdote con vestimenta roja y los demás ministros. Se bendicen las ramas de palma. Las sostenemos en la mano mientras caminamos en procesión hacia el interior de la iglesia y cantamos:

"¡Hosanna al Hijo de David!
¡Bendito sea el que viene en nombre del Señor!"

MATEO 21:9

El Domingo de Ramos es el comienzo de la Semana Santa. Es el día en el que la Iglesia celebra la entrada de Jesús en Jerusalén para celebrar la Pascua judía. Nuestra celebración del Domingo de Ramos nos prepara para nuestra celebración del Triduo Pascual, los últimos tres días de la Semana Santa.

Palm Sunday of the Passion of the Lord

When you have a birthday party, you need to prepare for it in many ways. You have to decide on a time to have the party, and who to invite. Will a cake be baked or ordered?

Once when it was time to celebrate Passover, Jesus sent his disciples to Jerusalem to prepare for the celebration. They went to Jerusalem ahead of Jesus and made all the preparations.

Today on Palm Sunday of the Passion of the Lord, we gather near the entrance of the church to prepare for our celebration. We are given palm branches to use in the celebration.

The priest wearing red vestments and the other ministers join us. The palm branches are blessed. Holding them in our hands we walk in procession into the church while singing,

> "Hosanna to the Son of David;
> blessed is he who comes in the name of the Lord."
>
> MATTHEW 21:9

Palm Sunday is the beginning of Holy Week. It is the day on which the Church celebrates Jesus' entry into Jerusalem to celebrate Passover. Our celebration of Palm Sunday prepares us for our celebration of the Easter Triduum, the last three days of Holy Week.

Faith Focus

What does the Church remember and celebrate on the Sunday that begins Holy Week?

The Word of the Lord

These are the Gospel readings for Palm Sunday of the Passion of the Lord. Choose this year's reading and find it in a Bible. Read and discuss the reading with your family.

Year A:
Matthew 26:14–27:66 or Matthew 27:11–54

Year B:
Mark 14:1–15:47 or Mark 15:1–39

Year C:
Luke 22:14–23:56 or Luke 23:1–49

Alabar a Dios

Este himno se canta durante la procesión al comienzo de la liturgia del Domingo de Ramos. Reza con reverencia las palabras de este himno.

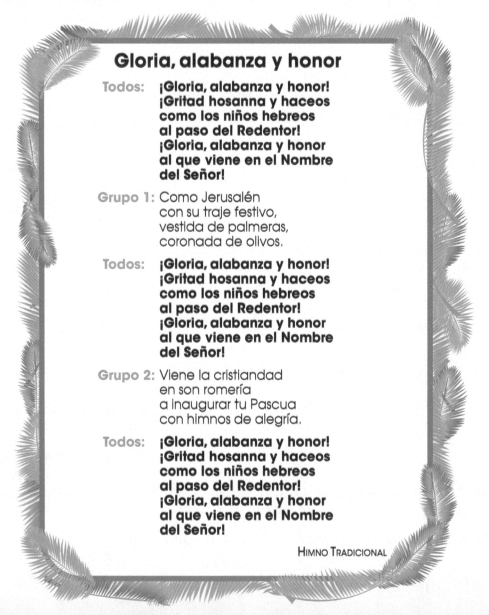

Gloria, alabanza y honor

Todos: **¡Gloria, alabanza y honor!
¡Gritad hosanna y haceos
como los niños hebreos
al paso del Redentor!
¡Gloria, alabanza y honor
al que viene en el Nombre
del Señor!**

Grupo 1: Como Jerusalén
con su traje festivo,
vestida de palmeras,
coronada de olivos.

Todos: **¡Gloria, alabanza y honor!
¡Gritad hosanna y haceos
como los niños hebreos
al paso del Redentor!
¡Gloria, alabanza y honor
al que viene en el Nombre
del Señor!**

Grupo 2: Viene la cristiandad
en son romería
a inaugurar tu Pascua
con himnos de alegría.

Todos: **¡Gloria, alabanza y honor!
¡Gritad hosanna y haceos
como los niños hebreos
al paso del Redentor!
¡Gloria, alabanza y honor
al que viene en el Nombre
del Señor!**

Himno Tradicional

MI ELECCIÓN DE FE

Esta semana honraré a Jesús como mi Rey. Yo voy a

_____

_____

_____.

Reza: "Señor, te alabamos y te damos la bienvenida. Amén".

Giving Praise to God

This hymn is sung during the procession at the beginning of the liturgy on Palm Sunday. Pray the words of this hymn reverently.

All Glory, Laud, and Honor

All: **All glory, laud, and honor
To you, Redeemer, King!
To whom the lips of children
Made sweet hosannas ring.**

Group 1: You are the King of Israel,
And David's royal Son,
Now in the Lord's Name coming,
Our King and Blessed One.

All: **All glory, laud, and honor
To you, Redeemer, King!
To whom the lips of children
Made sweet hosannas ring.**

Group 2: The people of the Hebrews
With palms before you went:
Our praise and prayers and anthems
Before you we present.

All: **All glory, laud, and honor
To you, Redeemer, King!
To whom the lips of children
Made sweet hosannas ring.**

TRADITIONAL HYMN

This week I will honor Jesus as my King. I will

_____

_____

_____

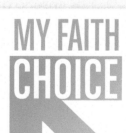

MY FAITH CHOICE

Pray, "We praise and welcome you, Lord. Amen."

Enfoque en la fe
¿Qué recuerdas el Jueves Santo?

Palabra de Dios
Estas son las lecturas de las Sagradas Escrituras para la Misa de la noche del Jueves Santo. Elige una de las lecturas y búscala en la Biblia. Léela y coméntala con tu familia.

Primera lectura:
Éxodo 12:1–8, 11–14

Segunda lectura:
1.ª Corintios 11:23–26

Evangelio:
Juan 13:1–15

A la vista
Los miembros que representan a la asamblea se acercan. El sacerdote derrama agua sobre sus pies y los seca. Este acto nos recuerda que Jesús lavó los pies de los discípulos en la Última Cena. Al hacerlo, Jesús nos enseñó a servir también a los demás.

Triduo Pascual: Jueves Santo

Todos tenemos recuerdos preferidos de los sucesos y las celebraciones. Triduo es una palabra que la Iglesia usa durante los tres últimos días de la Semana Santa. Las tres celebraciones del Triduo Pascual son el Jueves Santo, el Viernes Santo y la Pascua.

En el Jueves Santo, recordamos la última vez que Jesús compartió una comida con sus discípulos. Celebraron juntos la Pascua judía.

Durante la comida de la Pascua judía compartieron el pan y el vino. Cuando Jesús compartió el pan y el vino en la Última Cena, le dio un nuevo significado. Tomó el pan, lo bendijo, lo partió y dijo:

"Esto es mi cuerpo, que es entregado por ustedes".

Lucas 22:19

Después de comer, compartió la copa de vino y dijo:

"Esta copa es la alianza nueva sellada con mi sangre, que es derramada por ustedes".

Lucas 22:20

Jesús ordenó a los Apóstoles que compartieran con los demás esta comida. Él dijo:

"Hagan esto en memoria mía". Lucas 22:19

La Iglesia sigue la instrucción de Jesús cada vez que celebra la Eucaristía.

Triduum/ Holy Thursday

We all have favorite memories of events and celebrations. Triduum is a word the Church uses for the last three days of Holy Week. The three celebrations of the Triduum are Holy Thursday, Good Friday, and Easter Vigil/Easter Sunday.

On Holy Thursday we remember the last time Jesus shared a meal with his disciples. Together they celebrated Passover.

During the Passover meal bread and wine were shared. When Jesus shared the bread and wine at the Last Supper, he gave it a new meaning. He took bread, said the blessing prayer, and broke the bread, and said,

"This is my body, which will be given for you." LUKE 22:19

After the meal he shared the cup of wine and said,

"This cup is the new covenant in my blood, which will be shed for you." LUKE 22:20

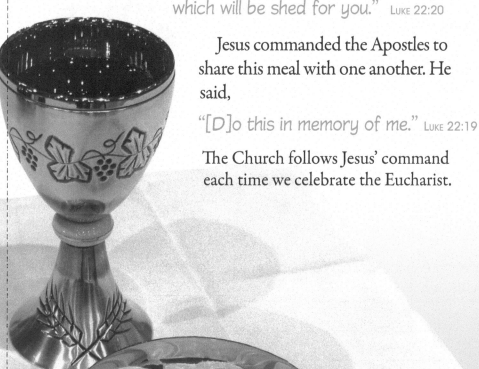

Jesus commanded the Apostles to share this meal with one another. He said,

"[D]o this in memory of me." LUKE 22:19

The Church follows Jesus' command each time we celebrate the Eucharist.

Faith Focus
What do we remember on Holy Thursday?

The Word of the Lord
These are the three Scripture readings for Mass on Holy Thursday evening. Choose one of the readings and find it in a Bible. Read and discuss the reading with your family.

First Reading: Exodus 12:1-8, 11-14

Second Reading: 1 Corinthians 11:23-26

Gospel: John 13:1-15

What You See
Members representing the assembly come forth. The priest pours water over their feet and dries them. This reminds us that Jesus washed the disciples' feet at the Last Supper. By doing this, Jesus taught us to serve others too.

En memoria mía

Escribe quintillas acerca del pan o del vino y del nuevo significado que Jesús les dio. Sigue el modelo para escribirlas.

Pan   Vino

(Encierra tu elección en un círculo)

_____ _____

(Dos palabras que describan la primera palabra)

_____ _____ _____

(Tres palabras de acciones)

_____ _____ _____ _____

(Cuatro palabras de sentimientos)

_____

(Sinónimo de la primera palabra)

MI ELECCIÓN DE FE

Esta semana serviré a los demás en el nombre de Jesús. Yo voy a

_____

_____

_____

Reza: "Quien coma del pan y beba de la copa vivirá para siempre. Amén".

In Memory of Me

Write a cinquain about either the bread or the wine and the new meaning Jesus gave it. Follow the pattern to write your cinquain.

Bread   Wine

(Circle your choice)

_____ _____

(Two words describing first word)

_____ _____ _____

(Three action words)

_____ _____ _____ _____

(Four feeling words)

_____

(Synonym for first word)

This week I will serve others in Jesus' name. I will

_____

_____

_____

MY FAITH CHOICE

 **Pray, "Whoever eats the bread and drinks from the cup will live forever. Amen."**

Triduo Pascual: Viernes Santo

Enfoque en la fe
¿Qué recuerda y celebra la Iglesia el Viernes Santo?

Palabra de Dios
Estas son las tres lecturas de las Sagradas Escrituras para el Viernes Santo. Elige una de las lecturas y búscala en la Biblia. Léela y coméntala con tu familia.

Primera lectura:
Isaías 52:13–53:12

Segunda lectura:
Hebreos 4:14–16, 5:7–9

Evangelio:
Juan 18:1–19:42

El Viernes Santo celebramos la Pasión y Muerte de Jesús. No se celebra Misa en ningún lugar. Nuestra celebración del Viernes Santo se compone de tres partes: la Liturgia de la Palabra, la Veneración de la Cruz y la Sagrada Comunión.

El sacerdote comienza con una oración que pide a Dios que vele por nosotros y nos haga santos. A continuación escuchamos las lecturas del Antiguo Testamento y del Nuevo Testamento. Luego lee la Pasión de Jesús del Evangelio según Juan.

A continuación nos unimos al sacerdote en oración por la Iglesia y sus líderes, por las personas que se están preparando para el Bautismo y por todas las personas que necesitan que recemos por ellas.

Después de la Liturgia de la Palabra, el diácono o sacerdote entra a la iglesia sosteniendo en alto la cruz. Canta tres veces en voz alta: "Mirad el árbol de la Cruz, donde estuvo clavado Cristo, el Salvador del mundo". Respondemos: "Venid y adoremos". Luego se nos invita a caminar hacia la cruz y reverenciarla.

Ahora se prepara el altar y se nos invita a recibir la Sagrada Comunión. Cuando termina la celebración, dejamos la iglesia en silencio. Agradecemos a Dios por su gran amor por nosotros.

Triduum/Good Friday

On Good Friday we celebrate the Passion and Death of Jesus. No Mass is celebrated anywhere. Our celebration on Good Friday is made up of three parts: the Liturgy of the Word, the Adoration of the Holy Cross, and Holy Communion.

The priest begins with a prayer asking God to watch over us and make us holy. Next we listen to the readings from the Old Testament and the New Testament. Then the Passion of Jesus is read from the Gospel according to John.

Next we join the priest in praying for the Church and its leaders, the people who are preparing for Baptism, and for all people who need our prayers.

After the Liturgy of the Word, the deacon or priest enters the church holding the cross up high. Three times he sings out loud, "Behold the wood of the Cross, on which hung the salvation of the world." We answer, "Come, let us adore." Then we are invited to walk up to the cross and show our reverence for it.

Now the altar is prepared and we are invited to receive Holy Communion. When our celebration ends we leave the church in silence. We thank God for his great love for us.

Faith Focus
What does the Church remember and celebrate on Good Friday?

The Word of the Lord
These are the three Scripture readings for Good Friday. Choose one of the readings and find it in the Bible. Read and discuss the reading with your family.

First Reading: Isaiah 52:13–53:12

Second Reading: Hebrews 4:14–16, 5:7–9

Gospel: John 18:1–19:42

El árbol de la Cruz

Escribe las tres partes de la celebración del Viernes Santo a los lados y en la parte inferior de la cruz. Debajo de la cruz, escribe una oración de agradecimiento a Dios por su gran amor por nosotros. Rézala en silencio.

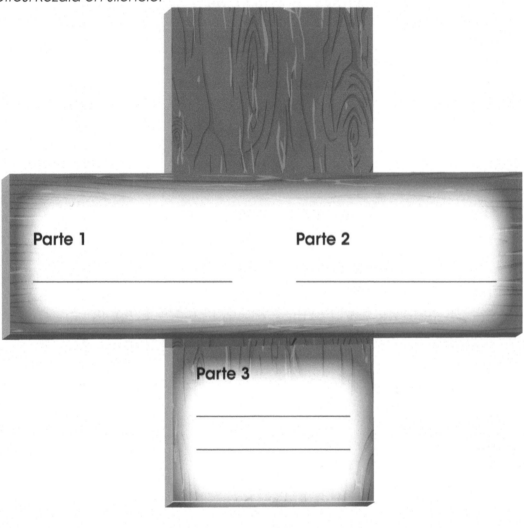

Parte 1

_____

Parte 2

_____

Parte 3

_____

_____

_____

_____

The Wood of the Cross

On the sides and bottom of the cross, write the three parts of the celebration on Good Friday. Below the cross, write a prayer of thanksgiving to God for his great love for us. Pray it quietly by yourself.

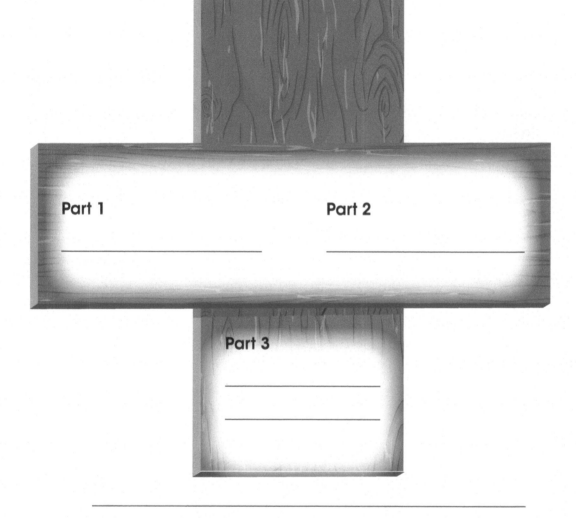

Part 1

_____

Part 2

_____

Part 3

_____

_____

_____

_____

This week I will remember the Passion and Death of Christ. I will

_____

_____

_____

 Honor the suffering of Christ. Pray, "You are the Savior of the world! Amen."

Palabra de Dios
Estas son las lecturas del Evangelio para la Misa del Domingo de Pascua. Elige la lectura de este año y búscala en la Biblia. Léela y coméntala con tu familia.

Años A, B y C:
Juan 20:1–9, Mateo 28:1–10 o Lucas 24:13–35

Triduo Pascual: Pascua

La Pascua es un día especial para los cristianos. Algunas familias decoran sus casas con flores. Los cristianos de todo el mundo celebran la Pascua de una manera especial. Es la época más importante del año eclesiástico.

La Iglesia nos invita a celebrar con alegría los siete domingos de la estación pascual. La Iglesia celebra la Pascua durante cincuenta días. Cada uno de sus siete domingos recuerda la nueva vida que Jesús consiguió para nosotros.

Durante toda la época de Pascua, cantamos y proclamamos en voz alta, para que todos lo escuchen una y otra vez: "Aleluya". Aleluya significa "¡Alabemos al Señor!". También recordamos el Domingo de Pascua como un día especial. Para celebrar nuestro gozo, podemos cantar

"Este es el día que ha hecho el Señor, gocemos y alegrémonos en él" (Salmo responsorial, Domingo de Pascua).

Triduum/ Easter

Easter is a special day for Christians. Some families decorate their homes with flowers. Christians around the world celebrate Easter in a special way! It is the most important season of the Church's year.

The Church invites us to celebrate joyfully the seven Sundays of the Easter season. The Church celebrates Easter for fifty days. Each of its seven Sundays recalls the new life Jesus won for us.

Throughout the Easter season, we sing and proclaim out loud for all to hear over and over, "Alleluia." Alleluia means "Praise the Lord!" We also remember Easter Sunday as a special day. To celebrate our joy, we may sing,

"This is the day the Lord has made; let us rejoice and be glad" (RESPONSORIAL PSALM, EASTER SUNDAY).

Faith Focus
What do we remember and celebrate at the Easter Vigil and on Easter Sunday?

The Word of the Lord
These are the Gospel readings for Mass on Easter Sunday. Choose this year's reading and find it in a Bible. Read and discuss the reading with your family.

Years A, B, and C:
John 20:1–9 or Matthew 28:1–10 or Luke 24:13–35

Ha resucitado

Reza el final de este himno que cantamos en la Misa de la Vigilia Pascual. Proviene del Pregón Pascual, también llamado Exultet.

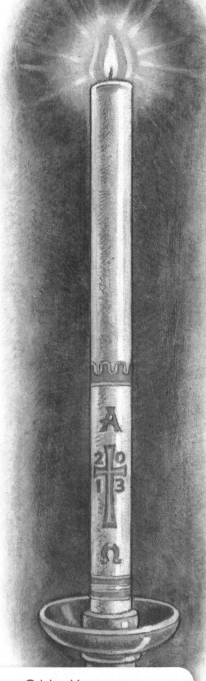

Exultet

Líder: En esta noche de gracia, acepta, Padre santo,
este sacrificio vespertino de esta llama,
que la santa Iglesia te ofrece
en la solemne ofrenda de este cirio,
obra de las abejas.

Todos: Te rogamos, Señor,
que este cirio consagrado a tu nombre
para destruir la oscuridad de esta noche,
arda sin apagarse y, aceptando como
perfume,
se asocie a las lumbreras del cielo.
Que el lucero matinal lo encuentre ardiendo,
ese lucero que no conoce ocaso,
Jesucristo, tu Hijo,
que volviendo del abismo,
brilla sereno para el linaje humano
y vive y reina por los siglos de los siglos.
Amén.

MISAL ROMANO

MI ELECCIÓN DE FE

Esta semana estaré agradecido por la nueva vida en Cristo. Yo voy a

_____

_____

_____

Honra al Cristo Resucitado. Reza: "Aleluya, Aleluya, Jesucristo ha resucitado hoy. ¡Aleluya, aleluya!"

He Is Risen

Pray the end of this hymn that we sing at the Easter Vigil Mass. It is from the Easter Proclamation also called the Exsultet.

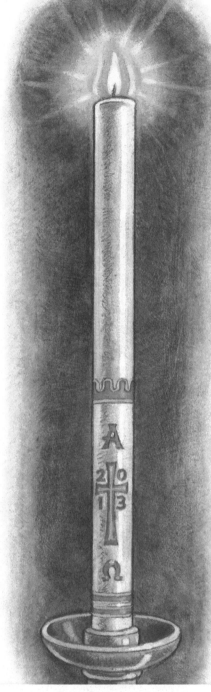

Exsultet

Leader: **On this, your night of grace, O holy Father,
accept this candle, a solemn offering,
the work of bees and of your servants' hands,
an evening sacrifice of praise,
this gift from your most holy Church.**

All: **Therefore, O Lord,
we pray you that this candle,
hallowed to the honor of your name,
may persevere undimmed,
to overcome the darkness of this night.
Receive it as a pleasing fragrance,
and let it mingle with the lights of heaven.
May this flame be found still burning
by the Morning Star:
the one Morning Star who never sets,
Christ your Son,
who, coming back from death's domain,
has shed his peaceful light on humanity,
and lives and reigns for ever and ever.
Amen.**

ROMAN MISSAL

This week I will be grateful for new life in Christ. I will

_____

_____

_____,

MY FAITH CHOICE

 Honor the Resurrected Christ. Pray "Alleluia, Alleluia, Jesus Christ is risen today, Alleluia, Alleluia!"

Ascensión

Enfoque en la fe
¿Qué creemos acerca de la Ascensión del Señor?

Palabra de Dios
Estas son las lecturas del Evangelio para la Ascensión del Señor. Pide a tu familia que lea contigo el Evangelio de este año. Comenta con ellos la lectura.

Año A:
Mateo 28:16–20

Año B:
Marcos 16:15–20

Año C:
Lucas 24:46–53

Durante los 40 días después de la Pascua, Jesús resucitado se apareció a los Apóstoles. Comieron y bebieron juntos y Jesús siguió enseñándoles acerca del Reino de Dios. Un día, mientras estaban reunidos en una colina, Jesús les recordó que Dios enviaría al Espíritu Santo para ayudarlos a enseñar a los demás acerca del Reino de Dios.

Jesús dijo a los Apóstoles que, a través del poder del Espíritu Santo,

"... hagan que todos los pueblos sean mis discípulos. Bautícenlos en el Nombre del Padre y del Hijo y del Espíritu Santo..."

MATEO 28:19

Jesús prometió estar con ellos siempre hasta el fin del mundo. Luego Jesús

"... fue llevado al cielo y se sentó a la derecha de Dios".

MARCOS 16:19

A esto lo llamamos Ascensión del Señor. Jesús ascendió al Cielo y regresó a su Padre.

La Iglesia celebra la Ascensión del Señor 40 días después de la Pascua. La Ascensión da esperanza a todos los discípulos de Jesús. Jesús prometió a sus seguidores que iba al Cielo a preparar un lugar para nosotros. Creemos que un día también compartiremos la vida eterna con Dios si hemos tratado de vivir como fieles seguidores de Jesús.

acias, Señor

a que eres uno de los Apóstoles después de la Ascensión
is al Cielo. Como apóstol estás agradecido por el tiempo
isaste con Jesús y por todo lo que aprendiste de Él. En
cio en blanco que está a continuación, escribe una
n la que agradezcas a Jesús y compartas con Él cómo
s viviendo como su fiel seguidor.

Esta semana mostraré mi esperanza en la promesa de Jesús de vida
eterna. Yo voy a

_____

_____

_____

Reza: "Bendícenos, Señor y prepara un lugar para nosotros en tu reino. Amén".

Ascension

During the 40 days after Easter, the Risen Jesus appeared to the Apostles. They ate and drank together and Jesus continued to teach them about the Kingdom of God. One day, as they were gathered together on a hillside, Jesus reminded them that God would send the Holy Spirit to help them teach others about God's kingdom.

Jesus told them that through the power of the Holy Spirit the Apostles would

"make disciples of all nations, baptizing them in the name of the Father, and of the Son, and of the Holy Spirit."

MATTHEW 28:19

Jesus promised to be with them always until the end of the world. Then Jesus

"was taken up into heaven and took his seat at the right hand of God."

MARK 16:19

We call this the Ascension of the Lord. Jesus ascended into Heaven and returned to his Father.

The Church celebrates the Ascension of the Lord 40 days after Easter. The Ascension gives all of Jesus' disciples hope. Jesus promised his followers that he was going to Heaven to prepare a place for us. We believe that one day we too will share everlasting life with God if we have tried to live as faithful followers of Jesus.

Thank You, Lord

Imagine you are one of the Apostles after the Ascension of Jesus into Heaven. As an apostle, you are grateful for the time you spent with Jesus and all that you learned from him. In the space below, write a letter thanking Jesus and share with him how you will continue to live as his faithful follower.

This week I will show my hope in Jesus' promise of everlasting life. I will

_____

_____

_____

MY FAITH CHOICE

 Pray, "Bless us, Lord, and prepare a place for us in your kingdom. Amen."

Pentecostés

Enfoque en la fe
¿Qué recuerdan y celebran los cristianos en Pentecostés?

Palabra de Dios
Estas son las lecturas del Evangelio para Pentecostés. Elige la lectura de este año y búscala en la Biblia. Léela y coméntala con tu familia.

Año A:
Juan 7:37–39
Juan 20:19–23

Año B:
Isaías 7:37–39;
Juan 15:26–27, 16,
12–15

Año C:
Juan 7:37–39;
Juan 14:15–16,
23–26

A veces oímos a una persona hablar un idioma que no conocemos. Desearíamos entenderlo.

En Pentecostés, cincuenta días después de la Resurrección de Jesús, personas de muchos lugares que hablaban diferentes idiomas estaban en Jerusalén. Ese día, María y los discípulos estaban en la ciudad de Jerusalén rezando juntos en una habitación superior. De repente un gran viento rugió por el salón. Lenguas como de fuego se posaron sobre las cabezas. Todos quedaron llenos del Espíritu Santo.

Luego Pedro, con gran valor, salió y se dirigió a las multitudes en las calles. Proclamó la Buena Nueva de la Muerte y Resurrección de Jesús. Todos entendieron a Pedro en su propio idioma y comprendieron su mensaje. Cuando le preguntaron a Pedro qué debían hacer, Pedro les dijo que cambiaran su rumbo y fueran bautizados.

El domingo de Pentecostés, recordamos que también estamos llenos del Espíritu Santo. Proclamamos la Buena Nueva de la Muerte y Resurrección de Jesús. Lo hacemos a través de nuestros actos de bondad, ayuda y caridad hacia los demás.

a obra del Espíritu Santo

cada una de las ilustraciones. El último recuadro está
blanco. Dibuja o escribe cómo ayudarás a hacer la obra
Espíritu Santo como uno de los discípulos de Jesús.

Esta semana pediré al Espíritu Santo que me guíe. Yo voy a

_____

_____

_____

 Todos los días rezaré: "Ven, Espíritu Santo, ven! Amén".

Pentecost

Sometimes we hear a person speak a language we do not know. We wish we could understand.

On Pentecost, fifty days after Jesus' Resurrection, people from many places and who spoke many languages were in Jerusalem. On that day, Mary and the disciples were praying together in an upstairs room in the city of Jerusalem. Suddenly, a great wind roared through the room. Tongues of fire rested over their heads. They were filled with the Holy Spirit.

Then Peter, filled with courage, went out and addressed the crowds in the streets. He proclaimed the Good News of Jesus' Death and Resurrection. Everyone heard Peter in their own language and understood his message! When they asked Peter what they should do, Peter told them to change their ways and be baptized.

On Pentecost Sunday we remember that we too are filled with the Holy Spirit. We proclaim the Good News of Jesus' Death and Resurrection. We do this by our good, helpful, loving acts toward others.

Faith F
What d
rememb
celebra
Penteco

The Wo
the Lor
These ar
Gospel r
Penteco
this year
and find
Bible. Re
discuss t
with your

Year A:
John 7:37
John 20:1

Year B:
John 7:37
John 15:2
16:12–15

Year C:
John 7:37
John 14:1
23–26

The Work of the Holy Spirit

Look at each of the pictures. The last frame is blank.
Draw or write how you will help do the work of the Holy
Spirit as one of Jesus' disciples.

This week I will ask the Holy Spirit to guide me. I will

_____

_____

_____

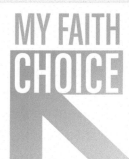

MY FAITH
CHOICE

Each day I will pray, "Come, Holy Spirit, come! Amen."

Oraciones y prácticas católicas

Señal de la cruz

En el nombre del Padre
y del Hijo
y del Espíritu Santo.
Amén.

Padre Nuestro

Padre nuestro, que estás en el cielo,
santificado sea tu Nombre;
venga a nosotros tu reino;
hágase tu voluntad
en la tierra como en el cielo.
Danos hoy nuestro pan de cada día;
perdona nuestras ofensas,
como también nosotros perdonamos
    a los que nos ofenden;
no nos dejes caer en la tentación,
y líbranos del mal.
Amén.

Gloria al Padre (Doxología)

Gloria al Padre
y al Hijo
y al Espíritu Santo.
Como era en el principio,
ahora y siempre,
por los siglos de los siglos. Amén.

Ave María

Dios te salve, María, llena eres
    de gracia;
el Señor es contigo.
Bendita Tú eres entre todas
    las mujeres,
y bendito es el fruto de tu
    vientre, Jesús.
Santa María, Madre de Dios,
ruega por nosotros, pecadores,
ahora y en la hora de nuestra muerte.
Amén.

Signum Crucis

In nómine Patris,
et Fílii,
et Spíritus Sancti. Amen.

Pater Noster

Pater noster, qui es in cælis:
sanctificétur nomen tuum;
advéniat regnum tuum;
fiat volúntas tua, sicut
    in cælo, et in terra.
Panem nostrum cotidiánum
    da nobis hódie;
et dimítte nobis débita nostra,
sicut et nos dimíttimus debitóribus
    nostris;
et ne nos indúcas in tentatiónem;
sed líbera nos a malo. Amen.

Gloria Patri

Glória Patri
et Fílio
et Spirítui Sancto.
Sicut erat in princípio,
et nunc et semper
et in sæcula sæculórum. Amen.

Ave, Maria

Ave, María, grátia plena,
Dóminus tecum.
Benedícta tu in muliéribus,
et benedíctus fructus ventris tui, Iesus.
Sancta María, Mater Dei,
ora pro nobis peccatóribus,
nunc et in hora mortis nostræ.
Amen.

Catholic Prayers and Practices

Sign of the Cross

In the name of the Father,
and of the Son,
and of the Holy Spirit. Amen.

Our Father

Our Father, who art in heaven,
hallowed be thy name;
thy kingdom come,
thy will be done
on earth as it is in heaven.
Give us this day our daily bread,
and forgive us our trespasses,
as we forgive those who trespass
   against us;
and lead us not into temptation,
   but deliver us from evil.
Amen.

Glory Be (Doxology)

Glory be to the Father
and to the Son
and to the Holy Spirit,
as it was in the beginning
is now, and ever shall be
world without end. Amen.

The Hail Mary

Hail, Mary, full of grace,
the Lord is with thee.
Blessed art thou among women
and blessed is the fruit
   of thy womb, Jesus.
Holy Mary, Mother of God,
pray for us sinners,
now and at the hour of our death.
Amen.

Signum Crucis

In nómine Patris,
et Fílii,
et Spíritus Sancti. Amen.

Pater Noster

Pater noster, qui es in cælis:
sanctificétur nomen tuum;
advéniat regnum tuum;
fiat volúntas tua, sicut
   in cælo, et in terra.
Panem nostrum cotidiánum
   da nobis hódie;
et dimítte nobis débita nostra,
sicut et nos dimíttimus debitóribus
   nostris;
et ne nos indúcas in tentatiónem;
sed líbera nos a malo. Amen.

Gloria Patri

Glória Patri
et Fílio
et Spirítui Sancto.
Sicut erat in princípio,
et nunc et semper
et in sæcula sæculórum. Amen.

Ave, Maria

Ave, María, grátia plena,
Dóminus tecum.
Benedícta tu in muliéribus,
et benedíctus fructus ventris tui, Iesus.
Sancta María, Mater Dei,
ora pro nobis peccatóribus,
nunc et in hora mortis nostræ.
Amen.

El Credo de los Apóstoles

(tomado del Misal Romano)

Creo en Dios, Padre Todopoderoso,
Creador del cielo y de la tierra.
    Creo en Jesucristo, su único Hijo,
    Nuestro Señor,

*(En las palabras que siguen, hasta
María Virgen, todos se inclinan.)*

      que fue concebido por obra y gracia
        del Espíritu Santo,
      nació de santa María Virgen,
      padeció bajo el poder de Poncio
        Pilato,
      fue crucificado, muerto y sepultado,
        descendió a los infiernos,
      al tercer día resucitó de entre los
        muertos,
      subió a los cielos
      y está sentado a la derecha de
        Dios, Padre todopoderoso.
      Desde allí ha de venir a juzgar a
        vivos y muertos.
Creo en el Espíritu Santo,
    la santa Iglesia católica,
    la comunión de los santos,
    el perdón de los pecados,
    la resurrección de la carne
    y la vida eterna.
Amén.

El Credo de Nicea

(tomado del Misal Romano)

Creo en un solo Dios,
    Padre Todopoderoso, Creador
      del cielo y de la tierra, de todo lo
      visible y lo invisible.
Creo en un solo Señor, Jesucristo, Hijo
    único de Dios,
    nacido del Padre antes de todos los
      siglos:

Dios de Dios, Luz de Luz,
Dios verdadero de Dios verdadero,
engendrado, no creado,
de la misma naturaleza del Padre,
por quien todo fue hecho;
que por nosotros, los hombres,
y por nuestra salvación bajó del
    cielo,

*(En las palabras que siguen, hasta
se hizo hombre, todos se inclinan.)*

      y por obra del Espíritu Santo
      se encarnó de María, la Virgen, y
        se hizo hombre;
      y por nuestra causa fue crucificado
      en tiempos de Poncio Pilato,
      padeció y fue sepultado,
      y resucitó al tercer día, según las
        Escrituras,
      y subió al cielo, y está sentado
        a la derecha del Padre;
      y de nuevo vendrá con gloria
      para juzgar a vivos y muertos,
      y su reino no tendrá fin.
Creo en el Espíritu Santo, Señor y
    dador de vida,
    que procede del Padre y del Hijo,
    que con el Padre y el Hijo
    recibe una misma adoración y
      gloria,
    y que habló por los profetas.
Creo en la Iglesia,
    que es una, santa, católica y
      apostólica.
Confieso que hay un solo bautismo
    para el perdón de los pecados.
Espero la resurrección de los muertos
    y la vida del mundo futuro.
Amén.

Apostles' Creed

(from the Roman Missal)

I believe in God,
the Father almighty,
Creator of heaven and earth,
and in Jesus Christ, his only Son,
 our Lord,

*(At the words that follow, up to and
including the Virgin Mary, all bow.)*

who was conceived by the Holy Spirit,
born of the Virgin Mary,
suffered under Pontius Pilate,
was crucified, died and was buried;
he descended into hell;
on the third day he rose again
 from the dead;
he ascended into heaven,
and is seated at the right hand of God
 the Father almighty;
from there he will come to judge
 the living and the dead.

I believe in the Holy Spirit,
the holy catholic Church,
the communion of saints,
the forgiveness of sins,
the resurrection of the body,
and life everlasting. Amen.

Nicene Creed

(from the Roman Missal)

I believe in one God,
the Father almighty,
maker of heaven and earth,
of all things visible and invisible.

I believe in one Lord Jesus Christ,
the Only Begotten Son of God,
born of the Father before all ages.
God from God, Light from Light,
true God from true God,
begotten, not made, consubstantial
 with the Father;
through him all things were made.
For us men and for our salvation
he came down from heaven,

*(At the words that follow, up to and
including* and became man, *all bow.)*

and by the Holy Spirit was incarnate
 of the Virgin Mary,
and became man.

For our sake he was crucified under
 Pontius Pilate,
he suffered death and was buried,
and rose again on the third day
in accordance with the Scriptures.
He ascended into heaven
and is seated at the right hand
 of the Father.
He will come again in glory
to judge the living and the dead
and his kingdom will have no end.

I believe in the Holy Spirit, the Lord,
 the giver of life,
who proceeds from the Father and
 the Son,
who with the Father and the Son is
 adored and glorified,
who has spoken through the prophets.

I believe in one, holy, catholic and
 apostolic Church.
I confess one Baptism for the
 forgiveness of sins
and I look forward to the resurrection
 of the dead
and the life of the world to come.
 Amen.

Oración de la mañana

Querido Dios,
al comenzar este día,
guárdame en tu amor y cuidado.
Ayúdame hoy a vivir como hijo tuyo.
Bendíceme a mí, a mi familia y mis
   amigos en todo lo que hagamos.
Mantennos junto a ti. Amén.

Oración antes de comer

Bendícenos, Señor, junto con estos
   dones que vamos a recibir de tu
   generosidad, por Cristo Nuestro Señor.
Amén.

Acción de gracias después de comer

Te damos gracias por todos tus dones,
   Dios todopoderoso, Tú que vives
   y reinas ahora y siempre.
Amén.

Oración vespertina

Querido Dios,
te doy gracias por el día de hoy.
Mantenme a salvo durante la noche.
Te agradezco por todo lo bueno que
   hice hoy.
Y te pido perdón por hacer algo que
   está mal.
Bendice a mi familia y a mis amigos.
Amén.

Oración por las vocaciones

Dios, sé que me llamarás
para darme una tarea especial
   en mi vida.
Ayúdame a seguir a Jesús cada día
y a estar liso para responder
   a tu llamado.
Amén.

Invocación al Espíritu Santo

Ven, Espíritu Santo,
llena los corazones de tus fieles,
y enciende en ellos el fuego de tu amor.
Envía tu Espíritu Creador
y renueva la faz de la tierra.
Amén.

Oración del Penitente

Dios mío, me arrepiento de todo corazón
de todo lo malo que hecho y de todo lo
bueno que he dejado de hacer, porque
pecando te he ofendido a ti, que eres el
sumo bien y digno de ser amado sobre
todas las cosas.

Propongo firmemente, con tu gracia,
cumplir la penitencia, no volver a pecar y
evitar las ocasiones de pecado.

Perdóname, Señor, por los méritos de la
pasión de nuestro salvador Jesucristo.
Amén.

as Bienaventuranzas

"Felices los que tienen el espíritu del pobre,
porque de ellos es el Reino de los Cielos.

Felices los que lloran,
porque recibirán consuelo.

Felices los pacientes,
porque recibirán la tierra en herencia.

Felices los que tienen hambre y sed de justicia,
porque serán saciados.

Felices los compasivos,
porque obtendrán misericordia.

Felices los de corazón limpio,
porque verán a Dios.

Felices los que trabajan por la paz,
porque serán reconocidos como hijos de Dios.

Felices los que son perseguidos por causa del bien,
porque de ellos es el Reino de los Cielos".

MATEO 5:3-12

Ángelus

Líder: El ángel del Señor anunció a María.

Respuesta: Y concibió por obra y gracia del Espíritu Santo.

Todos: **Dios te salve, María...**

Líder: He aquí la esclava del Señor.

Respuesta: Hágase en mí según tu palabra.

Todos: **Dios te salve, María...**

Líder: Y el Verbo de Dios se hizo carne.

Respuesta: Y habitó entre nosotros.

Todos: **Dios te salve, María...**

Líder: Ruega por nosotros, Santa Madre de Dios,

Respuesta: para que seamos dignos de alcanzar las promesas de Jesucristo.

Líder: Oremos.

Infunde, Señor,

tu gracia en nuestras almas,

para que, los que hemos conocido, por el anuncio del Ángel,

la Encarnación de tu Hijo Jesucristo,

lleguemos por los Méritos de su Pasión y su Cruz,

a la gloria de la Resurrección.

Por Jesucristo Nuestro Señor. Amén.

Todos: **Amén.**

Morning Prayer

Dear God,
as I begin this day,
keep me in your love and care.
Help me to live as your child today.
Bless me, my family, and my friends
   in all we do.
Keep us all close to you. Amen.

Grace Before Meals

Bless us, O Lord,
   and these thy gifts,
which we are about to receive
   from thy bounty,
      through Christ our Lord.
Amen.

Grace After Meals

We give thee thanks,
   for all thy benefits, almighty God,
who lives and reigns forever.
Amen.

Evening Prayer

Dear God,
I thank you for today.
Keep me safe throughout the night.
Thank you for all the good I did today.
I am sorry for what I have chosen
   to do wrong.
Bless my family and friends. Amen.

A Vocation Prayer

God, I know you will call me
for special work in my life.
Help me follow Jesus each day
and be ready to answer your call
Amen.

Prayer to the Holy Spirit

Come, Holy Spirit, fill the hearts
   of your faithful.
And kindle in them the
   fire of your love.
Send forth your Spirit and
   they shall be created.
And you will renew the
   face of the earth. Amen.

Act of Contrition

My God,
I am sorry for my sins
   with all my heart.
In choosing to do wrong
and failing to do good,
I have sinned against you,
whom I should love above all thi
I firmly intend, with your help,
to do penance,
to sin no more,
and to avoid whatever leads me to
Our Savior Jesus Christ
suffered and died for us.
In his name, my God, have mercy
Amen.

The Beatitudes

"Blessed are the poor in spirit,
　for theirs is the kingdom of heaven.
Blessed are they who mourn,
　for they will be comforted.
Blessed are the meek,
　for they will inherit the land.
Blessed are they who hunger
　　and thirst for righteousness,
　for they will be satisfied.
Blessed are the merciful,
　for they will be shown mercy.
Blessed are the clean of heart,
　for they will see God.
Blessed are the peacemakers,
　for they will be called children
　　of God.
Blessed are they who are persecuted for
　the sake of righteousness,
　　for theirs is the kingdom of
　　heaven."

MATTHEW 5:3–10

The Angelus

Leader: The Angel of the Lord declared unto Mary,

Response: And she conceived of the Holy Spirit.

All: **Hail Mary . . .**

Leader: Behold the handmaid of the Lord,

Response: Be it done unto me according to your Word.

All: **Hail Mary . . .**

Leader: And the Word was made flesh

Response: And dwelt among us.

All: **Hail Mary . . .**

Leader: Pray for us, O holy Mother of God,

Response: That we may be made worthy of the promises of Christ.

Leader: Let us pray. Pour forth, we beseech you, O Lord, your grace into our hearts: that we, to whom the Incarnation of Christ your Son was made known by the message of an Angel, may by his Passion and Cross be brought to the glory of his Resurrection. Through the same Christ our Lord. Amen.

All: **Amen.**

Los Diez Mandamientos

1. Yo soy el Señor, tu Dios. No tendrás otros dioses fuera de mí.
2. No tomes en vano el nombre del Señor, tu Dios.
3. Acuérdate del Día del Señor, para santificarlo.
4. Respeta a tu padre y a tu madre.
5. No mates.
6. No cometas adulterio.
7. No robes.
8. No digas mentiras.
9. No codicies la mujer de tu prójimo.
10. No codicies nada que sea de tu prójimo.

BASADO EN ÉXODO 20:2–3, 7–17

Preceptos de la Iglesia

1. Oír misa entera los domingos y demás fiestas de precepto y no realizar trabajos serviles.
2. Confesar los pecados mortales al menos una vez al año.
3. Recibir el Sacramento de la Eucaristía al menos por Pascua.
4. Abstenerse y ayunar en los días establecidos por la Iglesia.
5. Ayudar a la Iglesia en sus necesidades, cada uno según su posibilidad.

El Gran Mandamiento

"Amarás al Señor tu Dios con todo tu corazón, con toda tu alma y con toda tu mente.
Amarás a tu prójimo como a ti mismo".

MATEO 22:37, 39

La Ley del Amor

"Este es mi mandamiento: que se amen unos a otros como yo los he amado".

JUAN 15:12

Obras de Misericordia Corporales

Dar de comer al hambriento.
Dar de beber al sediento.
Vestir al desnudo.
Visitar a los presos.
Dar techo a quien no lo tiene.
Visitar a los enfermos.
Enterrar a los muertos.

Obras de Misericordia Espirituales

Corregir al que yerra.
Enseñar al que no sabe.
Dar buen consejo al que lo necesita.
Consolar al triste.
Sufrir con paciencia los defectos de los demás.
Perdonar las injurias.
Rogar a Dios por vivos y difuntos.

The Ten Commandments

1. I am the LORD your God: you shall not have strange gods before me.
2. You shall not take the name of the LORD your God in vain.
3. Remember to keep holy the LORD's Day.
4. Honor your father and your mother.
5. You shall not kill.
6. You shall not commit adultery.
7. You shall not steal.
8. You shall not lie.
9. You shall not covet your neighbor's wife.
10. You shall not covet your neighbor's goods.

BASED ON EXODUS 20:2–3, 7–17

Precepts of the Church

1. Participate in Mass on Sundays and holy days of obligation, and rest from unnecessary work.
2. Confess sins at least once a year.
3. Receive Holy Communion at least during the Easter season.
4. Observe the prescribed days of fasting and abstinence.
5. Provide for the material needs of the Church, according to one's abilities.

The Great Commandment

"You shall love the Lord, your God, with all your heart, with all your soul, and with all your mind. . . . You shall love your neighbor as yourself."

MATTHEW 22:37, 39

The Law of Love

"This is my commandment: love one another as I love you."

JOHN 15:12

Corporal Works of Mercy

Feed people who are hungry.
Give drink to people who are thirsty.
Clothe people who need clothes.
Visit people who are in prison.
Shelter people who are homeless.
Visit people who are sick.
Bury people who have died.

Spiritual Works of Mercy

Help people who sin.
Teach people who are ignorant.
Give advice to people who have doubts.
Comfort people who suffer.
Be patient with other people.
Forgive people who hurt you.
Pray for people who are alive and for those who have died.

El Rosario

Los católicos rezan el Rosario para honrar a María y recordar los sucesos importantes en la vida de Jesús y María. Hay veinte misterios del Rosario. Sigue los pasos del 1 al 5.

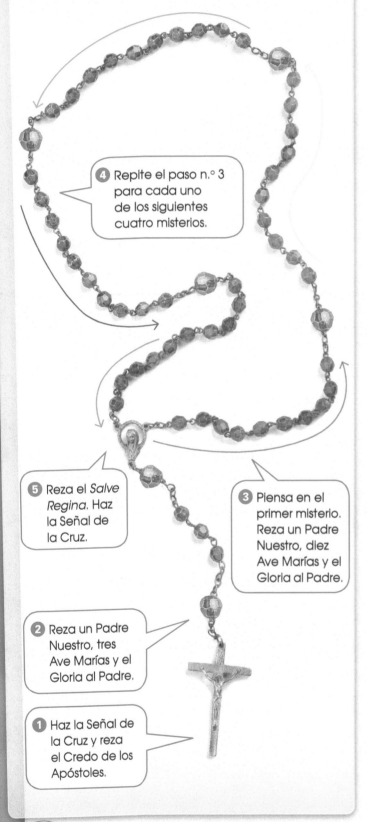

4 Repite el paso n.º 3 para cada uno de los siguientes cuatro misterios.

5 Reza el *Salve Regina*. Haz la Señal de la Cruz.

3 Piensa en el primer misterio. Reza un Padre Nuestro, diez Ave Marías y el Gloria al Padre.

2 Reza un Padre Nuestro, tres Ave Marías y el Gloria al Padre.

1 Haz la Señal de la Cruz y reza el Credo de los Apóstoles.

Misterios gozosos
1. La Anunciación
2. La Visitación
3. La Natividad
4. La Presentación
5. El hallazgo de Jesús en el Templo

Misterios luminosos
1. El Bautismo de Jesús en el río Jordán
2. El milagro de Jesús en la boda de Caná
3. La proclamación del Reino de Dios
4. La transfiguración
5. La institución de la Eucaristía

Misterios dolorosos
1. La agonía en el Huerto
2. La flagelación en la columna
3. La coronación de espinas
4. La cruz a cuestas
5. La Crucifixión

Misterios gloriosos
1. La Resurrección
2. La Ascensión
3. La venida del Espíritu Santo
4. La Asunción de María
5. La Coronación de María

Salve Regina

Dios te salve, Reina y Madre
   de misericordia,
vida, dulzura y esperanza nuestra;
Dios te salve.
A ti llamamos los desterrados hijos
   de Eva;
a ti suspiramos, gimiendo y llorando
en este valle de lágrimas.
Ea, pues, Señora, abogada nuestra,
vuelve a nosotros esos tus
   ojos misericordiosos;
y después de este destierro,
   muéstranos a Jesús,
fruto bendito de tu vientre.
¡Oh, clementísima, oh piadosa, oh dulce
   Virgen María!

Rosary

Catholics pray the Rosary to honor Mary and remember the important events in the life of Jesus and Mary. There are twenty mysteries of the Rosary. Follow the steps from 1 to 5.

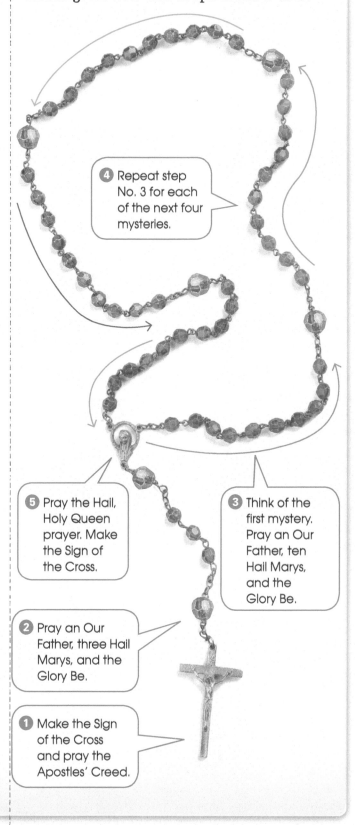

4 Repeat step No. 3 for each of the next four mysteries.

5 Pray the Hail, Holy Queen prayer. Make the Sign of the Cross.

3 Think of the first mystery. Pray an Our Father, ten Hail Marys, and the Glory Be.

2 Pray an Our Father, three Hail Marys, and the Glory Be.

1 Make the Sign of the Cross and pray the Apostles' Creed.

Joyful Mysteries
1. The Annunciation
2. The Visitation
3. The Nativity
4. The Presentation in the Temple
5. The Finding of the Child Jesus After Three Days in the Temple

Luminous Mysteries
1. The Baptism at the Jordan
2. The Miracle at Cana
3. The Proclamation of the Kingdom and the Call to Conversion
4. The Transfiguration
5. The Institution of the Eucharist

Sorrowful Mysteries
1. The Agony in the Garden
2. The Scourging at the Pillar
3. The Crowning with Thorns
4. The Carrying of the Cross
5. The Crucifixion and Death

Glorious Mysteries
1. The Resurrection
2. The Ascension
3. The Descent of the Holy Spirit at Pentecost
4. The Assumption of Mary
5. The Crowning of the Blessed Virgin as Queen of Heaven and Earth

Hail, Holy Queen

Hail, holy Queen, Mother of mercy:
Hail, our life, our sweetness
and our hope.
To you do we cry, poor banished
children of Eve.
To you do we send up our sighs,
mourning and weeping in this valley
of tears.
Turn then, most gracious advocate,
your eyes of mercy toward us;
and after this our exile show unto us
the blessed fruit
of your womb, Jesus.
O clement, O loving, O sweet
Virgin Mary.

Estaciones de la Cruz

1. Jesús es condenado a muerte.

2. Jesús acepta la cruz.

3. Jesús cae por primera vez.

4. Jesús se encuentra con su Madre.

5. Simón el Cirineo ayuda a Jesús a llevar la cruz.

6. Verónica limpia el rostro de Jesús.

7. Jesús cae por segunda vez.

8. Jesús se encuentra con las mujeres de Jerusalén.

9. Jesús cae por tercera vez.

10. Jesús es despojado de sus vestiduras.

11. Jesús es clavado en la cruz.

12. Jesús muere en la cruz.

13. Jesús es bajado de la cruz.

14. Jesús en enterrado en el sepulcro.

(Algunas parroquias terminan las Estaciones de la Cruz con una reflexión acerca de la Resurrección de Jesús.)

Los Siete Sacramentos

Jesús le dio a la Iglesia los Siete Sacramentos. Los Sacramentos son los signos litúrgicos más importantes de la Iglesia. Hacen que esté presente entre nosotros el Misterio Pascual de Jesús, quien es el principal celebrante de cada Sacramento. Nos hacen partícipes de la obra de salvación Cristo y de la vida de la Santísima Trinidad.

Los Sacramentos de la Iniciación Cristiana

Bautismo

A través del Bautismo, nos unimos a Cristo y nos hacemos miembros del Cuerpo de Cristo, la Iglesia. Renacemos como hijos adoptivos de Dios y recibimos el don de Espíritu Santo. Se nos perdonan el Pecado Original y todos los pecados personales.

Confirmación

La Confirmación completa el Bautismo. En este Sacramento, el don del Espíritu Santo nos fortalece para vivir nuestro Bautismo.

Eucaristía

Participar de la Eucaristía nos une más plenamente a Cristo y a la Iglesia. Participamos del sacrificio único de Cristo. El pan y el vino se convierten en el Cuerpo y la Sangre de Cristo a través del poder del Espíritu Santo y las palabras del sacerdote. Recibimos el Cuerpo y la Sangre de Cristo.

Sacramentos de Curación

Penitencia y Reconciliación

A través del ministerio del sacerdote, recibimos el perdón de Dios por los pecados que cometimos después del Bautismo. Necesitamos confesar todos nuestros pecados mortales.

Unción de los Enfermos

La Unción de los Enfermos fortalece la fe y confianza en Dios de quienes están gravemente enfermos, debilitados por su edad avanzada o de los moribundos.

Sacramentos al Servicio de la Comunidad

Orden Sagrado

Por medio del Orden Sagrado, un hombre bautizado es consagrado para servir a toda la Iglesia como obispo, sacerdote o diácono en el nombre de Cristo. Los obispos, que son los sucesores de los Apóstoles, reciben este Sacramento más plenamente. Se los consagra para enseñar el Evangelio, dirigir a la Iglesia en la adoración de Dios y guiar a la Iglesia para vivir vidas santas. Para hacer su trabajo, los obispos reciben la ayuda de sus colegas, los sacerdotes, y de los diáconos.

Matrimonio

El Matrimonio une a un hombre bautizado y a una mujer bautizada en un acuerdo mutuo de toda la vida de amarse fielmente para honrarse siempre y de aceptar el don de Dios de los hijos. En este Sacramento, la pareja casada se consagra para ser un signo del amor de Dios por la Iglesia.

Stations of the Cross

1. Jesus is condemned to death.

2. Jesus accepts his cross.

3. Jesus falls the first time.

4. Jesus meet his mother

5. Simon helps Jesus carry the cross.

6. Veronica wipes the face of Jesus

7. Jesus falls the second time.

8. Jesus meets the women

9. Jesus falls the third time.

10. Jesus is stripped of his clothes.

11. Jesus is nailed to the cross.

12. Jesus dies the cross.

13. Jesus is taken down from the cross.

14. Jesus is buried in the tomb.

(The Stations are usually concluded with the 15th Station, the Resurrection of Jesus.)

The Seven Sacraments

Jesus gave the Church the Seven Sacraments. The Sacraments are the main liturgical signs of the Church. They make the Paschal Mystery of Jesus, who is always the main celebrant of each Sacrament, present to us. They make us sharers in the saving work of Christ and in the life of the Holy Trinity.

Sacraments of Christian Initiation

Baptism

Through Baptism, we are joined to Christ and become members of the Body of Christ, the Church. We are reborn as adopted children of God and receive the gift of the Holy Spirit. Original Sin and all personal sins are forgiven.

Confirmation

Confirmation completes Baptism. In this Sacrament, the gift of the Holy Spirit strengthens us to live our Baptism.

Eucharist

Sharing in the Eucharist joins us most fully to Christ and to the Church. We share in the one sacrifice of Christ. The bread and wine become the Body and Blood of Christ through the power of the Holy Spirit and the words of the priest. We receive the Body and Blood of Christ.

Sacraments of Healing

Penance and Reconciliation

Through the ministry of the priest, we receive forgiveness of sins committed after our Baptism. We need to confess all mortal sins.

Anointing of the Sick

Anointing of the Sick strengthens our faith and trust in God when we are seriously ill, dying, or weak because of old age.

Sacraments at the Service of Communion

Holy Orders

Through Holy Orders, a baptized man is consecrated to serve the whole Church as a bishop, priest, or deacon in the name of Christ. Bishops, who are the successors of the Apostles, receive this Sacrament most fully. They are consecrated to teach the Gospel, to lead the Church in the worship of God, and to guide the Church to live holy lives. Bishops are helped in their work by priests, their co-workers, and by deacons.

Matrimony

Matrimony unites a baptized man and a baptized woman in a lifelong bond of faithful love to honor each other always and to accept the gift of children from God. In this Sacrament, the married couple is consecrated to be a sign of God's love for the Church.

Celebramos la Misa

Los Ritos Iniciales

Recordamos que somos la comunidad de la Iglesia.
Nos preparamos para escuchar la Palabra de Dios y celebrar la Eucaristía.

La entrada

Nos ponemos de pie mientras el sacerdote, el diácono y otros ministros entran a la asamblea. Cantamos un canto de entrada. El sacerdote y el diácono besan el altar. Luego el sacerdote va hacia una silla, desde donde preside la celebración.

Saludo al altar y al pueblo congregado

El sacerdote nos guía para hacer la Señal de la Cruz. El sacerdote nos saluda y respondemos:

"Y con tu espíritu".

El Acto Penitencial

Admitimos nuestras culpas y clamamos a Dios por su misericordia.

El Gloria

Alabamos a Dios todo lo bueno que Él ha hecho por nosotros.

La colecta

El sacerdote nos guía para rezar la oración de colecta.
Respondemos: **"Amén".**

We Celebrate the Mass

The Introductory Rites

We remember that we are the community of the Church.
We prepare to listen to the Word of God and to celebrate the Eucharist.

The Entrance

We stand as the priest, deacon, and other ministers enter the assembly. We sing a gathering song. The priest and deacon kiss the altar. The priest then goes to the chair where he presides over the celebration.

Greeting of the Altar and of the People Gathered

The priest leads us in praying the Sign of the Cross. The priest greets us, and we say,

"And with your spirit."

The Penitential Act

We admit our wrongdoings.
We bless God for his mercy.

The Gloria

We praise God for all the good that he has done for us.

The Collect

The priest leads us in praying the Collect. We respond, **"Amen."**

La Liturgia de la Palabra

Dios habla con nosotros hoy.
Escuchamos y respondemos a la Palabra de Dios.

La primera lectura de la Sagrada Escritura

Nos sentamos y escuchamos mientras el lector lee del Antiguo Testamento o de los Hechos de los Apóstoles. El lector termina diciendo: "Palabra de Dios". Respondemos:

"Te alabamos, Señor".

El Salmo Responsorial

El líder de canto nos guía para cantar un salmo.

La segunda lectura de la Sagrada Escritura

El lector lee del Nuevo Testamento pero no lee de los cuatro Evangelios. El lector termina diciendo: "Palabra de Dios". Respondemos:

"Te alabamos, Señor".

La aclamación

Nos ponemos de pie para honrar a Cristo, presente con nosotros en el Evangelio. El líder de canto nos guía para cantar el **"Aleluya"** u otra canción durante la Cuaresma.

El Evangelio

El diácono o el sacerdote proclama: "Lectura del santo Evangelio según san (nombre del escritor del Evangelio)". Respondemos:

"Gloria a ti, Señor".

Proclama el evangelio y al finalizar dice: "Palabra del Señor". Respondemos:

"Gloria a ti, Señor Jesús".

La homilía

Nos sentamos. El sacerdote o el diácono predica la homilía. Ayuda a que el pueblo encienda la Palabra de Dios oída en las lecturas.

La profesión de fe

Nos ponemos de pie y profesamos nuestra fe. Todos juntos rezamos el Credo de Nicea.

La Oración de los Fieles

El sacerdote nos guía para rezar por la Iglesia y sus líderes, por nuestro país y sus líderes, por nosotros y por los demás, por los enfermos y por quienes han muerto. Podemos responder a cada oración de diferentes maneras. Una manera de responder es:

"Te rogamos, Señor".

The Liturgy of the Word

God speaks to us today. We listen and respond to God's Word.

The First Reading from Scripture

We sit and listen as the reader reads from the Old Testament or from the Acts of the Apostles. The reader concludes, "The word of the Lord." We respond,

"Thanks be to God."

The Responsorial Psalm

The cantor leads us in singing a psalm.

The Second Reading from Scripture

The reader reads from the New Testament, but not from the four Gospels. The reader concludes, "The word of the Lord." We respond,

"Thanks be to God."

The Acclamation

We stand to honor Christ, present with us in the Gospel. The song leader leads us in singing **"Alleluia, Alleluia, Alleluia,"** or another chant during Lent.

The Gospel

The deacon or priest proclaims, "A reading from the holy Gospel according to (name of Gospel writer)." We respond,

"Glory to you, O Lord."

He proclaims the Gospel. At the end he says, "The Gospel of the Lord." We respond,

"Praise to you, Lord Jesus Christ."

The Homily

We sit. The priest or deacon preaches the homily. He helps the people gathered to understand the Word of God spoken to us in the readings.

The Profession of Faith

We stand and profess our faith. We pray the Nicene Creed together.

The Prayer of the Faithful

The priest leads us in praying for our Church and her leaders, for our country and its leaders, for ourselves and others, for those who are sick and those who have died. We can respond to each prayer in several ways. One way that we respond is,

"Lord, hear our prayer."

La Liturgia Eucarística

Nos unimos a Jesús y al Espíritu Santo para agradecer y alabar a Dios Padre.

The Preparation of the Gifts

Nos sentamos mientras se prepara el altar y se recibe la colecta. Compartimos nuestras bendiciones con la comunidad de la Iglesia y en especial con los necesitados. El líder de canto puede guiarnos en una canción. Se llevan al altar los dones del pan y el vino.

El sacerdote alza el pan y bendice a Dios por todos nuestros dones. Reza: "Bendito seas, Señor Dios del universo...". Respondemos:

"Bendito seas por siempre, Señor".

El sacerdote alza la copa y reza: "Bendito seas, Señor Dios del universo...". Respondemos:

"Bendito seas por siempre, Señor".

El sacerdote nos invita:

"Oremos, hermanos,
para que este sacrificio, mío y
suyo,
sea agradable a Dios, Padre
todopoderoso".

Nos ponemos de pie y respondemos:

**"El Señor reciba de tus manos
este sacrificio,
para alabanza y gloria de su
nombre,
para nuestro bien
y el de toda su santa Iglesia".**

La Oración sobre las Ofrendas

El sacerdote nos guía para rezar la Oración sobre las Ofrendas.
Respondemos: **"Amen."**

Prefacio

El sacerdote nos invita a unirnos para rezar la importante oración de la Iglesia de alabanza y acción de gracias a Dios Padre.

Sacerdote: "El Señor esté con ustedes".

Asamblea: **"Y con tu espíritu".**

Sacerdote: "Levantemos el corazón".

Asamblea: **"Lo tenemos levantado hacia el Señor".**

Sacerdote: Demos gracias al Señor, nuestro Dios".

Asamblea: **"Es justo y necesario".**

Después de que el sacerdote canta o reza en voz alta el prefacio, nos unimos para proclamar:
**"Santo, santo, santo es el Señor,
Dios del universo.
Llenos están el cielo y la tierra de tu gloria.
    Hosanna en el cielo.
Bendito el que viene en el
nombre del Señor.
    Hosanna en el cielo."**

La Plegaria Eucarística

El sacerdote guía a la asamblea para rezar la Plegaria Eucarística. Rogamos al Espíritu Santo para que santifique nuestros dones del pan y el vino y los convierta en el Cuerpo y la Sangre de Jesús. Recordamos lo sucedió en la Última Cena. El pan y el vino se convierten en el Cuerpo y la Sangre del Señor. Jesús está verdadera y realmente presente bajo la apariencia del pan y el vino.

El sacerdote canta o reza en voz alta el "Misterio de la fe". Respondemos usando esta u otra aclamación de la Iglesia:
**"Anunciamos tu muerte,
proclamamos resurrección.
¡Ven, Señor Jesús!".**
Luego el sacerdote reza por la Iglesia. Reza por los vivos y los muertos.

Doxología

El sacerdote termina de rezar la Plegaria Eucarística. Canta o reza en voz alta:
"Por Cristo, con él y en él,
a ti, Dios Padre omnipotente,
en la unidad del Espíritu Santo,
todo honor y toda gloria
por los siglos de los siglos".
Respondemos cantando: **"Amén".**

The Liturgy of the Eucharist
We join with Jesus and the Holy Spirit to give thanks and praise to God the Fath

The Preparation of the Gifts
We sit as the altar is prepared and the collection is taken up. We share our blessings with the community of the Church and especially with those in need. The song leader may lead us in singing a song. The gifts of bread and wine are brought to the altar.

The priest lifts up the bread and blesses God for all our gifts. He prays, "Blessed are you, Lord God of all creation ..." We respond,
   "Blessed be God for ever."

The priest lifts up the cup of wine and prays, "Blessed are you, Lord God of all creation ... " We respond,
   "Blessed be God for ever."

The priest invites us,
   "Pray, brothers and sisters, that my sacrifice and yours may be acceptable to God, the almighty Father."

We stand and respond,
   **"May the Lord accept the sacrifice a
   your hands for the praise and glory
      his name,
   for our good,
   and the good of all his holy Church.**

The Prayer over the Offerings
The priest leads us in praying the Prayer
the Offerings.
We respond, **"Amen."**

Preface

The priest invites us to join in praying the Church's great prayer of praise and thanksgiving to God the Father.

Priest: "The Lord be with you."

Assembly: "And with your spirit."

Priest: "Lift up your hearts."

Assembly: "We lift them up to the Lord."

Priest: "Let us give thanks to the Lord our God."

Assembly: "It is right and just."

After the priest sings or prays aloud the preface, we join in acclaiming,

**"Holy, Holy, Holy Lord God of hosts.
Heaven and earth are full of your glory.
Hosanna in the highest.
Blessed is he who comes in the name of the Lord.
Hosanna in the highest."**

The Eucharistic Prayer

The priest leads the assembly in praying the Eucharistic Prayer. We call on the Holy Spirit to make our gifts of bread and wine holy and that they become the Body and Blood of Jesus. We recall what happened at the Last Supper. The bread and wine become the Body and Blood of the Lord. Jesus is truly and really present under the appearances of bread and wine.

The priest sings or says aloud, "The mystery of faith." We respond using this or another acclamation used by the Church,

"We proclaim your Death, O Lord, and profess your Resurrection until you come again."

The priest then prays for the Church. He prays for the living and the dead.

Doxology

The priest concludes the praying of the Eucharistic Prayer. He sings or prays aloud,

"Through him, and with him,
   and in him,
O God, almighty Father,
in the unity of the Holy Spirit,
all glory and honor is yours,
for ever and ever."

We respond by singing, **"Amen."**

El Rito de la Comunión

La Oración del Señor

Rezamos juntos el Padre Nuestro.

El Rito de la Paz

El sacerdote nos invita a compartir una señal de la paz diciendo: "La paz del Señor esté siempre con ustedes". Respondemos:

"Y con tu espíritu".

Compartimos una señal de la paz.

La Fracción del Pan

El sacerdote parte la hostia o pan consagrado. Cantamos o rezamos en voz alta:

**"Cordero de Dios, que quitas el
pecado del mundo,
ten piedad de nosotros.
Cordero de Dios, que quitas el
pecado del mundo,
ten piedad de nosotros.
Cordero de Dios, que quitas el
pecado del mundo,
danos la paz."**

Comunión

El sacerdote alza la hostia y dice en voz alta:
"Éste es el Cordero de Dios,
que quita el pecado del mundo.
Dichosos los invitados a la cena
del Señor".

Nos unimos a él y decimos:
**"Señor, no soy digno
de que entres en mi casa,
pero una palabra tuya
bastará para sanarme".**

El sacerdote recibe la Comunión. Luego, el diácono y los ministros extraordinarios de la Sagrada Comunión y los miembros de la asamblea reciben la Comunión.

El sacerdote, el diácono o el ministro extraordinario de la Sagrada Comunión alza la hostia. Nos inclinamos y el sacerdote, el diácono o el ministro extraordinario de la Sagrada Comunión dice: "El Cuerpo de Cristo". Respondemos: **"Amén"**. Entonces recibimos la hostia consagrada en nuestras manos o sobre la lengua.

Si nos corresponde recibir la Sangre de Cristo, el sacerdote, el diácono o el ministro extraordinario de la Sagrada Comunión alza la copa que contiene el vino consagrado. Nos inclinamos y el sacerdote, el diácono o el ministro extraordinario de la Sagrada Comunión dice: "La Sangre de Cristo". Respondemos: **"Amén"**. Tomamos la copa en las manos y bebemos de ella.

La Oración después de la Comunión

Nos ponemos de pie mientras el sacerdote nos invita a rezar, diciendo: "Oremos". Él reza la Oración después de la Comunión. Respondemos:
"Amen."

El Rito de Conclusión

Se nos envía a hacer buenas obras, alabando y bendiciendo al Señor.

...ludo

...s ponemos de pie. El sacerdote nos saluda
...entras nos preparamos para irnos. Dice:
... Señor esté con ustedes". Respondemos:
"**Y con tu espíritu**".

...ndición final

...sacerdote o el diácono puede
...itarnos diciendo:
"Inclinen la cabeza y oren para
    recibir la bendición de Dios".
...sacerdote nos bendice diciendo:
"La bendición de Dios todopoderoso,
...Padre, Hijo y Espíritu Santo,
...descienda sobre ustedes".
...spondemos: "**Amén**".

Despedida del pueblo

El sacerdote o el diácono nos despide, usando
estas palabras u otras similares:
    "Glorifiquen al Señor con su vida. Pueden ir
en paz".
Respondemos:
    "**Demos gracias
        a Dios**".
Cantamos un himno.
El sacerdote y el diácono besan el altar.
El sacerdote, el diácono y los otros ministros se
inclinan ante el altar y salen en procesión.

The Communion Rite

The Lord's Prayer
We pray the Lord's Prayer together.

The Sign of Peace
The priest invites us to share a sign of peace, saying, "The peace of the Lord be with you always." We respond,
   "And with your spirit."
We share a sign of peace.

The Fraction, or the Breaking of the Bread
The priest breaks the host, the consecrated bread. We sing or pray aloud,
   "Lamb of God, you take away
   the sins of the world,
      have mercy on us.
   Lamb of God, you take away
      the sins of the world,
      have mercy on us.
   Lamb of God, you take away
      the sins of the world,
         grant us peace."

Communion
The priest raises the host and says aloud,
   "Behold the Lamb of God,
   behold him who takes away the sins
      of the world.
   Blessed are those called to the supper
      of the Lamb."

We join with him and say,
   "Lord, I am not worthy
   that you should enter unde
   but only say the word
   and my soul shall be healed
The priest receives Communio
deacon and the extraordinary m
Holy Communion and the me
assembly receive Communion.

The priest, deacon, or extraordi
of Holy Communion holds up
bow, and the priest, deacon, or
minister of Holy Communion s
Body of Christ." We respond, "
then receive the consecrated ho
hands or on our tongues.

If we are to receive the Blood of
priest, deacon, or extraordinary
of Holy Communion holds up t
containing the consecrated wine
and the priest, deacon, or extrao
minister of Holy Communion s
Blood of Christ." We respond, "
take the cup in our hands and dr

The Prayer after Commu
We stand as the priest invites us to
"Let us pray." He prays the Praye
Communion. We respond,
"Amen."

The Concluding Rites

We are sent forth to do good works, praising and blessing the Lord.

Greeting

We stand. The priest greets us as we prepare to leave. He says, "The Lord be with you." We respond,

"And with your spirit."

Final Blessing

The priest or deacon may invite us,
"Bow down for the blessing."
The priest blesses us, saying,
"May almighty God bless you,
the Father, and the Son,
and the Holy Spirit."
We respond, **"Amen."**

Dismissal of the People

The priest or deacon sends us forth, using these or similar words,
"Go in peace, glorifying the Lord by your life."
We respond,
"Thanks be to God."
We sing a hymn. The priest and the deacon kiss the altar. The priest, deacon, and other ministers bow to the altar and leave in procession.

El Sacramento de la Penitencia y la Reconciliación

Rito individual

Saludo

"Cuando el penitente llega a confesar sus pecados, el sacerdote lo recibe amablemente y lo saluda con palabras afables" (*Ritual de la Penitencia* 41).

Lectura de la Escritura

"Por la Palabra de Dios, en efecto, el fiel recibe luz para conocer sus pecados, se siente llamado a convertirse y a confiar en la misericordia de Dios" (*Ritual de la Penitencia* 17).

Confesión de los pecados y aceptación de la penitencia

"[El sacerdote]... exhorta [al penitente] al arrepentimiento de sus pecados y le recuerda que el cristiano, por el Sacramento de la Penitencia, muriendo y resucitando con Cristo, se renueva en el Misterio pascual" (*Ritual de la Penitencia* 44).

Oración del Penitente

"En los actos del penitente ocupa el primer lugar la contrición... La autenticidad de la penitencia depende de esta contrición del corazón" (*Ritual de la Penitencia* 6a).

Absolución

"La fórmula de la absolución indica que la reconciliación del penitente procede de la misericordia del Padre" (*Ritual de la Penitencia* 19).

Oración de cierre

"Recibido el perdón de los pecados, el penitente reconoce la misericordia de Dios y le da gracias... Luego el sacerdote lo despide en paz" (*Ritual de la Penitencia* 20).

Rito comunitario

Saludo

"Una vez que estén reunidos los fieles, al entrar el sacerdote (o los sacerdotes) a la iglesia, se canta, si se juzga conveniente, un salmo o una antífona o algún canto apropiado" (*Ritual de la Penitencia* 48).

Lectura de la Escritura

"[P]orque mediante [su Palabra] Dios llama a la penitencia y conduce a la verdadera conversión del corazón" (*Ritual de la Penitencia* 24).

Homilía

"La homilía... deberá mover a los penitentes a hacer el examen de conciencia y a conseguir la renovación de la vida" (*Ritual de la Penitencia* 52).

Examen de Conciencia

"Conviene que haya un tiempo suficiente..., para hacer el examen de conciencia ya suscitar la verdadera contrición por los pecados" (*Ritual de la Penitencia* 53).

Letanía de Contrición y el Padre Nuestro

"El diácono u otro ministro invita a los fieles a arrodillarse o a hacer una inclinación... [y entonces] dicen una fórmula de confesión general" (*Ritual de la Penitencia* 54).

Confesión individual y absolución

"[C]ada uno de los penitentes acude a uno de los sacerdotes... le confiesa sus pecados y, después de aceptar la satisfacción impuesta, recibe la absolución" (*Ritual de la Penitencia* 55).

Oración de cierre

"Después del cántico de alabanza o de la oración litánica [por la misericordia de Dios], el sacerdote concluye la oración comunitaria" (*Ritual de la Penitencia* 57).

El Misterio de Dios

Revelación Divina

¿Quién soy?

Cada persona humana fue creada por Dios para que viva en amistad con Él tanto aquí en la Tierra como en el Cielo para siempre.

¿Cómo sabemos esto con respecto a nosotros mismos?

Lo sabemos porque cada la persona desea conocer y amar a Dios y desea que Dios la conozca y la ame. Lo sabemos también porque Dios nos habló acerca de nosotros y de Él.

¿Cómo nos lo dijo Dios?

En primer lugar, Dios nos lo dice por medio de todo lo que Él ha creado. La Creación refleja la bondad y la belleza de Dios y nos habla acerca de Él. En segundo lugar, Dios vino a nosotros y nos habló acerca de sí mismo. Él lo reveló más plenamente al enviar a su Hijo, Jesucristo, que se hizo uno de nosotros y vivió entre nosotros.

¿Qué es la fe?

La fe es un don sobrenatural de Dios. Nos permite conocer a Dios y en todo lo que Él ha revelado. También nos permite responder a Dios con todo nuestro corazón y nuestra mente.

¿Qué es un misterio de fe?

Las palabras *misterio de fe* significan que nunca podremos entender completamente a Dios ni su plan amoroso para nosotros. Solo sabemos quién es Dios y cuál es su plan para nosotros porque Él mismo nos lo ha dicho.

¿Qué es la Revelación Divina?

La Revelación Divina es el don de Dios de libremente darse a conocer a sí mismo. Dios nos ha hablado gradualmente acerca de sí mismo y de su plan divino para nosotros. Él ha hecho esto para que podamos vivir en amistad con Él y con los demás para siempre.

¿Qué es la Sagrada Tradición?

La palabra *tradición* significa "transmitir". La Sagrada Tradición es la transmisión de todo lo que Dios ha revelado a través de la Iglesia y del poder y la guía del Espíritu Santo.

Sagrada Escritura

¿Qué es la Sagrada Escritura?

Las palabras *sagrada escritura* provienen de dos términos latinos que significan "escritos santos". La Sagrada Escritura es la colección de todos los escritos que Dios ha inspirado a los autores para que escribieran en su nombre.

¿Qué es la Biblia?

La palabra *biblia* proviene de un término griego que significa "libro". La Biblia incluye los cuarenta y seis libros del Antiguo Testamento y los veintisiete libros del Nuevo Testamento. Estos son los libros identificados por la Iglesia como todos los escritos que Dios ha inspirado a los autores humanos para que escribieran en su nombre.

¿Qué significa decir que la Biblia fue inspirada?

Cuando decimos que la Biblia fue inspirada, queremos decir que el Espíritu Santo guió a los autores humanos de la Sagrada Escritura para que escribieran lo que Dios quiere decirnos fiel y exactamente.

¿Qué es el Antiguo Testamento?

El Antiguo Testamento es la primera parte principal de la Biblia, los cuarenta y seis libros inspirados por el Espíritu Santo, que fueron escritos antes del nacimiento de Jesús. Estos libros nos cuentan acerca de la Alianza entre Dios y su pueblo de Israel, y acerca de la promesa de Dios del Mesías, o Salvador. El Antiguo Testamento incluye el relato de la creación y de Adán y Eva. Nos cuenta la historia del pueblo hebreo. Incluye sus escritos santos, junto con los escritos de los profetas.

Individual Rite

Greeting

"When the penitent comes to confess [his or her] sins, the priest welcomes [him or her] warmly and greets [the penitent] with kindness" (*Rite of Penance* 41).

Scripture Reading

"[T]hrough the word of God Christians receive light to recognize their sins and are called to conversion and to confidence in God's mercy" (*Rite of Penance* 17).

Confession of Sins and Acceptance of Penance

"[The priest] urges [the penitent] to be sorry for [his or her] faults, reminding [him or her] that through the Sacrament of penance the Christian dies and rises with Christ and is renewed in the paschal mystery" (*Rite of Penance* 44).

Act of Contrition

"The most important act of the penitent is contrition...The genuineness of penance depends on [a] heartfelt contrition" (*Rite of Penance* 6a).

Absolution

"The form of absolution indicates that the reconciliation of the penitent comes from the mercy of the Father" (*Rite of Penance* 19).

Closing Prayer

"After receiving pardon for sin, the penitent praises the mercy of God and gives him thanks...Then the priest bids the penitent to go in peace" (*Rite of Penance* 20).

Communal Rite

Greeting

"When the faithful have assembled, they may sing a psalm, antiphon, or other appropriate song while the pri entering the church" (*Rite of Penanc*

Scripture Reading

"[T]hrough his word God calls his to repentance and leads them to a tr conversion of heart" (*Rite of Penanc*

Homily

"The homily...should lead the penite examine their consciences and renew lives" (*Rite of Penance* 52).

Examination of Conscience

"A period of time may be spent in ma an examination of conscience and in arousing true sorrow for sins" (*Rite of Penance* 53).

Litany of Contrition, and the Lord's P

"The deacon or another minister invi all to kneel or bow, and to join in sayi general formula for confession" (*Rite of Penance* 54).

Individual Confession and Absolutio

"[T]he penitents go to the priests designated for individual confession, a confess their sins. Each one receives ar accepts a fitting act of satisfaction and absolved" (*Rite of Penance* 55).

Closing Prayer

"After the song of praise or the litany [God's mercy], the priest concludes the common prayer" (*Rite of Penance* 57).

Key Teachings of the Catholic Church

The Mystery of God

Divine Revelation

Who am I?

Every human person was created by God to live in friendship with him both here on Earth and forever in Heaven.

How do we know this about ourselves?

We know this because every person wants to know and love God and wants God to know and love them. We also know this because God told us this about ourselves and about him.

How did God tell us?

First of all, God tells us this through all he has created. Creation reflects God's goodness and beauty and tells us about him. Second, God came to us and told us about himself. He revealed this most fully by sending his Son, Jesus Christ, who became one of us and lived among us.

What is faith?

Faith is a supernatural gift from God. It allows us to come to know God and all that he has revealed. It also allows us to respond to God with our whole hearts and minds.

What is a mystery of faith?

The words *mystery of faith* mean that we can never fully understand God and his loving plan for us. We only know who God is and his plan for us because he has told us about himself.

What is Divine Revelation?

Divine Revelation is God's free gift of making himself known to us. God has told us about himself and his divine plan for us gradually. He has done this so that we can live in friendship with him and with one another forever.

What is Sacred Tradition?

The word *tradition* means "to pass on." Sacred Tradition is the passing on of all that God has revealed through the Church by the power and guidance of the Holy Spirit.

Sacred Scripture

What is Sacred Scripture?

The words *sacred scripture* come from two Latin words meaning "holy writings." Sacred Scripture is the collection of all of the writings that God has inspired authors to write in his name.

What is the Bible?

The word *bible* comes from a Greek word meaning "book." The Bible includes the forty-six books of the Old Testament and the twenty-seven books of the New Testament. These are the books named by the Church as all of the writings that God has inspired human authors to write in his name.

What does it mean to say that the Bible is inspired?

When we say the Bible is inspired, we mean that the Holy Spirit guided the human authors of Sacred Scripture to record what God wants to tell us about himself, faithfully and accurately.

What is the Old Testament?

The Old Testament is the first main part of the Bible, the forty-six books inspired by the Holy Spirit, which were written before the birth of Jesus. These books tell us about the Covenant between God and the people of Israel, and God's promise of the Messiah, or Savior. The Old Testament includes the story of creation and of Adam and Eve. It tells the story of the Hebrew people. It includes their holy writings, including the writings of the prophets.

¿Qué es la Alianza?

La Alianza es el acuerdo solemne de fidelidad que Dios y su pueblo hicieron libremente. Se renovó y se completó en Jesucristo. La Iglesia llama a Jesús la Alianza nueva y eterna.

¿Qué son los escritos de los profetas?

La palabra *profeta* proviene de un término griego que significa "los que hablan antes que los demás". Los profetas de la Biblia eran personas que Dios eligió para que hablaran en su nombre. Hay dieciocho libros de los escritos de los profetas. Cuentan el mensaje de los profetas para el pueblo de Dios. Le recuerdan al pueblo de Dios la fidelidad sin fin de Dios hacia ellos y la responsabilidad que tienen de ser fieles a la Alianza.

¿Qué es el Nuevo Testamento?

El Nuevo Testamento es la segunda parte principal de la Biblia, son los veintisiete libros inspirados por el Espíritu Santo y escritos en la época de los Apóstoles. Estos libros se centran en Jesucristo y en su obra salvadora entre nosotros.

¿Qué son los Evangelios?

La palabra *evangelio* significa "buena nueva". El Evangelio relata la Buena Nueva del plan amoroso de Dios de la Salvación. Hay cuatro Evangelios: Mateo, Marcos, Lucas y Juan. Los cuatro Evangelios son el centro de la Biblia porque nos relatan la historia de Jesucristo.

¿Qué son las cartas de San Pablo?

Son los catorce documentos del Nuevo Testamento llamados cartas. Tradicionalmente, se atribuyen catorce de estas cartas a San Pablo. Las cartas se hallan entre el Libro de los Hechos de los Apóstoles y el Apocalipsis. Generalmente, las cartas incluyen: un saludo, una oración de acción de gracias, una enseñanza de la Iglesia y un consejo práctico acerca de la vida cristiana. Muchas de las cartas de Pablo fueron escritas antes que los cuatro Evangelios, por lo que se las cuenta entre los primeros escritos de la época del Nuevo Testamento.

La Santísima Trinidad

¿Quién es el Misterio de la Santísima Trinidad?

La Santísima Trinidad es el misterio de Un Dios en Tres Personas Divinas: Dios Padre, Dios Hijo y Dios Espíritu Santo. La Santísima Trinidad es el misterio principal de la fe cristiana.

¿Quién es Dios Padre?

Dios Padre es la Primera Persona de la Santísima Trinidad.

¿Quién es Dios Hijo?

Dios Hijo es Jesucristo, la Segunda Persona de la Santísima Trinidad. Él es el Hijo único del Padre, que se convirtió en uno de nosotros sin dejar de ser Dios.

¿Quién es Dios Espíritu Santo?

Dios Espíritu Santo es la Tercera Persona de la Santísima Trinidad, que procede del Padre y del Hijo. Es el Intérprete, o Protector, que el Padre nos envió en nombre de Jesús, su Hijo.

¿Cuáles son las obras de la Santísima Trinidad?

Dios obra como uno solo; sin embargo, relacionamos ciertas actividades con cada una de las Personas Divinas de la Santísima Trinidad. La obra de creación se asocia mayormente al Padre, la obra de Salvación se asocia al Hijo y la obra de santificación se asocia al Espíritu Santo.

Obra divina de la Creación

¿Qué quiere decir llamar a Dios el Creador?

La Creación significa que Dios da origen a todo y a todos, tanto lo visible como lo invisible. Dios hace esto por amor y sin ninguna ayuda.

¿Quiénes son los ángeles?

Los ángeles son seres espirituales que no tienen un cuerpo como el de los humanos. Los ángeles glorifican a Dios en todo momento. A veces sirven a Dios llevando su mensaje a las personas.

¿Por qué son especiales los seres humanos?

Cada persona humana es creada a imagen y semejanza de Dios. Dios nos llama a cada uno de nosotros a vivir en felicidad con Él.

es el alma?

es la parte espiritual de una persona
nca morirá. Está en nuestro interior y
magen de Dios.

es el libre albedrío?

albedrío es el poder dado por Dios a
de nosotros para elegir entre el bien y
para acercarnos a Él.

es el Pecado Original?

o Original es el pecado de Adán y Eva.
gieron al mal en vez de obedecer a
mo resultado del Pecado Original, la
el pecado y el sufrimiento llegaron al

Jesucristo, Hijo de Dios, Hijo de María

es la Anunciación?

ciación es el anuncio que el ángel
le dijo a María. El ángel le dijo que
abía elegido para ser la Madre de su
ús, por el poder del Espíritu Santo.

es la Encarnación?

ción significa que el Hijo de Dios, la
Persona de la Santísima Trinidad, se
daderamente humano mientras seguía
erdaderamente Dios. Jesucristo es
o Dios y verdadero hombre.

significa que Jesús es el

ra señor significa "amo o soberano".
llamamos "Señor" a Jesús, queremos
Jesús es verdaderamente Dios.

es el Misterio Pascual?

rio Pascual son los sucesos salvadores
sión, Muerte, Resurrección y gloriosa
n de Jesucristo. Es el paso de Jesús
erte a una nueva y gloriosa vida. Es
e que le damos al plan de Dios de
n en Jesucristo.

es la Salvación?

ra salvación significa "salvar". Es
todas las personas del poder del
de la muerte a través de Jesucristo.

¿Qué es la Resurrección?

La Resurrección significa que Jesús resucitó de
entre los muertos a nueva vida, después de su
Muerte en la Cruz y su sepultura en la tumba.

¿Qué es la Ascensión?

La Ascensión es el regreso del Cristo
Resucitado en gloria a su Padre en el Cielo.

¿Qué significa la Segunda Venida de Cristo?

La Segunda Venida de Cristo significa que
Cristo regresará en gloria al final de los
tiempos para juzgar a los vivos y a los muertos.
Es el cumplimiento del plan de Dios.

¿Qué significa que Jesús es el Mesías?

La palabra mesías significa "el ungido".
Jesucristo es el Ungido, el Mesías, el que
Dios prometió enviar para salvar a todas las
personas. Jesús es el Salvador del mundo.

El Misterio de la Iglesia

¿Qué es la Iglesia?

La palabra iglesia significa "los llamados a
reunirse". La Iglesia es el Cuerpo de Cristo en
la Tierra, el pueblo que Dios Padre ha llamado
a reunirse en Jesucristo por medio del poder
del Espíritu Santo.

¿Qué hace la Iglesia?

La Iglesia proclama el Evangelio, o la Buena
Nueva, de Jesucristo. Invita a todas las
personas a conocer y a creer en Jesús y a
seguirlo.

¿Qué es el Cuerpo de Cristo?

Cuando llamamos a la Iglesia el Cuerpo de
Cristo, queremos decir que todos los miembros
de la Iglesia son uno en Cristo, que es la
Cabeza de la Iglesia. Cada miembro de la
Iglesia tiene un papel importante y único en
continuar la obra de Jesús en el mundo.

What is the Covenant?

The Covenant is the solemn agreement of faithfulness that God and his people freely made. It was renewed and fulfilled in Jesus Christ. The Church calls Jesus the new and everlasting Covenant.

What are the writings of the prophets?

The word *prophet* comes from a Greek word meaning "those who speak before others." The prophets in the Bible were people whom God chose to speak in his name. There are eighteen books of the writings of the prophets. They tell the message of the prophets to God's people. They remind God's people of his unending faithfulness to them and of their responsibility to be faithful to the Covenant.

What is the New Testament?

The New Testament is the second main part of the Bible, the twenty-seven books inspired by the Holy Spirit and written during the time of the Apostles. These books center on Jesus Christ and his saving work among us.

What are the Gospels?

The word *gospel* means "good news." The Gospels tell the Good News of God's loving plan of Salvation. There are four Gospels: Matthew, Mark, Luke, and John. The four Gospels are the heart of the Bible because they tell the story of Jesus Christ.

What are letters of Saint Paul?

There are twenty-one documents in the New Testament that are called letters. Fourteen of these letters are traditionally attributed to Saint Paul. The letters appear between the Acts of the Apostles and the Book of Revelation. The letters usually include a greeting, a prayer of thanksgiving, Church teaching, and practical advice about Christian living. Many of the letters of Paul were written before the four Gospels, and so they are among the earliest writings in the New Testament era.

The Holy

Who is the Mystery

The Holy Trinity is the m
Three Divine Persons—Go
Son, and God the Holy Sp
is the central mystery of t

Who is God the Fat

God the Father is the Fir
Holy Trinity.

Who is God the Son

God the Son is Jesus Chr
Person of the Holy Trinit
of the Father, who becam
still remaining God.

Who is God the Holy

God the Holy Spirit is the
Holy Trinity, who proceeds
and Son. He is the Advocat
us by the Father in the na

What are the works
Trinity?

God works as one; however,
activities to each of the Divi
Trinity. The work of creatio
mostly to the Father, the wo
connected to the Son, and th
is connected to the Holy Spi

Divine Work of

What does it mean to
Creator?

Creation means that God bri
everything and everyone, bot
invisible. God does this out o
any help.

Who are angels?

Angels are spiritual beings
bodies as humans do. Angel
God at all times. They some
by bringing his message to

Why are human being

Every human being is create
and likeness of God. God call
life of happiness with him.

¿Qué
El alm
y que
lleva l

¿Qué
El libr
cada u
el mal

¿Qu
El Pe
Ellos
Dios.
muer
mund

¿Qu
La A
Gabr
Dios
Hijo,

¿Qu
Enca
Segu
hizo
sien
verd

¿Q
Sei
La
Cua
dec

¿G
El
de
Aso
de
el
Sa

¿G
La
sa
pe

What is the soul?

The soul is the spiritual part of who a person is that will never die. It is your very center, and bears the image of God.

What is free will?

Free will is the power given to each of us by God to choose between good and evil and turn toward God.

What is Original Sin?

Original Sin is the sin of Adam and Eve. They chose evil over obedience to God. As a result of Original Sin, death, sin, and suffering came into the world.

Jesus Christ, Son of God, Son of Mary

What is the Annunciation?

The Annunciation is the announcement by the angel Gabriel to Mary. The angel told her that God had chosen her to become the Mother of his Son, Jesus, by the power of the Holy Spirit.

What is the Incarnation?

Incarnation means that the Son of God, the Second Person of the Holy Trinity, truly became human while remaining truly God. Jesus Christ is true God and true man.

What does it mean that Jesus is Lord?

The word *lord* means "master or ruler." When we call Jesus "the Lord," we mean that Jesus is truly God.

What is the Paschal Mystery?

The Paschal Mystery is the saving events of the Passion, Death, Resurrection, and glorious Ascension of Jesus Christ. It is the passing over of Jesus from death into a new and glorious life. It is the name that we give to God's plan of Salvation in Jesus Christ.

What is Salvation?

The word *salvation* means "to save." It is the saving of all people from the power of sin and death through Jesus Christ.

What is the Resurrection?

The Resurrection means that Jesus was raised from the dead to new life after his Death on the Cross and burial in the tomb.

What is the Ascension?

The Ascension is the return of the Risen Christ in glory to his Father in Heaven.

What is the Second Coming of Christ?

The Second Coming of Christ means that Christ will come again in glory at the end of time to judge the living and the dead. This is the fulfillment of God's plan.

What does it mean that Jesus is the Messiah?

The word *messiah* means "anointed one." Jesus Christ is the Anointed One, the Messiah, whom God promised to send to save all people. Jesus is the Savior of the world.

The Mystery of The Church

What is the Church?

The word *church* means "those who are called together." The Church is the Body of Christ on Earth, the people whom God the Father has called together in Jesus Christ through the power of the Holy Spirit.

What does the Church do?

The Church proclaims the Gospel, or Good News, of Jesus Christ. She invites all people to come to know and believe in him and to follow him.

What is the Body of Christ?

When we call the Church the Body of Christ, we mean that all of the members of the Church are one in Christ, who is the Head of the Church. Each member of the Church has a unique and important part to play to continue the work of Jesus in the world.

¿Quiénes son el Pueblo de Dios?

El Pueblo de Dios son aquellos a los que Dios Padre ha elegido y reunido en Cristo en la Iglesia. Todas las personas están invitadas a pertenecer al Pueblo de Dios y a vivir como una familia de Dios.

¿Qué es la Comunión de los Santos?

La Comunión de los Santos son las personas santas forman parte de la Iglesia. Incluye a los que viven en la Tierra, los que han muerto y se están purificando, y los que disfrutan de la vida y la felicidad eterna con Dios.

¿Cuáles son los Atributos de la Iglesia?

Hay cuatro Atributos, o características principales, de la Iglesia. La Iglesia es una, santa, católica y apostólica.

¿Quiénes son los Apóstoles?

Los Apóstoles fueron aquellos discípulos que Jesús eligió y envió a predicar el Evangelio y a hacer discípulos de todos los pueblos. Sus nombres eran: Simón, llamado Pedro; su hermano Andrés; Santiago, hijo de Zebedeo; su hermano Juan; Felipe y Bartolomé; Tomás; Mateo, el recaudador de impuestos; Santiago, el hijo de Alfeo; Tadeo; Simón, de Caná; y Judas Iscariote, quien traicionó a Jesús. El Apóstol Matías fue elegido después de la Ascensión de Jesús.

¿Qué es Pentecostés?

Pentecostés es el día en que el Espíritu Santo vino a la Iglesia como lo prometió Jesús. Este es el día en que comenzó la obra de la Iglesia.

¿Quiénes son el clero?

El clero son los obispos, sacerdotes y diáconos. Ellos han recibido el Sacramento del Orden Sagrado para servir a toda la Iglesia.

¿Cuál es el trabajo del Papa?

Jesucristo es la verdadera Cabeza de la Iglesia. El Papa y todos los obispos gobiernan la Iglesia en su nombre. El Papa es el obispo de Roma y el sucesor del Apóstol San Pedro. El Papa es un signo de unidad de la Iglesia entera. Cuando el Papa se dirige oficialmente a la Iglesia entera cuestiones serias de la fe o de la moral, el Espíritu Santo lo guía para que hable sin cometer ningún error.

¿Cuál es el trabajo de los obispos?

Los obispos son los sucesores de los Apóstoles. Ellos enseñan y guían a la Iglesia en su propia diócesis. Cuando todos los obispos se reúnen con el Papa y toman decisiones sobre una cuestión seria de la fe o de la moral, el Espíritu Santo también los guía para que hablen sin cometer ningún error.

¿Qué es la vida religiosa?

Este es un estilo de vida que eligen algunos hombres y mujeres que dedican toda su vida a seguir a Jesús de una manera especial. Ellos prometen no casarse y dedicar toda su vida a continuar la obra de Jesús. Hacen promesas, llamadas votos, por las que llevarán vidas santas. Prometen vivir simplemente, compartiendo lo que tienen con los demás. Prefieren vivir en comunidades de hombres o mujeres en vez de quedarse con su familia. Prometen obedecer las reglas de su comunidad y a los líderes de la misma. Pueden llevar vidas sencillas de oración, o enseñar, o cuidar de los pobres o los enfermos.

¿Quiénes son los laicos?

Los laicos son todos los bautizados que no han recibido el Sacramento del Orden Sagrado y no son miembros de ninguna comunidad religiosa. Están llamados a ser testigos de Cristo en su vida cotidiana.

La Santísima Virgen María

¿Quién es María?

María es la mujer que Dios eligió para ser la madre de su único Hijo, Jesús. María tiene un papel único en el plan de Dios de Salvación para la humanidad. Dado que Jesucristo es verdadero Dios y verdadero hombre, la Iglesia enseña que María es la Madre de Dios, la Madre de Cristo y la Madre de la Iglesia. Ella es la Santa más importante de la Iglesia.

¿Qué es la Inmaculada Concepción?

Inmaculada Concepción significa que desde el primer momento de su existencia María fue preservada de la mancha de todo pecado. Esta gracia especial perduró toda su vida.

ué es la Asunción de María?

inal de su vida en la Tierra, la Santísima
gen María fue llevada en cuerpo y alma al
.o. María, Madre de la Iglesia, oye nuestras
:iones y le pide a su Hijo. Ella nos recuerda
ida que todos esperamos compartir cuando
sto, su Hijo, venga de nuevo en su gloria.

Vida eterna

ué es la vida eterna?

vida eterna es la vida después de la muerte.
la muerte, el alma se separa del cuerpo y
a a la vida eterna.

ué es el Cielo?

Cielo es la vida eterna y la comunión con la
tísima Trinidad. Es la felicidad de vivir con
s para siempre, para lo cuál Él nos creó.

ué es el Reino de Dios?

Reino de Dios, o Reino de los Cielos, es la
gen que usó Jesús para describir a todas
personas y la creación viviendo en armonía
Dios. El Reino de Dios se realizará
pletamente cuando Cristo venga otra vez
gloria al final de los tiempos.

ué es el Purgatorio?

Purgatorio es la oportunidad después de la
erte de purificar y fortalecer nuestro amor
Dios antes de entrar en el Cielo.

ué es el infierno?

nfierno es la separación inmediata y eterna
Dios y los Santos.

Celebración de la vida
y el misterio cristianos

La liturgia y el culto

ué es el culto?

culto es la adoración y el honor que
gimos a Dios. La Iglesia adora a Dios
licamente en la celebración de la liturgia.

ué es la liturgia?

liturgia es el culto de Dios de la Iglesia. Es
bra del Cristo entero, Cabeza y Cuerpo. En
iturgia, Cristo se hace presente por medio

del poder del Espíritu Santo.

¿Qué es el año litúrgico?

El año litúrgico es el ciclo de tiempos y grandes
fiestas que forman el año eclesiástico de culto.
Los tiempos principales del año eclesiástico
son: Adviento, Navidad, Cuaresma y Pascua.
El Triduo Pascual son los tres días festivos
importantes. Al resto del año litúrgico se lo
llama Tiempo Ordinario.

Los Sacramentos

¿Qué son los Sacramentos?

Los Sacramentos son siete signos del amor de
Dios y las principales celebraciones litúrgicas
de la Iglesia. Nos hacen partícipes del Misterio
Pascual de Cristo. Los Sacramentos fueron
instituidos por Cristo y confiados a la Iglesia.
Por medio de los Sacramentos, la vida divina
se comparte con nosotros.

¿Cuáles son los Sacramentos de
la Iniciación Cristiana?

Los Sacramentos de la Iniciación Cristiana son
el Bautismo, la Confirmación y la Eucaristía.
Estos tres Sacramentos son el fundamento de
toda vida cristiana.

¿Qué es el Sacramento del
Bautismo?

Por medio del Bautismo, nacemos a una nueva
vida en Cristo. Nos unimos a Jesucristo, nos
volvemos miembros de la Iglesia y volvemos a
nacer como hijos de Dios. Recibimos el don del
Espíritu Santo y se nos perdonan el Pecado
Original y nuestros pecados personales. El
Bautismo nos marca de manera indeleble y
para siempre al pertenecer a Cristo. Debido a
esto, el Bautismo se puede recibir solo una vez.

¿Qué es el Sacramento de la
Confirmación?

La Confirmación fortalece las gracias del
Bautismo y celebra el don especial del Espíritu
Santo que nos da el poder para compartir
plenamente la Buena Nueva de Jesucristo con
los demás.

¿Qué es el Sacramento de la
Eucaristía?

En la Eucaristía, los fieles se unen a Cristo
para agradecer, honrar y glorificar al Padre a
través del poder del Espíritu Santo.

Who are the People of God?

The People of God are those whom God the Father has chosen and gathered in Christ in the Church. All people are invited to belong to the People of God and to live as one family of God.

What is the Communion of Saints?

The Communion of Saints is all of the holy people that make up the Church. It includes those living on Earth, those who have died who are still becoming holier, and those who are enjoying everlasting life and happiness with God.

What are the Marks of the Church?

There are four Marks, or main characteristics, of the Church. The Church is one, holy, catholic, and apostolic.

Who are the Apostles?

The Apostles were those disciples chosen and sent by Jesus to preach the Gospel and to make disciples of all people. Their names are Simon called Peter; his brother Andrew; James, the son of Zebedee; his brother John; Philip and Bartholomew; Thomas; Matthew the tax collector; James, the son of Alphaeus; Thaddaeus; Simon from Cana; and Judas Iscariot, who betrayed Jesus. The Apostle Matthias was chosen after Jesus' Ascension.

What is Pentecost?

Pentecost is the day that the Holy Spirit came to the Church as promised by Jesus. This is the day on which the work of the Church began.

Who are the clergy?

The clergy are bishops, priests, and deacons. They have received the Sacrament of Holy Orders to serve the whole Church.

What is the work of the Pope?

Jesus Christ is the true Head of the Church. The Pope and all the bishops govern the Church in his name. The Pope is the bishop of Rome and the successor of Saint Peter the Apostle. The Pope is the sign of unity for the whole Church. When the Pope speaks officially to the entire Church on a serious matter of faith or morals, the Holy Spirit guides him to speak without error.

What is the work of the bi[shops]

The other bishops are the success[ors of the] Apostles. They teach and lead th[e people of] their own dioceses. When all of th[e bishops] gather together with the pope an[d decide a] serious matter of faith or morals, [the Holy] Spirit also guides them to speak [without] error.

What is religious life?

This is a way of life chosen by so[me men] and women who dedicate their wh[ole lives] to following Jesus in a special wa[y. They] promise not to marry and to dedi[cate their] whole lives to continuing Jesus' w[ork. They] make promises, called vows, that [they will] live holy lives. They promise to liv[e] simply, sharing what they have w[ith one] another. They live in communities [of men] or women rather than with their f[amilies.] They promise to obey the rules of [their] communities and to obey the comm[ands of their] leaders. They may lead quiet lives [of prayer,] or teach, or take care of sick or po[or people.]

Who are lay people?

Lay people are all baptized people w[ho have] not received the Sacrament of Holy [Orders] and are not members of a religious c[ommunity.] They are called to be witnesses for C[hrist in] their everyday lives.

The Blessed Virgin M[ary]

Who is Mary?

Mary is the woman whom God chose [to be] the mother of his only Son, Jesus. M[ary has] a unique role in God's plan of Salvat[ion for] humanity. Because Jesus Christ is t[rue God] and truly man, the Church teaches t[hat she] is the Mother of God, the Mother of [Christ,] and the Mother of the Church. She is [the] greatest Saint of the Church.

What is the Immaculate Conception?

The Immaculate Conception means t[hat Mary,] from the first moment of her existenc[e,] was preserved from the stain of all si[n. This] special grace continued throughout h[er life.]

What is the Assumption of Mary?

At the end of her life on Earth, the Blessed Virgin Mary was taken body and soul into Heaven. Mary, the Mother of the Church, hears our prayers and tells her Son. She reminds us of the life that we all hope to share when Christ, her Son, comes again in glory.

Life Everlasting

What is eternal life?

Eternal life is life after death. At death the soul is separated from the body and passes into eternal life.

What is Heaven?

Heaven is eternal life and communion with the Holy Trinity. It is the happiness of living with God forever, for which he created us.

What is the Kingdom of God?

The Kingdom of God, or Kingdom of Heaven, is the image used by Jesus to describe all people and creation living in harmony with God. The Kingdom of God will be fully realized when Christ comes again in glory at the end of time.

What is Purgatory?

Purgatory is the opportunity after death to purify and strengthen our love for God before we enter Heaven.

What is Hell?

Hell is the immediate and everlasting separation from God and the Saints.

Celebration of the Christian Life and Mystery

Liturgy and Worship

What is worship?

Worship is the adoration and honor given to God. The Church worships God publicly in the celebration of the liturgy.

What is liturgy?

The liturgy is the Church's worship of God. It is the work of the whole Christ, Head and Body.

In the liturgy, Christ is made present by the power of the Holy Spirit.

What is the liturgical year?

The liturgical year is the cycle of seasons and great feasts that make up the Church year of worship. The main seasons of the Church year are Advent, Christmas, Lent and Easter. The Easter Triduum is the three high holy days. The rest of the liturgical year is called Ordinary Time.

The Sacraments

What are the Sacraments?

The Sacraments are seven signs of God's love and the main liturgical actions of the Church. They make us sharers in the Paschal Mystery of Christ. The Sacraments were instituted by Christ and entrusted to the Church. Through the Sacraments, the divine life of grace is shared with us.

What are the Sacraments of Christian Initiation?

The Sacraments of Christian Initiation are Baptism, Confirmation, and the Eucharist. These three Sacraments are the foundation of every Christian life.

What is the Sacrament of Baptism?

Through Baptism we are reborn into new life in Christ. We are joined to Jesus Christ, become members of the Church, and are reborn as God's children. We receive the gift of the Holy Spirit, and Original Sin and our personal sins are forgiven. Baptism marks us indelibly and forever as belonging to Christ. Because of this, Baptism can be received only once.

What is the Sacrament of Confirmation?

Confirmation strengthens the graces of Baptism and celebrates the special gift of the Holy Spirit that empowers us in a fuller way to share the Good News of Jesus Christ with others.

What is the Sacrament of the Eucharist?

In the Eucharist, the faithful join with Christ to give thanksgiving, honor, and glory to the

A través del poder del Espíritu Santo y de las palabras del sacerdote, el pan y el vino se convierten en el Cuerpo y la Sangre de Cristo.

¿Cuál es nuestra obligación de participar en la Eucaristía?

Los católicos tienen la obligación de participar en la Eucaristía los domingos y los días de precepto. El domingo es el Día del Señor. El domingo, el día de la Resurrección del Señor, es el núcleo de todo el año litúrgico. Es necesario participar regularmente en la Eucaristía y recibir la Sagrada Comunión para la vida cristiana. En la Eucaristía recibimos el Cuerpo y la Sangre de Cristo.

¿Qué es la Misa?

La Misa es la celebración más importante de la Iglesia. La Misa tiene dos partes. En la primera parte, la Liturgia de la Palabra, nos reunimos para escuchar la Palabra de Dios. En la segunda parte, la Liturgia Eucarística, se nos hace partícipes de la Muerte y Resurrección salvadoras de Cristo, y alabamos y agradecemos al Padre.

¿Cuáles son los Sacramentos de Curación?

Los dos Sacramentos de Curación son el Sacramento de la Penitencia y de la Reconciliación, y el Sacramento de la Unción de los Enfermos. A través del poder del Espíritu Santo, se continúa la obra de Cristo de Salvación y curación de los miembros de la Iglesia.

¿Qué es el Sacramento de la Penitencia y de la Reconciliación?

El Sacramento de la Penitencia y la Reconciliación es uno de los dos Sacramentos de Curación por el cual recibimos el perdón de Dios por los pecados que hemos cometido después del Bautismo.

¿Qué es la confesión?

La confesión es contarle nuestros pecados a un sacerdote en el Sacramento de la Penitencia y la Reconciliación. La confesión es otro nombre del Sacramento de la Penitencia y la Reconciliación.

¿Qué es la contrición?

La contrición es el arrepentimiento de los pecados. Incluye el deseo y el compromiso de reparar el daño que han causado nuestros pecados. También incluye la intención firme de no volver a pecar. La contrición es una parte necesaria del Sacramento de la Penitencia.

¿Qué es una penitencia?

Una penitencia es una oración o acto de bondad que muestra que estamos verdaderamente arrepentidos por nuestros pecados. La penitencia que nos da el sacerdote nos ayuda a reparar el daño causado por nuestros pecados. Aceptar nuestra penitencia y hacerla es una parte necesaria del Sacramento de la Penitencia y la Reconciliación.

¿Qué es la absolución?

La absolución es el perdón de los pecados por Dios a través del ministerio del sacerdote.

¿Qué es el Sacramento de la Unción de los Enfermos?

El Sacramento de la Unción de los Enfermos es uno de los dos Sacramentos de Curación. La gracia de este Sacramento fortalece la fe y la confianza en Dios de quienes están gravemente enfermos, debilitados por su edad avanzada o moribundos. Los católicos pueden recibir este Sacramento cada vez que estén gravemente enfermos o si su enfermedad empeora.

¿Cuáles son los Sacramentos al Servicio de la Comunidad?

Los dos Sacramentos al Servicio de la Comunidad son el Orden Sagrado y el Matrimonio. Estos Sacramentos dan a quienes lo reciben una obra particular, o misión, para servir y edificar el Pueblo de Dios.

¿Qué es el Sacramento del Orden Sagrado?

El Sacramento del Orden Sagrado es uno de los dos Sacramentos al Servicio de la Comunidad. Es el Sacramento por el cual los hombres bautizados se consagran como obispos, sacerdotes o diáconos para servir a toda la Iglesia en el nombre y la persona de Cristo.

¿Quién es un obispo?

Un obispo es un sacerdote que recibe la plenitud del Sacramento del Orden Sagrado. Es un sucesor de los Apóstoles que guía y sirve a una determinada diócesis confiada a él. Enseña, dirige el culto y gobierna la Iglesia como lo hizo Jesús.

Father through the power of the Holy Spirit. Through the power of the Holy Spirit and the words of the priest, the bread and wine become the Body and Blood of Christ.

What is our obligation to participate in the Eucharist?

Catholics have the obligation to participate in the Eucharist on Sundays and holy days of obligation. Sunday is the Lord's Day. Sunday, the day of the Lord's Resurrection, is the heart of the whole liturgical year. Regular participation in the Eucharist and receiving Holy Communion are necessary to the Christian life. In the Eucharist we receive the Body and Blood of Christ.

What is the Mass?

The Mass is the main celebration of the Church. The Mass has two parts. In the first part, the Liturgy of the Word, we gather to listen to the Word of God. In the second part, the Liturgy of the Eucharist, we are made sharers in the saving Death and Resurrection of Christ and give praise and thanksgiving to the Father.

What are the Sacraments of Healing?

The two Sacraments of Healing are the Sacrament of Penance and Reconciliation and the Sacrament of the Anointing of the Sick. Through the power of the Holy Spirit, Christ's work of Salvation and of healing the members of the Church is continued.

What is the Sacrament of Penance and Reconciliation?

The Sacrament of Penance and Reconciliation is one of the two Sacraments of Healing through which we receive God's forgiveness for the sins that we have committed after Baptism.

What is confession?

Confession is the telling of sins to a priest in the Sacrament of Penance and Reconciliation. Confession is another name for the Sacrament of Penance.

What is contrition?

Contrition is sorrow for sins. It includes the desire and commitment to make up for the harm our sins have caused. It also includes our firm intention not to sin again. Contrition is a necessary part of the Sacrament of Penance and Reconciliation.

What is a penance?

A penance is a prayer or act of kindness that shows that we are truly sorry for our sins. The penance given to us by the priest helps to repair the damage caused by our sins. Accepting and doing our penance are necessary parts of the Sacrament of Penance and Reconciliation.

What is absolution?

Absolution is the forgiveness of sins by God through the ministry of the priest.

What is the Sacrament of Anointing of the Sick?

The Sacrament of Anointing of the Sick is one of the two Sacraments of Healing. The grace of this Sacrament strengthens our faith and trust in God when we are seriously ill, weakened by old age, or dying. Catholics may receive this Sacrament each time that they are seriously ill or when an illness gets worse.

What are the Sacraments at the Service of Communion?

Holy Orders and Matrimony are the two Sacraments at the Service of Communion. These Sacraments give those who receive them a particular work, or mission, to serve and build up the People of God.

What is the Sacrament of Holy Orders?

The Sacrament of Holy Orders is one of the two Sacraments at the Service of Communion. It is the Sacrament in which baptized men are consecrated as bishops, priests, or deacons to serve the whole Church in the name and person of Christ.

Who is a bishop?

A bishop is a priest who receives the fullness of the Sacrament of Holy Orders. He is a successor of the Apostles who leads and serves a particular diocese entrusted to him. He teaches, leads worship, and governs the Church as Jesus did.

¿Quién es un sacerdote?

Un sacerdote es un hombre bautizado que ha recibido el Sacramento del Orden Sagrado. Los sacerdotes son los colaboradores de sus obispos. El sacerdote enseña sobre la fe; celebra la liturgia, principalmente la Eucaristía; y ayuda a guiar a la Iglesia.

¿Quién es un diácono?

Un diácono se ordena para ayudar a los obispos y los sacerdotes. No está ordenado para el sacerdocio sino para un ministerio de servicio a la Iglesia.

¿Qué es el Sacramento del Matrimonio?

El Sacramento del Matrimonio es uno de los dos Sacramentos al Servicio de la Comunidad. En el Sacramento del Matrimonio, un hombre bautizado y una mujer bautizada dedican su vida mutuamente y a la Iglesia en un vínculo para toda la vida de fiel amor dador de vida. En este Sacramento, reciben la gracia para ser un signo viviente del amor de Cristo por la Iglesia.

¿Qué son los sacramentales de la Iglesia?

Los sacramentales son signos sagrados instituidos por la Iglesia. Incluyen bendiciones, oraciones y ciertos objetos que nos preparan para participar de los Sacramentos. También nos hacen conscientes y nos ayudan a responder a la presencia amorosa de Dios en nuestra vida.

Vida en el Espíritu Santo

La vida moral

¿Por qué nos creó Dios?

Fuimos creados para honrar y glorificar a Dios y para vivir una vida de bienaventuranza con Dios aquí en la Tierra y para siempre en el Cielo.

¿Qué significa vivir una vida moral?

Los cristianos bautizados tienen una nueva vida en Cristo en el Espíritu Santo. Dios pone en nosotros un deseo de ser felices con Él. Respondemos a este don aceptando la gracia del Espíritu Santo de vivir el Evangelio. La liturgia y los Sacramentos nos alimentan para vivir la vida moral más plenamente.

¿Qué es el Gran Mandamiento?

El Gran Mandamiento es la enseñanza de Jesús de amar a Dios por sobre todas las cosas y a nuestro prójimo como a nosotros mismos. Es el camino a la felicidad. Es el resumen y la base de los Mandamientos y de toda la Ley de Dios.

¿Cuáles son los Diez Mandamientos?

Los Diez Mandamientos son las leyes de la Alianza que Dios reveló a Moisés y a los israelitas en el monte Sinaí. Nos enseñan cómo amar a Dios, a los demás y a nosotros mismos. La Biblia nos cuenta que los Mandamientos están escritos en el corazón de todas las personas.

¿Qué son las Bienaventuranzas?

Las Bienaventuranzas son las enseñanzas de Jesús que resumen el camino a la verdadera felicidad. Explican el significado del Reino de Dios, que es vivir en comunión y en amistad con Dios y con María y con todos los Santos. Las Bienaventuranzas nos guían para vivir como discípulos de Cristo al mantener nuestra vida centrada en Dios.

¿Qué son las Obras de Misericordia?

La palabra *misericordia* se refiere a la caridad y bondad incondicionales de Dios que obran en el mundo. Las obras humanas de misericordia son actos de bondad amorosa por los cuales nos acercamos a las personas por sus necesidades corporales y espirituales.

¿Qué son las Obras de Misericordia Corporales?

Algunas de las Obras de Misericordia son llamadas Obras de Misericordia Corporales. Hay siete maneras en las que vivimos el mandato de Jesús de ayudar a las personas a cuidar de sus necesidades corporales, o del cuerpo.

¿Qué son los preceptos de la Iglesia?

Los preceptos de la Iglesia son cinco reglas de la Iglesia que nos ayudan como católicos a cumplir con nuestras responsabilidades de adorar a Dios y crecer en amor por Dios y por nuestro prójimo.

Santidad de vida y gracia

¿Qué es la santidad?

La santidad es la vida en comunión con Dios. Es la característica de una persona que lleva una relación correcta con Dios, con las personas y con la creación.

Who is a priest?

A priest is a baptized man who has received the Sacrament of Holy Orders. Priests are co-workers with their bishops. The priest teaches the faith; celebrates liturgy, above all the Eucharist; and helps to guide the Church.

Who is a deacon?

A deacon is ordained to assist bishops and priests. He is not ordained to the priesthood but to a ministry of service to the Church.

What is the Sacrament of Matrimony?

The Sacrament of Matrimony is one of the two Sacraments at the Service of Communion. In the Sacrament of Matrimony, a baptized man and a baptized woman dedicate their lives to the Church and to one another in a lifelong bond of faithful, life-giving love. In this Sacrament they receive the grace to be a living sign of Christ's love for the Church.

What are the sacramentals of the Church?

Sacramentals are sacred signs instituted by the Church. They include blessings, prayers, and certain objects that prepare us to participate in the Sacraments. They also make us aware of and help us respond to God's loving presence in our lives.

Life in the Spirit

The Moral Life

Why did God create us?

We were created to give honor and glory to God and to live a life of blessing with God here on Earth and forever in Heaven.

What does it mean to live a moral life?

Baptized Christians have new life in Christ in the Holy Spirit. God places in us the desire to be happy with him. We respond to this gift by accepting the grace of the Holy Spirit and living the Gospel. The liturgy and Sacraments nourish us to live the moral life more fully.

What is the Great Commandment?

The Great Commandment is Jesus' teaching to love God above all else and our neighbor as ourselves. It is the path to happiness. It is the summary and heart of the Commandments and all of God's Law.

What are the Ten Commandments?

The Ten Commandments are the laws of the Covenant that God revealed to Moses and the Israelites on Mount Sinai. They teach us how to love God, others, and ourselves. The Bible tells us that the Commandments are written on the hearts of all people.

What are the Beatitudes?

The Beatitudes are the teachings of Jesus that summarize the path to true happiness. They explain the meaning of the Kingdom of God, which is living in communion and friendship with God, with Mary, and with all of the Saints. The Beatitudes guide us in living as disciples of Christ by keeping our lives centered on God.

What are the Works of Mercy?

The word *mercy* refers to God's unconditional love and kindness at work in the world. Human works of mercy are acts of loving kindness by which we reach out to people in their physical and spiritual needs.

What are the Corporal Works of Mercy?

Some of the Works of Mercy are called the Corporal Works of Mercy. They are seven ways that we live Jesus' command to help people care for their bodily, or corporal, needs.

What are the precepts of the Church?

Precepts of the Church are five rules of the Church that help us as Catholics meet our responsibilities to worship God and grow in love of God and of our neighbor.

Holiness of Life and Grace

What is holiness?

Holiness is living in communion with God. It is the characteristic of a person who is in the right relationship with God, with people, and with all of creation.

¿Qué es la gracia?

La gracia es el don de Dios de compartir su vida y su amor con nosotros.

¿Qué es la gracia santificante?

La palabra *santificante* proviene de un término latino que significa "hacer santo". La gracia santificante es un don de Dios concedido libremente y dado por el Espíritu Santo.

¿Cuáles son los Dones del Espíritu Santo?

Los siete Dones del Espíritu Santo son las gracias que nos fortalecen para vivir nuestro Bautismo, o nuestra nueva vida en Cristo. Ellos son: sabiduría, entendimiento, buen juicio (o consejo), valor (o fortaleza), ciencia, reverencia (o piedad) y admiración y veneración (o temor de Dios).

Las virtudes

¿Qué son las virtudes?

Las virtudes son poderes espirituales o hábitos que nos ayudan a hacer el bien.

¿Cuáles son las Virtudes Teologales?

Las Virtudes Teologales son las tres virtudes de la fe, la esperanza y la caridad (amor). Estas virtudes son dones y poderes de Dios que nos ayudan a mantener nuestra vida centrada en Él.

¿Cuáles son las Virtudes Cardinales?

Las Virtudes Morales son aquellas acciones y hábitos que hacen posible que vivamos una vida moral. Las Virtudes Cardinales son las cuatro Virtudes Morales de la prudencia, la justicia, la fortaleza y la templanza. Se las llama virtudes *cardinales*, o de *quicio* o *eje*, porque todas las Virtudes Morales se relacionan con ellas y están agrupadas en torno a ellas.

¿Qué es la conciencia?

La conciencia es la parte de toda persona humana que nos ayuda a juzgar si un acto moral está en armonía con la Ley de Dios. Nuestra conciencia nos mueve a hacer el bien y a evitar el mal.

El mal y el pecado

¿Qué es el mal?

El mal es el daño que a propósito nos ocasionamos mutuamente y a la buena creación de Dios.

¿Qué es la tentación?

La tentación es todo lo que, dentro o fuera de nosotros, trata de alejarnos de hacer algo bueno y que nos lleva a hacer o decir algo que sabemos que está mal. La tentación nos aleja de vivir una vida santa.

¿Qué es el pecado?

El pecado es hacer o decir libremente y a sabiendas lo que está en contra de la voluntad de Dios. El pecado aparta nuestro corazón del amor de Dios.

¿Qué es el pecado mortal?

El pecado mortal es elegir a sabiendas y voluntariamente hacer algo que está gravemente en contra de la Ley de Dios. El resultado del pecado mortal es la pérdida de la gracia santificante.

¿Qué son los pecados veniales?

Los pecados veniales son pecados menos graves que un pecado mortal. Debilitan nuestro amor por Dios y por los demás y nos hacen menos santos.

Oración cristiana

¿Qué es la oración?

La oración es una conversación con Dios. Es hablarle y escucharlo, elevando nuestra mente y nuestro corazón hacia Dios Padre, Hijo y Espíritu Santo.

¿Qué es el Padre Nuestro?

La Oración del Señor, o el Padre Nuestro, es la oración de todos los cristianos. Es la oración que Jesús enseñó a sus discípulos y que dio a la Iglesia. Rezar el Padre Nuestro nos acerca más a Dios y a su Hijo, Jesucristo. Nos ayuda a ser como Jesús y a poner nuestra confianza en Dios Padre.

¿Qué es la oración vocal?

La oración vocal es una oración hablada o usando palabras dichas en voz alta o en el silencio de nuestro corazón.

¿Qué es la oración de meditación?

La meditación es una forma de oración en la que usamos nuestra mente, nuestro corazón, nuestra imaginación, nuestras emociones y nuestros deseos. La meditación nos ayuda a entender y a seguir lo que el Señor nos pide que hagamos.

¿Qué es la oración de contemplación?

La contemplación es una forma de oración que es, simplemente, estar con Dios.

What is grace?

Grace is the gift of God's sharing his life and love with us.

What is sanctifying grace?

The word *sanctifying* comes from a Latin word meaning "to make holy." Sanctifying grace is a free gift of God, given by the Holy Spirit.

What are the Gifts of the Holy Spirit?

The seven Gifts of the Holy Spirit are graces that strengthen us to live our Baptism, our new life in Christ. They are wisdom, understanding, right judgment (or counsel), courage (or fortitude), knowledge, reverence (or piety), and wonder and awe (or fear of the Lord).

The Virtues

What are the virtues?

The virtues are spiritual powers or habits that help us to do what is good.

What are the Theological Virtues?

The Theological Virtues are the three virtues of faith, hope, and charity (love). These virtues are gifts and powers from God that help us to keep him at the center of our lives.

What are the Cardinal Virtues?

Moral Virtues are those attitudes and habits that help make it possible for us to live a moral life. The Cardinal Virtues are the four Moral Virtues of prudence, justice, fortitude, and temperance. They are called the *Cardinal*, or *hinge*, virtues because all of the Moral Virtues are related to and grouped around them.

What is conscience?

Conscience is that part of every human person that helps us to judge whether a moral act is in harmony with God's Law. Our conscience moves us to do good and avoid evil.

Evil And Sin

What is evil?

Evil is the harm that we willingly inflict on one another and on God's good creation.

What is temptation?

Temptation is everything, either within us or outside us, that tries to move us from doing something good and to do or say something that we know is wrong. Temptation moves us away from living a holy life.

What is sin?

Sin is freely and knowingly doing or saying what we know is against the will of God. Sin turns our hearts away from God's love.

What is mortal sin?

A mortal sin is knowingly and willingly choosing to do something that is gravely contrary to the Law of God. The effect of mortal sin is the loss of sanctifying grace.

What are venial sins?

Venial sins are sins that are less serious than a mortal sin. They weaken our love for God and for one another and make us less holy.

Christian Prayer

What is prayer?

Prayer is conversation with God. It is talking and listening to him, raising our minds and hearts to God the Father, Son, and Holy Spirit.

What is the Our Father?

The Lord's Prayer, or Our Father, is the prayer of all Christians. It is the prayer that Jesus taught his disciples and gave to the Church. Praying the Lord's Prayer brings us closer to God and to his Son, Jesus Christ. It helps us to become like Jesus and to place our trust in God the Father.

What is vocal prayer?

Vocal prayer is spoken prayer, or prayer using words said aloud or in the quiet of one's heart.

What is the prayer of meditation?

Meditation is a form of prayer in which we use our minds, hearts, imaginations, emotions, and desires. Meditation helps us to understand and follow what the Lord is asking us to do.

What is the prayer of contemplation?

Contemplation is a form of prayer that is simply being with God.

Glosario

A-B

admiración y veneración *página 170*

La admiración y veneración, también llamadas temor de Dios, son dones que fortalecen nuestra conciencia del gran amor que Dios siente por nosotros. La admiración es un don que experimentamos más y más a medida que nuestra amistad con Dios crece por medio de la oración.

adorar *página 394*

Adorar es honrar y respetar por sobre todas las cosas, es dar adoración y alabanzas a Dios.

benignidad *página 334*

Las personas benignas comparten libremente lo que tienen. Comparten debido a su amor por Dios y por los demás. Las personas benignas, o generosas, creen verdaderamente que todos somos miembros de la familia de Dios.

Biblia *página 24*

La Biblia es la Palabra de Dios. Fue escrita por escritores humanos inspirados por el Espíritu Santo.

Bienaventuranzas *página 336*

Las Bienaventuranzas son los dichos o enseñanzas de Jesús que describen la felicidad verdadera, la felicidad que Dios creó para las personas.

C-D

caridad *página 96*

La caridad, o amor, es la más importante de todas las virtudes. Jesús encomendó a sus discípulos: "que se amen unos a otros como yo los he amado" (Juan 15:12). Jesús nos ama tanto que murió en la Cruz por nosotros.

página 440

La caridad es una de las tres Virtudes Teologales. Amor es otra palabra para caridad. Practicamos la virtud de la caridad amando a Dios por sobre todas las cosas, y amando a nuestro prójimo como a nosotros mismos.

ciencia *página 202*

La ciencia es uno de los siete Dones del Espíritu Santo. Nos ayuda a ver la verdad de todo lo que Dios nos ha revelado. Una persona que usa este don trata de aprender más acerca de Dios y de lo que significa ser un hijo de Dios.

compasión *página 276*

Una persona con compasión es aquella que siente el sufrimiento de otra y le tiende la mano para ayudarla. La parábola de El buen samaritano (Lucas 10:29-37) es un buen ejemplo de lo que Jesús nos enseña acerca de una persona con compasión.

conciencia *página 352*

La conciencia es el don que Dios da a cada persona y que nos ayuda a saber y a juzgar lo que es correcto o incorrecto.

confianza *página 54*

Confiar en alguien es contar con que cuide de nuestro bienestar y nos respete. Decir "Tengo confianza en Dios" significa que sabemos que podemos contar con que Él será fiel a su palabra.

Creador *página 56*

Es Dios, quien creó a todas las personas y a todas las cosas, visibles e invisibles, por amor y sin ninguna ayuda.

Cuerpo de Cristo *página 146*

El Cuerpo de Cristo es una imagen del Nuevo Testamento para la Iglesia, que enseña que los miembros de la Iglesia son uno en Cristo, la Cabeza de la Iglesia.

Día del Señor *página 394*

El Día del Señor es el nombre que los cristianos dieron al domingo, porque el domingo es el día de la Resurrección del Señor.

Diez Mandamientos *página 368*

Los Diez Mandamientos son las leyes de la Alianza reveladas a Moisés en el monte Sinaí, que nos enseñan a amar a Dios, a los demás y a nosotros mismos.

diligencia *página 392*

La diligencia es la determinación y la decisión de cumplir con algo. Una persona que practica la virtud de la diligencia se compromete y permanece fiel al amor de Dios ante todo.

Divina Providencia *página 56*

Es el amor bondadoso de Dios por nosotros.

E–F–G–H

Encarnación *página 98*

La Encarnación es el misterio del Hijo de Dios, la Segunda Persona Divina de la Santísima Trinidad, que se hizo verdaderamente humano sin dejar de ser Dios.

entendimiento *página 350*

El entendimiento es uno de los siete Dones del Espíritu Santo. El entendimiento nos ayuda a hallar la verdad acerca de Dios y de nosotros mismos. Nos ayuda a descubrir lo que significa ser discípulos de Jesús, el Hijo de Dios.

esperanza *página 70*

La esperanza es un don de Dios. La Virtud Teologal de la esperanza nos permite confiar en Dios y en sus promesas. Nos ayuda a confiar en que Dios siempre está con nosotros, en los momentos buenos y en los difíciles.

Éxodo *página 246*

Es el viaje de los israelitas, bajo el liderazgo de Moisés, desde la esclavitud en Egipto hacia la libertad en la tierra prometida por Dios.

fe *página 38*

La fe es un don de Dios. Es la Virtud Teologal que nos ayuda a conocer a Dios y a creer en ÉL y en todo lo que Él nos ha revelado.

fortaleza *página 366*

La fortaleza es una de las cuatro Virtudes Cardinales. Es un buen hábito de enfrentar las dificultades con fuerza y valor. La fortaleza nos hace fuertes para resistir al pecado. La fortaleza nos ayuda a superar las cosas en nuestra vida que nos impiden amar a Dios y a los demás.

gozo *página 218*

El gozo es uno de los Frutos del Espíritu Santo. Es un signo de que vivimos nuestro Bautismo. El gozo viene de saber que Dios nos ama profundamente. El don del gozo nos ayuda a ser conscientes de que la vida es un don de Dios.

gracia santificante *página 352*

La gracia santificante es el don de Dios de compartir su propia vida con nosotros, el don de la santidad.

hebreos *página 368*

Hebreos es el nombre que recibió el pueblo de Dios, los Israelitas, cuando vivían en Egipto.

honrar *página 410*

Honrar a alguien es sentir un respeto especial por esa persona o tenerla en alta estima.

I–J–K–L

Iglesia doméstica *página 294*

La Iglesia doméstica es la Iglesia del hogar.

intelecto *página 320*

El intelecto es la parte de cada persona que le da la habilidad de conocer a Dios, a sí mismo y a los demás, y de saber cómo quiere Dios que vivamos.

justicia *página 350*

La justicia es una de las cuatro Virtudes Cardinales. Es el buen hábito de darles a Dios y a las personas lo que debidamente les corresponde. Nos fortalece para tomar decisiones y edificar un mundo de paz.

libre albedrío *página 320*

El libre albedrío es la parte de cada persona que le da la habilidad de elegir amar y servir a Dios y a los demás, para lo cual Él nos creó, o de elegir no amar ni servir a Dios ni a los demás.

liturgia *página 188*

La liturgia es la obra de la Iglesia, el Cuerpo de Cristo, de adorar a Dios.

Liturgia de las Horas *página 172*

La oración diaria, pública y comunal de la Iglesia se llama Liturgia de las Horas.

longanimidad *página 244*

Un persona con longanimidad ama y cuida a los demás. Una persona bondadosa siempre trata a los demás con respeto. Vivimos la virtud de la longanimidad tratando a los demás como queremos que nos traten.

M-N-O

maná *página 246*

La comida parecida al pan que comieron los israelitas en el desierto durante el Éxodo se llama maná.

Mesías *página 72*

El Mesías es la persona que Dios prometió enviar para salvar a las personas del pecado. Jesucristo es el Mesías.

ministerio público de Jesús *página 98*

Esta es la obra salvadora que Dios Padre envió a su Hijo, Jesús, a hacer, comenzando con el bautismo de Jesús y su anuncio de esa obra en la sinagoga de Nazaret.

misericordia *página 424*

La misericordia es el hábito de vivir con longanimidad, compasión y bondad. Una persona que vive la virtud de la misericordia tiene un corazón bondadoso y generoso. Una persona que practica la misericordia busca maneras de ayudar a los que sufren.

Misterio Pascual *página 188*

El Misterio Pascual es el paso de Jesús a través de su Sufrimiento y Muerte a una nueva y gloriosa vida; la obra de Salvación de Cristo se realiza en su Pasión (Sufrimiento y Muerte), Resurrección y Ascensión.

Oración del Señor *página 442*

La Oración del Señor es otro nombre para el Padre Nuestro, la oración que Jesús, nuestro Señor, le enseñó a rezar a sus discípulos.

P-Q

Pascua judía *página 114*

La Pascua judía es la fiesta que celebra que Dios liberó a los israelitas de su sufrimiento y esclavitud en Egipto y los guió a la libertad en la tierra que Él les había prometido.

pecado *página 262*

Es elegir libremente alejarnos del amor de Dios y debilitar o romper nuestra amistad con Dios y la Iglesia.

Pecado Original *página 72*

Es el pecado cometido por los primeros humanos, que perdieron la santidad original no solo para ellos sino para todos los seres humanos.

Pentecostés *página 130*

Pentecostés es el día en el que el Espíritu Santo descendió sobre los discípulos como lo prometió Jesús, cincuenta días después de la Resurrección.

perdón *página 260*

El perdón es un acto de bondad o misericordia. Es la acción de la Bienaventuranza: "Felices los compasivos". Las personas que practican el perdón con generosidad son mediadores de paz. No guardan ningún rencor.

perjurio *página 426*

Cometer perjurio es mentir bajo juramento.

piedad *página 186*

La piedad, también llamada reverencia, es uno de los siete Dones del Espíritu Santo. La piedad es un respeto profundo por Dios y por la Iglesia. Una persona que practica la piedad muestra reverencia y honra a Dios.

prudencia *página 318*

La prudencia, una de las cuatro Virtudes Cardinales, es una virtud que nos ayuda a saber lo que es verdaderamente bueno para nosotros. También nos ayuda a saber elegir lo que es correcto y bueno.

Pueblo de Dios *página 146*

Es una imagen del Nuevo Testamento para la Iglesia, que enseña que Dios ha reunido a todas las personas en Jesucristo para que sean su pueblo.

R-S

rabino *página 442*

Rabino viene de una palabra hebrea que significa "maestro", un título de honor y respeto en la Biblia dado a alguien en quien las personas confiaban en que las ayudaría a entender y vivir la Ley de Dios.

reparación *página 426*

La reparación es la obra de reparar o compensar por el daño que hemos causado indebidamente.

respeto *página 408*

El respeto es dar a alguien o a algo el honor que se merece. Las personas respetuosas tratan a los demás con dignidad por la manera en que actúan y en lo que dicen.

Revelación Divina *página 40*

Es Dios que se da a conocer a sí mismo y a su plan de creación y Salvación del mundo y de todas las personas.

rezar *página 172*

Rezar es elevar nuestra mente y nuestro corazón a Dios, que es Padre, Hijo y Espíritu Santo; es hablar con Dios y escucharlo.

sabiduría *página 128*

La sabiduría es uno de los siete Dones del Espíritu Santo. Este don nos ayuda a ver el mundo como Dios lo ve. Nos ayuda a tratar a las personas con amor así como Dios trata a todos.

Sacramentos *página 204*

Los Sacramentos son los siete signos litúrgicos principales de la Iglesia, dados a nosotros por Jesucristo. Nos hacen partícipes de la obra salvadora de Cristo y de la vida en la Santísima Trinidad por el poder del Espíritu Santo.

Sacramentos al Servicio de la Comunidad
página 294

El Orden Sagrado y el Matrimonio son llamados Sacramentos al Servicio de la Comunidad.

Sacramentos de Curación *página 262*

Son el Sacramento de la Penitencia y de la Reconciliación, y el Sacramento de la Unción de los Enfermos.

Sacramentos de la Iniciación Cristiana
página 204

El Bautismo, la Confirmación y la Eucaristía, los cuales son las bases de la vida cristiana, son llamados Sacramentos de la Iniciación Cristiana.

Sagrada Escritura *página 24*

Son los escritos santos del pueblo de Dios, inspirados por el Espíritu Santo y reunidos en la Biblia.

santidad *página 292*

La santidad es la vida en comunión con Dios. Las personas santas son signos vivientes del amor de Dios en el mundo. Todas las personas tienen la vocación de crecer en santidad.

sinagoga *página 278*

Es el lugar donde el pueblo judío se reúne para rezar, leer o estudiar las Sagradas Escrituras y la Ley de Dios y otras enseñanzas de la religión judía.

sufrimiento *página 278*

En el Sacramento de la Unción de los Enfermos, nuestro sufrimiento se une a la obra salvadora de Jesús.

T–Z

todopoderoso *página 56*

Es el poder de Dios de hacer todas las cosas y de hacerlas todas buenas.

Última Cena *página 114*

La Última Cena es la última comida que Jesús celebró con los discípulos, en la que le dio a la Iglesia el don de su Cuerpo y su Sangre, la Eucaristía.

valor *página 112*

El valor, o fortaleza, nos ayuda a hacer o decir lo correcto, incluso cuando sea difícil o nos dé miedo hacerlo. Seguir a Jesús significa tener valor como Él. El valor ayuda a una persona a ser valiente inclusa cuando tenga miedo. Las personas que tienen valor saben que Dios está siempre con ellas.

veracidad *página 22*

Dios es la fuente de toda verdad. Su palabra es la verdad. Dios quiere que vivamos en la verdad. Hacemos esto cuando dejamos que la Palabra de Dios guíe nuestras acciones y palabras. Una persona sincera no dice mentiras. Una persona sincera admite sus errores. El amor y la confianza crecen cuando practicamos las veracidad.

vocación *página 220*

Una vocación es la obra que hacemos como miembros de la Iglesia. Estamos llamados a usar nuestros talentos para realizar la misión de Cristo en el mundo.

Glossary

almighty *page 57*
God's power to do everything and anything good.

Beatitudes *page 337*
The Beatitudes are the sayings or teachings of Jesus that describe real happiness, the happiness that God created people to have.

Bible *page 25*
The Bible is the Word of God. It was written by human writers who were inspired by the Holy Spirit.

Body of Christ *page 147*
The Body of Christ is a New Testament image for the Church that teaches that the members of the Church are made one in Christ, the Head of the Church.

charity *page 441*
Charity is one of the three Theological Virtues. Another word for charity is love. We practice the virtue of charity by loving God above all things, and by loving our neighbor as ourselves.

compassion *page 277*
A person who has compassion feels the suffering someone else is having and reaches out to help that person. The parable of the Good Samaritan (Luke 10:29-37) is a good example of what Jesus teaches us about a person who has compassion.

conscience *page 353*
Conscience is the gift that God gives to every person that helps us know and judge what is right and what is wrong.

courage *page 113*
Courage, or fortitude, helps us do or say what is right, even when it is hard or scary. Following Jesus means having courage as he did. Courage helps a person to be brave even when he or she is very afraid. People with courage know that God is always with them.

Creator *page 57*
God, who created everything and everyone, seen and unseen, out of love and without help.

diligence *page 393*
Diligence is when you stick with something and have resolve. A person who practices the virtue of diligence is committed and stays true to loving God first and foremost.

Divine Providence *page 57*
God's caring love for us.

Divine Revelation *page 41*
God making known both himself and his plan of creation and Salvation for the world and all people.

domestic Church *page 295*
The domestic Church is the church of the home.

Exodus *page 247*
The journey of the Israelites under the leadership of Moses from slavery in Egypt to freedom in the land promised them by God.

faith *page 39*
Faith is a gift from God. It is the Theological Virtue that helps us know God and believe in him and in all that he has revealed.

forgiveness *page 261*
Forgiveness is an act of kindness or mercy. It is an action of the Beatitude, "Blessed are the merciful." People who generously practice forgiveness are peacemakers. They do not hold grudges.

fortitude *page 367*
Fortitude is one of the four Cardinal Virtues. It is the good habit of facing difficulties with strength and courage. Fortitude strengthens us to resist temptation. Fortitude helps us overcome the things in our lives that keep us from loving God and others.

free will *page 321*

Free will is the part of every person that gives him or her the ability to choose to love and serve God and others as he has created us to do, or to choose not to love and serve God and others.

generosity *page 335*

Generous people freely share what they have. They share because of their for God and for people. Generous people truly believe that we are all members of the family of God.

Hebrews *page 369*

The Hebrews is the name given to God's people, the Israelites, when they lived in Egypt.

holiness *page 93*

Holiness is living in communion with God. People who are holy are living signs of God's love in the world. Every person has the vocation to grow in holiness.

honor *page 411*

To have special respect for someone or to hold someone in high regard is to honor him or her.

hope *page 71*

Hope is a gift from God. The Theological Virtue of hope enables us to trust in God and in his promises. It helps us trust that God is always with us, in good times and difficult times.

I–J–K–L

Incarnation *page 99*

The Incarnation is the mystery of the Son of God, the Second Divine Person of the Trinity, becoming truly human while not giving up being God.

intellect *page 321*

Intellect is the part of every person that gives him or her the ability to know God, oneself, and other people, and how God wants us to live.

joy *page 219*

Joy is one of the Fruits of the Holy Spirit. It is a sign that we are living our Baptism. Joy comes from knowing that we are deeply loved by God. The gift of joy helps us be aware that life is a gift from God.

justice *page 351*

Justice is one of the four Cardinal Virtues. It is the good habit of giving to God and to all people what is rightfully due to them. It strengthens us to make decisions that build a world of peace.

kindness *page 245*

A kind person is loving and caring toward others. A kind person always treats people with respect. We live the virtue of kindness by treating others as we want to be treated.

knowledge *page 203*

Knowledge is one of the seven Gifts of the Holy Spirit. It helps us to see the truth of everything that God has made known to us. A person who uses this gift tries to learn more about God and what it means to be a child of God.

Last Supper *page 115*

The Last Supper is the last meal that Jesus celebrated with the disciples, at which he gave the Church the gift of his Body and Blood, the Eucharist.

liturgy *page 189*

The liturgy is the work of the Church, the Body of Christ, of worshipping God.

Liturgy of the Hours *page 173*

The daily, public, and communal prayer of the Church is called the Liturgy of the Hours.

Lord's Day *page 395*

The Lord's Day is the name given to Sunday by Christians, because Sunday is the day of the Lord's Resurrection.

Lord's Prayer *page 443*

The Lord's Prayer is another name for the Our Father, the prayer that Jesus, our Lord, taught his disciples to pray.

love *page 97*

Love is the greatest of all the virtues. Jesus commanded his disciples, "Love one another as I love you" (John 15:12). Jesus loves us so much that he died on the Cross for us.

M-N-O

manna *page 247*

The bread-like food the Israelites ate in the desert during the Exodus is called manna.

mercy *page 425*

Mercy is the habit of living with kindness, compassion and goodness. A person who lives the virtue of mercy is kindhearted and generous. A person who practices mercy looks for ways to help those who are hurting.

Messiah *page 73*

The Messiah is the person whom God promised to send to save people from sin. Jesus Christ is the Messiah.

Original Sin *page 73*

The sin committed by the first humans, who lost original holiness not only for themselves but for all human beings.

P-Q

Paschal Mystery *page 189*

The Paschal Mystery is Jesus' passing over from suffering and death to new and glorious life; Christ's work of Salvation accomplished by his Passion (his Suffering and Death), Resurrection, and Ascension.

Passover *page 115*

Passover is the Jewish feast celebrating God's freeing the Israelites from suffering and slavery in Egypt and leading them to freedom in the land that he had promised them.

Pentecost *page 131*

Pentecost is the day that the Holy Spirit came to the disciples as Jesus had promised, fifty days after the Resurrection.

People of God *page 147*

A New Testament image for the Church that teaches that God has called together all people in Jesus Christ to be his people.

perjury *page 427*

Perjury is lying under oath.

piety *page 187*

Piety, also called reverence, is one of the seven Gifts of the Holy Spirit. Piety is a deep respect for God and for the Church. A person who practices piety gives reverence and honor to God.

pray *page 173*

To pray is to raise our minds and hearts to God, who is Father, Son, and Holy Spirit; it is to talk and listen to God.

prudence *page 319*

One of the four Cardinal Virtues, prudence is a virtue that helps us know what is truly good for us. It also helps us know how to choose what is right and good.

public ministry of Jesus *page 99*

This is the saving work that God the Father sent his Son, Jesus, to do, beginning with the baptism of Jesus and his announcement of that work in the synagogue in Nazareth.

R-S

rabbi *page 443*

Rabbi is a Hebrew word meaning "teacher," a title of honor and respect in the Bible given to someone whom people trusted to help them understand and live the Law of God.

reparation *page 427*

Reparation is the work of repairing or making up for harm that we have wrongfully caused.

respect *page 409*

Respect means to give someone or something the honor that they deserve. People who are respectful treat others with dignity in the way they act and in what they say.

Sacraments *page 205*

The Sacraments are the seven main liturgical signs of the Church, given to us by Jesus Christ. They make us sharers in the saving work of Christ and in the life of the Holy Trinity through the power of the Holy Spirit.

Sacraments at the Service of Communion *page 295*
Holy Orders and Matrimony are called the Sacraments at the Service of Communion.

Sacraments of Christian Initiation *page 205*
Baptism, Confirmation, and Eucharist, which are the foundation of the Christian life, are called the Sacraments of Christian Initiation.

Sacraments of Healing *page 263*
The Sacrament of Penance and Reconciliation and the Sacrament of Anointing of the Sick.

Sacred Scripture *page 25*
The holy writings of the people of God, inspired by the Holy Spirit and collected in the Bible.

sanctifying grace *page 353*
Sanctifying grace is the gift of God's sharing his own life with us, the gift of holiness.

sin *page 263*
Freely choosing to turn away from God's love and weakening or breaking one's friendship with God and the Church.

suffering *page 279*
In the Sacrament of Anointing of the Sick, our suffering is united with the saving work of Jesus.

synagogue *page 279*
The place in which Jewish people gather to pray, read, and study the Scriptures and the Law of God and other teachings of the Jewish religion.

T–Z

Ten Commandments *page 369*
The Ten Commandments are the laws of the Covenant revealed to Moses on Mount Sinai that teach us to love God, others, and ourselves.

trust *page 55*
To trust in someone is to count on them to for our well-being and respect us. To say "I t in God" means that we know that we can co on him to be true to his word.

truthfulness *page 23*
God is the source of all truth. His Word is truth. God wants us to live in the truth. We do this when we let God's Word guide our words and actions. A person who is truthful does not tell lies. A truthful person admits mistakes. Love and trust grow when we practic truthfulness.

understanding *page 351*
Understanding is one of the seven Gifts of the Holy Spirit. Understanding helps us find the truth about God and about ourselves. It helps us discover what it means to be disciples of Jesus, the Son of God.

vocation *page 221*
A vocation is the work that we do as members of the Church. We are called to use our talents to carry on Christ's mission in the world.

wisdom *page 129*
Wisdom is one of the seven Gifts of the Holy Spirit. This gift helps us see the world as God does. It helps us treat people with love as God treats everyone.

wonder and awe *page 171*
Wonder and awe, also called fear of the Lord, are gifts that strengthen our awareness of God's great love for us. Wonder is a gift that we experience more and more as our friendship with God grows through prayer.

worship *page 395*
To worship is to honor and respect above all else, to give adoration and praise to God.

Índice

A-B-C

Abbá, 58
absolución, 264
aclamación, 196
Adán y Eva, 26, 72
administrador de la creación, 54, 58, 62
adorar, 394
adulterio, 372, 414
Adviento, 192–194, 468–470
aleluya, 512
Alianza, 26, 36, 42, 368, 416
alma, 320, 328
amor al prójimo, 406, 418, 422–430, 440
amor por Dios, 42, 172, 390–402, 440
ángeles, 60
Antiguo Testamento, 26, 242
año litúrgico, 192, 460–522
Apóstoles, 148, 220
Ascensión, 28, 76, 118, 516–518
avaricia, 354
ayuno durante Cuaresma, 356, 492

Bautismo, 206–210
  significado del, 120, 205, 210–212, 224, 496, 538
Belén, 480
Biblia, 20–32, 364
Bienaventuranzas, 332–346, 530
Buena Nueva de Jesús, 28, 118, 132–134, 150, 186, 520

Calvario, 116
Cielo, 146, 464
codiciar, 414
Comunidades El Arca, 408
comunidades religiosas,
  Benedictinos, 174
  Capuchinos, 244
  Franciscanos, 96
  misioneros de Maryknoll, 128
  Salesianos, 292
Comunión de los Santos, 146, 464
conciencia, 264, 352
Confirmación, 204–206, 212
creación, 20, 30, 40, 52–64, 278, 316, 320
Credo de los Apóstoles, 44, 176, 526
Credo de Nicea, 60, 176
credos de la Iglesia, 38, 44, 176
cruz como símbolo, 118–120, 496
Cuaresma, 192, 356, 496–498

D-E-F-G

Decálogo, 372
día de precepto, 398, 464, 484
Día de Todos los Fieles Difuntos, 150
Día del Señor, 394, 398
diácono, 294–296, 538
Diez Mandamientos, 26, 368–376, 390–402, 406–420, 422–434, 532
Dios. *Ver también* Santísima Trinidad.
  adorar a, 394–398
  atributos de, 40, 56
  como Creador, 40, 52–64, 278, 316, 320
  como el Padre Todopoderoso, 56
  nombre de, 24
discípulas, 116
discípulo, 22, 30, 38, 42–44, 78, 94, 114–118, 132, 440–444
Divina Providencia, 56–58, 246
Domingo como el Día del Señor, 398, 402
Domingo de Ramos, 492, 500–502
Domingo Respetemos la Vida, 414
doxología, 446

emoción, 324
Encarnación, 98
Enseñanza Social, 372
envidia, 354
Epifanía, 488–490
Espíritu Santo, 24, 28, 126–140, 220, 520–522
  Bautismo y, 68, 132
  como Intérprete, 130–132, 146
  como Maestro, 130, 146, 172, 178, 220
  Dones de, 132, 144, 186, 202, 210, 356
  en la vida de los cristianos, 30, 42, 46, 32, 70, 78, 128, 134–136, 148, 152, 172, 178, 280, 284, 322, 356–358
  Frutos del, 218
  Iglesia y, 146, 202, 220
  Tercera Persona, 38, 60
Estaciones de la Cruz, 536
Eucaristía, 114, 174, 204–208, 212, 504, 538
  como el Cuerpo y la Sangre de Cristo, 208, 250, 538
  como comida, 250
  Presencia Real, 208, 250, 544
  Sagrada Comunión, 192, 208, 508
  Última Cena y, 114, 504
Evangelio, escritura del, 28
evangelista, 28
evangelización, 134
examen de conciencia, 266, 360
Éxodo, 246, 368

falso testimonio, 428
familia, cristiana, 298, 410
fe, 44–46, 102, 118, 172–176, 280–282
felicidad como don de Dios, 336–342

Gabriel, ángel, 98
gracia, 266, 282, 356–358
gracia santificante, 352–356
Gran Mandamiento, 390, 406, 532
gula, 354

H-I-J-K

honrar, 410

Iglesia, 142–156, 184–188
  Católica, 146–148
  como el Pueblo de Dios, 142–156
  como pueblo de oración, 174–176
  miembros de la, 147–154
  misión de la, 148–152, 276, 282
  orígenes de la, 132, 146–148
Iglesia doméstica, 294–296
imagen de Dios, 40, 60, 316, 320, 324–326
Inmaculada Concepción, 472–476
intelecto, 320
ira, 354
israelitas, 26, 74

Jerusalén, 504, 520
Jesucristo, 76, 94–108, 110–124
  arresto y juicio de, 116
  Crucifixión de, 28, 76, 116, 508–510, 520
  entrada de, a Jerusalén, 114, 500
  ministerio de curación de, 262, 274–282
  ministerio de, 94, 98–102,
    118, 130, 134, 150, 220, 262–264, 438, 442–444
  Misterio Pascual, 188–190
  nacimiento de, 28, 76, 98, 480
  Pasión de, 114–116, 120, 508
  Resurrección, 76, 110–124, 496, 520
  Sacerdote, Profeta, Rey, 148
  Segunda Persona, 42, 98, 472, 484
  sepultura de, 116
  verdadero Dios y verdadero hombre, 42
Jesucristo, títulos de:
  Buen Pastor, 94–96, 254
  Cabeza de la Iglesia, 146, 188, 208
  Consejero Admirable, 74
  Cordero de Dios, 546
  Dios Fuerte, 74–76
  Hijo de David, 114, 504
  Luz del Mundo, 30, 468
  Maestro, 442
  Mesías, 72–76, 100, 442
  Pan de Vida, 202, 250
  Príncipe de la Paz, 74–76, 484
  Prometido de Dios, 100
  Salvador, 67, 74–76, 80, 98, 484, 488
  Ungido, 74–76
Jueves Santo, 492, 504–506

L-M-N-Ñ

Las Posadas, 186
Ley del Amor, 532
libre albedrío, 320
limosna, 250
liturgia, 174, 188–190
Liturgia de la Palabra, 176, 508, 538–540
Liturgia de las Horas, 172–174
Liturgia Eucarística, 542–546
lujuria, 354

mal, elegir el, 324
maná, 246, 250
María, 472–478, 484–486
  Anunciación, 98, 472
  Asunción, 472
  en Pentecostés, 132, 520
  Inmaculada Concepción, 472
  Madre de Dios, 98, 472, 484
  Madre de Jesús, 98, 472, 484
  María, fiestas de,
  Nuestra Señora de Guadalupe, 476–478
  Patrona de las Américas, 476
  respeto por el nombre de, 396
  Santa más importante, 464–472

Solemnidad de María, Madre de Dios, 484
Matrimonio, 204, 294, 298, 264
mentir, 428
Miércoles de Ceniza, 492–494
milagro, 102, 248
ministerio ordenado, 224, 296
Misa, celebración de la, 430, 536–548
misioneros, 128, 202, 292
Misterio Pascual, 188–190, 208
Moisés, 26, 36, 242, 246, 368–370

Navidad, 192, 480–482
Nazaret, 98–100
Nuestra Señora de Guadalupe, 476–478
Nueva Alianza, 42, 504
Nuevo Testamento, 28

O-P-Q

obispos, 148, 220, 294–296, 302, 538
Obras de Misericordia, 76, 532
Óleo de los Enfermos, 282
oración, 168–182
  alabanza, 80
  intercesión, 286
  letanía, 250
  meditación, 228, 376
  profesión de fe, 48
oraciones, 524–536
  Acción de gracias después de comer, 528
  Adoración de la Cruz, 122
  Agustín, oración de, 122
  Alabanzas divinas, 402
  Ángelus, 530
  Ave María, 180, 524
  Ave, Maria, 524
  Bienaventuranzas, 530
  Credo de los Apóstoles, 526
  Credo de Nicea, 106, 526
  Gloria al Padre, 132, 524
  Invocación al Espíritu Santo, 528
  Oración antes de comer, 528
  Oración de la mañana, 528
  Oración del Penitente, 270, 528
  Oración por las vocaciones, 302, 528
  Oración vespertina, 528
  Padre Nuestro, 524
  Rosario, 170, 534
  Santo, Santo, Santo, 196
  Señal de la Cruz, 524
  Ven, Espíritu Santo, 138
Oración del Señor, 368–370, 438–450

Orden Sagrado, 204, 294–296, 302, 538

Padre Nuestro, 438–450
Pan para el Mundo, 202
Papa, 148, 296
Pascua, 192, 512–514
Pascua judía, 114, 504
pecado, 262, 354
pecado mortal, 354
Pecado Original, 72, 278
pecado venial, 354
Penitencia y la Reconciliación, 262–264.
Pentecostés, 130–132, 520–522
perdón, 258, 262–266
peregrinación, 112
pereza, 354
perjurio, 426
Poder de los discípulos
  admiración y veneración, 170
  amor (caridad), 96
  benignidad, 334
  caridad, 440
  ciencia, 202
  compasión, 276
  confianza, 54
  diligencia, 392
  entendimiento, 144
  esperanza, 70
  fe, 38
  fortaleza, 366
  gozo, 218
  justicia, 350
  longanimidad, 244
  misericordia, 424
  perdón, 260
  piedad, 186
  prudencia, 318
  respeto, 408
  sabiduría, 128
  santidad, 292
  valor, 112
  veracidad, 22
preceptos de la Iglesia, 398, 532
profeta, 74, 396
Purgatorio, 146, 464

R-S-T-U

rabino, 442
Reconciliación, 204, 262–270, 550
Redención, 134, 150, 190
Reino de Dios, 148, 516
Relatos de la Sagrada Escritura
  Anunciación, 98, 472
  Creación, 20, 60
  Éxodo, 246
  Fe de Tomás Apóstol, 44
  Gran Mandamiento, 14, 390
  Iglesia primitiva, 184

Jesús alimenta a 5000, 248
Llamado de Samuel, 216
Milagros de curación, 262, 274, 280
Nacimiento de Jesús, 76
Pan de Vida, 250
Pentecostés, 214
Promesa de enviar al Espíritu Santo, 126
Resurrección, 118
respeto, 396
Revelación Divina, 40
robar, 426

sacerdotes, 296, 538
sacramental, 176, 208, 212
Sacramentos, 174–204, 264
Sacramentos al Servicio de la Comunidad, 290–302, 538
Sacramentos de Curación, 262, 282–538
Sacramentos de la Iniciación Cristiana, 204, 538
sacrificio, 110, 538
Salvación, 40–42, 72, 76, 134, 190, 204, 488
Santísima Trinidad, 38, 60, 134–172, 188, 266–410
Santos, 96
Santos patronos, 100
Santos y personas virtuosas
  Agustín, San, 318
  Ambrosio, San, 318
  Antonio de Padua, San, 96, 100
  Benito, San, 174
  Carlos Lwanga, San, 370
  Clara de Asís, Santa, 226
  David, rey, 480
  Dorothy Day, 70
  Elena de la Cruz, Santa, 112
  Escolástica, Santa, 174
  Esteban Diácono, San, 428
  Francisco de Asís, San, 96
  Helen Prejean, Hermana, 412
  Isaías, Profeta, 74–76
  Isidro y María, Santos, 54
  José de Arimatea, 116
  Juan Apóstol, San, 190
  Juan Bosco, San, 222
  Juan de Dios, San, 280
  Juan Pablo II, San, 332
  Juana de Arco, Santa, 392
  Juliana de Norwich, Beata, 58
  Kateri Tekakwitha, Santa, 206
  Luisa de Marillac, Santa, 338
  María Magdalena, Santa, 116–118
  María Meneses, Beata, 292
  Marta y María, Santas, 444
  Mónica, Santa, 318
  Óscar Romero, Beato, 264

Pablo, San, 104, 168, 322
Pedro Apóstol, San, 132, 148
Pedro Claver, San, 366
Siete Beatos Mártires de Tailandia, 144
Solanus Casey, Venerable, 244, 248
Teresa de Calcuta, Santa, 334
Tomás Apóstol, Santo, 42
Tomás Moro, Santo, 354
Semana Santa, 110, 500
sentimientos, 324
signos y símbolos, 176, 406
símbolos, cristianos, 118, 200–202
sinagoga, 278–280
soberbia, 354
sufrimiento, 278–280

tentaciones, 354
Tiempo Ordinario, 192
Todopoderoso, 56
Todos los Santos, Solemnidad de, 464–466
Triduo Pascual, 192, 500, 504–514

Última Cena, 114, 504
unción con óleos, 212
Unción de los Enfermos, 204, 278, 282, 538

V-W-X-Y-Z

veneración de la Cruz, 508–510
vicios, 354
vida eterna, 516
vida, carácter sagrado de la, 366, 408, 412–414, 418
Viernes Santo, 508–510
virtudes, 352
Virtudes Cardinales, 318, 350–352, 366
Virtudes Teologales, 44, 70, 440
vocación, 220–224, 294

YAVÉ, 24

Index

A-B-C

Abba, 59
absolution, 265
acclamation, 197
Adam and Eve, 27, 73
adultery, 373, 415
Advent, 193–194, 465–470
All Saints, Solemnity of, 465–467
All Souls' Day, 151
alleluia, 513
Almighty, 57
almsgiving, 251
angels, 61
anger,
anointing with oil, 213
Anointing of the Sick, 205, 279, 283, 539
Apostles, 149, 221
Apostles' Creed, 45, 177, 527
Ascension, 29, 77, 119, 517–519
Ash Wednesday, 493–495

Baptism, 207–211
  meaning of, 121, 206, 211–213, 225, 497, 539
Beatitudes, 333–347
Bethlehem, 481
Bible, 21–33, 365
bishops, 149, 221, 295–297, 303, 539
Bread for the World, 203

Calvary, 117
Cardinal Virtues, 359, 351–353, 367
Christmas, 193, 480–482
Church, 143–157, 185–189
  Catholic, 147–149
  members of, 148–155
  mission of, 149–153, 277, 283
  origin of, 147–149
  as People of God, 143–157
  as people of prayer, 175–177
Communion of Saints, 147, 465
Confirmation, 205–207, 213
conscience, 264, 353
Covenant, 27, 37, 43, 369, 417
covet, 415
creation, 21, 31, 41, 53–65, 279, 317, 321
creeds of the Church, 39, 45, 177
cross as symbol, 119–121

D-E-F-G

deacon, 295–297, 539
Decalogue, 373
disciple, 23, 31, 39, 43–45, 79, 95, 115–119, 133, 441–445
Disciple Power
  charity, 441
  compassion, 277
  courage, 113
  diligence, 393
  faith, 39
  forgiveness, 261
  fortitude, 180
  generosity, 245
  holiness, 293
  hope, 71
  joy, 219
  justice, 351
  kindness, 345
  knowledge, 203
  love, 97
  mercy, 425
  piety, 187
  prudence, 319
  respect, 409
  trust, 55
  truthfulness, 23
  understanding, 145
  wisdom, 129
  wonder and awe, 171
Divine Providence, 57–59, 247
Divine Revelation, 41
domestic Church, 295–297
doxology, 447

Easter, 193, 513–514
emotion, 325
envy, 355
Epiphany, 489–491
Eucharist, 115, 175, 205–209, 213, 505, 539
  as Body and Blood of Christ, 209, 251, 539
  as food, 251
  Holy Communion, 193, 209, 509
  Last Supper and, 115, 505
  Real Presence, 209, 251, 545
evangelist, 29
evangelization, 135
everlasting life, 517
evil, choosing,
examination of conscience, 267, 361
Exodus, 247, 369

faith, 45–47, 103, 119, 173–176, 281–283
false witness, 429
family, Christian, 299, 411
fasting during Lent, 357, 493
feelings, 325
forgiveness, 259, 263–267
free will, 321

Gabriel, angel, 99
gluttony, 355
God. See also Holy Trinity.
  as Almighty Father, 57
  attributes of, 41, 57
  as Creator, 41, 53–65, 279, 317, 321
  name of, 25
  worship of, 395–399
Good Friday, 509–511
Good News of Jesus, 29, 119, 133–135, 150, 187, 251
grace, 267, 283, 357–359
Gospel, writing of, 29
Great Commandment, 391, 407, 533
greed, 355

H-I-J-K

happiness as gift from God, 337–343
Heaven, 147, 465
holy day of obligation, 399, 465, 485
Holy Orders, 205, 295–297, 303, 539
Holy Spirit, 25, 29, 127–141, 221, 521–523
  as Advocate, 131–133, 147
  Baptism and, 69, 133
  Church and, 147, 203, 221
  fruits of, 219
  Gifts of, 133, 145, 187, 203, 211, 357
  in life of Christian, 31, 43, 47, 33, 33, 71, 79, 129, 135–137, 149, 153, 173, 179, 281, 285, 323, 357–359
  as teacher, 131, 147, 173, 179, 221
  Third Person, 39, 61
Holy Thursday, 493, 505–507
Holy Trinity, 39, 61, 135–173, 189, 267, 411
Holy Week, 111, 501
honor, 411

image of God, 41, 61, 317, 321, 325–327
Immaculate Conception, 473–477
Incarnation, 99
intellect, 320
Israelites, 27, 75
Jerusalem, 505, 521
Jesus Christ, 77, 95–109, 111–125
  arrest and trial of, 117
  birth of, 29, 77, 99, 481
  burial of, 117
  Crucifixion of, 29, 77, 117, 508–511, 521
  entrance of, into Jerusalem, 115, 501
  healing ministry, 263, 275–283
  ministry of, 95, 99–103, 119, 131, 135, 221, 263–265, 439, 443–445
  Paschal Mystery, 189–191
  Passion of, 115–117, 121, 509
  Priest, Prophet, King, 149
  Resurrection, 77, 111–125, 497–521
  Second Person, 43, 99, 473, 485
  true God and true man, 43
Jesus Christ, titles of:
  Anointed One, 75–77
  Bread of Life, 203, 251
  God–Hero, 75–77
  Good Shepherd, 95–97, 255
  Head of Church, 147, 189, 209
  Lamb of God, 547
  Light of the World, 31, 469
  Messiah, 73–77, 101, 443
  Prince of Peace, 75–77, 485
  Promised One of God, 101
  Savior, 68, 75–77, 81, 99, 485–489
  Son of David, 115, 505
  Teacher, 443
  Wonder–Counselor, 75

Kingdom of God, 149, 517

L-M-N-O

L'Arche Communities, 409
Las Posadas, 187
Last Supper, 115, 505
Law of Love, 533
laziness, 355
Lent, 193, 357, 497–499
life, sacredness of, 367, 409, 413–415, 419
liturgical year, 193, 461–523
liturgy, 175, 189–191
Liturgy of the Eucharist, 543–547
Liturgy of the Hours, 173–175

Liturgy of the Word, 177, 509, 539–541
Lord's Day, 395, 399
Lord's Prayer, 439–451,
love for God, 43, 173, 391–403, 441
love of neighbor, 407, 419, 423–431, 441
lust, 355
lying, 429

manna, 247, 251
Mary, 473–479, 485–487
  greatest Saint, 465–473
  Mother of God, 99, 473, 485
  Mother of Jesus, 99, 473, 485
  Patroness of Americas, 477
  at Pentecost, 133, 521
  respect for name of, 397
Mary, feasts of,
  Annunciation, 99, 473
  Assumption, 473
  Immaculate Conception, 473
  Our Lady of Guadalupe, 477–479
  Solemnity of Mary, the Holy Mother of God, 485
Mass, celebration of, 431, 537–549
Matrimony, 205, 295, 299
miracle, 103, 249
missionaries, 129, 203, 293
mortal sin, 355
Moses, 27, 37, 243, 247, 369–371

Nazareth, 99–101
New Covenant, 43, 505
New Testament, 29
Nicene Creed, 61, 177

Oil of the Sick, 383
Old Testament, 27, 243
ordained ministry, 225, 297
Ordinary Time, 193
Original Sin, 73, 279
Our Father, 239–451
Our Lady of Guadalupe, 477, 479

P–Q
Palm Sunday, 493, 501–503
Paschal Mystery, 189–191, 209
Passover, 115, 505
patron saints, 101

Penance and Reconciliation, 263–265.
Pentecost, 131–133, 521–523
perjury, 427
pilgrimage, 113
Pope, 149, 297
prayer, 169–183
  intercession, 287
  litany, 251
  meditation, 229, 237
  praise, 81
  profession of faith, 49
prayers, 525–537
  Act of Contrition, 271, 529
  Adoration of the Cross, 123
  Angelus, 531
  Apostle's Creed, 527
  Augustine, prayer of, 123
  Ave Maria, 525
  Beatitudes, 531
  Come, Holy Spirit, 139
  Divine Praises, the, 403
  Evening Prayer, 529
  Glory Be, 133, 525
  Grace After Meals, 529
  Grace Before Meals, 259
  Hail Mary, 181, 525
  Holy, Holy, Holy, 197
  Morning Prayer, 259
  Nicene Creed, 107, 527
  Our Father, 525
  Prayer to the Holy Spirit, 529
  Rosary, 171, 535
  Sign of the Cross, 525
  Vocation Prayer, 303, 529
precepts of the Church, 399, 533
pride, 355
priests, 297, 539
prophet, 75, 397
Purgatory, 147, 465

R–S–T–U
rabbi, 443
Reconciliation, 205, 263–271, 551
Redemption, 135, 151, 191
religious communities,
  Benedictines, 175
  Capuchins, 245
  Franciscans, 97
  Maryknoll missionaries, 129
  Salesians, 293
respect, 397
Respect Life Sunday, 415
sacramental, 177, 209, 213
Sacraments, 175–205, 265
Sacraments of Christian Initiation, 205, 539

Sacraments of Healing, 263, 283, 539
Sacraments at the Service of Communion, 291–303, 539
sacrifice, 111, 539
Saints, 97
Saints and Holy People
  Ambrose, Saint, 319
  Anthony of Padua, Saint, 97, 101
  Augustine, Saint, 319
  Benedict, Saint, 175
  Charles Lwanga, Saint, 371
  Clare of Assisi, Saint, 227
  David, King, 481
  Dorothy Day, 71
  Francis of Assisi, Saint, 97
  Helen Prejean, Sister, 413
  Helena of the Cross, Saint, 113
  Isaiah, Prophet, 75–77
  Isidore and Maria, Saints, 55
  Joan of Arc, Saint, 393
  John the Apostle, Saint, 191
  John Bosco, Saint, 223
  John of God, Saint, 281
  John Paul II, Saint, 333
  Joseph of Arimathea, 117
  Julian of Norwich, Blessed, 59
  Kateri Tekakwitha, Saint, 207
  Louise de Marillac, Saint, 339
  Maria Meneses, Blessed, 293
  Martha and Mary, Saints, 445
  Mary Magdalene, Saint, 117–119
  Monica, Saint, 319
  Óscar Romero, Blessed 265
  Paul, Saint, 105, 169, 323
  Peter the Apostle, Saint, 133, 149
  Peter Claver, Saint, 367
  Scholastica, Saint, 175
  Seven Holy Martyrs of Thailand, 145
  Solanus Casey, Venerable, 245, 248
  Stephen the Deacon, Saint, 429
  Teresa of Calcutta, Saint, 335
  Thomas the Apostle, Saint, 43
  Thomas More, Saint, 355

Salvation, 41–43, 73, 77, 135, 191, 205, 489
sanctifying grace, 353–357
Scripture Stories
  Annunciation, 99, 473
  Birth of Jesus, 77
  Bread of Life, 251
  Call of Samuel, 217
  Creation, 21, 61
  Early Church, 185
  Exodus, 247
  Faith of Thomas the Apostle, 45
  Feeding of 5000, 249
  Great Commandment, 15, 391
  Healing Miracles 263, 275, 281
  Pentecost, 215
  Promise to Send Holy Spirit, 127
  Resurrection, 119
signs and symbols, 177, 407
sin, 263, 355
Social Teachings, 373
soul, 321, 329
Stations of the Cross, 537
stealing, 427
steward of creation, 55, 59, 63
suffering, 279–281
Sunday as the Lord's Day, 399, 403
symbols, Christian, 119, 201–203
synagogue, 279–281

temptations, 355
Ten Commandments, 27, 369–377, 391–403, 407–421, 423–435, 533
Theological Virtues, 45, 71, 441
Triduum, 193, 501, 505–515

V–W–X–Y–Z
veneration of the Cross, 509–511
venial sin, 355
vices, 355
virtues, 353
vocation, 221–225, 295

women disciples, 217
Works of Mercy, 77, 533
worship, 395

YHWH, 25

Créditos